# 何建明文集

# 部长与国家

卷七

何建明 著

新世界出版社
NEW WORLD PRESS

**图书在版编目（CIP）数据**

部长与国家 / 何建明著 . -- 北京 : 新世界出版社 , 2018.3

（何建明文集 ; 7）

ISBN 978-7-5104-6414-0

Ⅰ . ①部… Ⅱ . ①何… Ⅲ . ①纪实小说－中国－当代 Ⅳ . ① I247.5

中国版本图书馆 CIP 数据核字 (2017) 第 233325 号

**部长与国家**

作　　者 : 何建明
特邀丛书编辑 : 韩小群
责任编辑 : 熊文霞
责任校对 : 宣　慧
责任印制 : 王宝根　苏爱玲
出版发行 : 新世界出版社
社　　址 : 北京西城区百万庄大街 24 号( 100037 )
发 行 部 :( 010 ) 6899 5968　( 010 ) 6899 8705 ( 传真 )
总 编 室 :( 010 ) 6899 5424　( 010 ) 6832 6679 ( 传真 )
http://www.nwp.cn
http://www.nwp.com.cn
版 权 部 : +8610 6899 6306
版权部电子信箱 : nwpcd@sina.com
印　　刷 : 北京京华虎彩印刷有限公司
经　　销 : 新华书店
开　　本 : 710mm × 1000mm　1/16
字　　数 : 450 千字　　印　　张 : 28.25
版　　次 : 2018 年 3 月第 1 版　2018 年 3 月第 1 次印刷
书　　号 : ISBN 978-7-5104-6414-0
定　　价 : 76.00 元

1978 年——中国改革开放启幕

1978 年——我的文学生涯开始

庆幸，我的命运与时代、与祖国同行。还有一份安慰：当我离开这个世界时，有人可以从我的文字里触摸到中国今天的脉搏是如何跳动的……

何建明

# 重要创作历程及个人成就

| | |
|---|---|
| 1978 年 | 创作第一篇中篇散文《湘西探险记》 |
| 1980 年 | 发表第一篇报告文学《腾飞吧，苍龙》 |
| 1982 年 | 创作第一部军事题材小说《第二道战壕》 |
| 1986 年 | 出版第一部报告文学作品集《缉私大王》 |
| 1988 年 | 出版第一部长篇小说《东方毒蛇》 |
| 1989 年 | 由同名作品改编的电影剧本《西行囚车》被搬上银幕，此片获珠江电影制片厂优秀故事片奖 |
| 1990 年 | 第一次获中华宝石文学奖 |
| 1993 年 | 任文学杂志《新生界》主编 |
| 1993 年 | 发表第一部长篇报告文学《野性的黑潮》 |
| 1994 年 | 第一次成为《青年文学》封面人物 |
| 1995 年 | 《共和国告急》出版，此后获第一届鲁迅文学奖 |
| 1995 年 | 《科学大师的名利场》发表 |
| 1998 年 | 《落泪是金》发表，此后获第二届鲁迅文学奖、第一届徐迟报告文学奖、中国改革开放优秀报告文学奖 |
| 2000 年 | 《中国高考报告》出版，此后获第一届正泰杯全国报告文学奖 |
| 2001 年 | 《中国高考报告》被日本、澳大利亚翻译出版 |
| 2002 年 | 《根本利益》发表，此后获第二届徐迟报告文学奖、人民文学奖特等奖、第六届国家图书奖提名奖、第二届正泰杯全国报告文学奖，入选中宣部推荐的党的十五大献礼书目 |
| 2002 年 | 《国家行动：三峡大移民》出版，此后获中宣部第九届“五个一工程”奖，入选中宣部推荐的党的十六大献礼书目 |
| 2003 年 | 《北京保卫战》发表，获《文汇报》优秀作品奖 |

2003 年　完成电影剧本《廊桥悠悠》创作（此为与谢晋导演合作项目）

2004 年　由《根本利益》改编的电影《信天游》上映

2004 年　《永远的红树林》发表，此后获第四届正泰杯全国报告文学奖

2005 年　《李琬若：从中国留学生到美国市长》出版，并被美国翻译出版

2005 年　获国务院授予的“全国劳动模范”称号

2005 年　任《中国作家》杂志主编

2006 年　《男人的美丽男人的梦》出版

2007 年　散文《父亲的体温》入选中学课本及教辅资料

2007 年　《部长与国家》获第四届鲁迅文学奖、第三届徐迟报告文学奖荣誉奖

2008 年　《生命第一——5·12 大地震现场纪实》出版，此后获第二届“中华优秀出版物”奖、第四届徐迟报告文学奖

2008 年　任作家出版社社长

2008 年　荣获“全国新闻出版行业领军人才”称号

2008 年　根据《国家行动》改编的同名电视连续剧在央视播出

2009 年　任中国作家协会党组成员、书记处书记，中国作家出版集团党委书记、管委会主任

2009 年　《国家行动》电视连续剧获中宣部第十一届“五个一工程”奖

2009 年　《我的天堂》出版，获中宣部第十一届“五个一工程”奖

2009 年　《永远的红树林》获新中国六十年优秀中短篇报告文学奖

2009 年　获中华全国总工会“时代领跑者——新中国成立以来最具影响的劳动模范”评选活动提名奖

2010 年　根据《部长与国家》改编的电视连续剧《奠基者》在央视黄金时段播出，此后获中宣部第十二届“五个一工程”奖

2010 年　《忠诚与背叛：告诉你一个真实的红岩》出版，此后获中宣部第十二届“五个一工程”奖、第三届中国出版政府奖，入选“2013 年全国青少年推荐阅读的优秀书目”

2010 年　任中国作家协会副主席至今

2011 年　《国家——2011·中国外交史上的空前行动》出版，后获人民文学奖特等奖，入选“2012 年中国报告文学优秀作品排行榜”、中宣部推荐的党的十八大献礼书目

2012 年　《三牛风波》出版，荣登北京图书大厦畅销书排行榜

2012 年　任中华文学基金会理事长至今

2012 年　当选中国报告文学学会理事长至今

2014 年　《南京大屠杀全纪实》出版，此后获第四届中国出版政府奖、人民文学奖特等奖

2015 年　获亚洲品牌协会“中国文化品牌新领军人物”荣誉

2015 年　《真假之间》发表

2016 年　《爆炸现场》出版，获中国出版集团优秀销售奖，入选“2016 年中国报告文学优秀作品排行榜”

2017 年　《死亡征战》出版，被英国、法国翻译出版

2017 年　《那山，那水》发表

（截至 2017 年 9 月）

# 目　录

# 引　子

之前，他的职务是中共中央政治局委员、书记处书记、国务院副总理、中国人民解放军总政治部主任……突然有一日他倒下了，像一座大山倾入大海，顿时掀起冲天巨澜。

嗯？一条胳膊怎么没啦？1500余天，白色的病榻上他一言不发，生命就像一串忘了收笔的休止符号……

那是秋里的一个日子，离今天已二十余年。

首长昨晚应三女儿晓红之邀，上北京东边的建国门饭店吃了一顿饭。回来的路上他很高兴，对随行的管理员小陈和警卫参谋小高说，今晚不想再回玉泉山那儿住了，他要回后海边自己的家住。

还是后海这边进城方便，首长说。

是啊，首长说的后海便是北京那个与中南海相连的北海后庭湖池。几十年进进出出中南海工作，住在后海当然方便。老房子因1976年唐山大地震导致墙基破裂毁损，国务院机关事务管理局为此提出修缮首长的房子。无奈，首长全家只好暂搬至玉泉山那儿住。

不方便，玉泉山那儿虽说条件不错，不少中央领导都住在那儿，但首长习惯于住在城里、住在中南海旁边。这个习惯是从毛泽东时代开始的，那时毛泽东主席经常半夜来电话通知开会，住在后海就是深更半夜被召去中南海开会也是很方便的——中国的高级领导那时大都围着北海一带住着。

装修中的房子尚未全部完工，首长和管理员、警卫参谋进去时还踩了一脚的灰土。

没事，你们走吧走吧！首长一进自己的房间，先“轰”走了警卫参谋，后又把给他按摩了一阵的管理员小陈“轰”了出去。

哈哈，又回来了！回来了就可以静下心做点事了！首长仰躺在床头，眼睛瞪着天花板，脸上露出欣慰的笑容：30多岁后，他生命的全部时间，除了吃饭睡觉就是工作——吃饭睡觉也是为了工作；30多岁前，那时的全部时间，除了吃饭睡觉就是打仗，嚯，那个时候吃饭睡觉时也还经常要打仗嘞！

还是在首长当国务院副总理时，有位外国总统得知他的一条胳膊是在二万五千里长征途中的一次激战中失去的，非常敬重地问：副总理先生，您一生中有什么爱好？

首长嘿嘿一笑，说：我的爱好就是工作、战斗。

总统又问：除了工作和战斗呢？

首长挺挺腰杆，说：除了工作和战斗，还是工作和战斗。

哈哈，是工作嘞！是战斗嘞！

首长的眼前渐渐映出一幅幅他熟悉而亲切的画面，那画面里有毛泽东、周恩来、邓小平，还有老首长贺龙、彭德怀……

"冲啊——"首长的耳边，突然响起震天的杀声。

怎么啦？部队又发起反击啦？床上的他浑身一个激灵，双手不由自主地抓住床栅，"噌"地坐起。

"警卫员！警卫员呢？"他四处寻觅，连喊几声，却不见人影，只有黑暗……

敌人都逼到脚跟前了！我们的人都上哪儿去了？

他从床上摇摇晃晃地站起来，嗯，怎么站不住脚嘞？不应该嘛！在他的记忆里闪出那个当红军赤卫队队长的他来。是嘛！二十几岁干吗摇摇晃晃？是怕20万围剿苏区的"蒋光头"军队？不不！"同志们，冲啊——"突然，首长跨出一个箭步，可他猛然发现自己眼前一黑，整个身子重重地摔倒在地，那头部先是一阵剧烈的钻心的疼，之后则变得麻木……他下意识抬手往额头一摸：黏糊糊的，猩红猩红的。是香山的红叶？不，现在是在战场上，怎么会有香山的红叶呢？

"他头部受枪伤了，赶紧送下去！"是战友、江西省苏维埃政府主席曾山的声音。

他被人七手八脚地送到一个农民家里。"天呀，这红军哥像砍了头似的，咋流这么多血嘛？"那农民吓坏了，赶紧找来一位治外伤的中医。

中医先生来了，见躺在木板床上的他更是吓得要逃跑。“你不能走！”那农民也是苏维埃干部，一下用枪顶住中医的腰：“这位英雄要是死了，就拿你的命抵！”

中医无奈，先简单包扎了一下，又说：“这红军哥伤得太厉害了，我没治伤的药呀！”

农民又把手中的枪一晃，吆喝起来：“咱这儿满山是草药，你不会就地取材？”

是嘛！中医放下药箱就往山上跑。一会儿满头大汗地抱回一堆各式各样的草，一边用刀切，一边又觉得切得不够碎，便放进嘴里“咂巴咂巴”地嚼起来。等嚼烂后，又找上一块干净一点的布，涂上嚼烂的草药，往“红军哥”的头上一敷，然后挥挥手对站在身后的那农民说：“快上你们的草房上摘个南瓜，刨掉里面的瓤！”

“干啥用？”农民问。

“你啰唆啥？不是要救这红军哥吗？”这回轮到中医先生发火了。

那农民不敢再吱声了，跑到院子内上房摘下一个大南瓜，又按中医说的刨掉里面的瓜瓤，送到中医手中。只见那中医反过手掌，就将碗口大的南瓜壳往“红军哥”头上一盖，说：“好了！”

“好了？这就治好了？”农民瞪大眼珠问。

“是啊。等着看吧！”中医说完，背起药箱就走……

南瓜瓤真的把枪伤治好了！

此刻的首长倒在地上，他摸摸额头，额头疼得钻心，难道敌人的子弹又把我的脑壳打碎了？不，打碎了我也得前进！前进啊！

他想从地上爬起来。那压在身子底下的右手动弹不得，只好扭动一下身子，用左胳膊支一下地想站起来。“哎哟——”首长痛苦地大叫一声，原来他的左胳膊没使上劲，整个身子重新倒在地上，倒在新铺设的瓷砖地上。

怎么回事？我的左胳膊呢？在重新摔倒的那一瞬，他用右手摸了一下自己的左手：左手怎么没有了呀？

他大叫起来：我的左胳膊呢？啊，我的左胳膊怎么没了呀？

“政委，政委啊，你的左胳膊被、被敌人的机枪打掉了……”他看到了团长成本兴在他身边痛哭流涕。

他奇怪地问："怎么啦？有啥哭的嘛！"

团长成本兴托着那条被敌人打烂的左胳膊，抖动着嘴唇说："政委，你刚才是为了救我，才被敌人打成这个样子的。呜呜……我对不住你呀政委！"

他火了："哭啥嘛！我们是贺龙的队伍！把敌人打垮了就是胜利！知道吗？"他的话没说完便昏死了过去。

等再度睁开眼睛时，他看到了几个熟悉的人：啊，是贺龙总指挥、任弼时政委、关向应副政委他们来了！

贺龙用手按住他："莫动莫动。"然后俯下身子，看了看那条血肉模糊的左胳膊，眼里闪着晶莹的泪光，说："这回长征路上，你得让人抬着走，而且争取要把胳膊保住。"

他一听就急了："贺老总，我怎么能坐担架走长征嘛！我要打仗！"

贺龙威严地说："这是命令。"

任弼时政委过来安慰道："前面是翻雪山过草地，还要跟敌人打仗，你必须保护好身子，才能走过雪山草地，才能重新参加战斗。红十八团的同志们等着你早日归队呢！"

他还是挣扎了一下，可全身的骨架子好像没长在自己身上一样……无奈他只得点点头。

队伍重新出发。他拖着未愈的残体回到红十八团，回到贺龙领导的红二方面军。

红二方面军正在向雪山草地挺进。这是一段最为壮烈而艰辛的路程。敌人在后面追打，红军的队伍则在空气稀薄、天气多变的草地和雪山上行进。那种困苦的条件下，多少好端端的战士和指挥员因经受不住困苦而倒在了半途。身负重伤的他，更是难以想象是怎样走过这段艰苦卓绝之路的。

"让我下来！下来！"看着一个又一个陷进沼泽而牺牲的战友，他心急如焚地从担架上滚下来，坚持自己走。

警卫员们急着追过来对他说："让你躺担架是贺司令员和中央领导的命令。"

他火了："什么他 × 的命令！老子本来就是个残人，你们怎么还可以为我而死在这荒山野地里呢？革命还靠谁来完成？”说完，右手托起仍在滴着血的左胳膊，大步朝前走……

哎哟哟——他疼得在草地里直打滚，可是敌人又从后面追来，而且越逼越紧。

“准备战斗！”他把那条左胳膊在冰冷的水里一浸——长征路上没有止痛药，冰水便是他最好的止痛药。“冲啊——”他的左胳膊刚从冰水里抽出，右手握着的手枪，已经高高举起。

又一场残酷的肉搏战结束。医生和警卫员们将他抬到草地深处的噶曲河边解开左胳膊的伤口一看：天，一条条蛆虫正在吮吸着他的那条红肿腐烂的胳膊与骨头……医生不得不小心翼翼地用镊子将蛆虫夹出，然后再用冷水清洗一下伤口。

又是两个多月的草地行军打仗。队伍到达甘南，一次战斗结束后，贺龙、任弼时等领导来到爱将身边。

贺龙关切地问：“前面的路还很长，战斗也非常激烈，你有什么想法？”

他说：“左胳膊是保不住了，又疼痛难忍，干脆锯掉算了。”

贺龙听后久久默不作声，之后他把任弼时叫到一边，俩人嘀咕了几句，回来又对他说：“既然你已下决心，那我通知红二方面军的卫生部长，让他亲自给你动手术，我们也会尽全力调些药品来，保证手术成功。”

任弼时搂住曾经当过自己警卫队队长的他，深情地说：“同志们正等着你早日恢复健康，锯掉一只胳膊，不是还有一只胳膊嘛！”

他点点头，对两位领导说：“我把生命都交给了党，一条胳膊算个啥？”

手术在一个沿途小镇的居民家里进行。长征时的红军队伍，严重缺医少药，方面军的卫生部连把动手术的锯子都没有，只好从县城一家钟表店里找了把锯木头的钢锯条，又从修械所找来一把锯弓，这就算手术所需的全部器械了。

没有消毒药水，卫生部长便用稻草灰擦洗了一遍锯子，然后又从包子铺借来蒸笼，把锯子和包扎用的布头蒸了一下，手术就在一间满是灰土和烟尘的房子里开始了……几个小时后，等他醒来时，他习惯性地用右手摸了摸左手，空荡荡的，他知道自己从此再也没有那条左胳膊了。

贺龙后来问他手术感觉怎么样？他说："我像睡了很香的一觉。"

从这年3月12日负伤到9月20日锯肢，他拖着一只残臂度过了整整192个日日夜夜，那是在长征路上最艰难的192天啊！

……

摔倒在地的首长这才记起自己的左胳膊是丢在了长征路上。嘘——少一条胳膊多么不便，可不便能停止工作和战斗吗？不，绝不！就是到一百年后还要工作，还要战斗！

首长吃力地用右胳膊撑地，又用双脚抵住床腿，缓缓地、一点点挪动着，支撑起身子。他要前进，去工作和战斗，他的脑子像昨天在战场上被炮火震了那样"嗡嗡"作响，脑袋里则如涌满了水似的……走，一步、两步，十步、二十步……他又被什么东西绊了一下，踉踉跄跄地向前俯冲下去。

他使出最后的一点力气，推开一扇门。他觉得那应该是敌人盘踞的又一个城堡，可他发现是自己的警卫参谋躺在那儿，便奇怪地问："你怎么睡在这儿？"

高参谋惊愕万分地："首长你怎么啦？"高参谋一看首长有些不对劲，从床上一跃而起，并立即唤醒院子内住着的护士。俩人赶紧将首长扶进他的房间，但这时的首长已经瞳孔放大，全身像棉絮似的软塌下来……

"爸爸！爸爸你醒醒呀！"三女儿晓红是第一个在父亲倒下后跑到他身边的亲人。她从建国门饭店飞奔到家时，301医院的救护车已经随她而至。

"快，快快做心脏起搏！"那一刻首长身边的工作人员全都手忙脚乱。

管理员陈先学此刻更是满头大汗。他也是在高参谋打电话后，跑步从家里赶到的。"一分钟也不要再耽误了！快送301！"说着，他挽起晓红，连带提起心脏起搏器，与身边的医生和工作人员一起跳上急救车。

北海、平安里、长安街……救护车在乳色的晨曦中呼啸着，一路将熟睡的附近市民惊醒。

“首长怎么啦？”301 医院的专家早已等候在医院门口，他们见救护车驶来，第一句话便是焦急地询问。

“不行了！瞳孔都放大了，赶快进抢救室！”当班的首席专家翻了翻首长的眼皮，迅速命令抬担架的医生和护士。

“脑内已经严重溢血！马上进行开颅手术！”

陈先学一听专家的话，没有半点犹豫，伸手就从护士手中抢过一把剪刀。“唰唰”几下就将首长头颅上的头发铰了，这样的动作在平时陈先学就是吃了虎胆也不敢，但此刻他就是虎子。他心里想的只有一件事：抢救首长的生命最要紧！

“首长，让您受委屈了！你醒来再骂小陈吧！”陈先学一边流泪一边后悔莫及地喃喃着。

怨啊！陈先学怨自己跟首长 20 多年竟然就这么一天粗心便误了事！昨晚，与首长同桌吃饭时，首长有一个动作，当时他就和首长的女儿晓红用眼睛对视了一下：首长竟然夹着一块肉放进了酒杯，然后再放到嘴里。

“首长，是不是……你觉得味道不对劲？”当时陈先学轻轻问了一句，他想观察首长的这个唐突动作。

“没有。没有啊！味道挺好的。”首长似乎什么也没有发生似的，只管夹菜和吃饭。

陈先学因此和晓红又对视了一眼，留在眼里的疑虑也跟着后来首长颇为兴奋的食欲而渐渐消失了。

首长难得心情好，吃完饭后本来要回西山的，首长却说：“北海那儿的房子是不是已经装修好了，装修好了今晚我就回去了！”

“哟，这房子装修得差不多了嘞！小陈，我今晚就住这儿了。你一会儿给刘阿姨打个电话告诉她一声。”首长笑呵呵地一脚高一脚低地踩着仍是满地沙子和石灰的地面，习惯地甩着那只空洞洞的衣袖，直奔自己的房间，像孩子般地左看看右看看地瞅着久别的“老根据地”，眼里满是新鲜和喜悦。

“不早了，你也回家吧！”他收起双腿，对正为他做按摩的陈先学说。

“还早，我再给您做一会儿。”陈先学蹲在地上没有起身。

首长一把将其拉起：“得得得，不早了不早了，你回去吧回去吧！”首长从来不愿啰嗦。

陈先学无奈地站起身，跟以往一样将几粒安眠药放在床头的小桌上，然后又询问一声：“真没事了？”

“没事！走吧！回去看看你那小子尿炕了没有！”首长带着笑脸，愉快地甩了甩那只空洞洞的袖子，然后又“嘿嘿嘿”地一阵笑：“啥时候把你那小子带过来我们爷儿俩聊聊天！”

“唉！”陈先学就这样离开了首长，他丝毫没有觉得首长有什么异常。而且他心里默默地想：这回首长总算不用再城里城外地跑了。

陈先学比平时早回到家一个多小时，但却晚入睡了三个小时。习惯了那个钟点睡觉，这一早了反而睡不着。

怎么回事嘛！陈先学在梦中突然一个冷战：什么响声？对，是电话铃！快接，肯定有急事！他飞步从床上跳下，一个箭步抓过电话，像有预感地出口就问：“首长怎么啦？”

“首长出事了！”后海那边的一声电话，不仅惊动了陈管理员，也惊动了首长的秘书和家里所有的人。

不一会儿，301 医院抢救室外的走廊里，首长的雷秘书、杨秘书来了；首长的大女儿圆圆、儿子方方、二女儿小霞、四女儿阳阳也来了。

首长的夫人刘素阁也从玉泉山赶来了……

“首长！首长您醒醒啊！”首长身边的工作人员一遍又一遍呼叫着。

“爸爸，爸爸您睁开眼睛呀！我们都看您来啦！”儿女们的呼声震响病房楼上楼下。

只有首长夫人默默地坐在床边一边不停地抚摸着丈夫的那只右手，一边不停地流泪、发呆……

这回你醒得来吗？你醒来该有多好啊！醒来我们就一起回家，一起回到装修好的老房子住了。

首长的手术已经一天、两天、十天、二十天……

夫人、儿女们和工作人员们一天、两天、十天、二十天地这样重复着呼唤，重复着期待，然而首长的知觉始终如一：两眼睁着，谁都不认识，也不跟任何人说话，也说不出一个字，发不出一个音，更没有一点意识……

首长这是怎么啦？秘书和警卫们焦虑万分。

夫人整天紧抓着丈夫的那只右手，生怕松一下就会永远失去自己的心。

三女儿本是301医院的医生，她觉得在自己工作的医院唤不醒爸爸便是自己最大的罪过。“爸爸，爸爸您到底怎么啦？您说话呀！求求您了，哪怕就说一句，说一个字，或者点一下头，眨一下眼也行呀！爸爸，您听到没有？爸爸——”

晓红一直这样喊着。喊了一年、两年、三年、四年……她的爸爸依然一动不动，只有呼吸，只有心跳，却没有知觉，没有意识，直挺挺地躺在床头，如同出征前的一名全神贯注的战士——

大地突然一阵颤动。

一个夹着浓重湖南口音的声音在空中回荡……

# 第一章

共和国崛起的危难时刻，毛泽东一锤定音：我看余秋里能当好石油部长。此人人才难得，是个将才！

彭德怀推荐，周恩来欣赏：中国和平建设时期从此出了个独臂“巴顿将军”。

世界工业史一次又一次地证明石油立国的理论。不管你承认不承认，20世纪以来的世界，是石油将人类引向了一个又一个辉煌。任何一国的领袖如果谁忽略了对这一来自地心深处涌发的“地球之血”的重视，谁就无法驾驭代表现代文明的本国工业社会的前进巨轮。

老牌帝国的首相丘吉尔是这样。

新兴霸权帝国的总统罗斯福是这样。

东方的人民共和国领袖毛泽东也是如此。

1956年、1957年……这一段的“内参”让毛泽东惊心和震怒了：共产党领导的人民政权已经走过七八年，农民从地主富农手里夺回土地并实现了“土地改革”之后，城市的工商改造也已进入彻底的脱胎换骨时期，摆在他桌子上的“情况反映”竟然是：河南、山东的黄河沿线出现大量因饥饿而逃亡的难民正以成千上万的人数向江南一带乞讨要饭，那些老弱病患者因饥饿而弃尸于荒野……令毛泽东更不能容忍的是连四川这样的“天府之国”竟然也频频出现饿死人的现象！

到底怎么回事？是我们的执政思想和建设方向出了问题？

卫士长这一夜不敢回家睡觉，整宿地待在丰泽园内的菊香书屋外的那个四方小庭院里，距毛泽东十几米远的地方看着毛泽东一支又一支地吸着香烟，那红红的烟火将长夜催出了黎明之光。

“主席，都快天亮了！您回屋休息吧！明天，不，是今天了——今天上午十点您不是还要开个座谈会吗？您得先眯一会儿嘛！”

毛泽东缓缓地转过脸，长时间地看着卫士长……

“主席，您还有事要我去办？”卫士长低头看了看自己的衣着，又摸摸自己的脸，不解地问，“主席，我、我……没什么不对吧？”

毛泽东突然似答非答地说：“是不对。”说完迈开双腿径直向书房兼卧室走去，刚走出几步又回过头：“银桥，你通知总理九点前到我这儿来一趟。”

“是。”卫士长快步随毛泽东进了房间，待他躺下后迅速回到值班室给周恩来办公室摇去电话。

这一天午前两个多小时发生在丰泽园内的事只有毛泽东和周恩来两个人知道。后来有记载的史料使我们获得了一个可靠的推测：二位共和国领袖一起研究了一件大事，这件大事后来对中国社会主义事业发展产生了重大影响。

这件大事基本上是一个主题：中国的石油问题和中国石油部部长的人选问题。

毛泽东已经是很着急了。这时期农村人民公社的问题已经够他老人家操尽心了。时而不可遏的风起云涌，时而因不可遏的风起云涌所出现的一桩桩一件件出格离奇的事让他思绪兴奋而忧虑：他在河南视察时说了句“还是人民公社好”的话后，一夜间从南到北、从东到西出现了千万个各式各样的“人民公社”。“吃饭不要钱”和“向共产主义过渡”成了当时中国的一阵狂热的社会风潮。

但工业的形势尤其是石油工业的形势令毛泽东极不满意。因为在“第一个五年计划”中唯有石油工业部没有完成任务。

在中国共产党人从国民党手中夺取全国政权前夕，毛泽东在西柏坡一方面指挥百万雄师追穷寇，另一方面已经着手谋划新中国的建设大业了。当共和国国体确定之后，剩下的全部问题就是怎样把一个一穷二白的国家建设成富强之国的事。怎么建设？列宁和斯大林的苏联模式真的值得效仿，二三十年过去了竟然把一个旧世界彻底摧毁后又迅速建立起了强大的社会主义国家机器并使人民过上了富裕的日子。苏联搞建设的模式自然对毛泽东产生了巨大的影响。但毛泽东是个绝对不愿照搬照抄别人东西来建设自己国家的领袖，尤其是第一、第二次国内革命战争和抗日战争的实践证明，苏联人那种强加于人的思维方式早已令毛泽东生厌。他在思考未来建设新中国应采取何种建设途径时，已经悄悄将一些注意力转向了太平洋彼岸的那个仅二三百年便迅速崛起的美利坚合众国。

美利坚合众国？！喔，那么意味深长的国名！了不得啊，华盛顿的军事天才与治国大略，杰斐逊的《独立宣言》，还有林肯的就职演说，简直令人如痴如醉。那才叫领袖！才叫缔造国家的伟人！

伴着闪闪的烟蒂，毛泽东坐在石磨旁的小木凳上，在读完列宁和斯大林的一本本建设国家的著作的同时，也打开了一本本美国建国历史教科书……他在阅读中吃惊地发现了这个新兴帝国近百年迅速崛起的奥秘：石油！石油！

难怪前些日子在中共中央通过秘密渠道向苏联讨教建设国家经济的方略时，斯大林捎来话说：英国和欧洲人走向强大的秘诀是蒸汽机带来的工业革命，而美国崛起的经验证明，在工业革命中，是石油对国家经济超越常规发展起了决定性的作用，并使社会飞速前进成为可能。

石油，石油是什么东西？

卫士长李银桥过来给毛泽东端上一壶开水，见毛泽东口中喃喃地念叨着，便凑过来说："主席，石油是不是石头里流出的油？"

毛泽东一愣，继而哈哈大笑起来："不错不错，石油就是石头里流出的油！"

李银桥说："可石头里哪能会流油嘛？"

毛泽东站起来，将手中的书本往石磨上一放，说："石头当然能流出油喽！而且还能流很多很多的油喔！你没见我们在延安时上延长那个油井那里参观看到的那黑乌乌的油？"

李银桥想起来了，说："那是洋油，能点亮马灯的洋油。"

毛泽东点点头又摇摇头，似答非答地说："帝国主义害死我们中国人喽，洋油洋油，连我们自己的石头里流出的油也给叫成洋油喽！"说完，一脸怒气地走出小院子，向附近的小山坡走去。

卫士长着急了，迅速拿起毛泽东搁在小木凳上的外衣，随后而至。

小山坡上，毛泽东神情严峻地在思索着，口中仍然喃喃着："洋油洋油，中国人用洋油的日子什么时候才能结束啊？"

李银桥看着毛泽东一脸凝重的神情，觉得不便再打扰，便退到一边。可有一个问题他实在不明白，便又忍不住上前请教毛泽东："主席，你刚才为啥又把洋油说成是石油？这石油跟洋油是不是一回事？"

毛泽东转头向自己的贴身卫士"嗯"了一声，解释道："外国人把石头里流的油叫石油，而我们中国因为没有石油却把从国外买进来的油说成了'洋油'。"

"其实，这石油的发明权是我们中国人的。我们中国也是最早开采石油的国家之一。"毛泽东左手叉在腰际，右手向前一挥，用其浓重的湖南话说道：你不是也晓得我们延安时有个延长油井嘛！那口井就是宋代一个叫沈括的科学家发现的。1080年时，他被宋朝皇帝派到延安任经略使，负责陕北的军事防务。其间，沈括对延长一带的石油就亲自作了认真的考察与研究。他认为这种生在石头里的油类"生于水际沙石"，"与泉水相杂，汩汩而出"，与其他油类不同。于是他称其为"石油"。沈括在他的名著《梦溪笔谈》中提出了"石油至多，生于地中无穷"的科学论断。因此沈老先生堪称中国石油地质第一人，这在世界科学技术史上也是空前的。

那时的李银桥跟随毛泽东已有两三年了，但他又一次被毛泽东的满腹经纶所折服。

"那为啥我们还要用洋油，不自己让那个沈……沈刮多刮点油出来？"李银桥问。

毛泽东"哈哈"大笑起来："是的喽是的喽！等新中国成立后，我们就要依靠自己的双手，多'刮'些出来，把'洋油'扔到它太平洋去！"毛泽东最爱别人听他谈古论今，于是李银桥又像听天书似的从毛泽东口中听得我国古人怎么开采石头里流出来的油的故事——

沈括应该说是第一个把石头里流出来的油称之为"石油"的人。而发明开采石油关键技术的钻井工艺，我国更应是世界先驱。据《华阳国志》记载：周灭后，秦孝文王以李冰为蜀守，"冰能知天文地理……又能识齐脉（即地质——笔者注），穿广都盐井……"又据《水经注》记载："江水东以广都县，李冰识察水脉，穿凿盐井。"这就是说，在公元前250多年前，先人李冰在四川就用当地百姓汲卤煮盐的经验，凿井煮盐，而煮盐用的燃料就是天然气。“火井”是当时蜀人对天然气井的称呼。有趣的是，中国古代盐井与火井往往同在一起并存与发展。汉时，四川的井盐生产已相当发达，故这“天府之国”还有“火井之乡”的美誉。其四川火井开凿最早、名气最大的要数临邛火井了。西汉《蜀王本纪》记载：“临邛有火井，深六十余丈。”又据《华阳国志》记述：“临邛县有火井昏夜之时光映上照，民欲其火，先以家火投之，顷许如雷声，火焰出，通耀数十里。”在经历西汉东汉朝代，再经公元600—800年左右盛唐时代，四川钻凿火井、盐井已遍用各地，达60余个县地。其井浅的几十尺，最深的有仁寿县的800多尺。而这几百年的掘井采盐采气的盛行，也使得钻井技术不断发展。特别是到了宋朝，我国的钻井技术，像四川那儿已经用上了械冲钻凿——即闻名于世的“顿钻”的前身。后在清朝中后期，用械冲钻凿钻井，创造了世界钻井史上的奇迹。1853年（清咸丰三年）在四川省自贡市钻凿的“燊海井”，井深1000.42米，是世界上第一口人工钻凿超千米的深井！这口井以生产天然气为主，兼产卤水。至今仍日产天然气1000多立方米，盐2000公斤左右。1988年国务院把它列为全国重点文物保护单位。英国著名学者李约瑟称此井为“世界钻井之父”。

“唉，斯时已去，我们却落后了！落后了啊！”毛泽东对天长叹一声。

李银桥见景，有些着慌地一边给毛泽东披上外衣，一边小声说：“主席，都怪我刚才问多了……”

毛泽东摇摇头，口气缓和了许多：不，莫怪你。我是在想一个大问题喔：老蒋在南京待不了多长时间了，我们也很快就要进城，放下枪杆子搞建设去了。可要搞建设就得用大机器，这大机器可不像我们红军战士吃草根树皮就能转动得起来的，它可是要喝“洋油”才能动得起来的呀！而现在我们的同志多数跟你一样连“洋油”为何物还都不怎么知道，那我们以后搞建设要受多大的限制啊！

李银桥看到毛泽东心情沉重的样子，想找个话题有意让毛泽东轻松轻松，便脑子里闪出一件曾经听贺龙司令员说过的故事：主席，我听说贺龙司令员手下有位战将在抗日战争期间，他们在缴获小鬼子时看到了敌人扔下的几桶机油，就以为是可以做炒菜的油便拿回部队去让炊事员用了，结果吃了这油炒出来的菜，拉得一塌糊涂哎！

毛泽东一听，立即忍俊不禁地哈哈大笑起来：“这事我听说过听说过。你知道这人是谁吗？”

李银桥摇头：“贺老总没说是谁。”

毛泽东说：“是三五八旅的政委，叫余秋里。”

李银桥想了想：“是不是那个独臂战将？”

毛泽东点点头：“正是他。此人不简单喔！我把蒋介石的几百万旧军队打败并收归到了我们人民解放军队里来。就是此人帮我解决了改造国民党旧军队的一个大难题喔！”

李银桥问：“你说的就是在延安时向你汇报新式整军经验的那个人哪？”

毛泽东以欣赏的神情又一次点头：“是他。我的那篇《西北新式整军运动》文章里，讲的就是他的做法。彭老总也是很喜欢此人的喔，现在正让他带部队跟胡宗南干仗哩！”

“报告主席，傅作义将军一行今天中午前要到西柏坡来。周副主席请你做好接见的准备。”中央办公厅杨尚昆这时过来向毛泽东报告。

毛泽东一听，满脸喜色道：“好嘛！我可是已经等傅将军多时了。走，中午我请他吃饭！”

回小院的路上，杨尚昆悄悄问李银桥：“主席跟你在说什么呢？”

李银桥小声告诉他：说“洋油”的事。

杨尚昆茫然道：“洋油”？

李银桥说：主席说，我们快要进城了，以后搞建设可少不了“洋油”！

杨尚昆笑了：主席已经在谋划新中国建设大业了。

是的，新中国建设早已在毛泽东的心中酝酿，而告别“洋油”的事更是毛泽东在宣布“中国人民从此站起来了”后一心想做的一件紧迫的大事。一生博览群书的毛泽东，在进城后有了更多的方便阅读各种书籍，解放初期那些年中，他让秘书田家英从北京图书馆借过不少世界发展史方面的书籍。而在研究美国发展史时，毛泽东被西方经济巨人迅速崛起的一个现象所吸引，这就是美国的“石油起家史”。

好嘛，原来他们是靠我们祖宗发明的掘凿盐井技术而发迹的呀！毛泽东翻着一本厚厚的美国工业史书，意外而又震惊。因为在他手中的那本书上，毛泽东看到了大洋彼岸那个刚刚摆脱英殖民地统治后进行本土革命时期所经历的那一幕为国家命运而求生的原始搏杀，是何等惊心动魄，何等富有传奇——

这段历史用中国人的目光来看，简直就是昨天的事——1859 年 8 月 27 日，这个日子对中国人来说毫无意义，那时我们这个东方帝国已经从世界第一强国开始衰弱，英国人借助鸦片一次又一次地逼着慈禧签订丧权辱国的条约，金田起义后的太平天国革命席卷南方，清政府天天收悉的是危机报告。但这一天，在太平洋彼岸的美利坚合众国却发生了一件大事：冒牌上校德雷克拿着银行家汤森的 1000 美元，在乔治·比斯尔的命令下，在宾夕法尼亚州的泰特斯维尔的一块农田打了美国历史上的第一口油井，并且在钻至 69 英尺时，地下冒出了油。“打到油啦！”消息像野火似的传遍四方，个个梦想着发财的美国人完全被宾夕法尼亚州的这一惊天动地的喜讯所吸引。拥有油井的投资人乔治·比斯尔在给妻子的信中这样写道：“所有这里的居民都发狂……我从来没有见过如此激动人心的事。整个西部的商人都拥到这儿，以惊人的价钱购买可能打出石油的土地。”泰特斯维尔油矿的开发，使美国人的日常生活瞬间发生了根本性改变，而这个正在崛起的国家也从此进入列强的舞台，不再是以往扭扭捏捏、底气不足的三流国家形象。一个创造与赚大钱的时代、一个借助于资源并控制整个命脉的时代、一个向工业社会源源不断输入“工业之血”并使其充满活力的时代到来了——美利坚拥有了比老牌欧洲帝国用蒸汽机动力推动工业社会更简单、更便宜和更具前景的动力源，他们不用再依靠别人的力量来支持发展自己的新生国家，相反，所有的人都想学习他们对“石头里流出来的油”的开采经验。美国人得意扬扬——这个专利只属于我们美国。但缔造这个专利的乔治·比斯尔与首任总统乔治·华盛顿在能力上无法相提并论。泰特斯维尔油矿才经营不到 10 年，他就破产了。一个先天不足的弱者破产，并不是件坏事。1865 年 2 月的一天，一位伟大人物出现了，他就是后来影响美国工业发展史和推进美国国家强盛的重要人物洛克菲勒先生。那时这位纽约乡村出身的小商人只有 26

岁，但他一双冷森敏锐的蓝眼睛却格外能够判别事物。他在拍卖场上将乔治·比斯尔缔造的、又维持不下去的石油开采业盘到了自己的麾下，从此开创了“洛克菲勒石油王朝”的历史，当然也等于是创造了19世纪末、20世纪整个时代的美利坚强盛历史——这绝对不是夸张之语。洛克菲勒石油王朝的建立，使美国的工业和商业产生革命性巨变，洛克菲勒也很聪明，那时他的标准石油公司几乎主宰着美国工业，好比现在的比尔·盖茨的计算机软件王朝对美国社会的影响力。加上洛克菲勒又极其聪明，他把“多余的零花钱”不断捐献给社会，他资助建立的芝加哥大学、哈佛大学、麻省理工学院等等大学遍布整个美国，孩子们唱着“洛克菲勒真好”的歌，享受着他给予的恩赐。当然，支撑美国两个党派的民主党和共和党自然也得到了洛克菲勒石油王朝的一笔笔竞选捐款，罗斯福起家没有离开洛克菲勒王朝，而二战时期的美国趁着欧洲的混战，不遗余力地将手伸向中东和非洲的目的，就是那儿有丰富的石油。美国人真逗，那些最嫉恨他们的国家如伊拉克、伊朗、利比亚，他美国人却又总跟这些国家关系搞得最火热，仍然这句话：因为那里有石油。100多年后的今天这种情况仍然丝毫没有改变。美国国家的喜怒哀乐和强盛称霸，始终与石油关联着。

美国靠着石油发迹。我们中国呢？早在西柏坡时的毛泽东已经不止一次开始这样感叹和深思了：有着5000多年文明历史的中国，为什么最后竟然远远地落在一个只有二三百年发展史的西方国家之后？

真不能小看这黑乌乌的“洋油”喔！毛泽东看完美国的发迹史，不由得一声感叹。

中国必须摆脱“洋油”，要有自己的工业之血！毛泽东下定决心。

为这，在日理万机创建“人民公社”的乌托邦式的共产主义社会时，毛泽东关注石油工业的发展却是实实在在的，而且可以说是他使人民共和国在之后的近半个世纪里所下的两着最重要的棋，另一着棋是他亲自决定的“两弹一星”。前一着妙棋，再具体些可以归结为日后毛泽东决策开发名扬天下的“大庆油田”及其他的大建设。

为此，毛泽东在宣布人民共和国成立后的第18天，便以中央人民政府的名义签发了成立国家燃料工业部的命令，并亲自提名资深工业革命家陈郁为部长。新成立的燃料工业部在第二年便设立了石油管理局，著名地质学家、我国第一个石油工业基地——玉门油田的发现者和开拓者孙健初先生被聘为这个局的勘探处处长。“茫茫大地，何处找油？”1950年8月6日，西北石油管理局成立，清华大学地质学者出身的老八路康世恩成了这个局的局长。而此时一代石油先驱的孙健初在中国共产党的厚爱下正奋然全身心投入工作之时，却不幸在寓所煤气中毒，猝然逝世。新中国石油勘探业因此一度出现停滞。毛泽东和他的助手们不得不把眼睛放在成本极高、产出极低的东北人造油上，并在短时间内恢复了抚顺制油厂（后为石油二厂）、锦西石油五厂、抚顺西制油厂（后为石油一厂）、桦甸页岩油厂（后为石油九厂）、锦州煤气合成厂（后为石油六厂）等几个人造石油厂的生产。所谓人造石油，是以一种叫页岩的岩石，通过大量复杂的干熘等工序，从中提炼出与天然石油成分相近的人造石油来，其成本为天然石油的十几倍。无奈，许多工业和国防建设需要石油，毛泽东等决策者不得不咬着牙关，勒紧裤腰带从石头里挤“生命油”。此时朝鲜战争爆发，油的问题急坏了中国人民志愿军司令员彭德怀。中央因此又不得不动用本来就少得可怜的外汇，并通过特殊渠道从国外买回些“洋油”。

“油啊油，真是忧死人哟！”毛泽东和中南海里的领导人们感叹着。

1952年8月，毛泽东又签发命令成立“中央人民政府地质部”。大地质学家李四光是在回国途中听说他被任命为这个部部长的。当他一踏上祖国的土地时，毛泽东就将其请到中南海。

“欢迎欢迎。我们一直在等待李先生早日回到祖国的怀抱。”周恩来一边引领李四光去见毛泽东，一边满脸笑容地对风尘仆仆的地质学家说。

毛泽东走出书房，将李四光的手紧紧握住——两人久久相视，如同久别好友。

“毛主席好！”李四光先一句问候。

“好，好好！”毛泽东连连称叹，他是在赞扬地质学家冲破黑暗，奋然回国的壮举。

“李四光同志今年多大？”毛泽东与一个民主人士第一次见面就称其为“同志”，这是极少有的事。李四光显然在毛泽东心目中有着非同寻常的感情地位。

"66岁。"李四光回答说。

毛泽东有些意外地"噢"了一声，说："比我大四岁，又是著名科学家，那就是我的先生了！"

李四光受宠若惊："不敢，不敢。主席，老实说，我在地质学界是少数派。"

毛泽东笑，不紧不慢地说："当少数派不要紧，我、恩来同志，从前也是少数派，不止一次被排挤，可是有时候真理却在少数人手里。"

李四光很感激地看着周恩来，周恩来示意他坐下来谈。

毛泽东坐定沙发后，转到正题："先生知道，我们共产党人推翻了三座大山，现在要建设新中国。可进行建设，石油是不能少的，天上飞的，地上跑的，没有石油都转不动。眼下我们每天坐的车都是烧的洋油。自己没有油，想爱国，也爱不那么痛快喔！"

"李四光同志，我们知道你对石油问题有自己的看法。主席想听听你的意见。"周恩来插话道，"你认为我国天然石油的储量究竟怎样？如果真是不太好，我们还真的要再多些考虑人造油的问题了！国家要发展，时间耽误不起呀！"政府总理对此特别着急。

李四光连忙接过话："不不，我们目前还用不着作这种选择。主席、总理，根据地壳运动的规律，我认为生油是一回事，储油又是一回事，关键在于正确认识地下构造的规律，找出储存石油的构造来。有的地方，地面上虽没有任何油气现象的显示，而地下却很可能是个大的含油地区……"

"这么说，我们的地底下也有可能有大的含油地方？"毛泽东的眉头一挑，兴趣倍增地问。

"是这样。"李四光肯定地说，"中国这么大的一个国家，地质构造又十分丰富，不应当排斥富油地层的存在！"

毛泽东高兴了："先生的观点，符合任何事物都是一分为二的辩证法，强调绝对就不是马列主义了！"

周恩来忍不住地从座位上站起来，爽朗地笑道："我们的地质部长很乐观，也很有气魄！李四光同志，你说中国有石油，我拥护你！"

毛泽东也站起来："好，我也投先生一票！"

李四光深感肩上的责任重大。

"既然我们也能找到自己的油就痛痛快快干他一场。"毛泽东听了地质学家的一番宏论，显得豪情满怀地说。

1956年，中华人民共和国政府的一个新的工业部门诞生——石油部宣告成立。

在谁来挑石油部长此担的问题上，当时的中央只有一种选择，就是从军队的将军中找，因为李四光去了地质部，地质部是地下矿藏的侦察员，是国民经济的先行官，有了对地下情况的了解，才能找矿找油。有人曾经对成立地质部后还要不要成立一个专门的石油工业部而提出过争论，毛泽东后来和周恩来商议的结果是：虽然地质部里也有石油普查部门，但石油开发太重要了，必须列出专门部门，以便加强此项工业的建设。

1956年初的第一届全国人民代表大会上，新中国的国务院里因此有了一个新成员：石油工业部。那时石油部是所有部门中最小的一个，但它是毛泽东和周恩来特别看重的一个部门。

原中国人民解放军总后勤部部长，不久前被授予上将军衔的李聚奎将军被任命为第一任部长。北京德胜门外的六铺炕，一座石油部大楼也因此屹立起来。从此这一带开始热闹起来。

李聚奎将军喜欢跳舞，在他任石油部长时，石油部大院内掀起了不小的舞热，机关工作人员中不少小青年甚至那些从战火纷飞年代里走过来的英雄们也都学会了优美的华尔兹。人们发现，原来南征北战的大将军指挥工业建设也有温情的一面。这让石油人感到新奇和兴奋。

这时的毛泽东对成立石油工业部寄予极大希望，在一系列宏伟蓝图中，就有石油产量搞到可以让国家的整体工业建设能够"赶超英美"的水平之上这一目标。然而两三年过去了，石油部的工作令他颇为失望。虽然有人一再在他面前报告石油部的李聚奎跳的"玉门"、"柴达木"，还有听说已经有些喜讯的"克拉玛依"等几支"石油华尔兹"很潇洒，但那仅仅是饭茶之后塞塞耳朵的小夜曲而已。毛泽东要的是石油工业革命的钢琴"黄河大合唱"！那种气吞山河的钢琴大合奏！

所以毛泽东对李聚奎那几曲优美的中国石油"华尔兹"不是特别看好，这是有客观原因的。相比国内轰轰烈烈的"人民公社"运动，工业建设战线在毛泽东看来显然"死气沉沉"。而最主要的是当时北边的赫鲁晓夫越来越不像话，南边盘踞在台湾岛上的“老蒋”此时也不怎么消停，总借着美帝国主义时不时地叫嚷要“反攻大陆”，而且派出的飞机敢纵深大陆千里之远，甚至连北京一带都敢长驱直入。

“就是因为我们没有好飞机！老蒋才敢如此猖狂地在我们头顶拉屎。”元帅和将军们愤愤不平。

毛泽东平静而又有几分忧郁地说：“飞机是个问题，可飞机用的油解决不了，再好的飞机也没有用啊！”

政府总理、副总理和元帅与将军们默然了。他们并不清楚毛泽东心里想的什么。既然谈到了油，他们自然而然地开始嘀咕起石油部长李聚奎来了：“李聚奎到底怎么样了嘛？”

李聚奎了不得啊！他当石油部长，把一个人数最少的小部门，弄得全国人民都跟着他热血沸腾！陈毅元帅来了情绪，说：“李聚奎搞出了个柴达木，惹得那些文人墨客跟着他手舞足蹈起来。我也真想去一趟看一看沙漠深处的那个‘宝贝地方’啊！”

陈云兴奋地拉着陈毅到一边说：“陈老总要是再过一些时间，我愿陪你到‘黑油山’走一走，那儿肯定能让你诗兴大发！”

陈毅爽朗地开怀大笑起来：“你说的是不是李聚奎他们又发现的那个新油田！我听说了，大家都已经听他在八大上说过的了。那个‘黑油山’了不得，你给细说说，现在开发得到底怎么样了？”

陈云指指一边正在跟邓小平说话的薄一波：“他管这事，你去问他最清楚。”

于是陈毅走到邓小平和薄一波面前，扯开嗓子，说：“我的副总理啊，我想听听李聚奎他们搞的那个‘黑油山’油田怎么样了？”

薄一波答：“好啊，陈老总。‘黑油山油田’（1965 年经时任新疆维吾尔自治区主席赛福鼎·艾则孜倡议，将黑油山油田正式取名为‘克拉玛依油田’——笔者注）是我们同苏联老大哥合作开发的第一个油田。李聚奎他们干得不错，大前年也就是 1955 年 1 月 1 日，中苏石油股份公司的苏联股份全部移交给我们中国后，现在归新成立的新疆石油管理局。1955 年 3 月，我们的地质技术员们打了第一口勘探井。8 个民族、36 名职工组成的一个青年钻井队在当年

10 月 29 日打完井并见了油。年底，李聚奎带人去了一趟，布置了全面开发黑油山油田的工作。第二年 4 月份，李聚奎又派康世恩率苏联专家组和我们的石油专家到了那儿，具体制订了勘探开发方案。等方案确定后，在总理的亲自安排下，全国上下都行动起来支援黑油山油田的开发建设了。现在在那儿已经有几万人的石油大军！”

出油情况怎么样？陈毅最关心的是油田大不大。

“前景不错。”薄一波点点头，说，“到今年年底应该说具备了油田的整体开发水平。”

陈毅连声叫好：“能出大油，我们的飞机大炮才能叫‘蒋该死’别再拿美国佬的无人驾驶飞机来吓唬人了！”

“黑油山”即克拉玛依油田于 1956 年正式投入开发，当年采原油 33.38 万吨。到 1960 年时，已探明油田面积 290 平方公里，当年生产 163.67 万吨原油，这是大庆油田发现之前我国最大的油田。克拉玛依因此在 50 年代末和 60 年代初成为中国戈壁滩上的一个神话，中国的第一座石油城市便是从这儿开始的。在为本书采访时，我国石油事业功臣之一的焦力人老部长曾经一再向我指出，李聚奎来到石油部后不仅使老油田玉门油田焕发了青春活力，发现拓展了青海柴达木油田和新疆的克拉玛依等油田和川中油气田的具体实施工作，而且还进行了包括对发现大庆油田起关键性作用的松辽石油普查工作在内的许多基础性战略部署。

毛泽东对李聚奎到石油部后所做的工作当然心里明白，而且他始终认为李聚奎是个对革命事业勤勤恳恳、实实在在的好同志。但国内外重重压力之下的毛泽东，当时恨不得一夜之间把中国落在别人后面几十年几百年的事都给他做了。故而他对李聚奎领导下的石油部没能在第一个五年计划中完成生产任务、那种一直游离在人造石油和天然石油之间犹豫不决进而缓慢的“华尔兹”很不满意。第一个五年计划中，每年全国的石油产量应是 201 万吨左右，可到了 1957 年，李聚奎他们拿出了吃奶的力气才完成了 146 万吨，而这其中成本昂贵的人造油还占了“半壁江山”。当时中国一年所需的石油在 500 万吨左右，国家有限的外汇相当一部分用在了购买石油上。更让毛泽东坐立不安的是，那时朝鲜战争还未彻底结束，前进的坦克和飞机天天要用去成百上千吨油，油在一定程度上影响着战争的走向。李聚奎的石油部是唯一在“一五”期间没有完成任务的工业部门，这对当时一心想大跃进的毛泽东来讲——客观地说，当时国家轰轰烈烈的大建设也紧迫需要石油，如此景况怎能容忍？

50年代时的中南海，我们的开国元勋们除了敬畏毛泽东外，相互之间都很随便，就像长征路上有人逮到一只野兔，哪位战友过来想吃一口就吃一口，吃完后也不用打招呼拍拍屁股走人那么随意。这一天他们在怀仁堂参加毛泽东主持的一个政治局扩大会议的休息间隙，你一句我一句地议论着。正在热闹之中，有人提醒道：看，主席心思重噢！

总理、副总理和元帅及将军们不约而同地回头看着坐在正中沙发上一言不发的毛泽东，方才热闹纷扬的议论顿时戛然而止。他们面面相觑地猜测着毛泽东到底又在想什么？

换人！得换人！毛泽东突然站起身，对周恩来说：“总理啊，你跟彭老总商量商量，让他推荐推荐谁更合适。”说完，毛泽东挥挥手：“今天的会议到此结束。”

毛泽东走后，怀仁堂里又开始热闹起来，有人过来问周恩来：“哎，总理，主席要换什么人呀？”

周恩来脸上平静地说：“暂时无可奉告。”

众副总理和元帅将军们笑：“又来外交辞令了！”

不能怪周恩来，他是政府总理，中央最终没有确定的事，他不好信口言说。出了怀仁堂，周恩来对秘书说：“给国防部打个电话，我要见彭老总。”

彭老总与周恩来见面并听他讲了毛泽东对石油部部长人选的新动议，彭德怀有些牢骚了：“他老毛怎么回事？李聚奎可是不错的人啊！他到底要什么人嘛？咱们这些人都没搞过工业，谁能保得了把石油的事做得轰轰烈烈嘛？”

周恩来皱皱眉睫，摇摇头：“其实不把石油产量搞上去，我这个总理压力也是大啊！主席的心思是想找个能善于打开局面的人。”

彭德怀听后习惯地抬起右手，将张开的拇指和食指搁在下颌，又用左手扶住右胳膊，思索起来：这找石油就像打仗时啃块硬骨头一样，还真得找个能打硬仗又得是会打硬仗的人哟！彭德怀自言自语起来："军队这边还有这样的人吗？按说应该有吧！可到底谁能挑得起李聚奎这副重担，又能让主席满意？"彭德怀用右手拇指和食指构架成的"八"字形手势，搓了搓粗壮的胡茬。突然，他的眼里放出光亮："他行！"

周恩来忙问："谁？"

彭德怀说："我的总后政委余秋里。"

周恩来一听，那两道浓黑的眉毛顿时一展："好！好好！这位独臂将军年轻，又能干，关键是他正是主席需要的那种能打开局面的人！这一点最关键。彭老总，你可不准后悔啊，我现在就去向主席汇报。"

彭德怀笑笑："我有啥后悔的？老毛他要人，我彭德怀啥时候没满足过他？再说我的部队也急等着要油！没油，我的坦克飞机还有军舰都成了一堆废物嘛！"

周恩来笑着与彭德怀元帅扬手告别，临走时他说："我会在主席面前说，你彭老总一直是最顾全大局的。"

丰泽园。1958 年"立春"后的一个平常日子。

午后时分，一辆天蓝色的华沙牌轿车悄然停在门外。一位中等身材、佩着中将军衔的军人从车内走出。等他仰头看门口上方"丰泽园"三个字时，我们便可以看清他的面貌了：脸庞显瘦，五官清秀，虽然年轻，却依然可见久经沙场者的那种特有的稳重和大气风神。他收回目光的同时，迈出有力的双腿往菊香书屋走去。只有他甩动的一左一右的两个衣袖特别，一边非常有力，能感觉"飕飕"生风。而另一边那只空洞洞的衣袖则耷拉在腰际的衣缝上，不见任何动响。

卫士长李银桥此时正从菊香书屋的门内往外走，他先见到的正是将军左右两侧两只完全不同的衣袖，卫士长甚至有些愣呆地看着那只空洞洞的衣袖而吃惊……

"卫士长，主席在房间吗？"将军问。

李银桥一惊，忙从那只空洞洞的衣袖上收回目光，有些歉意地向将军说："噢，是余政委来啦！主席刚醒，正在里面等你呢！请跟我来。"卫士长走到里面的一个门口前止步，做了一个"请"的手势。

将军径直往里走去。

“报告主席。我来啦！”将军毕恭毕敬地向里面的主人敬了一个标准的军礼。

坐在沙发上正在点烟的毛泽东，微微仰起头：“好，是余秋里同志！”毛泽东满意地看了看站在他面前的年轻中将，起身与其握手。虽然毛泽东没有正面去看爱将左边那只空洞洞的衣袖，但他的眼里分明颤动了一下：是啊，人总共只有两只胳膊，可他则少了一半……

“总理和彭老总推荐你当石油部长，听说你有些想法喔？”菊香书屋的主人说话时虽然带有浓重的湖南口音，但却总有一种强大的磁性，能在瞬间把一个人的情绪掀到天上，也能推到十八层地狱。将军已经不是第一次有这种感觉了。

这是哪一年的事？对了，一晃就是10年了。将军的脑海里一闪，就像昨天的事。那是在延安窑洞里发生的事。年轻的将军在那会儿更年轻，才30岁出头，却已是身经百战的骁勇指挥员了。

“今天把你从前线请到窑洞里来，就想听听你的‘诉苦三查’是怎么搞的。”毛泽东那时抽的是骆驼牌烟卷，将军当时记得很清楚，因为毛泽东在给自己点烟时问他抽不抽烟。

将军那时虽也是久经沙场的“老长征”，但在延安革命圣地的窑洞里，尤其是在自己的最高统帅面前，他是绝对的“小字辈”。毛泽东的问话，叫他有些不好意思。

“抽吧，烟酒不分家嘛！何况今天你是我们请来的客人！”说话间，毛泽东已经把一支骆驼牌烟放到了他的面前，并且正欲拿火柴盒给他点上。将军赶紧接过火柴，动作麻利地将火柴盒夹在左腿，然后右手抽出一根火柴，“刷”地划着了火，将自己嘴上的那支骆驼牌烟卷点燃……“嚯啊啊……”不知是第一口吸得太猛，还是根本就不习惯烟味很凶的骆驼牌烟，反正有着几年烟龄的将军第一次在毛泽东面前抽烟就露了个嫩。

毛泽东和几位老总哈哈大笑，连声说：“还是嫩。”

倒是肖华出面给将军解了围：“人家江西老表习惯吸自己卷的土烟叶嘛！”

将军虽然当时在表面上对肖华非常感激。可从那时起，他抽烟的水平骤然增长。不仅后来他“制服”了骆驼牌烟，而且在见毛泽东进城后习惯抽“大中华”后，他也跟着榜样吸“国烟”。

“一生只有这点爱好，你再管那么严，我还活个啥劲？”当妻子嫌他抽的烟太贵时，他生气了。

烟，是战争带给许多将领的兴奋伙伴。烟，是许多没有别的爱好者的全部爱好。

那一次在延安窑洞里是余秋里第一次与毛泽东面对面接触，他对毛泽东的言行举止特别是毛泽东高屋建瓴的思想和精辟分析问题及把握大局方向的真知灼见，佩服得五体投地。而且余秋里认定，像自己这样一个农家娃娃出身、十几岁就参加革命又没念多少书的“红小鬼”，即使将来当了大将军或再大的官，有毛泽东在，自己的全部思想和行为照着其指明的方向走就是了。余秋里后来的一生也正是这样走的，他对毛泽东的这种崇拜，转向了后来对毛泽东的指示执行得不折不扣之中，转向了对毛泽东思想坚定不移的理解和实践之上。

同样，毛泽东从第一次与余秋里面对面接触后，就有非常好的印象。尤其是看到这位年轻骁勇的旅政委也当过很长时间军事指挥官的独臂爱将，其身上不仅有贺老总、彭老总对战争艺术理解和运用自如的遗风，而且还是个善于思考、见地独特、方法讲究的优秀政治工作者。

“此人是个将才，以后必大有可为。”毛泽东在听取余秋里汇报新式整军时，曾悄悄对身边的几位军委领导和中央书记这么说。

“好。你们的做法，证明人民解放军用诉苦和三查方法进行的新式整军运动，将使自己无敌于天下。”毛泽东再次向余秋里递过一支骆驼牌香烟，然后带着几分爱悯地问：“你这左胳膊是在长征路上打掉的？为啥当时没保下来？”

余秋里听了主席的这句问话，下意识地抬起右手捏住空洞的左袖子，非常随意地回答了一声：“是的，那时天天打仗顾不上。”

倒是坐在余秋里身边的任弼时很动情地向毛泽东作了较详细的介绍：“贺老总跟我说过，秋里的这条胳膊掉得很可惜，要不是当时条件不允许，也不至于后来锯掉……”

毛泽东听后憾叹道：“我们的队伍中还有几位也像你这样缺胳膊断腿的，你们都是革命的功臣啊！”

余秋里本来早已忘了自己比别人少只胳膊的事，可看到毛泽东说此话时，眼里闪着泪花，他的心里跟着“咯噔”了一下。

“以后要多注意身体。”这是延安窑洞里毛泽东的声音，立即把余秋里的思绪从战争中拉了回来。

“是。主席，我可以回部队了？”余秋里站起身。

毛泽东点点头。

“敬礼。”那只少了胳膊的空洞洞的衣袖，一直在毛泽东眼前晃荡着，而另一只有力的右胳膊甩动着有节奏的动作，也一直在毛泽东的眼里，直到消失于延安枣园……

“主席，我是怕石油部长这个担子受不起嘞！”现在，将军又与最高统帅面对面坐着说话。不同的是这回只有他们两人，又是在安静整洁的房子里说话。

“哦？余秋里同志是这样说的吗？”毛泽东从嘴边取下烟卷，眼睛直瞪瞪地看着笔挺坐着的中将同志，带着他特有的幽默调侃语气，笑言道。

“是这样，主席。”余秋里的表情严肃有余。

卫士长轻轻地进来给俩人沏茶，又轻轻地退出。他听到身后毛泽东爽朗的自言自答：“秋里秋里，你这个名字很有诗意啊！”

“主席，我这个名字其实很土。小时候家里穷，请不起先生起雅名，所以家里人就把我叫狗娃子。后来参加了红军，领导问我叫啥名字，我说不上来，又问我是啥年月日出生的，我回答说我妈说我是割谷子后的秋里生的。领导一听就说，那你就叫余秋里吧。”

将军的话引来毛泽东一阵爽笑：“好嘛！秋里这名字蛮好的，秋天总是个丰收的季节，又是火红的岁月……”

“嘻嘻，主席你说好就好嘛。”毛泽东书房里的将军，这回又变成了一副实在又有些可爱的样儿。可一想到刚才的话题，他又犟起劲来：“主席，我们的高级干部多得很，您随便挑哪个都比我强嘞！”

毛泽东弹了弹烟灰，顺手给将军递上一支烟——这回是“中华烟”。而将军见主席现在住的屋子满是书籍，也不再像当年延安窑洞里第一次接受主席递烟后动作麻利地将火柴盒夹在钩起的左腿里划燃，现在他先将烟卷叼在嘴上，然后又用右手将火柴盒搁在茶杯底上顶住，再划着火。这个动作显然有些拙劣。

俩人开始对抽。

毛泽东思绪有些回闪。他对眼前这位人民解放军总后勤部政委出任新的石油部长，是早已首肯的。一两个月前的全国人大一届五次会议筹备会上，当他询问周恩来关于接替李聚奎的石油部长人选确定了没有时，听周恩来说准备调余秋里时，毛泽东就已经点头说：“行，这个同志行。”现在，毛泽东需要亲自跟他谈一谈，因为石油在毛泽东心中占的位置太重要了，他对新部长寄予厚望。

“人家选了你嘛！”毛泽东说的是“人家”，其实他心里的意思是“你也是我选的人嘛”！

将军听出毛泽东调他出任石油部长的决心很坚定，好像已经没有多少回旋余地了，于是来了个“苦肉计”：“主席，我听说那地方很复杂，我又没学过工业知识嘛！”

看着“小字辈”一副苦相，倒是让毛泽东想笑，可他的脸上依然慈祥中带着几分威严：“我们这些人都是打仗过来的，建设新中国谁都没干过嘛！老祖宗那儿也没啥可学的哟！当年我们长征时走雪山过草地，拖着一根破枪，许多人还是马夫、炊事员，可后来革命需要，他们都成了大军事家、战略家！你可比他们强多了！二十多岁就当了红军团长、团政委，后来又当过独立旅司令、政委，新中国成立后又是军校的领导、我们军队的总财务部长，会带兵、会算账，又能做政治工作，我看你当石油部长很合适。”

将军不再坚持了，只是朝毛泽东憨笑。

毛泽东的神态也由慈祥中带着威严变成了慈爱中夹着浓浓的和蔼：“今年你多大年纪？”

“43岁。”

“你年轻嘛！”毛泽东从沙发上站起，迈开步子在书屋有限的空间里走了几步，将军随之跟着直挺挺地站在那儿，目光随那高大的身体移动。“从战争中学习战争，从实践中学习知识，总结经验，是我们党和军队取得胜利的法宝。过去我们的任务是打仗为主，现在不同了，经济建设为中心了，所以我们必须放下架子，向一切内行的人们学习经济工作，恭恭敬敬地学，老老实实地学。这搞经济、搞油其实跟打仗也有些一样，既要有战略思想，又要有不怕敌人、勇往直前的决胜精神。哎，秋里同志，你说对不对？”毛泽东突然立定，闪着炯炯有神的目光问将军。

“对，主席。”将军好像还有什么话要说，于是不由得耸了耸两只肩膀，顿时宽阔肩膀上两颗闪闪耀眼的将星照着了毛泽东的眼睛。

“呃，你是不是不愿意脱军衣呀？”毛泽东像发现什么似的问道。

“不不，主席，我、我没有那么想。”将军真的不是想这回事，他刚才脑子里的一个闪念是：我会服从主席和总理的安排，可要是干不好石油部长，就让我还回部队。他本想向毛泽东说这话。

毛泽东笑了：“你不这么想，可我得为你们这些出生入死的将军们想啊！你放心，中央已经做出决定：部长以上的干部调动，不是转业，是党内的分工！”毛泽东说到这儿，又带着几分神秘之色向年轻的将军凑过来，说：“不过你要是转业，还可以发一笔财哩！”

将军立即憨笑地：“主席我可没想过这事。”

“好，就这么定了。你跟李聚奎同志换一换，他比你大 18。你年轻，精力充沛，正是干事的好岁数。李聚奎同志是个好同志，他回总后也是干老本行，有经验。你们俩交换一下这很好。”

这时，卫士长进门报告：“主席，总理和陈云、小平等同志已经到了。”

毛泽东说：“好好，请他们进来吧。”

将军一听，赶忙欲退出，被毛泽东拉住：“你留下留下，他们来找我，也是你的事喔！”

周恩来、邓小平、陈云，还有李富春，随即进门。

“怎么样，余秋里同志，主席跟你都说了吧？”周恩来笑呵呵地问将军。

将军只好如实报告：“主席都说了。我也只好服从嘞！”

李富春过来将将军拉到自己身边坐下：“你来石油部，我总算能愁眉见笑颜了！”

将军谦逊地 :“还要请李副总理多帮助。”

陈云、邓小平也过来与将军握手 :“我们都等着秋里同志给我们几个解难喔！石油上不去，主席会天天拿我们是问的。”

将军挺了挺身板 :“请各位领导放心，我一定全力打好石油这个仗！”

毛泽东高兴地 :“好，瞧见了没有，我们的新石油部长有股打硬仗而求必胜的作风！”

周恩来接过话，说 :“秋里同志，国务院对你的新任命将在几天后的人大会上正式通过。相信你一定能给我们的石油工业打开局面！”

“是，总理！”将军抬手向总理、又向毛泽东等领导敬礼。

# 第二章

玉门、克拉玛依、川中会战，反右、大跃进、插红旗……首度出征的将军部长如同风里踩浪，颠簸跌坠，忽热忽冷。

毛泽东问："情况怎么样了？"

余秋里十分尴尬："主席，情况不妙！"

301 医院，高干病房。

首长那天从抢救手术室被推出来进病房已经十几天了。今天是拆线的日子。女院长和专家们都来了，大家一起在期待奇迹的出现……

首长夫人带着女儿赶来了。首长的秘书和管理员也来了。

一个多小时后，首长头部缠着的纱布被解下。医生说，首长的手术伤口愈合得还算好。

"我爸爸能醒得来吗？都十几天了……"女儿晓红挽着妈妈的胳膊，看着床头安详躺着的父亲，眼泪都快涌出来了。

妈妈没有说话，只是用一只手紧紧抓住床头的铁栏，显然她不想让女儿和周围的人看出她内心的焦虑与痛苦。她目不转睛地看着床头直挺挺躺着的丈夫，轻轻对女儿说了声："来，帮你爸换个姿势。"

秘书和管理员赶紧上前帮着一起给首长翻了个身。

女院长和专家将首长的秘书和管理员叫到一边悄悄说："看来首长要恢复知觉的希望十分渺茫……"

这话被首长的女儿听到。"你们不能就这样下结论！我爸他能醒来！他能！他……"晓红说这话时已是泪流满面。

一旁的老夫人身子微微一颤，如果不是双手抓住床头的铁栏杆，她会被这无情的事实击倒的。与丈夫相依为命、出生入死几十年，她不相信铁骨铮铮的"老头子"就这样倒下后再不能起来。永不相信。

在她的记忆中，他是座钢铁垒成的山，纵然用机枪、大炮扫射，或者是炸弹狂轰滥炸，他也垮不了的！

刘素阁第一次见到余秋里，就有这种印象。那次见面有些被人硬拉强扯的味道。

2004 年春天的一个傍晚，已是 78 岁高龄的刘素阁老人非常清楚地对我讲了她与余秋里的全部“恋爱经过”：我是河北定县的，十四五岁时参加了八路，在抗大二分校的附中。我们是走着到延安的，走了四个多月，天天要穿过日本鬼子的碉堡城楼。很艰苦，也很危险，可那时我们一心向往延安，啥叫苦都不知道。后来抗大学习结束后我被分配到晋察冀边区，在军区政治部当宣传干事。那时我很高傲，个头也高，比较出众（一定是亭亭玉立——笔者插话，刘素阁老人自豪地笑）。有人就开始打我主意了。有一次政委问我为什么不找对象，我说为什么一定要找对象？那时部队首长多，当兵的女同志好像就该一定要嫁人似的。我没这么想，所以反倒被人觉得奇怪了。再有一点，我心里不想找那些老红军当自己的丈夫，我嫌他们是“红军老大粗”（刘素阁老人说到这儿又笑）。后来政治部的李贞部长来找我，她是女红军，新中国成立后毛主席授予的第一个女将军。她要给我介绍对象，起初我也不同意，她就不停地磨我。没法，我说那就见见吧。李贞部长他们事先给我介绍了许多余秋里的情况，说他如何如何的好，是个年轻的老红军，打仗特勇敢，是功臣，还特意说少了只胳膊。我倒对这些没在意。有一次军区开各战区干部负责人会。领导们都住在山上，我们在山下。有一天开会的领导们休息，三三两两地站在山头上闲聊。李贞就带我去“相亲”。余政委他自己不知道我在山脚下看他——那时他是旅政委。我站在山下往上二三米看，看到一个挺干练精瘦的人，一只衣袖空荡荡的。李贞问我怎么样。我没有回答。之后李贞又带我说去“串串门”。那是个下午，在一座窑洞里，有余秋里他们四五个人。余秋里第一次见我时笑眯眯地跟我说话，问了一下好。我说“政委好”。就这么着我们算谈成了，当时他 31 岁，可我们俩人站在一起他显得个头挺小的，我一米六八，比他高似的。第二次我们见面是他主动来找我的。他们开的那个会议结束时，我们就结婚了，从认识到结婚才一个来月。结婚时我抱着一床被子就过去了，那被子是贺龙送的……

一个亭亭玉立、英姿飒爽的女八路与一个骁勇精干、一脸笑眯眯的年轻老红军就这样结合了。在之后的几十年里，无论是在硝烟弥漫的战争年代还是和平建设时期，在“女八路”妻子的眼里，丈夫始终是在整天忙碌工作，如同一部永不停歇的机器，一部摧不垮的机器。

现在，刘素阁看着直挺挺躺在床头的丈夫，千呼万唤听不见她声音的丈夫，她从来没认为丈夫是倒下了，她只觉得丈夫一辈子太累了，是太累了后才想彻彻底底躺下休息而唤不醒的。她更不相信丈夫没有向她交代任何一句话就这样向她告别……

不会的，他不会这样的。刘素阁喃喃地坐在床边，将手轻轻地放在丈夫那个布满刀痕的头颅上。她的手有些发颤：这是个什么样的头颅啊，长长的刀痕，一条又一条，脑壳骨上也是无数处不平起伏……妻子的手轻轻地移动在这些长长的刀痕和凹凸不平的颅骨间，泪水模糊了她的视线……

疼！疼死我了！青壮年时的丈夫，不止一次地蜷曲着身子、双手抱着头，在床上痛苦不堪地滚打着——那是又一次旧枪伤在发作。

在一场挣扎的大汗淋淋之后，丈夫有气无力地指着身上一块块战争留下的伤痕，告诉她那些惨烈而传奇的战争经历，特别是第一次头部受伤的过程……

“南征北战几十年，你都死里逃生了。这回你也应该过得了关的呀！醒醒吧，快醒醒，孩子们都想跟你唠唠嗑，都想再听听你以前没时间讲的石油会战故事呀！”以前，刘素阁知道丈夫有忙不完的工作，而且都是国家大事，可现在有时间了，你咋就不说话了？啊，你醒醒，哪怕醒过来给孩子们说上一句话，说一说你一生最引以为自豪的大庆会战呀！

“妈妈，快看：爸爸的脸色出现变化了！”女儿突然惊叫起来。

病房内顿时一片兴奋：可不，数十天昏迷未醒的首长，此刻脸上的肤色出现一层红晕，像闷了多少话要说又一下说不出、吐不尽——他的整个身体和五官却依然是一动不动地躺在那张洁白的病床上……

有人说，植物人也会有知觉和感应的，尤其对亲人和特别熟悉人的声音会有反馈的知觉和感应。

首长的家人和身边的工作人员对此深信不疑，因为这是他们的全部希望所在……

“余秋里同志，情况怎么样啦？”毛泽东不知什么时候在余秋里的后面将他叫住，盯着这位上任一年零两个月的石油部长，不轻不重地问了句。

余秋里回头一看是毛泽东，心头“咯噔”一下：要命！越想躲越躲不过去了。原先，他以为此次在上海锦江饭店召开的党的八届七中全会期间，看着毛泽东整天忙着收拾去年“大跃进”留下的一大堆问题顾不上过问石油工作，心里多少有些侥幸自己可以逃过一劫。现在看来完了！年轻的石油部长此刻叫苦不迭：毛泽东太厉害了！滴水不漏啊！

情况怎么样？糟透了！糟得不能再糟了！此刻的余秋里，恨不得掘个地洞钻钻！可这是豪华的上海滩最有名的宾馆，地面铺设着崭新的地毯，墙顶也是用的进口天花板，连房子的四壁都还用印花的布包着。此处无地洞，可真苦了我们一生刚强好胜的余秋里。

情况确实糟糕，比想象的还要糟。

石油部新任部长知道毛泽东问的“情况”是什么，当然是川中石油的情况喽！余秋里一生没有闪失过，而这是唯一或者是让他最难堪的一次丢尽脸面的“遭遇战”。

脸面丢在他对上任石油部长后求胜太心切，丢在他对石油规律的陌生，也丢在川中地下情况“狗日的”太狡猾上！当然，也有一部分是他余秋里个性和指挥风格上的问题，而这种个性与指挥风格其实也是他以往指挥战斗和后来能够在大庆、胜利、渤海湾为中国石油工业搞出“大名堂”的领导艺术特色之一。

少一只胳膊的将军部长到石油部上任后的初始，石油部机关的人对他并不看好。觉得这位大领导平时见人总是笑眯眯的，没半点儿威严。尤其是那次一般来说能立立自己形象的首次跟部机关上下干部职工们开的“见面会”，开得平淡透了，净讲些大道理，没劲儿。这不，那阵子李聚奎还没搬走，中央安排让他们俩人有一段时间的交接，说穿了就是让老部长“带带”新部长。

有工作人员还传言，这个新部长，“老土一个”。别人问怎么回事？有人就绘声绘色地讲道：“他呀，来石油部的第一天，看到办公室自己坐的椅子是把转椅，便上前摆弄了一下，屁股坐上去后怎么也放不正座位，便气冲冲地叫秘书搬走，随手他拉过一把木椅子，说我就坐这个好。屁股坐上木椅子后，双腿往上一盘，然后开心地笑了：还是木椅子好。瞧瞧，大部长连转椅子都不会享受。够土吧？”

哈哈哈，够土够土！

“啥呀，除了土还够窝囊的！他连自己的办公桌都不敢摆哩！”几个秘书见新部长来上班后连自己的办公桌都没敢单独放，竟然像小学生似的坐在老部长李聚奎的同一张桌子的对面，整天捏了个本子，笑眯眯地听老部长讲这讲那。

“人家李部长是德高望重、身经百战的上将，他余秋里算啥？年纪轻轻，才是个中将！上将与中将，差个台阶哩！”有人逗新部长的秘书李晔。

李晔听到这样的话，眼睛一瞪：“你们知道个啥！”

“嘿，还挺凶啊！”办公厅的工作人员冲着李晔的背影，嘻嘻哈哈地嘲讽了他一顿。

最让机关同志们不能接受的是，这新部长竟然少了那么一只胳膊。虽然大伙儿知道他是在长征路上跟敌人英勇作战时被打残的，“独臂英雄”让人尊敬。可英雄归英雄，英雄进敬老院我们还是敬重他，要让他来当我们的部长，而且是向地球要油的石油部长，那恐怕太差了点劲儿！有人说，找石油得有三头六臂的本事，他不但没三头六臂，比我们还少了那么一只胳膊！啧啧，唉——等着毛主席、党中央和全国人民再骂我们石油部“光花钱，不下蛋的落后部”吧！

又是一个部机关职工大会。又肯定是以前那一套老生常谈。唉，操那份心干啥？该干什么就干什么嘛！于是爱看小说的人掏出了小说，爱唠嗑的聚在一堆唠嗑，女同志干脆掏出毛线打衣服了……原本挺有档次的部机关干部职工大会会场变成了一个毫无规矩、毫无约束的“恳谈会”了。

新部长轻言慢语地在台上侃。

干部职工“叽叽喳喳”地在台下侃。

上下一片侃。

新部长在台上侃啥？噢，他是在侃老部长李聚奎如何如何有本事，如何如何能打仗，如何如何资格老。

这还用说嘛！分明是你这新上任的中将部长自已心虚不如上将老部长呗！台下的“侃”渐渐变成了嬉笑、取笑和嘲笑声浪……这等场面，过了约两小时，突然台上传来一句话，这句话倒是让台下兴奋了一通：“休息 15 分钟！”

15 分钟快乐的时间过去了。干部职工重新回到会场，正想继续刚才的“恳谈会”，当他们伸长脖子往台上望去时，发现情况有些不对劲——

刚才还一脸笑眯眯的、身子陷在椅子中的矮短的新部长不见了！换成了一个高高站着的、满脸杀气的、怒发冲顶的将军部长了！

“嘭！”一只铁拳从高高的空中砸向桌子，随着麦克风的扩音，震得整个俱乐部大房子“嗡嗡”回响，响得令所有在场的人以为是天要塌下来了！

怎么回事？

“我刚才讲了那么多关于李聚奎同志的事，为啥？是被你们逼的！”拳头又一次重重地砸在了麦克风下的桌子上，“是啊，我知道你们有人瞧不起李聚奎，当然更瞧不起我余秋里嘞！是啊，有人说老革命打仗行，搞石油不行，连个啥叫渗透率、孔隙度都不懂。我是不懂，李聚奎同志也不怎么懂。可李聚奎同志懂的你们懂不懂？啊？！骄傲！我要告诉你们：骄傲，不是个好东西！说轻一点，不能进步，说重一点，盲目主观！再重一点，就是严重的个人主义！唯我独尊，那是要栽大跟头的！”

将军部长说到这儿，把嗓音拉到最高，然后又突然收住话语，一双具有子弹般穿透力的眼睛，扫向全场，扫向每一个角落。

台下顿时一片寂静，静得有位女同志打毛线的针掉在地上也把全场的人吓得心惊胆战。

将军部长抬起右胳膊，端起茶杯，“咕嘟”喝下一口水，稍稍缓了下口气，但依然让台下的人听后能记住一辈子：“今天本来想讲讲石油生产问题，现在不讲了。但有两条在座的每个人都要记住：一条是天然油与人造油两条腿走路的方针，我们必须按照中央和邓小平同志的意见，坚持以天然油为主、人造油为辅的方针。第二条是在勘探布局上，一定要从实际出发，从我们国家的经济发展的实际出发，毫不犹豫地向四川、东北、华北和苏北转移，选准一个地方，坚决打开局面！打开新局面！”

又是一个嗓音拉到最高后的停顿。

此刻台下的人早已看不到台上那人少了一只胳膊，在他们的眼里，他已是一头雄狮，一头可以气吞山河的雄狮！

所有的眼神在放光，所有的心随着震荡的麦克风声而震荡。

一双双久已期待的目光聚到台上，像被巨大的磁场所吸引，想走也走不了。

突然，台上的人将右手高高地举起，那手中是只大信封，印有“石油工业部”落款的大信封。

“现在我就讲讲机关作风问题。你们看清楚了，这是我们石油工业部的大信封，是为外国专家的事发往外交部的公函嘞！你们都看看——看看上面都是怎么写的！”将军部长的右手往下一降，将信封放在桌前左右晃动了几遍。

台下顿时一阵骚动，前面的人伸长了脖子，他们看得清。后面的人着急了，干脆站起来，可还是看不清，于是有人就干脆拥到前排。

“怎么回事？信封上写的是啥呀？”有人焦急地问。

看清的人连连摆手：“丢丑！够丑的！”

“到底写的啥嘛？”没看到的人急得恨不得去抢那信封瞅。

“把外交部写成外郊部！”

“我的天哪！真够给咱石油部丢脸的！”

“看清了吧？外交部的‘交’，竟然写成了‘郊区’的‘郊’字！同志哥呀，这是送我们中华人民共和国外交部的公函呀！你们知道这是哪个部门写的吗？我告诉大家，这既不是机关食堂的炊事班同志写的，也不是看大门的老师傅写的，是我们堂堂石油部的教育司写的！”台上的话音未落，台下已是一片哗然。

“教育司长来了没有？”台上的声音压过台下所有的喧哗声。

台下有人卑微地应道：“司长请假了。”

将军部长又火了，霍地站起，声音更高：“副司长呢？给我站起来！”

台下前两排中间，一个年过半百的老同志低着头，摇晃了一下站立起来。

“顾德勤！”台上的人说这名字时，每个字中间大约都用了零点一秒钟的间隔，这更加让人听了心惊肉跳。

顾德勤，1929 年参加革命的老红军，也是江西老表，与叫他名字的人是老乡，而且据说顾德勤当司务长那阵，其连长就是林彪，一句话，资格老着呢！然而昨天还“笑眯眯”的新部长，今天咋说厉害就厉害呀！

“到——部、部长。”看着这样一位老红军战士浑身哆嗦地站在那儿任凭奚落，石油部机关所有工作人员着实开始领教了这位新到任的独臂将军部长的厉害啊！我在采访中，有人告诉我，那天会上许多司局长吓得都恨不得把头夹在双腿中间，生怕余秋里也像“剋”顾德勤那样让自己出丑。

但主席台上的人没有再把别人提溜出来，只是对着教育司的那只“外郊部”信封和顾德勤足足怒发冲冠了 20 多分钟：“你们这样马马虎虎的工作态度像话吗？像是在为革命工作吗？啊？！瞧瞧你们，平时一个个牛啊，咱是石油部机关的，要知识有知识，要能力有能力，谁都不如你们。真是谁都不如你们吗？”麦克风里的声音又震得俱乐部四壁发颤。

“这样的工作作风，决不能再下去！一天也不能下去了！”好家伙，那留下的一只右胳膊力气真大哟！麦克风再一次被摔倒在桌子上，差点儿滚到地下。

还是那只右胳膊，一把抓住快要滚下去的麦克风，说：“所有的同志，特别是领导同志，都给我听着：今后，凡是石油部所属的各个部门各个单位，出了事的，我就拿各部门各单位的领导是问！机关工作是干什么的？是一张报纸一杯茶水？那连王八都会干了嘛！这不行。我们的服务对象是基层，是油田！是为基层和油田解决问题的。要下去！下到第一线，下到生产、生活的最前沿……这样我们才有可能取得胜利！”

完全是军队的作风。军队讲究严明的纪律，严明的任务，严明的责任。石油部长是将军，将军所带领的队伍必定是坚不可摧的钢铁队伍。更何况余秋里的作风是：铁的决心，铁的意志，铁的措施，铁的目标！

平时他对人总是笑眯眯，像弥勒佛一样的笑眯眯，但干起事来有人再这么认为，或者以为他余秋里好对付，那就死定了。他不把你皮扒了，也会让你浑身比扒了皮还难受。

这就是石油部新部长。一个机关作风乱哄哄的、唯一没有完成国家计划任务的、让毛泽东很是生气的石油部新来的独臂将军部长。

不善，此人不善也！自老红军顾德勤被“剋”后，石油部机关的作风和精神面貌为之一振，上班赶点了，干活认真了——特别是送出去的文件和信封，至少得多看几遍。“如果再有人把外交部写成外郊部，我就拉着谁到余部长那儿去！”顾德勤满脖子青筋，训斥自己的部下。

“顾司长，部长那天批你，你不恨他？”有人私下里悄悄问这位老红军。顾德勤一瞪眼：“恨啥？做错了事就该挨剋嘛！这是我们军队的作风。余部长没撤我职就算便宜了我，我有啥恨他的？哎哎，我告诉你们，从今天开始，我也要按余部长的做法，谁工作不负责任，谁就得像余秋里刮我胡子一样，连肥皂都不打！你们可要听清楚了！”

余秋里刮胡子——连肥皂都不打。这话就这么着传遍了石油部上上下下，而且在我今天上大庆油田、华北油田等地方采访中还深切感受到这种作风至今依旧完好无损地被承传了下来。

那是什么年代？那是中国人饿肚子的年代，那是“苏修”领导人卡我们脖子的年代，那是美帝国主义拉着“蒋该死”不断挑衅我们的年代，还有南边的印度也在不安分地想咬我们肉的年代。离开历史现状和背景说事，只能说明是一种肤浅。

在毛泽东和第一代中国领导人的心头，迅速让人民共和国崛起，是他们的全部心思。当然这种心思在新中国成立后因为太急切而造成了指导方向与措施上的一些过头做法，但它的出发点和本意仍然令我们所有后人敬重。这一点极其重要，如果一味指责老一代革命者和建设者在五六十年代里那些激进的做法，就不是真正的唯物主义者。

余秋里身为石油部长，深知毛泽东、周恩来、刘少奇和邓小平等中央领导对石油的关切。石油是国家工业经济的血液，国家越向前发展，石油的作用越加显现出来。

被四面封锁又随时必须应付战争考验的新中国，更是如此。

新中国成立伊始的毛泽东对中国石油的建设所倾注的心思可谓一片苦心。就在第一个五年计划刚刚起步时，毛泽东为了石油问题就多次找来地质学家李四光讨教："先生，你说我们中国真的像外国专家说的是个'贫油大国'？"

李四光摇摇头，坚定地回答："主席，我们中国不是贫油国。我相信我们中华大地上也会有丰富的石油蕴藏在地底下，关键的问题是要进行调查和勘探。"

一旁的周恩来听后十分高兴地对毛泽东说："主席，我们的地质部长是很乐观的，他多次这么对我们说，我想我们应该有信心在石油方面加强些力量和投入了。"

毛泽东那天很兴奋，一定要请李四光在他的家里吃饭，而且又不止一次地说道：搞石油"普查是战术，勘探是战役，区域调查是战略"，"我们只要有人，又有资源，什么人间奇迹都可以创造出来！"

1956年，在听说玉门油田开发取得不断进展、新疆地区发现新油田后，毛泽东约见石油部李聚奎部长和部长助理康世恩时又说道："美国人老讲我们中国的地层老，没有石油。看起来起码新疆、甘肃这些地方是有油的。怎么样，石油部你们也给我们点希望吧！"为此，毛泽东还在一次会议上，对分管工业的副总理陈云说，要给每个县配上一台钻机，不信在中国大地上钻不出石油来！

就在1958年2月初的人大会议上余秋里被任命石油部长不久，中共中央在成都召开了工作会议。有名的"多快好省建设社会主义"的总路线就是在此次会议上确定的，从此中国走了一段近似疯狂的"大跃进"岁月。

据中国老资格政治家薄一波回忆讲：其实真正的"大跃进"是从1957年的农业战线开始的。而当全国的农村被鼓舞起来后，毛泽东便开始了工业"大跃进"的考虑。大炼钢铁便是余秋里上任石油部长后受到强烈冲击和影响的第一波“沧海横流”。

“十五年内赶超英美！”这是多么豪迈的战斗口号和激动人心的目标啊！毛泽东看着冶金部送到他手上的一份《钢铁工业的发展速度能否设想再快一些》的报告，顿时心潮澎湃。因为那报告上有这样一段话：我国钢铁工业“基点是三年超过八大指标 1050 万～ 1200 万吨、十年赶上英国、二十年或者稍多一点时间赶上美国，是可能的”。

“真是一首抒情诗！”毛泽东拍案叫好。他在这一年的政治局第 48 次扩大会议上这样赞赏冶金部部长的这个报告。

中南海，怀仁堂。党的八届二中全会在此隆重举行。余秋里连石油部几位副部长、部长助理和司局长都还不能叫得上名时，他就被拉到此次党代会上与当时的“钢铁元帅”冶金部打擂。

“你去，还是你去。”部党组会议上，有关谁代表石油部在此次党的会议上发言的问题，引起了一点推让。副部长李人俊被一致推荐是发言人，可他本人坚决推让，并冲余秋里这样说。

余秋里笑呵呵地对这位曾经当过新四军供给部长、被刘少奇和陈毅同志称为“经济学家”的年轻英俊的副部长说：“同志们推荐你，可你让我去有什么理由呀？”

李人俊振振有词：“第一，你是部长，发言有权威，我是副部长，人微言轻。第二，整个石油战线的职工都等着新部长来鼓劲，你这个时候出来说话正是好时机。第三，你和中央首长熟，你讲话他们听……”

余秋里听完摇头：“这些理由不充分，还是你去讲。”

“这……”李人俊还想说时，余秋里站起身，右胳膊一甩：“就这么定了。散会！”临出门时，又回头对李人俊说：“今晚你到我家里，我们一起聊聊怎么个讲法。”随后又扯开嗓门：“哎哎，你们几位部长，也一起过去啊！”

北京东城交道口的秦老胡同。自余秋里搬到这儿后，这个胡同的名字在石油战线几乎无人不晓，因为他和战友们创造的“秦老胡同”工作方式，影响了共和国整个石油工业的发展方向。不夸张地讲，石油部后来的所有重要决策都是在这“秦老胡同”的“侃大山”中形成和完善的。

余秋里的家和几位副部长的家大多在这条古老的胡同里，他们将晚清重臣曾国藩的府第按各自所分配的居住房室切割成几片，既自成格局，又相互关联。余秋里是部长，又是中将，当然院子比别人家大一些。特别是他的那间会客室，30 多平方米很是宽敞。将军当石油部长后除上班在办公室和出差外，这儿是他最喜欢待的地方，而几位助手也乐意上这儿与他纵论中国石油江山。副部长们喜欢上这儿，是因为这儿比部机关的部长会议室里要随便得多。“侃大山”嘛，侃到哪儿算哪儿，没那么多规矩。瞧瞧这独臂“巴顿将军”自己嘛，他也喜欢在这儿侃。在这儿，他可以不装模作样地拿部长架势。他可以把自己农民的本性毫无保留地发挥出来。他爱抽烟，一包包地扔在小桌子上不仅自己一支连一支地抽，而且积极鼓励副手跟着自己学。他一上这儿，就蹭上他那张木椅子，他不爱坐沙发，沙发让给年事较大的周文龙副部长坐。这周文龙年岁高，常常撑不住他们整宿整宿的“海阔天空”乱侃，容易听着听着就在沙发上睡着了，而且呼噜震天。每每此时，余秋里看着睡梦中流着哈喇子的周文龙时，就会哈哈大笑。震天的笑声会把周文龙惊醒。“什么事？什么事？你们、你们是不是又有新的决策了？”周文龙在梦中惊醒后总会这样问余秋里。这时的余秋里更高兴，亲自给周文龙点上一支烟，然后对秘书说：“送周部长回家休息吧！”

李人俊副部长不爱抽烟，他对烟味有些敏感。“这帮烟鬼！”实在受不了时，李人俊连招呼都不打就走了。

“侃大山”侃得最晚，与余秋里侃得最投机的是康世恩。余秋里欣赏康世恩的才思和滔滔不绝的话题，尤其是他对石油和石油地质的见解。他们两人可以侃几小时十几小时，如果不是白天工作和开会，他们可以侃几天几夜。

余、康是侃得最多、最深刻，也是最亲密无间的一对儿。余秋里与康世恩侃时，可以把鞋子扔到前院的小天井里，袜子塞进自己的裤袋里，或者干脆随地一扔，不留神还常常伸出手指去搓搓发痒的脚丫子。这一套“程序”结束后，他便双腿盘坐在那张椅子上，瞪大眼睛，听人讲也自己讲。那情景令人倾情和难忘：你瞧，他认真时会将头和身子尽量地前倾着，一个字不漏地把康世恩倒出的石油知识和地质知识吸进自己的脑子里；他高兴时会从椅子上“噌”地跳下来，直用那只有力的右胳膊，敲打着康世恩：“好好，老康，就照你的意思办！”

康世恩呢，这位清华大学地质专业学生在未毕业时就参加了八路军，骨子里有点知识分子的性格。他对从里到外都透着将军气质的余秋里部长，也是特别的喜欢，甚至有些崇拜。他喜欢余的雷厉风行，也欣赏余对出了问题后的那种雷霆万钧、干脆麻利的处理方法，更佩服他在决策时那种坚定果断和决策后为实现目的时所表现出的不达目的不罢休的锐气和战无不胜的作风。

我在采访一位在康世恩身边工作过的同志，他回忆说康世恩生前曾不止一次感慨地说：“没有余秋里，就没有我康世恩。”

康世恩说这话绝不是一种奉承，他是从心底里发出的感叹。

石油系统无人不知“余康”二人。“余康”二人在石油工作上几十年如一日的默契配合和相互支持，以及彼此的互补，使他们承担的共同事业也变得完美。余和康俩人可称得上中国政坛楷模和中国经济战线的两面鲜艳旗帜。

中国石油工业因“余康”而光芒四射。共和国五十年前的经济历史，也因“余康”而光彩夺目。

现在我们回到余秋里让李人俊上中南海党的八届二次会议上发言的事。就三千来字，余秋里和李人俊整整折腾了五个晚上，而且也让康世恩等另外几个副部长一起讨论了好几回。石油部的人都知道，余秋里虽说没上过几天学，即使将后来抗大里学的时间加起来也只能算马马虎虎的“初中文化程度”吧，可他写起文件来呀，能把大学中文系的高才生都折腾死。为了一个字、一段话，他能让你推敲几天几夜。

“文件、决议可不是闹着玩的。不是像吃饭那样少一口多一口没关系，文件、决议可是关系到大局的事，少一个字、多一句话都不行。那会把路走歪的！”余秋里这样斩钉截铁地说。

我到大庆采访时在查阅当年大庆会战的《战报》时看到石油部关于学习毛泽东《实践论》和《矛盾论》决议，全文只有400个字，一字不多，一字不少，据说为这400个字，当年起草的宋惠同志有好几天没睡觉。这是后话，在此不表。

李人俊的此次发言意义重大，尤其是对上了“黑榜”的石油部来说，这既是在全国人民面前“改过自省”的一个机会，也是他余秋里上任石油部长后在石油系统外的一次亮相。但余秋里把机会让给了李人俊。

李人俊知道肩负着重担。将军给他撑腰：“没啥怕的。你只要记住：我们石油部首先承认落后，但我们不甘落后。我们要在毛主席面前保证：我们誓在第二个五年计划里赶上钢铁大王，他一吨钢，我们一吨油！”

“一吨钢，一吨油，我们行吗？”李人俊底气不足。这底气不足是有道理的，因为当时“钢铁大王”的冶金部已经实现了年产530万吨，而且他们的口号是要在“十年之内赶超英国”，比毛泽东提出的“用十五年左右的时间赶上英国”还要提前了几年指标。

“当然行嘛！他冶金部是人，我们石油部就不是人啦？他能搞一吨钢，我余秋里就不信我们搞不出一吨油来！他娘的，我们总有一天要掘穿地球，抱他几个大油田出来，让石油‘哗啦哗啦’地涌！”将军给李人俊打足气。

中南海的“打擂”开始了！

主席台上，坐着毛泽东、刘少奇、周恩来、朱德、陈云、邓小平……他们笑容满面地看着台下1360多名代表和列席代表。而台下代表们则被主席台上的领袖们一次又一次的赞喜目光调足了情绪。有关这场惊天动地的中南海“打擂”比赛，作家陈道阔作了如下描述，在此引用一段：

……河南、湖北、安徽的代表相继登上主席台，宣读发言稿。他们一个比一个精神抖擞，慷慨激昂。台下的掌声又为他们烘托起热气腾腾的彩云，使他们一寸寸地离开地面，登上那俯视环球的空中楼阁。

冶金工业部代表的发言，把会议上的激情推向了波峰浪尖。他宣布，今年的钢产量坚决达到850万吨，七年赶上英国，第八年最多第十年赶上美国！

……

按照会议程序，下一个发言的是石油工业部的代表了。

李人俊登上主席台。他身个不高，也其貌不扬，但噔噔地颇有精神。他来到蒙着红布的讲台后，按了下麦克风，因为刚才冶金部的代表是个高个子。他抬起头来，似乎把什么忘到台下了，目光在会场上搜索了一下。

余秋里直起了身板，紧紧地盯着主席台。

“主席，各位代表。”李人俊口齿清晰，声音雄厚。

1000多人的会场，寂静得犹如旷古空壑，只有李人俊的声音在嗡嗡轰鸣，似乎震落这古老屋梁上的尘埃，陨石雨般地砸在地上。

突然，李人俊的嗓门犹如天崩地裂：

“我们打擂！我们和你们冶金部打擂！”李人俊刷地戟指台下冶金部的代表，却像是指向整个会场，“你们冶金部产一吨钢，我们石油部，坚决产一吨油……”

这是掌声吗？听不出是手掌拍出来的声音。山呼，海啸，雷鸣等等，小学生做作文都是这么形容的，可见这些形容词是多么幼稚。但可以肯定，这种令余秋里耳膜胀疼的声音，很难相信是两片骨肉制造出来的。

这个口号是余秋里和他的同僚们在秦老胡同“侃”出来的。当时冶金部长王鹤寿在场，讲他的钢铁生产形势和计划，颇有特色。余秋里不服气，顺口吹了这个牛。王鹤寿听了直笑。因为当时钢铁产量已达530多万吨，而石油仅140多万吨，还不到钢铁产量的三分之一。王鹤寿侠气十足地说：“你们是小兄弟，以后有难处找我王鹤寿好了！”他说话算数。在后来余秋里组织石油大会战时，尽管王鹤寿的日子已不大好过，但仍然全力以赴地支援。

李人俊把双手举过头顶，频率很高地拍击着，如被捆着手腕吊着一般。

会场终于平静下来。李人俊拿起讲台上的发言稿，正要讲话，一个湖南人的声音突然出现：

“你们行吗？”

李人俊一怔。

余秋里也一怔。

毛泽东，笑容可掬地望着李人俊。

余秋里刷地站起来……

“行！”

人们听到的是李人俊的声音。因为他对着麦克风，或者，余秋里根本就没说。

毛泽东鼓掌了，而且是带号召性地示意台上台下的人们陪着他一起鼓掌。

周恩来可能一直留意着他的国务院代表们。他鼓掌时，冲余秋里直笑，他大概看见余秋里罚站似的起立过。

那会儿的掌声和这会儿的比起来，简直是小巫之于大巫，河泊之于汪洋……

其实余秋里八大二中会议上出头露面，是有他的深思熟虑的。他是想日后在中央领导和那些打“擂台”的兄弟省长、兄弟部长面前打个出其不意。这是军人惯用的手法。你嚷嚷时，我默不作声；你取小胜时，我依然默不作声。你欲取之大胜时，我则来他个惊天动地。这才叫英雄本色，将帅之气。

多少年过后，我们再审视一下余秋里上任石油部长时的形势，就会看到一个事实：这位独臂将军部长其实一上任就被推上了一匹飞跑的战马上。你不快跑是不行的，你不飞奔也是不行的，你只有豁出命乘势飞跑才行。

因为此刻的毛泽东主席正和第一代中国领导人一起在一种从未有过的建设共和国的激情中燃烧着。尤其是毛泽东，在经历了1957年的反冒进，经济形势出现较好转变，全国各地建设社会主义热情蓬勃高涨之后，毛泽东十分欣慰地指出：“我们的革命是一个接一个的。从一九四九年在全国范围内夺取政权，接着就是反封建的土地革命，土地改革一完成就开始农业合作化，接着又是私营工商业和手工业的社会主义改造。社会主义三大改造，即生产资料所有制方面的社会主义革命，在一九五六年基本完成。接着又在去年进行了政治战线上和思想战线上的社会主义革命……”（《毛泽东文集》第7卷，第349 ~ 351页）接二连三的社会主义革命的胜利，使毛泽东更加以为有必要调整国家的经济建设步伐，“以便在十五年或者更多一点的时间内赶上和超过英国”。而当以冶金部为“钢铁老大”

的不断提升钢产量速度之后——原先十五年钢产量超过英国的指标在几个月后竟然在一些“烧”昏了头脑的人一再坚持和保证下，说“完全可以用更短时间”而且短到只需五年甚至两三年时间就可以赶上英国钢产量的影响下，毛泽东连续批评主管经济的周恩来、陈云、薄一波的“反冒进”和他们缺少朝气、太多暮气，使得全党对经济速度的追求达到了狂热的地步。

1958 年 1 月，毛泽东把中央主管经济的领导人和各省市主要负责人叫到南宁开会。每天开会，一开就过半夜，而且他在会议期间亲自起草了著名的《工作方法六十条（草案）》。月底时，毛泽东从广州回到北京，立即在中南海颐年堂召开最高国务会议，集中讨论 1958 年的预算和经济计划。会议一开始，毛泽东就激情澎湃地说：“我们这个民族在觉醒起来，好像我们大家今天早晨醒来一样，在逐步觉醒。因为觉醒了，才把帝国主义、封建主义打掉；因为觉醒了，才把私有财产制度废除；因为觉醒了，才进行整风，批评右派；现在还要革掉一个东西：我们又穷又白。白纸好写字，穷就要革命，要干，就有一股干劲……我看我们这个民族现在好比打破原子核释放出热能来！”（《毛泽东传》，第 781 页）

毛泽东以其天才诗人的气质，把中国人的建设劲头全都调动了起来，而他本人则在这种激情中更加热血沸腾。看看这一年毛泽东的行程，就会发现，他几乎将全部心血花在了调动全国的建设热情和推动国家大发展上：2 月份全国人大五次会议尚未结束，他就利用会议间隙跑到了济南，接着又到东北去调查，并短短四天跑了四个城市。2 月 18 日他赶回北京，又在中南海主持中央政治局扩大会议，把在京的中央委员、党员部长或副部长共 119 人叫到身边开会，这一天正是春节。毛泽东一边抽烟，一边笑容满面地对他的属下高谈阔论道：今天的会就叫“团拜会”。一说到目前的生产高潮，毛泽东情不自禁地说：“现在这个高潮的群众情绪，自从盘古开天地，三皇五帝到如今，没有见过。”3 月 4 日，毛泽东离开北京，飞往西安，下午到达成都召开中共中央工作会议，刘少奇、周恩来、陈云、邓小平、彭真、李富春、罗荣桓、陈伯达、薄一波、谭震林、田家英和一些省市负责人及被毛泽东十分赞赏的冶金部部长王鹤寿等也被邀去开会。成都会议一开就是18天，毛泽东先后作了6次重要讲话，而且在最后一次会议上特别说了下次中央会议要重点解决工业问题。毛泽东说："现在有些问题，还是不摸底，农业比较清楚，工业、商业、文教不清楚……煤、电、油、机械、建筑、地质、交通、邮电、轻工业、商业没有接触……"（《毛泽东传》，第803页）。

余秋里虽然没有参加中央工作会议，但对毛泽东和中央普遍关注的工业与工业经济速度的精神是非常清楚的。在"成都会议"开幕前一天，余秋里在北京六铺炕石油部大楼里主持的党组会议就开始了，开得同样热火朝天。此次会议是根据邓小平的指示，确定石油部第二个五年计划战略重点的一次非常具有历史意义的会议。因为在这次会议上解决了两个特别重要的思想：一是中国石油要以开发天然油为主攻方向，二是石油勘探向东部转移的思路。同时在全国确立了10个战略勘探区，除准噶尔、柴达木、河西走廊、四川、鄂尔多斯和克拉玛依外，要开辟5个新区，它们是松辽、苏北、山东、贵州及吐鲁番，其中松辽、苏北是重中之重。

"东方不亮西方亮。国家不是现在非常缺油吗？那我们就挑肥肉吃！哪儿有肥肉，就往哪儿冲！"余秋里爱吃肥肉，所以用"挑肥肉吃"来鼓舞他的同事们，这让原先在石油系统占少数派的康世恩特别受鼓舞。

"余部长，我告诉你啊，四川那儿有肥肉吃！"白天在部机关开完会，晚上康世恩没来得及进自己的家，就直奔余秋里的家。进门就往沙发上一坐，指手画脚地给新部长摆起"龙门阵"来："你可不知道，那儿的油可是大有希望！去年春节，我上巴县石油沟，正好巴9井发生井喷，火柱从地底的一千多米深直喷到地面近百米高，那气势大啊！"

余秋里像是真见了肥肉一样，张着嘴巴，满脸惊喜地问："这么高啊！后来呢？这火天天这么烧啊？把它弄住多好！"

康世恩端起余秋里的茶杯，往自己的嘴里倒："后来、后来正好我陪同苏联专家上那儿去了。可我们自己不懂呀，看了这冲天大火，又是高兴又是心疼，高兴的是看到了油，心疼的是大火把多少油气给烧掉了呀？可又不知怎么办！苏联专家阿鲁德热夫说，可以用空中爆炸灭火的办法制止油气。”

“空中爆炸？怎么个爆炸法？”身经百战的余秋里还是第一次听说这样的事，便异常好奇地追问康世恩。

“就是把几百公斤的炸药吊到火柱的顶端，然后猛烈一爆，压住井口的油气，再用泥沙等物封住井口……”

“成功了吗？”

“成功了！”

“好嘛！哎，老康，现在那儿的情况怎么样啦？”就在余秋里询问康世恩时，秘书匆匆从外屋进来报告：四川方面有捷报。

“快说快说！”余秋里“噌”地从木椅上跳下来，连鞋都没顾得穿。

秘书说：“龙女寺2号井今天喷油，一天喷了60吨！”

“哈哈哈，老康，那儿真有油啊！”余秋里兴高采烈。

康世恩则忙着问秘书：“其他几口井的情况呢？”

秘书回答：“正在紧张施工之中。”

康世恩一听，脸上挂满胜利的期待，伸手抓起余秋里的烟盒，点上一支烟后，转身就出了门。

“哎哎，老康，你别走嘛！今晚我请你吃红烧肉嘛！”余秋里抬起右手想拉住他，却没拉住。

门口外，传来另一个声音：“让他走吧，肥肉留给我吃。”余秋里探头一看，是后院的胡耀邦同志进了他的门。

“哈哈，是我们的青年团书记啊！好，今天我请你吃红烧肉！”余秋里拉住胡耀邦就往厨房里走：“素阁，红烧肉做得怎么样了？”

吃完红烧肉，党组的会议继续开。那时，从上到下的会议特别多，会议也是工作嘛！毛泽东的工作就是主要靠会议来完成的。余秋里继承了毛泽东的某些风格。而此刻的四川方面也像是有意给新来的部长添喜，几天内捷报频传：继龙女寺2号井喷油后，12日南充3号井又见油喷，日产达300吨！16日，蓬莱1号井也出现喷油，日产100吨。三井所处三个构造，相距200多公里，这意味着石油部上下盼望已久的“大油田”就在眼前出现啦！

“我们找到大油田啦！”

“毛主席万岁！”

“共产党万岁！

“祖国万岁！”

石油部大楼里沸腾了！鞭炮和锣鼓齐鸣，震得四周居民跟着热闹了好几天。那时石油部还有一帮苏联专家，他们同样一个个欣喜若狂。因为在这之前一直没有帮中国人打出油来，很没有面子，连自己国家的部长会议主席都批评了他们。这回四川频频报捷，苏联专家们总算一扫脸上的阴云，他们把康世恩叫去畅饮伏特加酒，把不胜酒力的康世恩灌得大醉，然后抬着他满街跑……

3月27日，正在成都主持中央工作会议的毛泽东，没有打招呼，突然兴冲冲地赶到四川隆昌气矿视察，并且欣然题词：“四川大有希望！”

余秋里得知后，安排好部里的工作，立即与康世恩于4月初赶到四川的三个喷油现场。

这是余秋里上任石油部长后首次到石油勘探现场。当他看到隆隆的机台和飞旋的钻机，尤其是仍在壮观喷油的景观，兴奋不已。他从一个井台走到另一个井台，见什么便问什么，恨不得把钻井和勘探知识一下全部装进自己的脑海里。

“来来来，抽烟抽烟！”每到一个井台，余秋里便把头上的草帽往旁边一扔，不管脏不脏，一屁股坐在工人的床铺上，毫不见外地盘起双腿，掏出口袋里的“中华烟”满屋子散……

“这就是部长啊？”工人们用油乎乎的手一边吸着难得见到的“大中华”，一边窃窃私语。

“啥部长不部长的，到你们这儿，我就是小学生。你们可得给我好好讲讲这儿的油是怎么打出来的。讲好了，我再给你们抽中华烟。另外还有肥肉吃！”余秋里一番套近乎的话，说得工人和技术员心里热乎乎的。于是你一言我一语，给丘峦碧野的南充大地带来无限春意。

“立即通知各地的局长、厂长都上南充这儿开会！我们要好好研究研究如何集中兵力在四川这儿打个找油歼灭战！老康你说呢？”余秋里听完汇报和几天的现场学习调查，对康世恩说。

“我赞成。”康世恩早已求之不得，这四川的勘探工作是他近年花的最大心血，如今已见油了，下一步怎么把地下的储量搞清楚是关键，所以当余秋里部长提出要开“南充现场会”，便立即让随行的唐克司长向各地发出通知。

“老张啊，你的任务有两个：一是等开会的代表来了，你要好好介绍介绍这儿的勘探情况，二是把伙食搞得像样点。”余秋里对四川石油管理局的张忠良吩咐道。

“是，首长！坚决完成任务！”张忠良把腰杆挺得直直的，向余秋里敬了个标准的军礼。

余秋里瞅着非常满意，说：“我知道你是石油师的副师长，身经百战的红军老战士！哎，抽时间你给我讲讲石油师的情况，你们是毛主席亲自批准的一支集体转业到石油战线的钢铁部队。中国石油的希望主要靠你们了。以后碰到最艰巨的任务，我可要用你们去冲锋陷阵啊！”

“是。首长，你指向哪里，我们就冲锋到哪里！完成不好任务拿脑袋见你！”张忠良又一个军礼。

余秋里有些激动了，虽然自己也才脱军装没几天，但他喜欢部队，更爱听这样的话。部队嘛就要勇往直前，所向披靡，战无不胜！此刻他想起了毛泽东在菊香书屋那天找他谈话时曾吩咐他：找石油就像打仗一样。要把石油师用好，用在刀刃上。如果什么时候再需要部队，我负责给你！

毛泽东是军事家，是用兵如神的大军事家。在建设共和国时期，毛泽东作为领袖和统帅，仍经常喜欢用当年推翻蒋家王朝和打日本鬼子的方法，使用军队和军队干部来承担艰巨任务和特殊行业的战斗工作。

余秋里来到石油部后，深知这支担负国家经济建设特殊任务的找油队伍，长年在野外作战，既独立又分散，以一个机台或一个地质普查队为单位，如何有效组织和指挥这样的队伍，引起了余秋里深深的思考……

“我们的找油是以井队为生产单位，所以一切工作在于井队，一切跃进在于井队，各个地区工作做得好不好，也都集中反映在井队。所以，加强井队建设，是我们石油勘探能否取得成功和部、局工作意图能否获得顺利执行的关键。毛主席早就说过，红军之所以艰苦而不溃散，支部建在连上是一个很重要的因素。我们的井队当然还有地质普查队，也应该把党支部建设好，每个井队都要有政治指导员，这是完全必要的，完全正确的……”南充会议上，余秋里以其军事政治家的真知灼见，提出了石油队伍建设的一个开创性思路。从此，中国石油部队有了“支部建在队上”和“指导员制度”，这是余秋里的创造发明，也是我们党和军队光荣传统在石油队伍中的继承发扬。几十年来，中国石油队伍南征北战，石油部的领导换了一任又一任，但余秋里的“支部建在队上”和“指导员制度”从未变更过，即使在20世纪80年代曾经出现工业部门统统取消“政治机关”的风潮与机构改革中，石油部仍保留“政治部”编制。实践证明，像石油部这样执行特殊任务的生产战斗队，支部建在井队和政治指导员制度，是符合中国国情的，也是一条使队伍取得胜利、队伍坚强有力的政治保证。

余秋里的这一贡献影响着整个石油工业建设，也将继续影响石油工业发展。

然而，余秋里的更大贡献还在于他用其在革命战争年代锤炼出来的那种克敌制胜的娴熟的战争艺术，指挥了石油开发的战役。

“既然四川已见油，我们希望尽快地打到大油田。那么用什么办法？我看集中我们的优势兵力，像毛主席指挥打三大战役一样，打大会战是可以实现的！你们说呢？”余秋里挥起有力的右胳膊，询问部下。

那时的部下们，几乎都是清一色的从部队里来的指挥官，他们太熟悉打仗了。转业到石油战线后，已经好久没有听到这样熟悉而亲切的军事用语了。经将军部长这么一说，顿时一个个热血沸腾，仿佛又可以回到那个战火纷飞、杀他几百个回合的大决战了！

“行！我看行！”

“我们赞成部长的建议！”

“对头，要干，就痛痛快快地干！”

局长、厂长们个个摩拳擦掌。就连整天戴着宽边眼镜、看上去文质彬彬的康世恩也把袖子一卷，高喊着说：“我看行！就打大会战！”

现在轮到余秋里笑呵呵了。突然，会议代表又见他脸色一变，挥起拳头，重重地砸在那张长条桌子上，近似吼着说：“好！现在我提议：中华人民共和国石油工业部川中石油会战成立领导小组，组长康世恩，副组长张忠良、黄凯，参谋长唐克！”

"是！"康世恩和张忠良、黄凯，还有唐克，齐刷刷地站起来接受任务，并向余秋里敬军礼。

"新疆局的张文彬、玉门局的焦力人、青海局的杨文彬，你们回去以后，要迅速组织最强的兵力，参加川中会战！"

"是！"张文彬、焦力人、杨文彬以同样的标准军礼接受将军部长的指令。他们无一例外都是军人出身。张文彬，原中国人民解放军第十九军五十七师政委，是他和师长张复振带领全师官兵于 1952 年接受毛泽东主席的命令，集体转业到石油战线，成为新中国第一代石油工业的开拓者和领导者，离休前曾任石油工业部副部长；焦力人，1938 年入党的"老延安"，离休前任石油部常务副部长；杨文彬也是位"老八路"，离休前为石油战线的领导之一。

一群战争年代走过来的将士们，以其军人的特有风格，以其排山倒海之势，拉开了新中国石油工业史上的第一场会战序幕——

一时间，来自共和国几支石油主力部队的勘探队分别从玉门、新疆和青海的油田上挥师"天府之国"。余秋里与康世恩商量后，又做出在成立由张忠良为局长的四川石油管理局基础上，再成立川中、川南两个矿务局，并从玉门石油管理局调来一员大将，名曰秦文彩，与四川有名的大地主刘文彩只差一个姓，但秦文彩是位地道的赤贫出身的革命者，后任石油部副部长、中国海洋石油总公司总经理。柴烟白塔，绿肥红瘦，嘉陵江畔的川中土地上，100 多台钻机，在 7 条地质构造上威武雄壮地摆开战阵。而康世恩对秦文彩下达的命令是：必须在已经见油的南充、蓬莱、龙女寺三个地质构造上迅速拿出 20 口关键井，作为整个会战前的勘探主攻任务。

"大油田、小油田，就看这 20 口井出油情况了！"康世恩雄心勃勃地说。

"可我觉得川中这样的地方，地质复杂，不宜如此大动干戈搞会战。最好再等等已经出油的几口井观察一下为妙。"年轻的四川石油管理局总地质师李德生面对一群将士出身的军人指挥员摩拳擦掌的架势，提出了不同看法。

康世恩的眼睛一下瞪大了："你再说一遍！"

李德生梗着脖子，说："我还是坚持等地质情况弄弄清楚再大干也不迟。"

康世恩一下火了："不迟？你不迟我还觉得迟呢！"然后问余秋里："你是部长，你说呢？"

余秋里本来是坐着的，听康世恩一问，便"噌"地站起来，大步走到李德生面前，两只眼睛凶狠狠地盯住对方，声音是从鼻孔里出来的："你再说一遍！"

李德生是知识分子出身，哪见过这阵势？吓得直冒冷汗："我、我是说不能蛮干，要干也得等地质资料都收集齐了才好决定怎么干嘛！"

"那你说要等到什么时候？"看得出，将军部长是硬压着心头不满。

"这个我说不准，或许半年……也可能一年、两年……"

余秋里一听就火了，拳头猛地砸在桌子上："扯淡！等你资料收集齐了，人家钢铁大王都已经把英国美国赶超了。我们还干个鸟！你这叫动摇军心知道吗？油都喷到天上了，这是最好的资料，亏你还是个总地质师呢！"

李德生大汗淋淋。

康世恩在一旁对生产一线的干部们挥挥手："该干什么还去干什么！战场已经摆开，不能有任何动摇！"

两位军人出身的指挥官深知决定了的事不能有半点马虎，否则就实现不了战役意图。

余秋里见川中战局已布置就绪，便对康世恩说："老康，看来我们得抽出时间专门关注一下东北那边的事了。"

康世恩频频点头："我也这么想。听说地质部那边已经有了不小的进展。"

余秋里一听又来劲了："是吗？既然这样，咱们也得赶紧动作！小平总书记不是指示我们千万要注意做好战略、战术和战役三者之间的关系嘛！川中会战可以说是我们今年争取拿出产量赶指标的战役，而玉门、克拉玛依和柴达木三个主力油田生产基地是我们只要采取有效的战术就能抓稳产的地方，东北松辽则是我们今后有可能搞到大油田的战略方向。与战术和战役相比，战略对我们石油工业发展更具有关键性意义。走，立即回北京研究松辽的问题！"

早期的找油，有点像捉迷藏的味道。浩浩 960 万平方公里的面积，千把台钻机、几万地质队伍就像天上撒下几粒芝麻粒儿，真可谓微不足道。但不管是捉迷藏，还是天女散花，毛泽东和中国共产党人要在自己脚下开出“哗哗”直冒的大油田，既是做梦也在想的愿望，也是国家经济发展的迫切需要。还有便是国家安全的紧迫需要。那会儿美帝国主义刚在朝鲜战场丢了面子，仍不甘心，便不断借台湾岛上的蒋介石残余势力，在我东南沿海进行捣乱和挑衅。毛泽东决意要给美国人和“老蒋”一点颜色看看，金门一带变得战局十分紧张。现代战争，特别是海战，舰船和大炮离不开用油。余秋里虽说已离开军队，但老帅和国防部的统帅们时不时地询问他：油找得怎么样了呀？这无疑给将军部长增添了很大压力。这种压力是石油部门的一般干部和普通职工体会不到的。

余秋里承受的压力还在于当时风起云涌的“大跃进”的政治压力。

“干脆，今年的钢铁产量比去年翻一番！何必拖拖拉拉嘛！”余秋里在川中刚刚安排好战局，欲求本年度力争完成好国家交付的年度石油计划，而毛泽东此时又在北京下达了这一新指标。

石油部长叫苦不迭：本来李人俊代表石油部党组在中南海向毛泽东和全国人民喊出的“一吨钢一吨油”还可能有点儿戏，这回毛泽东又把钢铁指标“翻一番”了，不等于要他余秋里命嘛！更严重的问题是，那股山雨欲来风满楼的“全民炼钢铁”狂潮，已经刮到连搞石油的人也不得不放下手中的钻机与地质锤的地步了。

余秋里回到北京，见自己的石油部大院内烟雾弥漫，人声鼎沸。一边是一群机关干部架着几口大铁锅说是在“炼钢”了，“原料”来自各家各户包括机关后勤处那儿搜集上来的一些破铜烂铁，甚至是做饭的锅、烧水的壶；一边是勘探司的人在后院搭着几台像食堂灶台一样的人造炼油炉……真是好不热闹！

“炼了多少钢水出来啦？”余秋里眯着眼，走到“炼钢”同志那儿问。

炼钢者皱皱眉头，踢了踢甩在一边的几块像马蹄形的铁块，胆怯地说：“部长，就这么点儿，可我们已经几天几夜没休息了……”

余秋里又皱着眉头走到“人造油”炼场，问：“搞出几滴油了？”

炼油者提出一个铁桶，不好意思地说：“部长，我们可没有马虎过，这玩意儿它不怎么出油呀！”

余秋里脸色一板，站在大院内吼道：“你们听着，立即给我把这些破破烂烂的玩意儿统统扔了！有力气就给我使在找油上！以后谁再吃饱了撑着干这些玩意儿，我就把你们赶到玉门、赶到青海去！”

石油部大院顿时重新变得清净和干净了。

但有一位干部被余秋里叫住：“鲍副主任，你躲什么呀？”

办公厅副主任鲍建章被余秋里抓住了。这位老红军只好苦笑着走到余秋里面前：“余部长，你有什么吩咐？”

余秋里瞅瞅四周没有人，便悄悄问道：“我上次让你种的小麦怎么样了？”

鲍建章瞪大眼睛：“你真让我种麦啊？”

余秋里一听就火了：“你以为还是假的啊？”

鲍建章喃喃道：“我以为你跟我开玩笑呢！”

余秋里的空袖子一甩，扇出一阵风来：“谁跟你有闲心开玩笑！告诉你鲍建章：你不仅要给我种上几亩地，而且还要严格按照人家的先进经验，该怎么施肥，怎么中耕，怎么深翻，你一样都不能少！尤其是那个密植。别给我搞稀里马虎的。”

鲍建章一脸苦相地：“余部长，你到底想干啥呀？我弄不懂嘛！”

余秋里两眼盯着眼前的这位满身枪伤、走过雪山草地的老红军战友，对天长叹一声：“我要是弄懂了还叫你种狗屁麦田嘛！愣什么？没听懂？那我就再告诉你：人家不是报纸上天天在说，人有多大胆，地就能产多少粮吗？我倒要看看到底一亩地能产多少斤粮食。我们不亲自实践一下，怎么可能知道到底能产多少粮嘛！”

原来如此。鲍建章恍然大悟。

“好，我立即组织人员去农场播种。然后再把收割的产量告诉你。”鲍建章终于认真起来了。

这就是余秋里的作风，什么事不实践他不相信。实践了是熊是狗，你再要他指鹿为马就是砍他的头也做不到。

这事还真让余秋里碰上了。不久，有一次余秋里参加中央会议时，在休息室的走廊里，冷不防有人在他身后叫住他：“余秋里！”他转过头一看：哟，是毛泽东和几位领导人正边聊边向他走过来。

“主席。”余秋里习惯地举手敬礼后上前与毛泽东握手。

毛泽东和蔼可亲中带着几分威严地说：“刚才我们几个在议论一件事。你说说，这个粮食高产，到底一亩能不能打一万斤呀？”

余秋里的心里“咯噔”了一下：这在当时要回答好这样的问题可得有“艺术”，何况是在毛泽东面前。人民日报把河南、山东等地粮食亩产“万斤”“十万斤”的“卫星”上了头条新闻，有的是经过毛泽东亲自审阅过的哩！你说怎么回答？但余秋里就是余秋里，他的心里“咯噔”一下之后，立即恢复了正常心律，毫不犹豫地回答道：“主席，我是庄稼地里长大的，我可从来没有看见过一亩地能产一万斤的。”

毛泽东的眼角往上挑了一下，没有说话。倒是旁边的一位领导人对余秋里说：“你没见过，不等于产不出来。没一万斤，6000 斤会有吧？”

“瞎扯！”余秋里心里骂了一句这位放“卫星”出名的领导。什么 6000 斤一万斤的。余秋里是打仗出身的将军部长，在战场上的每一次激战或者迂回战，都是与敌人你死我活的较量，因此他养成了干什么事不能掺半点假的作风。此刻他心想：一亩地能产多少粮，我余秋里知道，前面提到的他为啥让石油部办公厅副主任鲍建章那么认真去种麦子？余秋里要的就是看看到底能不能产“万斤粮”。老红军鲍建章后来理解了部长的心思，于是在东郊和北郊两个农场分别种了两块麦地。北郊的那块麦地完全按照当时被一些地区吹得神乎其神的所有“革命技术”，又是深翻土地，又是狠施基肥，更是拼命地密植……可最后长出的麦穗就像狗尾巴草似的可怜，让人又气又好笑，不仅没有出现“万斤粮”的奇迹，而且几乎是种子粮都没有收回。东边的那块麦地是按照余秋里的指示，请了一位老农当顾问，按照农民通常的种植习惯，小麦长势硬是不错。收割时，余秋里亲自到场，命令颗粒归仓，最后过磅一称，991 斤。“努把力，1000 斤，甚至再多一点是有可能的。”那位老农事后对余秋里说。

余秋里干事就这么认真，蒙他或者让他对不了解的事胡说一通，杀他的头都难做到。

换了平时，按余秋里的脾气，真要和那个信口雌黄的爱放“卫星”的领导争执起来了，但毛泽东在场，余秋里强压脾气，他像当年打仗回来向首长报告一样，极其认真地对毛泽东说：“主席，我家祖祖辈辈种地，我知道一亩地能打几百斤粮，就已经不得了啦，要是一亩地收割一万斤，那农民的屋里哪放得下那么多粮嘛！”

毛泽东笑笑，不说话，低头往前走了几步，突然回过头像下达命令似的对几位身边的领导同志说：“一万斤也罢，6000斤也罢，我看最好的办法是把田用铁丝网包围起来，再派上解放军站岗放哨，收割时也让解放军收割，然后过秤，一秤一秤地过磅，是一千斤就一千斤，是一万斤就一万斤！”

余秋里当时觉得毛泽东的做法对，要不谁都在那儿胡说八道地乱放“卫星”。但毛泽东这么严厉的措施没有人落实下去，而他本人是不是真想这么做也不得而知。有一点是知道的，他毛泽东此刻最想要的是把人民群众搞社会主义的热情充分地调动起来。这热情后来确实几乎是百分之百地调动了起来，甚至差点把整个中国都烤煳了。

别人的事没法管。这时的余秋里想：自己部门尽快多搞点油出来比什么都强。

5月27日，在他主持下，石油部党组作出几项重大决策：成立松辽石油勘探局、华东石油勘探局、银川石油勘探局和贵州石油勘探局。这样，就全国的石油布局而言，基本实现了邓小平年初确定的战略转移目标。这其中后来对中国石油工业产生决定性作用的要算松辽石油勘探局的成立。这是后话，现在我们跟着余秋里的目光一起关注四川的战场吧。

大将军余秋里给我们玩了一个战略家的游戏，他这回没上“天府之国”，而是搭上飞机去了西北那个荒芜人烟的玉门。将帅毕竟是将帅，在考虑战略时的高明之处终有其高屋建瓴的思维方式。四川方面刚刚布置完毕，千军万马调向“天府之国”时，余秋里的目光已经转到了西北正在担负国家石油生产主要任务的玉门和克拉玛依油田。

此时此刻，北京城里的毛泽东已经连续不停地向政治局的同志讲“破除迷信”的问题，同时又提出“插红旗拔白旗”的“反右倾”号召。

余秋里出北京前暂时让秘书把毛泽东的这些讲话精神材料放

进了皮包，他现在的全部心思是尽快地早一眼看到被朱德元帅称为“中国石油摇篮”的玉门油田。

玉门油田在20世纪50年代中期太出名了。几乎在整个50年代，国家对玉门油田关爱有加。毛泽东、周恩来对玉门油田有过数次专门的运筹与谋划。1952年2月，毛泽东以中共中央军委主席的名义，签署了一道特殊命令——

……我批准中国人民解放军第十九军第五十七师转为中国人民解放军石油工业第一师的改编计划，将光荣的祖国经济建设任务赋予你们。你们过去曾是久经锻炼的有高度组织纪律性的战斗队，我相信你们将在生产建设的战线上，成为有熟练技术的建设突击队。你们将以英雄的榜样，为全国人民的，也就是你们自己的，未来的幸福生活，在新的战线上奋斗，并取得辉煌的胜利……

接到毛泽东这份充满激情和期望的命令后，五十七师8000名官兵在师长张复振和政委张文彬的带领下，随即成建制地奔赴石油战线。“石油师”的光辉名称和光荣传统，在中国石油工业发展的光荣历史中起到了决定性作用。如今依然在北京健康生活着的原“石油师”政委张文彬老人，经常拿出一张几十年前他和战友们接受毛泽东主席改编命令时的老照片，十分自豪地扳指头数着从“石油师”成长起来的部长级领导干部的名字：除他本人外，还有宋振明、陈烈民、李敬、秦文彩……而当时“石油师”的官兵基本上都分配到了玉门油田。那时的玉门就是新中国的“工业圣地”，吸引了大批优秀社会青年和支边人员前来投身社会主义建设。新中国首批进口的汽车、拖拉机、无缝钢管等大批设备器材，更是源源不断地运抵玉门……沉寂几万万年的祁连山下，成为全中国人民向往和瞩目的地方。像朱德、陈云、邓小平、彭德怀、叶剑英、聂荣臻等开国元勋都先后到玉门视察过。1958年7月，余秋里上任不到5个月，在安定四川战局后，就与康世恩等人来到了当时占全国产油51%的玉门油田。

将军部长第一眼看到玉门油田时就非常激动。行程的一路上问了康世恩无数问题。作为新中国接管玉门油田的“钦差大臣”，康世恩更是兴致勃勃、如数家珍地向将军介绍了玉门的全部历史和现状——

玉门位于祁连山北麓的山腰地带和山脚的戈壁滩上，西距玉门县100公里，东距酒泉市80多公里，海拔2500米。与万里长城西端终点的嘉峪关城楼遥相呼应。早在1600多年前的西晋时，祖先就发现这里有石油。古文献《水经·河水注》记载：“酒泉延寿县南山出泉水……水肥如肉汁，取着器中，始黄后黑，为不可凝，燃之极明，与膏无异，但不可食……谓之石漆。”以后各朝代也都有石油的记载。清末名将左宗棠坐镇酒泉时，曾派人去玉门取油样送往法国化验，证明油质十分理想。但当时条件不具备，无法开采利用。到了20世纪初，在中国石油事业的开山鼻祖翁文灏及他的弟子、“中国陆相生油论”创立者之一的谢家荣到甘肃玉门考察后，才真正开始了玉门石油的开采工作。20世纪30年代，在翁文灏安排下，中央地质调查所地质师孙健初曾先后3次来到玉门考察石油。1937年10月，孙健初在西北试探队队长史悠明的引领下，从酒泉向西行进，相继在玉门县几个地方考察，结果在一条名曰“石油河”的老君庙一带见有几个农民在河里捞油。这让孙健初他们大喜，“玉门有油”，很快报到南京的中央地质调查所。

这时的“中央地质调查所”所长是一位与邓小平同龄同乡的四川人、1928年毕业于北京大学地质专业（北大首届地质专业毕业生总共才有4名学生）、从瑞士伯尔尼大学留学回国不久、年仅34岁的著名大地地质构造学家黄汲清（黄后来是大庆油田的最主要发现者之一）。瘦小的黄汲清一听“大胖子”孙健初的报告，欣喜若狂。因为他接手“中央地质调查所”后，所里捷报频传，北京周口店猿人遗址的挖掘工作刚刚完成，玉门又发现大油田，能不让这位当时中国唯一一个科学技术专业部门的年轻领导者高兴吗？黄汲清迅速将玉门的消息报告了时任行政院秘书长兼经济部长和资源委员会主任的翁文灏。翁氏听后大喜，连忙向“蒋总裁”报告。哪知此刻的“蒋总裁”根本没有工夫管这类事。“九一八”事变，弄得他焦头烂额。那时东北三省吃紧后，关内的中国整个局面都出现了能源的严重紧缺。顾维钧甚至不得不亲自出面以“顾少川”的名义，串联财界巨头周作民，组织了一个“中国煤油勘探公司”，而顾的公司虽不乏财力，但却缺少技术，于是找到黄汲清的“中央地质调查所”。

此事非同小可，关系到国家存亡大事。黄汲清便与政府实业部国煤救济委员会委员、勘探队长史悠明商议。

“既然玉门见油花了，那就干吧！”史队长倒是个痛快人，说，“过去你先生想和我干也干不成，现在财神爷给拨钱了，时不再来呀！”

于是黄、史二人商定，组织一个以“中国煤油勘探公司”和“中央地质调查所”共同携手的混合普查勘探队，再往玉门一带进行普查工作。

就这样，1937年10月，孙健初带领队伍再次赴老君庙，并在冰天雪地里苦战6个月，全面彻底查清了这一带的生油层地质情况。剩下的就是打钻出油了！当“孙胖子”写完《甘肃玉门油田地质报告》时，他猛然发现自己仍是在纸上谈兵，说找油找油，可连台钻机都没有啊！

这事也难住了远在南京主持调查所工作的黄汲清。他急步跑到翁文灏那儿求助，翁对他说：“老蒋的家底你不是不知道，时下又临全面抗战，哪来钻机可调？”

翁的话使黄汲清大失所望。对呀，有一个地方有钻机呀！黄汲清突然一拍脑袋，兴奋地跳起来：“我听严爽（另一位地质学家——笔者注）说过，延安那边也在打油井，他们那里有钻机，不妨借来用一下！”

翁文灏点点头，说：“是听说过。不过共产党肯不肯借又是另一回事！”

急脾气的黄汲清嗓门大了：“试试再说呗！”

“那就试试吧。”翁文灏说。

几天后，翁文灏专门前往汉口的十八集团军办事处会晤了中共代表周恩来。周恩来当即表示：同心为国，决无异议，同意拆迁。并指派汉口八路军办事处主任钱之光具体办理，后由中共驻陕代表林伯渠亲自安排，陕甘宁边区的延长油矿派出钻井工程师等15名技术骨干，两台“顿钻”钻机，还包括两套锅炉和汽轮机、12根套管，还有钻头、钢丝绳等物资共30余吨，由武装的八路军一路护送，辗转运到千里之外的玉门老君庙地区。钻机一到，工人们就开始日夜奋战起来，并于1939年8月26日打出了第一口冒油的井。苦于为资源走投无路的国民政府上下大喜，高兴之余，蒋介石还批准了经翁文灏提名的玉门油田领导成员，任命著名实业家孙越琦为总经理，严爽为玉门油矿矿长，金开英为玉门炼油厂厂长。这三人中，金开英后来到了台湾，成了“中国炼油第一人”。严爽成为中国石油事业的开拓者之一，而孙越琦则成为新中国建设事业值得人们尊敬的重要功臣。

“这么说，在我们石油工业史上，也有很精彩的一段国共合作历史啊！”余秋里听到这儿，不由舒心一笑。随后又问康世恩：“哎，说说当年你接管玉门油田时是啥情形嘛。”

康世恩深情地回忆道：“经过解放前11年的建设，我们奉彭总司令之命，于1949年9月28日正式接收玉门油田。当时玉门的原油年产能力8万吨，炼油厂年加工能力10万吨的规模，是当时中国规模最大、产量最多、工艺技术最为领先的现代石油矿厂。有职工4000多人，大部分人对石油勘探和开采及炼油技术颇为熟练。国民党政府对这块‘肥肉’是不会轻易送给我们新中国的。在我们接管前夕，国民党西北长官公署的马步芳对时任油矿经理的邹明不断施加压力和威胁，要求他做好破坏油矿的计划。邹明一想，这怎么行？玉门油田为国家和抗战作了多少贡献不说，这真要把油田炸了，几千名职工咋个活法？他不干，于是决定团结广大员工进行护矿守矿。这个时候，我军在彭德怀大将军的直接指挥下，加快前进。余部长你的老战友、第三军军长黄新廷率领的机械化装甲团以迅雷不及掩耳之势，于9月25日上午到达矿区，才使玉门油矿免遭破坏。黄军长他们解放玉门油田的第三天，即9月28日，王震司令员就向朱德总司令建议并获得批准，我就奉彭德怀司令员的命令做了玉门油矿军事总代表。”

“那时你34岁对不对？”余秋里以欣赏的口吻问康世恩，“你算是我们新中国最早的石油工业领导干部之一了！”

康世恩推推眼镜，谦逊道：“不都是服从命令听指挥嘛！”

余秋里有问不完的话题："听说当时玉门有个'四五事件'，是怎么回事？"

康世恩说，是，这是我接收玉门后碰到的第一个棘手的问题。"四五事件"说的是玉门油矿过去按照惯例，都是每月的第一天发工资。可是1949年4月这个月到了5日，工人们还没拿到工资，大伙儿一打听是油矿当局扣下了不发。工人们就火了，一批炼油工人闯进油矿办公室，怒打了当局一位代理经理，当时总经理邹明出差在上海。事后，有19名工人遭酒泉警备司令部逮捕，其中3人开除公职，4人判有期徒刑。"四五事件"就这么出来了。玉门一解放，我们接收油矿后，工人们就强烈要求重新处理这件事。我和军管委的其他几位领导同志通过在全矿开展"谈身世，吐苦水"的阶级教育活动，并彻底为"四五事件"平了反，工人们的积极性异常高涨。油矿迅速恢复了生产，而且越干越好。有一次矿上一时现金出现了周转困难，该到给工人发工资时，矿上一时拿不出那么多钱。这事被彭总知道了，他立即找来后勤部长黎化南问道："你手里还有多少银元？"黎部长说："总共只有5万元银元。"彭总说："全部给玉门先送去！他们那儿着急要给工人发工资呢！"第二天，这些钱就送到了玉门。

康世恩说到此处，感慨地："中国的石油，有彭总的一片苦心啊！"

余秋里深情地点点头："彭总主管军队工作，他比谁都更清楚油的重要性。现代战争中坦克没油，大炮没油，战车没油，不等于等死嘛！有一次总理对我说过，说彭老总有一段时间每次见了他就催问油搞得怎么样了？总理被问急了，双手一摊，说你这么着急要油，那你派部队的人去找油呀！这不，你我都是彭老总推荐来石油战线的，我们的责任不轻啊！"

踏上玉门油田的第一步，余秋里迎着西北高原习习的清风，心潮起伏。现在，他是来领略和指挥新中国最重要的油田开采新高潮的。

"这就是余部长啊？怎么一点儿架子都没有？"工人和干部们对新部长的到来，怀着十分好奇的心情，他们惊喜地发现，这位"少一只胳膊"的部长，所到之处，毫无官样，该说的该笑的，跟他们钻井工人没什么两样呀！至于吃的睡的，工人们是啥样，他"少一只胳膊”的人也啥样。有一回，“少一只胳膊”的人还提出要跟钻机工人上一天班。工人们哪好意思让“少一只胳膊”的人干一样的活嘛！于是提钻起钻时便将“少一只胳膊”的人挡在一边。“少一只胳膊”的人急了：“你们这是干啥？我又不是来吃闲饭的！”说着，就拨开人群，上前抓起钻杆就抬。工人发现这“少一只胳膊”的人力气一点不比他们小喔！

“少一只胳膊”的人看到自己扛上的钻杆，顺着隆隆轰鸣的钻机徐徐下至千米的地心深处时，站在机台上“呵呵呵”地笑个不停。

一个西北汉子悄悄上前握了握“少一只胳膊”人的那只右胳膊，不想被对方紧紧握住捏在手心里。“哎哟哟——”那西北汉子顿觉自己全身发酥。

“部长，你的一只手挺厉害的噢！”西北汉子涨红着脸，对“少一只胳膊”的人说。

余秋里风趣地挥动右拳，说：“你可别小看我只有一只胳膊，打仗时我就靠它端起机关枪嗒嗒嗒地扫哩！”

从此西北油田上，大伙儿都知道他们的部长虽比别人少一只胳膊，但论力气还是蛮大的喔！

工人和干部们最欣赏他们部长的还是看他在开会时的那种神态：个头不高，站在那儿，却像铁塔那么敦实。说起话来，声音却像山庙里的铜钟，声一出，震天动地。再看他挥胳膊时的气势，比沙漠里刮起的沙尘暴还厉害！一切挡路绊脚的乱石，在他铁臂挥动之间，都会惊得满地乱滚，无地藏躲。要说他表扬你时，定叫你热血沸腾，斗志高昂百倍。他要批评你，那非令你浑身刺骨冒寒……

这就是余秋里。

余秋里这回到玉门不是想表扬谁，更不是想批评谁，用他自己的话“是来学习的”。所以一连数天他不是上机台就是钻到“干打垒”里与工人们促膝倾谈，海阔天空地谈。瞧他盘着双腿，抽着烟卷，一坐就是四五个小时，那么开心，那么倾情，那么专注。

“部长，北京来电，请你立即启程回去开重要会议。”秘书李晔过来悄悄对他说。

余秋里只好起身，与工人们一个个握手，然后颇为遗憾地对大

家说 ：“时间短了些，短了些，等我开会回来，大伙儿再唠唠！”

但等余秋里再回到玉门时，他的脸上不再那么整天露着笑容。“是来学习的”话也不说了。整天找干部开会，讨论油田如何增产的事。

这当儿，中国南边发生了大事，8 月 23 日下午 5 点 30 分，我军 3 万发炮弹，以雷霆万钧之势，射向金门岛，令全世界震惊。毛泽东则在北戴河的别墅里谈笑风生，继续他的“钢铁指标问题”。

军事用油，彭老总紧催不休 ；经济放“卫星”，“小弟弟”的石油部被逼得无处可躲。余秋里的压力别人无法理解。

上，必须尽全力上！就是尽全力，咱石油部也就是吃奶的那点力气！

“咋呼什么？就是吃奶的力气也得给我上！”余秋里发威了！打娘肚子里出来后，他什么时候服过输？

王鹤寿在冶金部当了“钢铁元帅”，全国人民跟着他们去炼钢。石油部有啥资本？充其量就是玉门、柴达木和克拉玛依这么几个油田。四川的情况刚刚布局，百台钻机还不知什么时候见成效。余秋里可以发威使劲的就是这大西北了！

“立即通知各矿厂负责人到克拉玛依开现场会！”与康世恩一商量，余秋里命令部机关向全国石油系统发出紧急通知。

地处准噶尔盆地的克拉玛依真的不错。这里与玉门和其他油田相比，可谓天堂了。机关办公有楼房，工人住的也不是“干打垒”，一切都是像模像样的。正如朱德元帅所说 ：“三年时间，在荒凉的戈壁滩上，建立起一座 4 万人口的石油城市，这是一个很大的成绩，也是一个很动人的神话。”

这个神话大半要归功于苏联老大哥。因为克拉玛依的建设开发是新中国成立后的第一个“中外合资企业”。“老大哥”建矿可不像中国穷兄弟，一确定矿要开发，油还没见多少，楼房、舞厅都已到位。人家会生活嘛。

余秋里第一次来此，望着整齐划一的楼区和办公地，有些意外，也没有多说话。但在现场会上，他的声音却特别大 ：“同志们，新疆克拉玛依现场会今天正式开始了！”他的面前是五六个麦克风，本来就洪亮的声音被放大了好几倍，震得戈壁滩上的乱石跟着他的声音一起跑。

台下，一万余名干部职工全神贯注。

“我们开这个现场会的目的是什么？一个目的：国家现在要油！我们石油部就要急国家所急，多找油！多出油！多贡献油！”

油——油——油！千里戈壁上，被一个“油”字，震得雷声隆隆，风腾云舞。

要多找油，就不能让阻碍找油的理由成为理由！

四川局的总地质师李德生听得汗水淋淋。

要多出油，就不能让干扰出油的理由成为理由！

刚上任几个月的川中勘探局的秦文彩听得后背发冷。

要多出油，就不能让缩手缩脚的理由成为理由！

老红军出身的张忠良听得四肢在颤抖。

作为石油部的党组书记，余秋里同样需要坚定地执行毛泽东的“拔白旗”精神。“拔白旗”之后是“插红旗。”

大会执行主席张文彬宣布“插红旗”的劳动竞赛开始：“有请玉门局钻井公司贝乌五队队长王进喜上台讲话！”

只见一位头戴鸭舌帽的中年男子，一脸憨厚地“噌噌”几下跳上主席台。然后掏出一沓皱巴的发言稿。余秋里一看就乐了：是王进喜啊！王进喜同志，你就别用发言稿了，放开讲吧！

王进喜回头一看是独臂将军在对自己说，脸上便露出一片憨笑：“嗯。”然后转过身去，对着麦克风，突然发出一声雷吼：“我是代表玉门贝乌五队来向新疆 1237 钻井队挑战的！”

会场一万余名干部职工开始一愣，继而爆发出雷鸣般的掌声。

最高兴的要算余秋里和康世恩等领导了。余秋里瞅着台前的王进喜哈哈大笑，对康世恩说：“看看，我说王进喜这个名字好吧，他一来，就会给我们石油战线带来喜事儿！”

这个时候的王进喜并没有像大庆时的王进喜那么响牌，人家也不叫他“王铁人”。但王进喜既然生来是条汉子，所以当他一出现在玉门，这石油战线就被这条“龙”搅得翻天覆地。

这位和平时期的英雄、工人阶级的杰出代表，出生在 20 世纪 20 年代第三个年头，与余秋里同生在秋天的季节里。他也是赤贫出身，倒不像余秋里连个大名都没有。别看王进喜个头不高，可他妈生他的时候，将其放在筛子里一称，整十斤哎！于是他第一个乳名就叫“十斤娃”。王家距玉门油田不远，是玉门县赤金堡王家屯人。王进喜的父亲王金堂按其堂兄王进财往下排，就给自己的儿子取名为王进喜。可旧社会那会儿，王金堂没有因为儿子取名“进喜”而得过啥喜，家里依然穷困至极。“我6岁就要出去讨饭。”王进喜对小时候的苦难记忆犹新。

1937年6月2日，玉门油田的开拓者孙健初一行来到玉门时，随行的还有位美国专家韦勒博士。10月，他们来到赤金堡的石油河考察时，结识了一批当地用土法挖油的赤金人。这里边有一个浑身油黑的十几岁的小男孩。当时几位科学家不知其名，就称他是“油娃”。韦勒博士对赤金堡旁的石油河考察兴趣特大，在当年10月底给家人写信详述了认识“油娃”的情形：

我和中国的孙健初先生走到山下，在河边的一个小石头房子前停住。这里住着一些工人，他们每天负责收集原油，他们共三个人，还有一个10多岁的小孩。这个孩子只穿一件很破的皮袄，下面刚到膝盖。因为一天到晚和原油打交道，浑身都是黑色。他大概从没洗过澡，一身原油只有用砂纸才能收拾干净。也许正是这种周身的保护层才使他免受严寒之苦……

时隔54年后的1991年10月，韦勒博士的女儿、美国作家哈瑞特·韦特访问玉门，她异常兴奋地谈到父亲的这封家书，问油田的人能不能找到赤金堡的那个“油娃”。后来当她得知那“油娃”就是名扬中华大地的“王铁人”时，连声说：“我要把这美丽动听的传奇写成书，介绍给全世界。”

王进喜是15岁那年到玉门油田打工谋生的。那时旧社会资本家统治，对打油工人压迫很残酷。玉门矿门前有四根石柱。工人们在油矿干活，生死由天。故而这一带有民谣说：“出了嘉峪关，两眼泪不干。进到玉门矿，如进鬼门关。”王进喜在“鬼门关”里度过了他苦难的青少年时代。

余秋里初识王进喜是在一次听玉门局局长焦力人汇报工作之中。焦力人说，他们这儿有个钻井队长什么事都要抢先，少了他就跟你急。年初油田为了响应部里“努力发挥老油田潜力，积极勘探开发新油田”的号召，组织了一批先进钻井队在玉门老油田附近的白杨河一带工作。当时玉门有个标杆队，队长是景春海为首的贝乌四队，正在与新疆局的以队长张云清为首的1237队在进行劳动竞赛。两个队都想在“钻井大战”中获得先进。王进喜开始并不知道，后来听说这事后很生气，非闹着也去“大战白杨河”参加竞赛。一直闹到焦力人局长那儿，弄得焦力人只能让他带钻井队去参战。这一去，王进喜的名声就大震，他把原先的两个钻井队全都甩在后面，创造了全国钻进速度第一名。余秋里平生就喜欢这样敢打敢闯的虎将：“走，你带我去看看那个大闹调度会的王进喜！”于是焦力人便跑在前头，领着余秋里来到白杨河工地。余秋里在钻机台上握着王进喜的手赞扬道：“王进喜，你这个名字好啊！进喜进喜，你叫咱们石油部也进点喜嘛！”

王进喜后来真的给中国石油带来了大喜。这大喜是在两三年后松辽大地上出现的——此为后话。

现在我们先看克拉玛依现场会场上的王进喜。当他把矛头直指新疆局的杆标队时，对方的领头是谁？他是名声显赫的“石油师”原警卫排排长张云清，张文彬手下的一名虎将也。正规军人出身，战场上杀敌建过奇功，敢上刀山、敢下火海的人物。

张云清原来也是玉门局的人，后来新疆成立石油勘探局，便随师政委张文彬来到了克拉玛依。这时听玉门的王进喜的手指着自己在喊挑战，他张云清怎能忍得住？只见他跃上主席台，抢过麦克风，既对王进喜，又对全场一万余名参会者吼道：“我们这个月要打7000米！”张云清说月钻7000米是因为知道玉门的王进喜来者不善，他王进喜是因为听说张云清上个月创造了月钻进4000米的全国纪录后，很不服气，于是来克拉玛依前王进喜在队上几经动员和研究，决定这回乘现场会之机，决意要跟张云清他们搅和搅和。哪知张云清不吃他那套，你不是要超过我吗？那我就放他个“卫星”让你“老王”做缩头乌龟！

王进喜是谁？天塌下来敢去用脖子撑的家伙呀！见张云清夺过麦克风喊出了“7000米”时，便伸手就将麦克风重新抢回来：“我们要打7200米！向毛主席报喜！”

张云清气呼呼地看了一眼王进喜，凭借其高半个头的优势，将其挡在一边，又冲着麦克风大喊："我们 8000 米！"

"我们打 8500 米！"不知什么时候，王进喜钻到张云清前面，只见他双手各抓一个麦克风，嘴巴都喊歪了。

后台的余秋里和康世恩等笑得前仰后合。台下一万余双手更是拼命击鼓。

张云清个高手长，猛地夺回麦克风，这一使劲，麦克风的铁管子都扭弯了。但电线没断，张云清不管三七二十一，今天非要压倒你这"玉门佬"——在新疆局的兄弟们面前要是输了面子，他张云清以后还怎么做人？

"我打 9000 米！"

王进喜愣了一下，看看对手，突然挥动拳头，朝主席台上的桌子"哐"地砸去："我们打一万米！"

"一万米！"

"一万米！"

王进喜的声音几乎把全场的人都震得耳聋。

张云清心想你这家伙是疯了！好吧，今天咱们一起疯到底吧！他正准备上手再抢回麦克风时，大会执行主席张文彬快步走到两人中间，要回麦克风，说："好了好了，不能再没边沿了！这一万米就算标杆，谁完成一万米谁就是卫星队！你们俩有没有决心？"

"有！"王进喜和张云清比起嗓门了。而在台下的万众也跟着喊起来："有！"

余秋里笑得从来没有这么开心过。

只见台上的张云清向主持人张文彬行了一个标准礼。张文彬是张云清的老首长，而警卫排长出身的张云清，用现在的话说，又是个帅哥。他这么一个军礼，让台下又响起一片掌声。

王进喜老土出身，他看张云清来这一手，两只三角眼气得恨不得将对手吃掉。

余秋里一看，连忙起身上前把两位对手叫到自己身边，也不知跟他们唠了些什么。只见王进喜和张云清友好地握了握手，然后重新并排站在麦克风前，先是王进喜举手，后是张云清举手——

“玉门人是好汉！标杆永立祁连山！——”

“新疆人是好汉！永保标杆插天山！——”

两个各呼一句后，又用一只胳膊对着麦克风振臂高喊，这声音胜过十只雄狮：“石油工人是好汉！坚决拿下800万！”

克拉玛依的青年广场上地动山摇。

“石油工人是好汉！坚决拿下800万！——”

这回领喊的是余秋里。跟随他喊的是一万余名石油人。800万是石油部向毛泽东和全国人民保证的全年产油任务。

石油人都这么告诉我：余部长一喊口号，能把大地撼了！能让人的血液沸腾！

这一天余秋里心情舒坦，好像又找回了那种在杀敌战场上翻江倒海的感觉。

“余部长，我必须向你报告：有点不妙情况。”晚上，康世恩皱着眉头，来到余秋里的小房间。

余秋里忙问：“哪儿情况不妙？”

“四川。”

余秋里“噌”地站起：“快说，到底是怎么回事？”

康世恩继续报告道：“在川中前线原定打的20口关键井，已经完钻19口。可是战绩平平，其中只有少数井产油，而且产量相差悬殊。有些井产量下降很快。有的井产量平稳，关井后再开井，一滴油也不出了……”

“你说得具体些！”余秋里有些烦躁，并不停地在屋子里走动。这川中的找油战是他上任后布置的第一个战役，毛泽东、邓小平都在等他的“喜报”呢！毛泽东在几个月前视察四川隆昌气矿时不还亲笔题词说“四川大有希望”嘛！主管石油的总书记兼副总理的邓小平甚至对他余秋里说过这样的话：“四川有一吨石油，也算有了石油工业了！”怎么，到了你余秋里的手，四川就这么一点没希望啊？

康世恩如实报告：“原先的龙女寺2号井，当时日产60吨，可经过两个月的压力喷油，产量一直不上升。等后来我们需要关井测井底压力时，哪知再加压让它出油时，一滴油也不出了！”

余秋里：“那个南充3号井呢？以前不是一天喷油300多吨嘛！

它怎么样了？”

康世恩垂头丧气道：“跟龙女寺2号井差不多，开始还时喷时歇，后来干脆停止了。”

余秋里气得嘴里直骂：“小娃儿尿尿！呸！我不信，既然它们以前都出了油，而且油还是很大的嘛！现在就躲起来啦？跟我们捉迷藏？”

康世恩检讨道：“看来我对地质情况摸得还不够，布孔可能也有问题。”

余秋里说：“这说明‘地下敌人’在暗处，我们在明处，它是有意捉弄咱们。那好，我们就来个集中兵力，打他个无处躲藏的大战役！你看怎么样？”

康世恩与余秋里一样心急，这川中明明是有油的，怎么转眼油井就全灭了？作为地质学家，他康世恩百思不解。

“我赞成。”康世恩说。

余秋里的右胳膊一甩：“好，等党组会议通过后，你要亲自坐镇四川组织会战。只许成功，不许失败！”

康世恩扶扶眼镜：“我明白！”

北京六铺炕。石油部召开专门研究川中会战的党组会开得特别沉闷。余秋里有几次在会上自言自语地喃喃着：“奇怪得很呢！一会儿它们往外哗哗地直冒龙，转眼咋就影子都不见嘛！你就是喊它老子亲爹也没用！这么狡猾的敌人噢！”

党组会议最后做出决定：再调集部分力量，加强川中会战力度，争取在1958年底前拿下川中油田！余秋里再一次对他的同僚们强调：“此次任务，只准成功，不准失败！”

在一片战斗动员令下，“天府之国”找油的战场上更加战火纷飞。四川局全力以赴，玉门、新疆和青海三个实力最强的勘探局分别也派出了最优秀的钻井队和试油队，都由一名局领导亲自带领，于11月中旬全部开赴会战地。与此同时，部机关也运用了设计院所、石油院校等技术部门前往支援。此刻的川中大地上不仅是钻机隆隆的勘探大会战，而且又是石油技术攻关战。

将军天天与远在前线的康世恩通话。康世恩则白天在施工现场指挥，晚上又忙着找各钻井队队长和技术人员商议生产进展情况，然后再向北京的将军汇报。

“余部长，看来这儿的情况真的很复杂，我们遇上了狡猾而又顽固的敌人了……”经过两个多月的苦战，在又完成37口钻井的勘探后，康世恩不得不语气沉重地如实汇报道。

“……”北京的长途电话线里许久没有将军的说话声音。

康世恩紧张地连声“喂喂”地喊起来：“余部长，你在吗？你听到我刚才说的了吗？”

北京那边终于说话了：“我在。”又是一阵很久的沉默。

康世恩鼻子酸酸的，他真想在自己亲密无间的好领导、好战友面前哭一声。但他硬支撑着：“余部长，是我工作没做到家……”

“别这么说。是敌人太狡猾！也怪我们太轻看了它。”北京那边又传来声音，“老康，我看这样：既然我们一时逮不到‘敌人’，那就留着以后等我们的技术过硬后，我们再杀他个回马枪，你看怎么样？”

康世恩连连点头：“好的好的……”

“同志们，现在我宣布：鉴于川中地区地质情况复杂，本次川中会战宣告结束，请各局把前线的队伍撤回原单位……”电报大楼里，余秋里语气沉重而又坚定地向远在四川前线的队伍和全国各石油单位如此宣布道。

新一年的2月，余秋里被刘少奇叫去，当听到川中的情况后，刘少奇也很纳闷道：真是古怪脾气啊！难道真是地下的油是分散的？没有“大仓库”？

余秋里当时看着刘少奇的满脸狐疑，感觉自己作为石油部长非常内疚。这是他第一次在组织和领导面前没有完成好任务。

现在是——1959年4月3日在上海召开的党的八届七中全会会议期间，他余秋里又一次被毛泽东当众叫住，问的还是他的“最痛”。

毛泽东的问话声音不高不低，但对余秋里来说仿佛雷鸣般响亮。他是军人出身，在自己的统帅面前，他无可回避，而且必须如实报告。

“主席，四川情况不好。”

毛泽东像是没有听清似的朝余秋里“嗯”了一声。

余秋里不得不重复报告：“报告主席，四川情况不好。经过勘探，发现那里的油层薄，产量低，下降快，我们没有找到大油田。”

余秋里的头低得特别低，像犯了错的孩子见长辈，直挺挺地站在那儿等待毛泽东发落。

“噢？那好嘛！既然那个地方找不到，就换个地方找。东方不亮西方亮嘛！中国这么大的地方，我就不信找不到油！”余秋里觉得毛泽东就在他耳边说话。

“是，主席。我们一定在别的地方找到大油田！”余秋里内心一阵激动，当他抬起头，想向自己的最高统帅发誓保证什么时，见毛泽东已带着他的同事走进全会会场了……

余秋里如释重负地深深喘了一口气。

川中啊川中，你个狡猾的敌人，我余秋里记你一辈子！

这场“遭遇战”后来真的让余秋里记了一辈子。在 1994 年出版的《余秋里回忆录》中他这样说：“川中石油会战，可以说是我刚到石油部后打的一场‘遭遇战’，也是转到石油工业战线后的第一次重大实践。在这次会战中，我们碰上了钉子，也学到了不少知识，得到了有益的启示，对我以后的工作大有好处。通过川中找油，我进一步认识了石油工业的复杂性。实践证明，一口井出油不等于整个构造能出油，一时出油不等于能长期出油，一时高产不等于能稳定高产。我认识到，石油是深埋地下、看不见、摸不着的流体矿物，因地而异，情况复杂，必须在不断实践中，取得大量的、能反映地下真实情况的第一手资料，经过反复试验研究，才能对地质情况、油层性质、油藏类型做出正确的判断，这是有效的勘探石油、开发油田的基础。川中会战战果不理想，原来预期的主要目标没有实现。那时我们把形势看得乐观了，把问题看得简单了。主要原因是经验不足，知识不多，主观认识不符合客观实际。总之，是我们还没有做很多工作，没有把情况搞清楚，就吹了牛，说这个油田不错，是大油田，说了大话。这是个很大的教训……总之，川中会战经验教训是深刻的。我曾对四川石油管理局的同志说：‘感谢你们四川，川中是教师爷，教训了我们，使我们学乖了。’”

几个月后，余秋里真的在松辽的大庆会战中，把川中“教师爷”一直请在自己的身边，每逢重大决策之前，他都要默默地请教一番“川中教师爷”，然后再决断千军万马是进还是退。

这里有两个细节要补充：在川中会战中被余秋里“拔白旗”过的四川局总地质师李德生，后来被余秋里一纸调令调到部勘探司任总地质师，他在发现大庆油田的过程中建立了重要功勋，现在是中国科学院院士，身体健康，依然在一线工作。

另一位被批过的秦文彩，也被余秋里重用，后任石油部副部长、中国海洋石油总公司总经理。余秋里在川中会战失败后不久的一次大会上，当众代表部党组向秦文彩道歉，并以一个将军的名义，给秦文彩敬了个正正规规的军礼。

李德生和秦文彩每每谈起这一幕往事，都感叹道：“秋里同志既是个好领导，又是条硬汉子，他一旦知道自己错了，敢于当众承认并立即改正，这一点在我们高级干部中难能可贵。”

还有一个重要内容需要补充：余秋里、康世恩领导的第一场石油会战——川中会战，在当年确实以失败而告终，但并不是说这次实践没有意义。相反，他们的工作对一二十年后重新发现四川盆地的油气田打下了坚实基础。只是当年限于技术和装备的不够，执掌石油部的余秋里没能幸运地在当时逮住狡猾的“敌人”而已。

后话少说，言归正传。

# 第三章

“三国四方”会议上，何长工先将一军：“秋里同志啊，你们在毛主席面前的牛已经吹出去了，今年再不打出油来他老人家可要打你屁股了！”

余秋里一拍大腿：“我说老将军，你的牛吹得可不比我们小啊！你当着主席和全体中央委员说：‘我们可以找到中国的巴库！’”

将军风采照人。

“吃红烧肉”一波三折，“松基三井”石破天惊，从此石油革命呈现东方旭光……

1959年农历大年初四，北京街头虽仍冰雪寒意，但市民们欢度春节的气氛却浓浓烈烈，来往拜年的人川流不息，喜庆的鞭炮声接连不断。

这一天早晨，一行人叩开了老将军、地质部副部长、党组书记何长工的家门。邻居们注意到，几天来，一群又一群的人给老将军拜年，总是待上几分钟，就得让给新一批的拜年者。而今天拜年的却叫人蹊跷：一阵兴高采烈的贺年声过后，就再也没有人出来，且老将军家的门也给紧紧关闭了……

多年后，这一秘密被揭开：此次前来拜年的均是石油部、地质部和中国科学院的部长、副部长和专家们。领头的是余秋里，他身后还有康世恩、旷伏兆、孟继声、顾功叙、沈晨、张文昭……

这是事先招呼好的“拜年会”。

这是老将军何长工非常得意由他“当家做主”的、“三国四方”参加的“国家会议”，而且属于想开就开的不定期会议。

需要作些解释。自中央决定重点实现石油自给的战略决策后，找油任务分别搁在了石油部、地质部和中国科学院身上。地质部成立早于石油部，中国科学院又集中了一批顶级科学家，中央要求合三支队伍之力，尽快找出油来，于是“三国”就这么形成，它们分别是以地质见长的地质部、以勘探打出油见长的石油部和科学技术研究见长的中国科学院。所谓“四方”是指石油开发的四个主要环节：普查、物探、勘探、科研。

“三国四方”的“国家会议”再次在何长工家召开，这意味着中国石油工业战线正在揭开一场史无前例的伟大战役。

指挥这个战役的两个“司令”便是石油部的余秋里和地质部的何长工。与何长工相比，余秋里属于开国元勋中的“小字辈”。何长工资格太老了，余秋里那会儿在江西吉安老家当赤卫队员时，他何长工已经是瑞金苏维埃中央政府的军政大学政委和红军军长了。那时林彪也还在何长工手下当小营长呢！关键是，何长工老将军有过特殊的历史功勋：毛泽东和朱德在井冈山会师时，他是牵线人。如果少了这个“朱毛”的井冈山牵线人，中国革命后来还不知往哪儿走呢！他因此有资格几十年中能当众叫毛泽东“老毛”，这是所有中共高级干部中独一无二的。

余秋里敬重这样的前辈。而何长工自当了地质部党组书记兼副部长后，在石油工业建设问题上，对余秋里也是十分赞赏。年轻人嘛，干劲大，有勇气。何长工不止一次当面夸奖余秋里，并说：“找油问题上，你秋里怎么让我这个老头子协助，我就怎么跟你转！”

今天从踏进老将军的家门那一刻，余秋里的脸上就挂满了喜色和满腔壮志。

“老将军，我和康世恩他们几个向你老拜年。祝你寿比南山，福如东海！”余秋里只有一只胳膊，不能作揖，只能敬礼。

何长工笑哈哈地拉过余秋里等人往客厅里走：“你们都是我的‘国家会议’成员，别客套了。坐坐，往里坐。”与余秋里等人在一起，是老将军最得意的事，因为他又可以主持这海阔天空的“国家会议”——国家的事在家里开，这就是何长工的“发明”。

“老伴，快上茶，我们的‘国家会议’又要开始了！”老将军往里屋喊了一声，笑呵呵地请余秋里他们坐下。

余秋里从老将军夫人尹清平大姐手中接过茶杯之时，何长工已经向他发起攻势：“秋里啊，你上任第一年，就给石油部摘了‘黑牌'，祝贺你啊！"

余秋里脸一红："老将军，你是夸我还是骂我呀？"

何长工认真地："'一五'期间，就你们石油部没完成任务，去年你们不第一次完成了国家原油任务嘛？"

康世恩插话："才勉强多了几十万吨，我们是使了吃奶的力气的呀！"

何长工笑："这也已经很不容易了。"又问余秋里："哎，听说你们在四川那边不太顺利？"

余秋里连连摇手："别提了，别提了，我们被狡猾的敌人给耍了！"

何长工听后显出一副慈祥而又有几分狡黠的眼神看着余秋里，突然哈哈大笑起来，换了个音调对余秋里说："秋里同志啊，你们在毛主席面前的牛可是已经吹出去了，今年再不打出油来他老人家可要打你屁股了！"

余秋里一听，"噌"地从木椅上站起，一拍大腿，毫不含糊地回敬道："我说老将军，你的牛吹得可不比我们小啊！你当着主席和全体中央委员的面说：'我们可以找到中国的巴库！'"

何长工一听，两眼发直，盯着比自己年轻的余秋里。余秋里呢，也不示弱地将目光直盯老将军。

突然间，俩人叉腰仰天大笑。一边坐着的康世恩、旷伏兆等跟着笑得彼此捶拳。因为在场的人都知道石油部和地质部两部领导在中央面前"吹牛"的秘闻——

我们上面提到的在余秋里上任不久，毛泽东在中南海召开了中共八届二次会议。那天冶金部的王鹤寿放了"今年我们全国的钢产量坚决达到850万吨！争取七年赶上英国，第八年最多十年赶上美国！"的话后，余秋里让李人俊上台"打擂"，放出了石油部要跟冶金部"一吨钢一吨油"的打擂赛口号。石油部是新成立的小部，石油部既然有如此气魄，当时坐在台下的地质部的何长工浑身冒冷汗。

突然间，主席台上通过麦克风传来一个声音："下面由地质部代表何长工发言。"

怎么回事？正在思忖的何长工茫然地抬起头，发觉四周的人都众目睽睽地看着他。他再往主席台上一看，原来是主持人周总理正在向他示意："何长工同志，请上主席台来！"噢，轮到我了！何长工赶忙站起来，他那双本来就有点跛的腿此刻比平时更跛了。

场上发出了轻轻的窃笑——那是友善的笑。

"长工，你有什么'卫星'可放？"

老将军刚刚走到麦克风前还没来得及镇静一下情绪，主席台正中央那个湖南人的声音不紧不慢地响了起来。是"老毛"喔！老将军不用像李人俊那样回头看，他何长工对这个声音太熟悉了：从1918年在长辛店的第一次算起，他跟"老毛"也认识有40多年了吧！私下里和一般场合下，他何长工是叫毛泽东"老毛"的，但这种会议上他必须跟大家一样叫法，于是他说——

"报告主席：'卫星'我不敢放，但我代表地质部几十万职工可以在这里向主席和全体代表报告一个喜讯……"何长工毕竟是快60岁的老将军了，他不能像前面发言的几个年轻部长那样冲动，但力量仍然不小。

"好嘛，说说你的喜讯。"毛泽东今天特别高兴。

"是这样。"何长工把秘书准备的稿子搁在一边，顺着"老毛"和整个会场的气氛，这样说道："经过我们地质工作者几年艰苦奋斗努力，我们已经对全国的'地下敌人'有了比较清楚的了解，不仅抓到了'敌人'的一批'团长''师长'，而且还抓到了好几个'军长''司令'！"

这样的比喻，很对台上台下大多数老战士的口味，于是何长工在获得一阵热烈掌声后继续说："……对了，我们没有石油，国家就强大不起来。找不到石油是我们的耻辱！找不到石油我们得通通滚蛋！"何长工说完此话，回头朝主席台看看。他看到毛泽东的脸上毫无表情，只有炯炯的目光盯着他何长工。

"是的，过去洋人都说我们中国'贫油'。"何长工继续说，"到底贫不贫呢？我们的科学家不相信，我们的广大职工不相信。毛主席也不相信！"老将军突然把嗓门一提高，"在我国的东南西北邻境都有石油，难道唯独我们伟大的中国就没有石油？这岂不怪哉？我们不信这一点！绝对不信！我在这里可以负责地向大家透露：我们中国不仅能够有油田，而且能找到大油田！找到中国的巴库！"

“巴库？”毛泽东听到这里，侧身向旁边的周恩来轻轻一句耳语。“是苏联的大油田。”周恩来说。毛泽东立即点点头：“噢，听康世恩以前说过。”

“好，为长工他们能找到中国的‘巴库’鼓掌！”毛泽东这一声“好”说得很响，而且带头鼓掌。于是整个全场再次响起暴风骤雨般的掌声……

“老将军，想啥子事啦？快看看这个‘总体设计’行不行嘛？”余秋里用胳膊轻轻捅捅依然沉浸在一年前的那个往事中的何长工。

“噢噢，还是开我们的‘国家会议’吧！”老将军自感有些失态，赶紧收回自己的思绪。他对余秋里认真地说：“你我的牛都吹出去了，现在只有一条路：拼出老命也要把‘敌人’的大家伙找到！”

“是嘛，今天来找你就是为了松辽平原底下的那个大‘敌人’嘛！”余秋里说。

何长工一听松辽底下的“大敌人”便情绪高涨，忙招呼“三国”代表：“好好，大家都来先说说那边的情况。”

余秋里谦虚地请地质部的旷伏兆副部长先说。旷伏兆也是老红军，中将军衔，余的江西同乡。

旷伏兆的双眉一挑，说：“那边的形势应该说是喜人啊！我们的地质工作开展得比较顺利，收获也不小。自从五五年黄汲清、谢家荣和翁文波等‘普委’的同志圈定松辽地区为重点地质普查的方向后，当年 8 月，东北地质局在接到‘任务书’后就开始向松辽平原行动了，特别是韩景行带的 6 人小组，几个月后就在吉林北部和松花江沿线找到了含油页岩样品。经李四光部长和黄汲清、谢家荣等专家的研究，判定了整个松辽平原是个巨厚沉积且具有含油大构造的盆地。1958 年 4 月中旬，我们地质部的松辽石油普查大队 501 钻机第一个打出了油砂，之后普查大队又在几口浅井中见到了油砂，其中最著名的是南 14 孔，昆井位于吉林怀德境内的五家窝棚，从井深 300 米处开始见油砂，井深 1000 多米的变质岩裂缝中还可见稠油，全井共见含油砂岩 20 余层达 60 米之厚！”

何长工笑呵呵地对余秋里说：“我就是听说这个情况后才敢在中南海向‘老毛’报告说中国有‘巴库’的。”

余秋里佩服地朝老将军笑笑，又向中科院的物理专家顾功叙询问："老顾，你说说，物探对松辽地下油层储量前景是什么看法？"此刻的余秋里已经知道：石油勘探是个庞大的系统工程。这一系统工程可以概括为：普查先行，物探定论，钻井出油。地质部已对松辽的普查工作做得非常好了，物探能够确定所普查的地质情况进行定论，那么他的石油勘探队伍就可以早日让松辽地底下的石油冒出来！

顾功叙说得非常干脆和肯定："根据已经进行的物探工作，我又和黄汲清等专家研究认为，松辽盆地是个面积约 26 万平方公里的新生代沉积盆地。其盆地的最深部位在中西部，可深达 5000 多米以上，所划范围之内均有较好的生油层和储油层。而且根据地质部长春物探大队所进行的工作可以初步这样结论：松辽平原上有几个构造中藏着丰富的石油资源！现在的关键是要找到它，只是眼下我们定下的两口基准井形势有点不妙。这石油部你们是知道的。"

余秋里与康世恩交换了一下眼神，说："老康，你说说两口基准井的情况吧。"

康世恩揉揉血红的眼睛强打起精神。

何长工发现了，说："康世恩你是不是昨晚又开夜车啦？"

余秋里解释："他这过年三天，一天也没休息，天天跟几个技术人员在商量基准井的事。"

何长工忙向里屋叫道："老伴，快把人家给的那盒蛋糕给端上来！"

老伴尹清平大姐一边应着一边举着一个大蛋糕进客厅。

何长工把第一块切好的蛋糕放到康世恩的手中："快吃，不吃好睡好怎么能找出油呢！"

康世恩："谢谢老将军的关心。"吃完蛋糕，康世恩顿觉精神了许多。他本想补充一下石油部在松辽一带做的先期地质工作，后来还是省去了，因为从分工而言，地质部对松辽的先期地质普查工作确实要比石油部做得多，而且就技术力量相比，他们上有李四光、黄汲清、谢家荣这些大地质学家，下也有朱大绶、吕华、朱夏、关士聪、王懋基这些中坚力量，不用说像韩景行这样最先勇闯松辽平原，在荒蛮的北大荒上能找到油砂本身就是功勋卓著的表现。松辽有没有油，不仅仅是哪个部门的事，而是全中国包括毛泽东在内都关注的大事。过去美国人和日本人也都在松辽一带做过地质普查工作，但结论是“松辽无油”。是李四光、黄汲清、谢家荣和翁文波等首先指出了“松辽有油”的理论方向，特别是陆相地层生油理论的产生对松辽盆地找油产生的理论影响功不可没。

关于松辽油田——就是后来的大庆油田的发现问题上，曾经有过一场旷世的争议，这个争议到现在仍然没有结束。到底谁的功劳大，恐怕没人真正能说得清，但有一点是可以明确的：那就是大庆油田的发现，并非靠的力学构造理论，而是大地陆相生油理论。

康世恩是学地质出身的，他心里清楚，至少他清楚两件事：一是松辽即后来的大庆油田发现的理论依据是陆相生油理论，这个理论的最早提出者是潘钟祥教授和黄汲清先生。潘钟祥教授死得早，又没能参与大庆油田发现的具体工作，所以黄汲清和谢家荣及翁文波先生成为主要的陆相理论找油的实践者和论著者。特别是他们在1955年1月20日召开的全国第一次石油普查工作会议上商定的《关于1955年石油天然气普查工作的方针与任务》，就已经点明了松辽地区作为重点石油地质普查的对象，一年后由黄汲清领导、翁文波等人参加的新中国第一份《中国含油气远景分区图》，更加清楚无误地划定了松辽地区是中国未来找油的主要方向，这张《中国含油气远景分区图》，现在只有一份保存在清华大学图书馆里。十年前在黄汲清临终几十天前我采访过他，他给我讲起此事，也明白无误地证实：“我国东部几个大油田普查工作是1955年初在当时地质部矿产普查委员会（简称‘普委会’）的直接主持下开始进行的。当时我作为‘普委会’的主要负责人之一，提出了把华北平原、松辽平原、鄂尔多斯盆地（即陕甘宁盆地）、四川盆地作为‘普委会’找油的四大重点地区。‘普委会’采纳了我的建议，并很快做了部署，开展了工作。我的建议是根据‘陆相生油’理论（这一理论是我国地质学家潘钟祥教授和我在40年代初期分别提出和发展起来的）和我的大地构造观点并结合我国多年来的地质工作实践而提出的。这一历史事实是‘普委会’广大干部、技术人员都知道的。在这之后，我又编制了《中国含油气远景分区图》，把上述四大地区用橙红色明确圈出……”（引自黄汲清于1978年1月11日写给邓小平的信）。其实关于黄汲清运用大地构造理论，最早肯定我国包括松辽等平原有石油的历史记载在当代中国出版社出版的《百年石油》一书的第162页有这么一段话：“从瑞士留学回来的黄汲清是我国最早涉及石油领域的地质学家之一，他在1935年就指出：‘据大地构造学理论，我认为中国的东北、华北、西北和西南地带都有可能储油。’”科学理论的先导作用的意义我们不用多说也会明白，因而历史和后来的实践都证明了松辽（即大庆）油田的发现，毫无疑问是与黄汲清、谢家荣和翁文波等老一批地质学家的陆相生油理论有着直接关系。在采访黄汲清的同年，我又有幸采访了石油部的翁文波先生，在提及发现大庆油田的理论贡献时，翁文波先生非常明确地告诉我：陆相生油理论确实决定和指导了大庆油田的发现工作。

黄汲清和翁文波是20世纪五六十年代最重要的地质学家，他们两人关系之好，除了共同的事业追求外，还有一层非常深的特殊关系：黄汲清的恩师之一是翁文波的堂兄翁文灏，而翁文波在1936年从清华大学物理系毕业时，在面临下一步学什么做什么时，得到过时任“中央地质调查所”代所长的黄汲清的建议，黄说你既然学了物理专业，就应该使自己具有世界水平的知识，到国外去学物探专业，中国地质事业前景很大，可物探的人才很少。翁文波后来真的考上了英国伦敦帝国学院的地球物理探矿专业，并且从此走上了报效祖国的物探事业。黄汲清和这位“老弟”在新中国成立前的玉门油田发现中就并肩战斗过。新中国成立后，黄汲清最早身兼两个职务：既是地质部石油地质局的总工程师，又是康世恩领导的国家石油勘探管理局主要技术负责人。翁文波呢，是石油部勘探司的总工程师。黄汲清亲口告诉我：他说如果不是因为当时自己是“右倾”分子，政治命运捏在别人手里，又因中国地质科学院硬拉他去任职，他或许就是余秋里和康世恩手下的人了！

说到黄汲清和翁文波对松辽地质理论的贡献，我自然而然地想到了还有两个人必须着重提一下，因为他们对中国石油的贡献和最后的命运反差极大。第一个是石油部第一任总地质师陈贲，这位为发现和开发玉门油田作过特殊贡献、在新中国多处油田洒过热血的杰出地质学家，正当他雄心勃勃为松辽油田准备大干一番时，却被打成了右派，随后下放到青海石油管理局监督劳动，1966年“文化大革命”风暴来临，再度受冲击的陈贲不堪羞辱，含怨于当年6月12日自尽于一间破落的小屋里。另一位大地质学家谢家荣几乎与陈贲的命运如出一辙，他是地质部的总工程师，也是1957年被打成大右派，也是在“文化大革命”开始时便不堪折磨而以最古老的方式结束了自己的生命。谢大师的妻子在丈夫离世几天后也以同样的方式告别了人世……那一幕令我们不堪回首。

康世恩另外还想讲清楚的一件事则是我以前并不清楚的，那就是在地质部普查工作的同时，他所领导的原石油总局和后来的石油部地质工作者也一直在松辽一带进行着卓有成效的工作。比如1953年，根据群众报告，康世恩派出石油总局的宗丕声、邱振馨等人到黑龙江尚志县进行过四次油苗调查。1954年，石油总局的张传淦、陈良鹤和唐祖奎等人多次到辽宁阜新、吉林安图和黑龙江依兰等广大地区进行过地质调查。这些调查同样证实了这些地方有油苗、沥青和油页岩存在，对松辽盆地东部边缘的地层和构造情况有了初步了解。从1956年开始，石油工业部的专家、领导以及部党组成员或写文章，或会议发言，或写正式报告，纷纷呼吁把松辽盆地作为石油勘探的重点地区。比如，1956年1月，在石油部召开的第一届全国石油勘探会议上，康世恩就指出：松辽盆地是全国含油地区之一，“应即着手进行地质调查工作”。康世恩还在当月的20日，特别给石油部召开的第一届全国石油勘探大会专门写了一份长达1.6万字、名为《在中国如何寻找石油》的信。这是他奉李聚奎老部长之命到苏联考察和学习了整整三个月、走遍苏联各大油田之后又结合中国地质情况而用心完成的一份具有理论与实践相结合的“找油指南”。同年2月，石油部党组给中央的正式报告中明确提出：“松辽平原是可能含油地带”，并将它列入石油资源的后备地区之一。3月，石油部党组在给中央财经委员会主任、国务院副总理陈云的报告中提出了自己部门的具体战略：争取在二三年内，在华北地区（渤海湾盆地）和松辽盆地等地找到一两个大油田。比如，1957年，石油部总地质师陈贲在当年石油部勘探会议上，作了《七年来勘探工作的经验和今后的方向》的报告。其中第二个五年计划期间的工作部署，就建议把松辽盆地作为五个重点地区之一，加强勘探力量。而就在这年初，石油部指示部属的西安地调处组建一个地质综合研究队，专门负责松辽盆地的石油地质调查研究工作。这个队被命名为116队，由队长邱仲健等7位地质人员组成。他们从1957年3月开始，冒着淫雨与严寒，踏遍了东北地区的山山水水、沼泽湖泊。在北京和长春等地，夜以继日地工作，广泛收集资料。经过反复的对比分析，终于得出了松辽盆地是含油极有希望地区的结论，于1957年底，编制出了松辽盆地含油远景图，并提出了在这个地区开展地球物理勘探的部署和钻探基准井井位的意见。

关于松辽前期发现的贡献，有许多不同的"版本"，但这些千差万别的"版本"中在一个问题上却惊人的相同，即石油部、地质部和中国科学院三方科学技术人员的功绩各有所长，谁也不能抹杀。而且需要特别指出的是：那会儿"三国"之间关系密切，不分你我，因为他们有一个共同的目标：为共和国建设尽快找出大油田，这才是他们真正想的事。"其他的事想都没想过，也没那个闲心想。"一位老石油人对我说。

2004年5月的一天，我在大庆文联李学恒先生的引领下，来到大庆石油管理局的一个职工宿舍，见到了坐在床头的杨继良老先生。杨是国家正式确定对"大庆油田发现"上做出杰出贡献的23位科学家中石油部方面名列第二的人。大庆油田发现初期，杨继良还是个刚刚结婚不久的小伙子。40多年后我见到他的时候，他连话都不能说了，一张嘴满口的口水从嘴里流出——他在半年前中风了。再看看这位为共和国做出杰出贡献的科学家的家时，我心里非常难过：老两口住着也就几十平方米的旧房子，没有任何装修，瘦小的老伴——也是当年大庆找油的女地质队员，每天靠发气功给丈夫治病。想当年，这对小夫妻来到松辽时，孩子才8个月，为了早日找到油田，他们把孩子放在天津的亲戚家，俩人便来到会战第一线，而且一直分居了两年多，那时会战前线没有房子可供家属们住，这对会战夫妇只能各干各的，见一次面也只有在指挥部开会的时候偶尔有那么一点机会，同时又像干地下工作似的找个地方亲热片刻。艰苦的岁月里他们就是这样度过的。而今几十年过去了，他们能够日夜厮守在一起，但老夫妻俩却过得如此清贫和艰难。

我感到意外和震惊的是，那天杨继良老先生一听说我请他谈大庆油田发现的事后，竟然一边流着口水，一边一字一顿地对我清楚地说道："大、庆、油、田、发、现，是、大、家、的、功、劳……"

面对这样的功臣，面对这样的功臣说的话和他眼下身处的境况，我们还能说什么呢？在今天的大庆，我们除了可以到处看到"铁人"王进喜的形象和"铁人纪念馆""铁人广场""铁人村"等有形物体外，我们真的极少看得到当年那些为共和国建设做出卓越贡献的其他人的任何痕迹。这意味着什么？意味极其深远。

我想起曾经有人说过这样一件事：在一次大庆的城市改建工程中，因为施工需要，得把当年余秋里在指挥会战时住的那个马厩拆了。可有人建议这是"文物"得保留下来。事情传到余秋里那儿，余秋里立即指示：不要留了，大庆有"铁人"做纪念就够了！

这就是共和国功臣们另一面的伟大和崇高之处。看看时下某些领导干部，事情还没做出个样儿，为自己树碑立传的"形象工程"倒是比比皆是。与老一辈革命家相比，我为今天的某些人汗颜。

我们还是把目光收回到何长工家的"国家会议"上吧。

余秋里看着康世恩狼吞虎咽地吃着尹大姐给的蛋糕，便把自己手中的那块也给了他，又风趣地对何长工说："老将军啊，还是你这儿丰衣足食嘛！"

何长工笑："现在你们石油部是饿了一点，不过等找到大油田了，你可别忘了给我们地质部一口饭吃啊！"

余秋里来劲了，站起身，嗓门大大的："老将军你记住，只要咱们石油部钻出了'哗哗'流的大油田，我第一个请你吃红烧肉！"

何长工瞪大眼："噢，搞了半天你余秋里这么小气？就给一顿红烧肉来打发我这个老头子啊！"

余秋里立即改正道："哪是一顿嘛！你老将军什么时候想吃，我就在石油部大门口恭候！不不，我让康世恩同志他们亲自来接你和尹大姐到我们那儿去！"

两位部长的"吃红烧肉"之争，惹得满堂宾客哈哈大笑。

“吃红烧肉”在五六十年代之前的中国家宴上是一种最好的菜肴，尤其是在南方。毛泽东喜欢吃红烧肉，毛泽东和他的那些大半是南方人出身的共和国元勋们也都爱吃红烧肉。奖励一顿红烧肉是他们那一代人之间的一句口头禅。余秋里也不例外，而且终身爱吃红烧肉。

然而，松辽找油问题上的这块“红烧肉”并不那么容易吃到。地质学家们已经通过自己的考察和研究，得出了松辽平原存在石油资源，但再伟大的理论也只是纸上谈兵，见不到油等于是零。

余秋里和石油部的人要实现的就是把“大敌人”逮到手、把真正的“红烧肉”夹进嘴里。这不是一般的功夫。需要倾情倾力，甚至耗尽举国之力。

金门前线的炮火自第一天开始后，美国和台湾岛上的“老蒋”急红了眼，美国人从中东调来了航空母舰，“老蒋”也四处招兵买马准备跟毛泽东再次决一死战。指挥人民解放军和前线国防的彭德怀元帅其实此刻心头也十分着急，其中原因之一是，从全国各地调运的军队和战车每天都要吃掉几百吨、几千吨的油。为此，陈云副总理口袋里的外汇连连吃紧，因此中央最后把目光不得不放在余秋里和石油部的身上。余秋里对这些情况比石油部的任何人都清楚，压力因而也大得多。压力大怕什么？没有压力，国家不急需要石油，要你余秋里去石油部干啥？不是重要的岗位，不是泰山一样的重任，彭老总舍得把自己的爱将从部队抽到地方上去搞工业？这哪是简单的搞工业嘛！石油既是国民经济的“血液”，也是现代军队的“血液”。彭老总清楚着呢！

余秋里也清楚着呢！

油在何处？茫茫北大荒，浩浩松辽地。地质学家在人民共和国的雄鸡形地图上潇洒地用红笔一圈，扛三角架的地质战士和扛钻机的石油工人们就不知要跑多少腿、流多少汗才能寻到一片沉积岩、一块油砂石啊！

在玉门和克拉玛依调查研究时，余秋里在那里听到的几件事感动得他几度拭泪：

事情发生在这一年的 8 月 18 日，正在依奇克里野外进行区调的 113 地质队女队长戴健，正带着两名队友越过依奇克里沟，向另一座荒山挺进。戴健她一路前进一路用地质锤敲敲打打，观察地貌，采集标本。中午时分，天空突然变色，随即暴雨倾盆。三位姑娘赶忙收拾已获的地质资料和标本，贴着如刀削般岩壁寻求躲身之地。在她们的脚下，一股汹涌的洪水已经形成。不知是谁挎在肩上的标本包坠入水中，戴健赶忙俯身去抓，这时“哗啦——”一排浪波劈头撞来，将手拉手的三人打散。第一个从漩涡里冒出的小张，幸运地抱住一块石头而活了下来。一个多小时过去后，暴雨渐停。坐在石头上的小张高喊着队长戴健和另一个队友的名字。戴健和队友没有回音，小张忽然嗅得一股浓浓的石油芳香，再朝洪水退去的沟谷看去，只见众多油砂散落在她四周。小张兴奋不已，她以为是队长她们给她留下的成果，又直起嗓子一遍又一遍地喊着：“队长——戴队长——”然而空旷的山谷除了几阵回声外，没有人应答她。“队长，队长你在哪儿呀？”小张哭了，哭得撼天恸地，但戴健队长和另一位女队友却永远听不到了。第二天，邻近工作的施工队闻讯赶来，几十个人排成队，拉网似的将依奇里克沟寻遍，最后在沟谷的下游十几公里处，发现了戴健的尸体，那情景惨不忍睹：姑娘原本一头的秀发被乱石全部剥去，两条小腿也被尖利的碎石划得皮开肉烂，露出白骨……后来在不远处又找到了另一位姑娘的尸体，那是个一丝不挂的尸体……队友们无法忍受这样的惨景，他们脱下自己的衣服，把戴健和另一位名叫李月人的女石油地质队员包裹好后用沟谷的乱石垒成两座坟茔，再点上篝火，随后全体寻找失踪战友的同志们默默地静坐在戴健和李月人的坟墓旁，整整守灵两天。数天后，戴健所在大队召开隆重的追悼大会，戴健的悼词全部内容是她在武汉大学当教授的父亲得知女儿牺牲后写来的一封长信。戴教授的信中说：莫道芳龄几何，花蕾初绽早谢。小女忠骨埋边陲，遥望西北老泪流。白发父母送青丝，健儿天国行，多珍重……

9 月 25 日，在另一个地区进行野外调查的 117 队则被一场突如其来的暴风雪吞没了，女队长杨拯陆和实习生小张刚刚完成一条测线，在一座无名山上被气温骤然下降到零下四十度的强冷空气活活地冻死了……队长杨拯陆这年才不足 22 周岁，她是著名爱国将领杨虎城的女儿，也是杨虎城将军最小的“掌上明珠”。那年杨将军惨遭蒋介石暗害时，拯陆正好随两个姐姐到了西安才幸免一死。1955年，拯陆听从在玉门油田当管理局副局长的哥哥的建议，从西北大学毕业后自愿分配到新疆地质调查队工作。不愧将门之女，拯陆年纪轻轻就被委以队长之职。她工作努力，从不叫苦，人们以为她一定是个在旧社会吃过千辛万苦的贫苦儿女。队友们后来在拯陆牺牲的地方发现了那个地区的第一个石油地质构造，就命名其为“拯陆背斜”地质构造。

余秋里拿着戴健和杨拯陆两位年轻漂亮的姑娘的遗照，双手发颤着连声喃喃着：“娃儿可惜，娃儿可惜啊！”

娃儿们却在照片上含笑着对她们的部长说：我们不感到可惜，我们感到光荣和自豪，因为我们是唱着《地质队员之歌》和《克拉玛依之歌》而牺牲的。

“同学们，《地质队员之歌》是怎么唱的，我很想听听！”一年前的中南海，国家副主席刘少奇以难得一见的激情，这样高声问着一屋子围聚在他身边的地质学院的毕业生们。他们明天将奔赴祖国各地的找油和找矿战场上去。

于是一群朝气蓬勃的青年高唱起来：

是那山谷的风，吹动了我们的红旗，
是那狂暴的雨，洗刷了我们的帐篷；
我们有火焰般的热情，战胜了一切疲劳和寒冷；
背起了我们的行装，攀上了层层的山峰，
我们满怀无限的希望，为祖国寻找出丰富的矿藏！

“好，这歌非常好。同学们，你们说，地质勘探工作是个什么工作啊？”刘少奇点上一支烟，举目问身边的年轻人。

年轻人于是争先恐后地回答。有的说地质勘探就是千里眼，一眼能看到地底下的矿藏；有的说地质勘探就是先锋官，祖国建设我们走在最前边。

刘少奇笑笑，猛吸了一口烟，然后习惯地踱起步来：“地质勘探嘛——我打个比喻吧！就像我们过去打游击，扛着枪，钻山洞，穿森林，长年在野外，吃饭、穿衣……都是很大困难。今天的地质勘探工作和这差不多，也要跋山涉水，吃不好饭，睡不好觉，吃很多很多的苦……可是我们为什么要吃苦呢？”

没有回音，只有一双双聚精会神的目光和沙沙作响的笔记声。

“过去，我们那一代人是革命战争时期的游击队。吃苦，为的是打出一个新中国。今天，你们去吃苦，是为了建设美好的中华人民共和国。”少奇同志拍了拍坐在一边的老将军何长工，把声音提高了一倍，“打游击是需要付出代价的，你们知道这位老将军的腿是怎么跛的吗？就是打游击留下的残疾！现在轮到你们打游击去了，你们怕吗？怕苦吗？怕献出生命吗？”

“不怕！”同学们齐声回答。

“对，不要怕嘛！因为你们是建设时期的游击队、侦察兵、先锋队！”

“哗——”那雷鸣般的掌声经久不息。在场的年轻大学生们以这种特殊的方式回报领袖对自己的崇高褒奖与希望。

“过几天，同学们要奔赴四面八方，为祖国找宝，打游击去。我很想送给你们一件礼物。”少奇同志的话使肃穆、庄严的气氛顿时活跃起来。

“刘伯伯，您给我们讲了三个小时，就是最好的礼物了！”有同学兴奋地站起来说。

“不，礼物是一定要送的，否则有人会哭鼻子的！”少奇诙谐的话，引来一阵阵哈哈欢笑，“对，我把伏罗希洛夫同志给我的猎枪送给你们。当年我在打游击时很想得到一支枪，但没有。现在你们打游击了，应该有支枪。有枪就不怕危险了！”

“可以赶跑野外的老虎和狼嘛！”何长工的插话又让同学们捧腹大笑。

这是多么幸福与难忘的时刻。在我采访的那些当年在余秋里领导下参加过大庆油田会战的老一代石油勘探队员中，他们许多人就是因为被毛泽东、刘少奇等领袖们的一个题词、一支猎枪或一次握手而把自己的一生奉献给了艰苦的石油事业。

余秋里在拿着上面两张英勇牺牲的年轻女队长的照片的同时，他还知道另外两名石油勘探地质队的男队员确实是带着猎枪出发上野外的，可他们却没能回来——那是115队的一个送水的骆驼队的队员，年仅18岁。那天晚上暴风刮来，十余峰骆驼跑了，这位队员就带上猎枪顺着骆驼留下的新鲜脚印去追踪。可两天后队上的同志们仍没等到他回来。队长急了，发动全队人结群到处寻找，最后在距队部200多公里的山岭边发现了骆驼，而同时也在距骆驼群50来公里处的一个黄色土堆前发现了这位小队员的尸体——那儿无水无草更无人，只有一望无际的荒漠。那小队员的胸前布满了他自己的指痕，那是他口渴、胸闷、难忍而用自己的手指抓留下的伤痕。队友们见此景，一拥而上抱住其尸体，个个号啕大哭……与115队相邻的另一个地质勘探队的一名男队员因出去为同志们拉水而一去未归。队友们找遍了整个大盐滩，除找到点点遗物外连遗体都未见……

这就是昨天的建设者。这就是余秋里领导下的石油战斗中的战士们。

松辽找油战斗比这要惨烈得多！我从好几个人那儿知道，余秋里曾经做过这样的心理准备：松辽找油大战中或许要牺牲几千人……

现在不是谈论牺牲多少人的问题，而是油在哪儿的事。

油，能在哪儿呢？

余秋里已有些日子在为松辽的找油前景焦虑和着急了。自他上任石油部长后，部里已经向松辽平原派去了一支又一支队伍。康世恩从地质业务的角度告诉他：要想在一个不见油砂露头、不见明显地质构造、又不见任何前人留下的原始资料的“三无”地区逮住“地下大敌人”，就必须不断加强那儿的普查和勘探队伍。余秋里是谁？什么仗没打过？在用兵问题上，他有娴熟的指挥艺术。

那个后来为大庆油田发现做出特殊贡献的西安地质调查处的杨继良，被抽调往松辽石油勘探处途中，石油部机关有人托他带一枚“石油部松辽石油勘探处”的图章，说是那边宋世宽他们正等着用章“开张”工作呢！杨继良兴冲冲地带着公章找到当时还在长春的宋世宽他们。

“呃，宋处长，我把章给你带来了。”杨继良一直是名技术干部，他哪见过“处级”大公章呀？从北京出发的一路上他视这枚“石油部松辽石油勘探处”的大章比自己生命还宝贵。年轻的小媳妇几次在北行的火车上让他帮着照看一下随行的几个包裹，他杨继良双手插在衣袋里就是不理不睬，一副大少爷的架势，惹急了他瞪大眼珠，朝小媳妇吼一声："你以为我闲着呢啊？"看小媳妇愣在一边，他就悄悄露一下口袋里的那枚红色公章给她看看："明白吗，知道我在干啥了？"小媳妇讨个没趣，只好自个儿大包小包地独自看管。

"哈哈哈，杨地质师，你的那枚已经要进历史博物馆啦！"宋世宽朝新来报到的杨继良直乐。杨继良被笑得双眼发愣："咋，你们连公章都可以不要啦？"

"余部长已经把我们松辽石油勘探处提升为松辽石油勘探局啦，他宋处长现在是宋局长啦！"有人告诉杨继良。

"这、这不到一个星期时间就、就……"杨继良拿着那枚他视为生命的公章，怎么也转不过弯来。

"小杨同志，余部长等部里领导每天都在等着我们松辽这边的找油进展，如今松辽大地上的石油勘探一天一个变化。你一年前要是到这儿来，我们石油部的地质勘探人员加起来也就几十个人，现在已经有一千多人了，余部长他们还在不断往这儿派人哪！这说明啥？说明我们松辽方面能不能早日找到油，成为北京方面天天都在盼望的大事啊！年轻人，甩开膀子痛痛快快干吧！"宋世宽一番话，说得初来乍到的杨继良热血沸腾。

杨继良在这之前没有见过部长余秋里，他区区小地质队员，自然不知身经百战的将军是如何指挥一个又一个大战役的。但"公章事件"让他多少了解了自己的部长原来真的是"干大事"的人啊！

余秋里那个时候当然更不知道杨继良是何人。而他关心的是如何迅速打开一直在雾里观花的松辽找油局面。所谓"雾里观花"，就是开始外国人一直说，中国"贫油"，后来地质学家们——包括苏联大专家们都说"东北有油"、"松辽前景可观"，再后来地质部何长工先是送来韩景行他们到野外采集到的油砂，再后来是"南 17 孔"的岩芯含油喜讯，而石油部自己的队伍也相继获得一份份"松辽有油显示"报告，可油到底在哪儿？余秋里要的不是两军对峙前那些侦察员向他报告的有关敌方的捕风捉影的虚玩意。

"'有预料，便有希望。有希望，便有光明。'这话我不反对，可我更想能逮到就早逮到，逮到了就早吃掉！"秦老胡同夜深人静后，李人俊他们几个副部长都走了，秘书们也一个个在隔壁的房间睡倒时，会客厅里就剩下余秋里和康世恩时，余秋里把脚上的鞋子往边上一甩，双腿盘在屁股下面，拿起烟盒朝康世恩甩过一支烟后，张大嘴巴、仰着头这样说。

康世恩笑了，说："根据目前已经掌握的第一手资料，以及我跟苏联专家分析的结果看，逮到'大敌人'是早晚的事，到时候我还担心你余部长吃不掉呢！"

余秋里"噌"地又从木椅上放下脚，光着在地上来回走起来，然后突然停在康世恩面前，大声说："那我们俩再回部队去，向主席提个请求，让我们俩联手跟台湾的老蒋干一仗！到时把所有的大炮、军舰，都他妈的装满装足我们的油，然后直杀那边去，省得老蒋和美国佬总在那边吵吵嚷嚷的，害得毛主席和全国人民不得安宁。"

康世恩又笑了："怕真到那时，毛主席还是不会让我们回部队的。国家建设那么快，用油的地方太多，他老人家还不希望我们再多逮住几个'大敌人'嘛？"

余秋里耸耸肩，甩一甩那只空洞洞的左袖，自己也笑了："那倒是。"

这时，秘书手持一份电报进屋："报告部长，松辽那边来电说，松基一井今天正式开钻了。"

余秋里和康世恩几乎同时伸手捏住电报，兴奋地说："好啊，终于要看结果了！"

"走！"只见余秋里的右胳膊向前一甩，便直奔院子外。

秘书着急道："部长您干啥呀？"

"回部里去呀！"黑乎乎的院子外传来爽脆的声音。

康世恩拉着秘书，笑道："走吧，你还不知道他的脾气。今天晚上让他睡也睡不着了。我们上部里给松辽那边打长途问问情况！"

古城北京，东方欲晓，一轮霞光正透过天安门城楼，射向四方。

一辆苏式轿车越过安定门时，车内传出余秋里的声音："老康啊，松基一井是我们松辽勘探战役的第一炮，关系重大，这个钻井队是哪儿派去的？"

"是玉门那边调去的 32118 钻井队。这是我们的王牌钻机了，苏式的超级深井钻机，能打四五千米呢！”这是康世恩的声音。

“不是一共调了两个钻井队吗？”

“是，还有一个钻井队是32115队。这个队的任务是准备打松基二井，过些日子也马上要开工了。”

“噢。这两口基井都很重要，但第一口井意义更大些，我建议派个得力的队长去！”

“好的，我把你的意见马上转告给松辽局。”

余秋里和康世恩在车内的这段对话是俩人正准备赴玉门和新疆等西北油田调查考察之前说的。

搞石油勘探的人都知道，要探明地下生储石油的情况，就先得钻上那么几口基准井。大松辽平原，从南到北，从东至西，茫茫几十万平方公里，一亿万年前，这儿曾是一个风景秀美如画的水乡泽国，气候温暖潮湿，河湖的四周岸头，树木参天，绿荫成林……随着亿万年的地质变化，这里的湖河以及在此滋育成长的生物也跟着沉积在厚厚的封尘之中，折叠成松辽盆地这本叠叠层层的地质构造巨著。基准井的目的就是通过钻探获得这部“巨著”的每一个时代留下的科学符号，也就是说科学家们通过钻探手段取上的岩芯来判断地下宝藏到底有没有、在哪个位置、有多少储量。松辽平原找油初期，根据石油部和地质部的约定，两个部门在地质调查和地震物探方面的工作有分有合，主要以地质部为主，而在钻探和施工方面则主要由石油部的队伍来完成。基准井决定着当时松辽找油的直接前景，加上只有石油部才具备深井钻探的技术与设备条件，因此在两个部门的技术人员确定基准井方案后，石油部迅速调集了两个“王牌”钻井队来到松辽。

这时间应是在余秋里执掌石油部帅印后首次赴四川前后与康世恩共同在东北地区布下的一着战略棋子。

松辽第一口基准井确定在黑龙江安达县建设乡，距安达县城47公里，简称松基一号井。松基二号井确定在松辽盆地的东南部的隆起区域，即前郭尔罗斯蒙古族自治县登娄库构造上。这两口基准井说是重要，但当时石油部在松辽前线工作的技术力量少得可怜。像承担基准井研究队队长的钟其权、参与确定基准井位置的地质工程师杨继良他们，都才是二十四五岁的年轻人。余秋里有些不放心，让康世恩从石油部研究院调了资历相对老一些的余伯良等人过去。后来在关键时刻又搬出了翁文波这样的大专家坐镇前线，进行技术决策，当然康世恩在这样的重大技术问题上是跑不了的。

何长工在松辽基准井准备开工之前，向余秋里叫苦，说秋里你虽来石油部几天，但论装备我还得叫你石油部“老大哥”，说地质部搞普查和打浅井没问题，可打几千米的深井，连台机器都没有。这份功劳你余秋里一个人捞着，我何长工尽管很眼红，但也只能望尘莫及。

余秋里新来乍到，很一阵得意，可当他一问康世恩，心里也有些凉：原来石油部的家底也可怜得很。比如 32118 队，只有两名正副队长和 4 个钻井班，其他方面的干部和工人——应该还配有非常重要的钻井、地质和泥浆技术员都没有。32118 队原来在玉门油田，接到命令转赴几千里之外的松辽平原后，同志们下火车一看，要路没路，要运输车没运输车，要吊车没吊车，这咋办？几十吨重的钻探设备怎么才能搬到四五十公里之外的目的地呢？

“愣着干啥？没有吊车还没有肩膀吗？学着我的样——抬！”八路军骑兵连长出身的老队长李怀德将外衣一脱，赤裸裸的肌肉在阳光下闪闪发亮。

石油战士的人拉肩扛是从这个时候就开始的。安达火车站很小，但它的历史不短，俄罗斯人、日本人早在这儿驻足。时过百年后的今年 5 月，我来到安达火车站时，仍见到俄罗斯人留下的许多建筑物，特别是那座一度被余秋里作为大庆会战指挥部开会用的车站俱乐部建筑，百年过去后仍然风貌依旧，令我颇为惊叹。40 多年前，32118 队的石油勘探队员来到这儿，把重达 20 多吨的钻机和两台同样分量的泥浆泵靠肩膀从火车上抬下时，引起小小安达站不小赞叹：这石油工人就是牛啊！都是肉蛋蛋捏成的人，咋他们就那么大本事？

运输、安装，用两个月蚂蚁啃骨头的精神，硬是将一座钢铁钻塔耸立于千里平展展的北大荒草原上，震撼了那儿的百姓。41 米高的铁塔，现在看起来也就是半座普通住宅楼房的高度，可那会儿的松辽大地上人们似乎像看到了一个巨人出现一样，多么好奇和振奋啊！

7 月 9 日，骄阳似火的日子，头顶万里无云，地上锣鼓喧天。

32118钻井队举行了隆重的开钻仪式，大队长一声令下："松基一井——开钻！"飞旋的钻机顿时隆隆响起，沉静的北大荒上从此没有宁静过……

"报告！"长春石油部松辽石油勘探局局长办公室的门口，来了一位充满朝气、全身戎装的年轻军人。

"请进。"

正在伏案批阅前线发来的一份份报告的宋世宽抬头见向他毕恭毕敬行军礼的年轻人，疑惑地："你是……"

"原人民解放军少校军官、转业军人包世忠前来松辽石油勘探局报到！"

"你就是包世忠同志啊！好好好，来得正是时候。"宋世宽就爱看到一身雄赳赳气昂昂的军人。他笑呵呵地对包世忠说："我们两个的名字里都有一个'世'字，知道为什么吗？"

15岁就参加抗日游击队、21岁是四野营长又刚从硝烟弥漫的朝鲜战场上下来的包世忠被眼前这位笑呵呵的中年领导问住了："首长，这个……"

宋世宽哈哈大笑起来，说："那是因为你参加过小八路，我当过老红军，我们俩一生下来就有一个解放全世界的共同任务！所以爹妈给我们的名字里都添了个'世'字，你说对不对？"

包世忠一下被这位第一次见面的领导的幽默所感染。"是！首长。"包世忠又一个军礼。

"听说你的家眷就在本市？怎么不先回家看看？"宋世宽亲切地问。

"报告首长，听说这儿要找到油田啦，我着急呀！请首长快给我安排工作吧！"

不知怎么的，才见面两分钟，宋世宽就喜欢上了这位少校转业军人。

"首长你不知道，我这个人性子急，闲着就难受。这不我刚从部队转业就赶上了全国人民都在大跃进，我可不能回到家里睡大觉去！首长你放心，我参加过许多大仗，像攻克四平、锦州战役和朝鲜战场上的鸭绿江保卫战等我都参加过，我喜欢打硬仗！"包世忠像是怕首长真让自己回家休息似的，急着掏出一心窝的话。

"好啊！"宋世宽大喜。只见他稍加思索，便说："我们马上要打一口基准井，就像打仗一样，要取得一个大战役的胜利，就先要拔掉敌人的第一个据点，这找油也得先钻个窟窿，基准井起的作用就是这。派你上那儿去怎么样？”

“行，只要有工作做就行。我一定在那儿当个好钻工。”包世忠说。

“哎，不是让你去当工人的，是让你当队长。”

“当队长？我哪能成嘛！首长你……”本来就天热，房子里连把扇子都没有。包世忠急得满头大汗。

宋世宽递过一块毛巾，做了个摇摆的手势：“你不用说了。在你来之前我们就看了你的材料。正好余部长和康副部长要求我们加强基准井的钻井队领导，而承担一号井的32118队老队长另有任务，所以我们决定让你去那儿。这是组织决定。”

包世忠一听“组织决定”四个字，就再也没有推辞：“是，首长，明天我就去钻井队报到。”

宋世宽高兴地送这位雷厉风行的新队长出大门时，突然发现这位雄赳赳气昂昂的年轻人走路时怎么像地质部的老部长何长工那样跛脚呢？宋世宽后来才知道，少校转业军人包世忠原来是个战功赫赫的三等甲级残废军人。宋世宽有点后悔派这样一个同志上当下最要紧的前线，但勇士已经启程，那是不可能叫得回的。

包世忠来到32118队时，松辽基准一井已经开钻，他从零学起，一直到熟练指挥整个钻机的操作和战斗，但石油部和地质部乃至中央都很重视的松基一号井并不理想。从盛夏到深秋，包世忠和队友们苦战数月，于11月11日完成设计钻探进尺1879米。战斗英雄队长的包世忠看着一箱箱圆柱状的岩芯被地质师排列有序地放在钻台旁边，那些夹带小鱼、螺壳和树叶等化石物体的奇妙石头，如同天书般地吸引着他。包世忠每天美滋滋地看着这些宝贝儿，脸上总是露着笑容。但勘探局的技术人员告诉他：这个井基本失败。

“为什么？”包世忠有些急了，“我们哪儿做得不对？还是质量不合格？”

“都不是，是因为没有见到油！”

包世忠像泄了气的皮球，他这才似乎明白找石油并不比抢占敌人高地简单。

在32118队开工一个月后进入施工的松基二号井也不理想。这口井钻井深2887米，除了在井深168米到196米之间的岩芯里见过少量的油砂外，同样并没有获得工业性油气流。

这上任初始的第一年，对将军部长来说不能不说是个很不吉利的一年。“川中会战”之痛一直留在他心头不说，地质部已经提出“三年拿下松辽大油田”的口号，可油在哪儿一直是个问题。松基一号井和松基二号井相继没有逮到真正的“敌人”，而越是逮不到“敌人”，石油部上下越是摩拳擦掌。

当然，最着急的还是他们的部长余秋里。

这一天深夜的秦老胡同里，安静得出奇。余秋里家的那个会客室里被烟雾笼罩得进不得人。孙敬文、周文龙等几位副部长因为受不了而早早离开了，李人俊也感到再跟着“吸烟”肺都要染黑了。屋里只剩下余秋里和康世恩，俩人面对面地一支接一支地抽着烟，谁也不说话，四只眼睛盯着同一个方向——铺在地上的那张松辽地质图……

就这样几十分钟、几十分钟地过去。

余秋里在等待康世恩最后确定“松基三号井”的井位方案，而康世恩则在等待前线地质技术人员向他报告被退回去的报告。

用地质部老地质学家黄汲清的话说：“事不过三。”这松辽找油如果三口基准井都没有工业性石油显现，问题可就大了！

余秋里能不着急嘛！余秋里一着急，一不说话，康世恩就更着急了，像打大仗时，参谋长不能给定夺战局的司令员拿出个可行的作战方案一样，那要他这个参谋长干啥？

小桌上的几包“中华烟”都空了，最后只剩下一支烟了，余秋里刚要下手，却遭不客气的康世恩抓过去就往自己的嘴里塞。余秋里一愣，笑了：“老康，抽完这支烟你就先回去休息吧！”

烟雾中的康世恩摇摇头：“回去也睡不着，还不如在你这儿好一些。”

余秋里没说话，双腿从木椅上放下，拖上布鞋，进了里屋。一会儿又回到客厅，只见他手里拎了一瓶酒和两只杯子，“咕嘟咕嘟”地各倒了大半杯，也不管康世恩喝不喝，自个儿先往嘴里倒。康世恩一见，甩掉手中的烟蒂，顺手端起酒杯，生怕落后……

外面下着鹅毛大雪。院子里已经积起厚厚的一层银装，余秋里和康世恩似乎根本没有发觉，依然喝着沉闷的小酒，一杯又一杯。

“怎么搞的，这酒跟以前不一样了！苦啊！”余秋里突然大叫一声，眼睛盯着杯子里的剩酒，迷惑不解。

康世恩也像一下被提醒似的，看看酒杯，又品上一小口，说：“没什么不一样嘛！”

“不对，就跟以前的不一样！”余秋里坚持说。

康世恩苦笑一下，再没说话。

雪夜，秦老胡同里，两位石油决策者依然一杯又一杯地喝着。他们在苦闷和期待中等待着新年的钟声。

松辽前线关于“松基三号井位”的最后布孔方案终于送到了部里。余秋里让康世恩找地质部和自己部里的权威们赶紧研究商议。

“余部长很关心松基三井的事，今年春节我们几个就别休息了，抓紧时间争取把三号井的事敲定。”康世恩对勘探司的副总地质师翟光明说。翟光明转头就去告诉松辽前线来京汇报的局长李荆和与张文昭。

李荆和一听部长们还要进一步商量“松基三号井位”的事，有些惊讶地问：“这已经来回折腾好几回了，怎么还不能定下呀？”

翟光明闷着头说：“你也不想想，如果三号井再见不到油，余部长还不吃了我们几个？”

李荆和伸伸舌头，苦笑道：“那倒也是。”又说：“不过如果三号基准井再打不出油，余部长第一个要撤职的肯定是我这个松辽勘探局局长。”

干吧！在这样的“只许成功、不许失败”的将军面前还能有什么路可走？

2月8日，是农历己亥年的春节。石油部办公大楼二楼的一间小会议室里很热闹。值班的人探头往里一看：哟，康世恩副部长和李荆和局长，及翟光明、余伯良、张文昭等人都在里面呀！

再仔细一看，不大的会议室里，却铺展着一张巨大的松辽地质勘探图。康世恩脸色颇为凝重地说着：“松辽第一口基准井打在隆起的斜坡部位上，不到2000米就打进了变质岩，没有使我们看到油气显示，看来是没打到地方。二号基准井打在娄登岸构造上，虽见一些油气显示，可一试油又没见什么东西，我想可能太靠近盆地边缘了。因此松基三号井就必须向盆地中央去勘探！李局长，你跟张文昭同志再把你们那边的情况和近期对确定松基三号井位的补充资料说一下。"

张文昭连忙把手头的资料和几份报告塞到李荆和手中。李荆和其实用不着看什么资料了，他知道康副部长对情况已经相当熟悉，所以李荆和重点挑了松基三号井的井位情况作了简要介绍：三号基准井的位置早先由地质部松辽石油普查大队拿出的方案是确定在"吉林省开通县乔家围子正西 1500 米处"。地质部松辽普查大队还对上面的井位确定理由作了五点说明。但石油部松辽勘探局的张文昭、杨继良和钟其权不同意上述意见，认为地质部松辽普查大队提出的三号基准井位存在三大缺陷：一是井位未定在构造或者隆起上，不符合基准井探油的原则；二是盆地南部已经有深井控制，探明深地层情况不是盆地南部迫切需要解决的问题；三是该点交通不便。他们提出应向盆地中央的黑龙江安达县以西一带布井，并陈述了相应的理由。地质部的同志很快同意石油部张文昭他们的建议，并派最早进入松辽平原的韩景行和物探技术负责人朱大绶前来听取张文昭等石油部同志对具体布孔的理由。

杨继良和钟其权等面对同行的"考试"，很是一番辛苦，可当他们摆出五大依据时，物探专家朱大绶摇头表示：地震资料不够，没有电法隆起的基础工作，难说新孔是不是在所需的隆起构造上。

专家们的讨论异常激烈。康世恩那个时候正好跟余秋里上了西北的克拉玛依那边，他通过长途电话问张文昭情况怎么样了，张文昭只好报告实情。

"地质部同志的意见非常对，你们赶紧抓紧补充地震电法资料。一方面请朱大绶他们帮助，另一方面我知道最近苏联专家有一架飞机要在松辽盆地进行一次考察，你们争取挤上一个人，从空中看看新布孔的所在地貌……"康世恩说。

张文昭问杨继良去不去乘飞机兜一圈？杨继良高兴得手舞足蹈："去啊！我可从来还没有坐过飞机呢！"

杨继良到了苏联专家坐的那架小飞机时，地勤人员却将他拦住了，说："你块头这么大，没你坐的地方！"

杨继良急了："我是块头大了一点，可也没有苏联专家大嘛！"

地勤人员说："人家是外国专家，要照顾他们嘛！"

杨继良悻悻地："那我就站着不占两个人的座位行不行？"

地勤人员看看这个背地质包的胖子，也就只好如此了。

太美了！飞机上下来的杨继良冲张文昭和钟其权说的第一句话，就是这三个字。

"我们选择的井位没有错。那是盆地的一个大隆起构造……"杨继良言归正传。

张文昭告诉他："前些日子，钟其权和张铁铮等同志跟随地质部物探大队的朱大绶他们一起上大同镇一带进行了地震工作，地震队在现场提交了高台子地区初步的构造图，表明那一带真的是一个大隆起构造。综合资料看，我们原先定的井位，只需要稍作移动，就是理想的井位了！"

杨继良听后兴奋不已，由他执笔的松辽石油勘探局58字第0345号文件连夜上报北京，该文指出："松基三号井的井位已定，在大同镇西北，小西屯以东200米，高台子以西100米处。"

石油部接到杨继良他们写来的报告时，余秋里和康世恩已从克拉玛依回到北京，于是在余秋里参加武昌召开的党的八届六中全会之前，他指示康世恩尽快通过研究后给松辽局一个批复。11月29日，石油部便以油地第333号文件给松辽局批复同意他们的松基三号井井位。

也许有过一号、二号基准井的失败教训，余秋里和石油部这回对三号井的位置特别重视，就是文件下达了，仍没有放松进一步的论证工作。旧年底和新年初，余秋里指示康世恩让翁文波和勘探司副司长沈晨亲自陪苏联专家布罗德再去长春一次，与地质部的同行再认真讨论一次基准三井的井位。专家们经过几天反复审查已有的地质和物探及航探资料，最后一致认为：大同镇构造是松辽盆地内最有希望的构造。苏联专家布罗德更是一口咬定：再不见油，我就断了自己嗜酒的习惯！

1959年新春刚刚来临，石油部系统的厂矿长会议隆重举行。会议期间，余秋里带着李人俊、康世恩等多位副部长和机关业务部门的司局级干部用三天时间听取了张文昭对松辽勘探成果及下一步工作重点的汇报，张文昭特别重点介绍了松基三号井井位确定的前后过程及理由。

“这事不用再议了，我看专家们的理由是充分的。成败在此一举！不过，这么大的松辽平原上钻那么三个眼，我想即使都没见油，也不能说明那儿就没有大油田！”余秋里说到这儿，右手握成拳头，使劲往桌子上“嘭”地猛一砸：“我是做了打十口一百口勘探井准备的！既然大家认为那儿地底下有油，那我不信逮不住它！”

春节前，余秋里因为要向刘少奇汇报石油工作情况，康世恩就利用春节几天时间把专家们请到部办公大楼上连续又细细讨论了松基三号井的每个开工前的细节。

大年初四，余秋里和康世恩，以及沈晨来到何长工家开“国家会议”时，就是带着包括松基三号井方案去的。

“老将军，你快仔细看看我们的总体设计方案还有什么问题……”我们的镜头终于又拉回到了春意浓浓的老将军家了。

何长工慢悠悠地戴上老花镜，还是看不清。余秋里干脆就把图托到他眼前。

嗯，这回行了。老将军面对松辽地质普查勘探图，看得仔细。末了，又翻起一本厚厚的文字材料，然后抬头对余秋里说：“很好。这东西把两个部的协调与分工写得比较明确。下一步就看我们能不能早日见油了！”

余秋里的眼里顿时露出光芒：“那春节一过，我就让人以我们两个部的名义把这份总体报告向松辽方面发了？！”

“可以。”老将军说完，发出爽朗的一阵笑声，然后拉着余秋里的手，说：“我们俩都在毛主席面前发过誓的，说要三年拿下松辽。现在就看松基三号井了！”

余秋里听完老将军的话，用手往铺在地上的松辽地质图一指，做了个斩钉截铁的姿势：“对，我们的决心没改变：三年时间坚决攻下松辽！”

何长工开怀大笑：“看来我们的目标是一致的！这样吧，4条地质综合大剖面的工作由我们地质部来承担，你们石油部就全力把松基三号井完成好！咱们携手并肩，在今年干他个漂漂亮亮的大仗！”

兴头上的余秋里还要说什么时，却见康世恩装腔作势地凑到何长工耳边：“老将军，我还有个请求。”

何长工开始一愣，继而抬起左手，朝康世恩的后脑勺轻轻一拍：“我知道你的‘请求’是什么！”

旁人不知怎么回事。何长工满脸诡秘地冲康世恩一笑，然后朝厨房一挥手，大声吆喝道：“老伴，上饺子噢！”

“啊哈，——知我者何老将军也！”康世恩乐坏了，他从何长工的老伴尹大姐手中抢过一大碗饺子，就神速“战斗”起来。

“好兄弟，慢点儿。瞧，饺子里的油都流外面喽！”

何长工一把拉过老伴：“你甭管他，秋里说他这几天光顾开会，春节都没休息一天。让他吃个够。不过明儿他要是不给我在松辽弄出油来，看我怎么罚他这条饿狼！”

“报告老将军，我接受您的挑战！”康世恩顽皮地拿起筷子向何长工敬了个军礼，末后又可怜巴巴地抬起手中的空碗，朝老将军说：“谢谢您老再给来一碗！”

“哈哈哈……”余秋里等人乐得前仰后合。

石油部、地质部在何长工家开的此次“国家会议”具有历史意义。

之后，余秋里在部党组会议上，迅速布置了新一年松辽勘探的战略部署。谁来打松基三号井，这是个问题，但这毕竟又不是个问题。

32118 队自完成松基一号井后，在队长包世忠的带领下，利用冬季整休时间进行了大练兵。从干部到普通钻工，个个精神饱满，斗志昂扬，又通过技术培训，技术操作也跃上新台阶。大队长看在眼里，喜在心头：松基三号井的任务就他包世忠队了！

32118 队全体干部职工接到再战松基三号井的任务后，一片欢腾。从松基一号井址的高台子村到新井位的小西屯村，相距 130 多公里。之间，没有一条像样的路，净是翻浆的泥地田埂。120 余吨物资怎么搬运到目的地，成了包世忠的一大难题。因为队里仅有松辽勘探局配备的 4 辆运车最大运力也只有 4 吨重，而队上的两台泥浆泵外壳就有 19 吨重，且是不可分拆的整件。怎么办？包世忠发动群众集体议论，大伙儿越说点子越多：没有大型吊车，他们就用三脚架和滑轮倒链提升近20吨的泥浆泵体，然后在悬空的泵体下面挖出一个斜面坑，再让运车徐徐内进，然后松开三脚架上的倒链，20来吨的庞然大物就这样安然地放在了运车上。而严重超载的运车启动后，包世忠像看着自己的闺女出嫁一样，一步不落地跟着。啥叫难啊？这一路运载才叫难啊！走在田埂上怕陷进去出不来；走在沿途小桥，怕一旦遇上拐弯什么的就惨了：甭怎么想，就是走也不是、退也不是……包世忠记不清这春节是怎么过的，反正每天他要带着全体队员，像蚂蚁啃骨头似的将一件件、一根根铁柱重墩——当然还有一颗颗小小的螺丝钉和一片片岩芯碎片，全部搬运到130多公里外的新目的地。

"蛮干！"

"胡来！"

"破坏生产，个人英雄主义！"

32118队以这种"蚂蚁啃骨头"的精神，实现了在无任何外界帮助的条件下完成井队整体长途搬迁，却遭到有些人的政治攻击。拖着残疾之身的包世忠竟然为这不得不到局干部大会上作检查……

余秋里得知后气得直咬牙关地痛斥道："我的队伍是去找油的，油找不到，你们可以批他们、撤我职，但眼下我们上下都在为拿下松辽革命加拼命干的时候，你们这样打击干部和群众积极性，我不答应！"

然而这仅仅是石油战线面临当时整个社会的政治压力下所出现的极不正常的冰山一角而已。余秋里身为部长，中央的重要会议或会议精神他应该是非常清楚的，但对在"大跃进"极"左"浪潮下可能出现的现象仍然估计不足，或者有些事是他想都想不到的。

正当他和战友们摆开松辽找油大战之际，全国性的大炼钢铁运动仍在一浪高过一浪地进行着。毛泽东虽然在1958年冬的武昌会议上提出了"压缩空气"的建议，但在制定国民经济生产计划时坚持"以钢为纲"的方针。在经历大炼钢铁和"共产风"之后的国力受到严重损害形势下，中央又把有限的资金和物资用于保证钢铁建设方面，石油工业怎么办？

余秋里心急如焚。

石油部内部有人在这个时候提出，既然工业战线都在“以钢为纲”，我们石油战线何必争着干吃力不讨好的事？让吧！让钢铁老大先行吧！

但多数同志则坚持认为，国家统一计划下，我们可以摆正石油工业在国民经济中的地位，既服从大局，又可以合理使用国家分配的投资和物资，在内部充分挖掘潜力，努力完成和超额完成国家任务，同时尽量争取多找油。

“我看这‘又让又上’，比‘只让不上’好！”在全国石油系统厂矿长会议上，余秋里挥动着那只有力的右胳膊，铿锵有声地说，“从我们石油部的实践看，对待困难，一般有三种态度：一种是看到困难就调转方向，在困难面前躺下来。另一种是不利条件看得多，有利条件看得少，当伸手派，不积极想办法克服困难。持这种态度的是少数人。第三种，也是我们石油工业中绝大多数同志的态度，就是把困难看成是客观存在的，要依靠群众去克服的，使之成为推动我们前进的动力。我多次提出要做克服困难的勇士，而非做困难面前的逃兵！困难越大，干劲越大，办法越多！没有干劲，不动脑筋，必然步履艰难，一事无成！”

一年多来，余秋里对自己的队伍抱有足够的信心，他相信这支多数由部队军人出身组成的石油大军在困难面前表现出的勇气和克服困难的能力。但余秋里对下面一些单位由于受社会政治影响而把握不了自己工作方向的现象同样忧心忡忡。

新疆局就是一个例子。本来是一个朝气蓬勃的新油田开发基地，却因为全民大炼钢铁而竟然在他们那儿有人放下石油不钻，整天热心搭起小炼钢炉炼钢铁去。可气的是为了达到炼钢的数量，竟把国家进口来的无缝钢管锯断后去凑炼钢量。

“你们这帮败家子！谁要再敢这么干，老子就派人把他抓到北京毙了他！”余秋里大发雷霆，把值班室的电话摔得八丈远。“你，马上到那儿去一趟，把党组的精神传达给他们，必须坚决制止他们的这种败家子行为！”他把副部长李人俊找来，命令他立即赴新疆。

那时石油部下属的单位实行双重管理，即业务上受石油部领导，而在组织和人事方面由地方管理。李人俊到新疆局后，人家听不进余秋里和石油部党组的精神，反说李人俊是“右倾”，恨不得就地批判。

“反了！简直是反了！”余秋里不仅是大发雷霆了，而且怒发冲冠。这一天他被周总理叫去了。

“秋里同志啊，南边的形势很紧，军方一再向我要油。新疆那边的运力不行啊！得想个办法呀！”周恩来见余秋里后就愁云满脸地说。

余秋里像做错了事似的站在那儿直挺挺地等待总理的进一步批评：“总理，是我们工作没做好。”

周恩来摇摇头：“这不能怪你，一是我们的车子太少，二是那边的路程实在太远。运一车油到南边，得走几千公里，成本太大了！”

余秋里想说：“总理啊，石油东移战略绝对是对的，得早动手多下点本钱搞呀！”可他没有说出口。

“这样吧，我再请薄一波同志从国库里调拨1100辆汽车给你们！”周恩来操起电话，立即给薄一波办公室打电话。末后，握住余秋里的右手，周恩来不无期待地：“你得帮我这个忙啊！”

余秋里无言可答，只是默默地点头保证。

夜深人静，长安街上萧风猎猎，无几个行人。余秋里坐在车内一言不发，他想起刚才周总理的话和神情，心头阵阵隐痛。有几件事他没有向总理说，但却一直像铅似的坠在他心头。前阵子，国家炼合金钢要新疆克拉玛依油田炼油厂增加生产，甚至国务院还专门派飞机去那儿空运过石油焦。可当他余秋里根据李富春副总理的指示，给新疆局下达石油焦生产计划时，那边竟然这样回答部里：“炼铁7000吨，钢1000吨，一定要完成；努力完成石油焦任务。”

“狗屎！这是狗屎报告！”余秋里把新疆局发来的文件甩在地上，重重踩了几脚，愤愤地骂道，“石油焦是国家的急需物资，一级任务！他们却说‘努力完成’。炼钢铁是他们的任务吗？瞧他们那么起劲，什么‘一定要完成’！我看他们完全本末倒置！岂有此理！”

还有一件事更使余秋里无法容忍。国家为了从新疆多运一些成品油，经周总理亲自批准，决定把石油五厂部分炼油设备调到新疆克拉玛依炼油厂。石油部正式下文给五厂，指示他们按中央精神迅速执行，并且还专门派人去督促。哪知五厂领导就是拒不执行，而且找出种种理由来搪塞部机关。

"你们以为自己是谁？是中华人民共和国之外的独立王国了？以为保护本厂利益就是最崇高的了？呸！一点最起码最基本的全局观念都不知道！在社会主义建设事业中，一个只顾局部利益的单位、厂矿，能搞得好吗？不行！永远不行的！"余秋里在部属厂局矿工作会议上，让五厂干部站在众人面前，暴风骤雨般地一阵训斥。平时经常被人猜测的那只空袖子此时甩得"嗖嗖"呼啸，吓得五厂的干部脸色发白。

"部长我们错了。回去立即改正……"

"改正？改正就完了？"那只"嗖嗖"呼啸的空袖子甩动得更加激烈，"知道什么叫贻误战机吗？那是要杀头的！"

"是，要杀头的。"五厂干部的后脖子直发凉。

石油五厂敢冒天下之大不韪不服从命令的事，这对军人出身的将军部长来说是他极少碰到的事，因此也格外记忆犹新。几十年后，余秋里还在《回忆录》中特别提起此事，他说："经过严肃批评教育，石油五厂改变了原来的态度，执行了部里的决定。在克拉玛依油厂建设期间，石油五厂担负支援任务，在原定的时间内完成了任务，工作做得很好。但事实证明，他们并未从思想上解决问题。事过半年之后，在党组扩大会议上，石油五厂的同志重新提出了这个问题，指责部里不该把他们厂的设备调到新疆去……"

一部之长，受国家之命，调所属一个工厂竟然屡屡遭到如此反复和不从，余秋里深感当时复杂多变的政治形势和石油队伍"双重"管理所带来的重重问题。而所有问题的原因，则来自于一个因素：中央和地方的极"左"风盛行，盛行到大有势不可挡的地步。

刚刚起步的石油队伍面临着一场空前的生死选择！

找油的人要去炼钢。热心石油事业的干部则被批判为"右倾"分子。

余秋里为此苦恼和焦虑。

暂不提松辽战局的事。当时支撑着中国石油工业的主要基地如新疆石油局与玉门石油局，都面临"不干正业、干正业反被打倒"的局面。

新疆石油局局长张文彬，是原"石油师"的政委，从1952年接受毛泽东之令带领全师官兵转业到石油战线后，一心想为中国的石油事业出力流汗，多做贡献。可有人则把他搞石油的干劲说成了反"大跃进”的右倾行为，欲停其职。余秋里得知后，立即责令新疆石油局党委必须纠正对张文彬的错误做法。为此余秋里专门与新疆维吾尔自治区党委的王恩茂同志通话，力主保下张文彬。

玉门油田的情况更是触目惊心。在“大跃进”思想的影响下，全油田不按科学规律办事，一夜间让所有油井“放大嘴”，即开足马力出油，结果造成整个油田的油井陷入“空肚”的危险境地。许多原本是高产油的井，变成了低产油井；那些本来可以稳定产油的井，则成了“闭经”的枯井。局长焦力人因为反对这种“浮夸风”，竟然被玉门市委决定要召开公审式的批斗大会进行批判。

会议定在第二天八点正式开始。焦力人此刻已经知道，他是上面定的“右派”名额之内的人员了。而就在离开会只有十几分钟的时候，局机关秘书匆匆地过来向焦力人和局党委书记报告道：“北京来长途，让焦局长和书记你们俩去接。”

“谁打来的？”那个准备主持批判大会的党委书记不耐烦地问。

“是余部长来的。”秘书说。

党委书记一听是余部长的，只好朝焦力人招呼一声：“走吧！先接电话去。”

“玉门吗？我是余秋里呀！你们俩听着：我现在命令你们马上启程到北京来开重要会议！”长途电话里，余秋里以毋庸置疑的口气命令道。

“部长，我们、我们正要开大会呢！能不能……等开完会再启程行吗？”那党委书记支支吾吾地问。

“不能！你们两个立即上北京来，不得耽误一分钟！”北京的长途电话“啪”地挂了。

焦力人和那个党委书记弄不清北京余部长这么急让他们去干什么。于是也不敢耽误一分钟，夹起衣服又从财务那儿领了些路费直奔嘉峪关飞机场，火速赶到北京，直奔石油部机关。办公厅工作人员见焦力人他们来后，很热情地给安排在部招待所，一人一间房，而且还特意在房间里放了些水果。

第一天没见有人来通知他们开会。

第二天还是没有人通知他们去开会。

第三天了，焦力人和那个党委书记坐不住了，上办公厅问。

办公厅的同志热情而又客气地说："余部长说了，让你们俩好好休息休息。"

"不是说有紧急会议要开吗？怎么让我们天天闲着呀？"那个党委书记莫名其妙地问。

办公厅的同志笑笑，摇摇头说："到底怎么回事我们也不清楚，可余部长是这样向我们交代的，他特意说让你们来北京后好好休息几天。"

四五天后，余秋里终于出现了，他先找焦力人，问："玉门到底发生了什么事？他们干啥要把你打成右派？"

焦力人说："就因为我看不惯他们拼命要求油田高产。"

余秋里一听，说："我知道了。你先歇几天，回头我跟你们一起回甘肃去。"

几天后，余秋里带了另一位副部长，乘火车来到兰州。焦力人和那个党委书记遵照余秋里的指示没有下车，回玉门去了。

余秋里下火车时，甘肃省委和石油部运输公司驻兰州办事处的车同时到站接他。当时的石油部运输公司在兰州非常出名，因为国家的石油主要是靠他们运输到全国各地的。听说自己的部长来了，运输公司办事处的同志脸上很有种洋洋得意之气，他们知道部长的脾气：肯定不会上省委招待所，而是愿意上自己的运输公司办事处去住。

"这回我想住省委去。"余秋里将那空袖子一甩，没多说一句话，坐进省委的车子就"呼啦"一阵风走了。

省委招待所的宁卧庄宾馆，虽不像现在的五星级水平，但在当时也是兰州数一数二的只有高级首长才有资格入住的地方。但余秋里进了宁卧庄而没有先歇脚，却又唤来自己石油部的运输公司派来一辆"伏尔加"。随后到了兰州炼油厂。

兰州炼油厂位于兰州西郊，它南靠小平子山，黄河正好从它身边悄悄流过。兰州炼油厂在五六十年代名声显赫，是苏联援建的156个重点工程之一。它的任务是将玉门、克拉玛依和柴达木油田运送来的石油进行加工冶炼，然后再在这儿将成品油源源不断运送至祖国各地。"兰炼"因此是那个年代的一个石油骄子，也是西北工业的一颗璀璨明珠。它宏伟的建筑、交错纵横的管道，及高耸云霄的高炉，象征着新中国蒸蒸日上的景象，被无数人所崇敬仰望。“兰炼”的建设是快速的，一年多时间便拔地而起。其规模之宏大，设备之先进，以及车间、食堂、各种小会议室、洗澡堂、喷水式的饮水器……所有这些在当时简直让中国人看了就是“共产主义社会”般的缩影。

“兰炼”是当时的国宝，更是石油部的掌上明珠。为此，余秋里在当部长后，就派一名非常得力的部长助理、新中国第一位接管国民党旧政府石油机构的“钦差大臣”徐今强（后任石油部副部长、化工部部长）去管理“兰炼”，任该厂党委书记兼厂长。

余秋里来到“兰炼”，见了如此宏伟的现代化工厂，真是心潮澎湃。但与之极不和谐的是他看到自己的助手、“兰炼”一把手徐今强怎么总畏畏缩缩，连句话都不太敢讲似的。

“今强，你这是怎么啦？是病了还是身体哪儿不舒服？”余秋里停住步子，问徐今强。

“不、不不，余部长，我、我啥病都没、没有。”徐今强结结巴巴地说着。

余秋里疑惑地看着这位昔日敢说敢干的助手，皱皱眉头：“要不就是你不适应这儿的生活习惯吧？”

余秋里继续被人前呼后拥着在厂区各个地方参观视察。

中午开饭，有肉有鱼。余秋里忙将徐今强拉到自己身边：“来来，你这身子骨得补补，这顿饭你多吃点儿。”

徐今强拿着筷子，就是夹不动桌上的鱼肉，最后他不得不对一脸狐疑的部长吐露真情：“部长啊，他们把我打成右倾机会主义分子了。”

余秋里一听就急了，“嘭”地将筷子往碗上一搁，问：“为什么呀？”

徐今强吭吭哧哧不敢说。

余秋里更火了：“我在这儿你还有什么支支吾吾的？”

徐今强了解余秋里的脾气，于是如实报告：他是因为抓炼油而对大炼钢铁不热心才被省里抓反面典型弄成“右倾机会主义分子”的。

余秋里听完，非常生气地扒了几口饭，便将筷子往桌上一甩，站起身：“这顿饭也吃不香了！我要上省委去。”

这天晚上发生在兰州的这一幕后来连毛泽东都知道：

晚饭很丰盛，酒菜齐全，且是超规格的。本来余秋里让下面的人吩咐由他们石油部出面招待省委书记，但人家省委的人不干，说余部长上甘肃来，再让石油部掏钱请客，他们省委领导的面子没地方放嘛！

“那就客随主便吧！”余秋里对秘书说。

傍晚时分，宁卧庄宾馆的上上下下都知道省委书记要前来设宴招待石油部长，于是不到五点钟就有人在大门口站着恭候。

“哎呀书记好书记好！我已经有些日子没见您这位老首长啦！”余秋里提前几分钟在下榻的房间走廊里等候省委书记的出现。来者的身份不仅是甘肃省委书记，而且是当年在长征路上与余秋里一起走过雪山草地，后在西北野战军当过四纵政委、兼任陕甘宁晋绥五省联防军副政委呢！论资排辈，余秋里叫他首长一点不过分。

“好好好，余部长，你现在可了不得呀！年轻有为，毛主席赏识，中央重视的石油部长喔！”省委书记一番夸奖，露出少有的羡慕之情。

“来来，给书记敬酒！”余秋里喝酒的水平一般，但为了表达诚意，他今晚不得不全力以赴。借酒意，他向省委书记一次次地表达心愿：“我们的玉门油田、兰炼、运输公司，都是你书记的地盘上，仰仗你和省委的正确领导和关照，我们才有了些成绩，感谢书记，感谢甘肃人民！”

省委书记也是个不胜酒力的人，几杯下去，满脸通红，舌头根都有些硬了：“余、余部长你太、太客气了，我们不都是在毛主席和党中央的领导下干工作嘛！石油部在你余部长的领导下，去年就打了个翻身仗，今年形势更是一片喜人，毛主席表扬你，我们甘肃人民更感谢你！你瞧瞧，玉门、兰炼，还有周总理一直特别关心的运输公司，都在我们这儿，都是我们甘肃省的光荣和自豪啊！我们甘肃只要有这几个单位大跃进了，我们就会向毛主席和党中央交份满意的卷子了！你说是不是余部长？为这，我得先谢你！来来、干——干了这一杯！”

“干！为了社会主义新中国！为了毛主席他老人家的健康！干杯！”余秋里今晚有事要求省委书记，所以人家的酒是不能不喝的，而且必须喝到主人尽兴的分上。

酒后的闲聊该是轻松了吧？否也。会客厅的大沙发上，省委书记脱掉鞋子，说要舒服舒服。人家是老红军，正式场合一言一行，有板有眼。从台前走下来后，该是“老农民”的那套习性一点不马虎地彻底恢复。余秋里在这一点上非常喜欢省委书记，他们都是从小吃不饱穿不暖才扔了锄头跟共产党闹革命出来的，虽然现在官当大了，但骨子里的生活习惯还是农民一个。

余秋里也不含糊，屁股坐上沙发后，脚上的鞋一脱，跟着人家主人双腿盘在沙发上，不同的是人家仰躺在大沙发上。“不好意思了，余部长，今晚给你多灌了几杯，有点那个了……”省委书记舌头根真有些发硬了，脸绯红的，仰躺在沙发里冲北京来的客人歉意地笑笑。

“书记说玩笑了，那点酒对你来说就像当年战场上捡几根敌人的烧火棒一样不在话下。”余秋里从不奉承人，今儿个例外。

省委书记笑着在沙发上用手指指余秋里：“你至少比我少喝三杯！三杯肯定是有的……”

余秋里的心思早已想着有求于人家的事，便引出正题地对省委书记说：“书记啊，这次我来拜访你可是有求于你啊！”

省委书记半闭着眼：“说，你余部长的事不就是我的事嘛！”

余秋里一听很受振奋，赶紧把手里的烟一掐，说：“我是为兰炼的徐今强的事今天要求你帮忙了！”

“徐今强？！噢，他这个人到底怎么样嘛？”

“当然是好同志了！对党忠诚，作风正派，工作认真负责。”

“这些我知道。可我听说他在兰炼的表现挺右的啊！”省委书记不耐烦地挥挥手，说，“省里正在研究下面报来的材料，好像他有点悬啊！离右派就那么几公尺了呀！”

余秋里显得有些着急：“我不相信这个同志有什么右倾思想，更不相信他也会是右派！”

省委书记把头往沙发里头一侧：“具体的我也不是很清楚。”突然又转过头，向外面喊着：“喂——组织部的小李过来一下！你是经办人，你给余部长说说到底是什么情况！”

那个经办人匆匆从门外走进来。先看了一眼自己的书记，又看了一眼横眉冷对的独臂将军部长，心里有些发毛地说："是这样，余部长，下面反映徐今强只知道抓炼油，而对毛主席和中央大炼钢铁的事有反对意见。群众因此对他……"

余秋里生气地打断对方的话："搞石油的人不抓炼油的事还要他干什么？"

经办者很害怕石油部长的两只眼睛，尤其是他那只空洞洞的袖子，一扇动就叫人心惊胆战起来，到底胆战些什么，也说不上来，反正挺叫人害怕的。"可、可大炼钢铁是毛主席号召全党要抓的头等大事，他徐今强不但自己不热心，而且也不支持兰炼的群众炼钢铁，这样影响就很坏。"

"坏什么？我看很好嘛！"余秋里的声音很大，一下惊醒了酒醺之中的省委书记。只见他揉揉惺忪的眼睛："怎——怎么啦？"他看看余秋里脸色不太对劲，便对手下说："小李，你、你给余部长讲讲徐今强的具体事。"说完，他又力不从心地重新将头转向沙发的里面。

"对嘛，我听听啥事实嘛！"余秋里缓了下口气。

"是这样，余部长。当时我们地方有人借兰炼一台备用的大型鼓风机去炼钢铁，可徐今强就是不同意……"

余秋里立即打断对方的话："这有什么不对？徐今强做得很对嘛！你们就凭这说徐今强有右倾思想，要打成他右派？啊？那我余秋里不是更大的右派了嘛！我让我们的玉门油田、新疆油田，还有柴达木油田不许把石油的设备和物资去炼钢铁，那我不是更大的右派了？这是什么逻辑？荒唐！"余秋里越说越火气冲天，"噌"地从沙发上站起来。

那经办人员吓得赶紧退出会客厅。

省委书记惊醒了，吃力地支撑起身子。看着余秋里赶走自己的手下，颇为不满地："余部长，你别发那么大火嘛！这抓破坏大跃进的右倾机会主义分子是中央的精神，大炼钢铁也是毛主席的号召，你不能不让我们要求下面的单位行动嘛！"

会客厅的门"嘭"地被余秋里关上，但里面的声音，无一遗漏地传到了外面的几位秘书和宾馆工作人员的耳里——

“那也要看什么人干什么事！如果徐今强把鼓风机借出去了，一旦正在工作的鼓风机出了故障需要更换备用的又找不着时，这会造成炼油厂的瘫痪你知道吗？”这是余秋里的声音。

“事情不会那么巧合的。再说，大炼钢铁已经是全民行动起来了，他徐今强只顾本单位的局部利益，根本不顾全局的大炼钢铁和群众性运动，影响非常之坏。”这是省委书记的话。

“徐今强没有错！他是站在党的立场上考虑问题的。”

“这么说我们响应中央号召大炼钢铁就不是站在党的立场上考虑问题了？”

“你这是跟我混淆概念。再说了，他徐今强还是我们石油部的部长助理，如果省委认为他有什么问题，至少也得给我们打个招呼吧！”

“反右倾斗争，是当前全党的一项头等的政治任务，还需要向谁打招呼吗？那这也招呼一下，那也招呼一下，我们上哪儿去抓右倾分子呀？”

“你书记上哪儿抓右倾分子我不管，但你要在我们石油系统随便抓所谓的右倾分子，我看你抓个试试看！”余秋里的声音刚落，只听“哐当——”一声巨响。

秘书和工作人员赶紧轻轻推开会客厅的门缝往里面瞅：原来独臂将军站在那儿正大发雷霆，他的右手还紧紧握着拳头，两眼直冒火焰地盯着对面沙发上坐着的省委书记。这时余秋里的目光转到门口，秘书和工作人员们赶紧又关上会客厅的木门。

“除了徐今强不能抓外，玉门的焦力人，运输公司的张复振，你们一个都不能动！一个都不能斗他们！谁要是敢动他们的一根毛，我立即把他们都调回北京去。你省委有意见，我们上党中央那儿去说！”

会客厅的门突然“哐”的一声开了，只见独臂将军部长气呼呼地从里面走出，朝走廊里等候的秘书和随行人员一挥右臂：“走，回北京去！”

一个部长和一个省委书记干仗，这不算小事。消息马上传到北京的中南海。毛泽东听后扼腕道：自古就有不怕死的谏官嘛！

刘少奇听人说后，颇为感慨地以欣赏的口吻赞扬余秋里：为了党的利益，就是要抛开个人，抛开单位，据理力争。

那是个党、国家和许多个人命运搅在一起的特殊年代，政治风暴和经济压力下，使得全国上下个个都处在斗争状态。余秋里以一个卓有远见的政治家和办实事的工业部长的魄力，为石油战线尽量不遭受因为政治斗争而使一批干实事的优秀领导干部们沦为人民的对立面，可以说费尽心思，力挽狂澜。对于那段往事，他有过自己的一段回忆："在反右倾斗争中，我们保护了一些干部，为即将开始的石油大会战，准备了一批领导骨干。1960 年初，我们将张文彬、焦力人等人从新疆局、玉门局调出，参加大庆石油会战的筹备和组织领导工作。徐今强也于 1963 年调回石油部担任副部长，1964 年起他主持大庆油田工作。他们都为大庆油田会战和石油工业发展做出了重要贡献。"

时隔 40 余年的今天，当我请 83 岁的焦力人老部长谈起这件事时，焦老颇为感慨地对我说，对这事他一生感谢余秋里，他说如果不是余秋里当时全力保他，那他焦力人恐怕后来的命运就非常惨了。他说后来他因余秋里把他弄到北京后，玉门那边的"右派"名额就落到了另一位市委领导的头上。这位代他顶"右派"帽子的姓杨的市长，直到几十年后才获得平反，挂了几年酒泉地区副专员后终因积忧成疾，过早离开了人世。"如果不是余秋里部长当时救我，我的命运绝对好不了多少。"焦力人这位延安"鲁艺"毕业的老革命家、新中国石油工业的重要组织者和领导者如此说。

那个年代受难的还有许多人。共和国极其重要的一位开国元勋彭德怀的命运也许是最惨的。1959 年 7 月初，正当余秋里与同事们热切地等待松基三号井的战果时，他被召到江西庐山开会。

那个风景如画的地方在这一年经历了中国共产党历史上一次流血的疼痛，对共和国的发展也带来了不可轻视的巨大伤害。余秋里亲历了全过程，虽然他在当时并非是那场政治斗争的中心人物，但他的两个最崇拜的统帅人物——毛泽东和彭德怀之间出现了水火不相容的矛盾与分裂，使他内心深深地受到震惊和感到痛楚。他崇拜毛泽东，一生按照毛泽东的指示和思想行动。纵观余秋里一生在军事和经济战线上所作出的那些卓越贡献和"特别能打开局面"的事情，我们可以无一例外地看到他余秋里熟练运用毛泽东思想做指导并进行创新式的工作内动因是什么，这就是对毛泽东思想的具体执行和实践的结果；他爱戴彭德怀，无论在战争年代他作为从贺龙的一兵一将后转为彭大将军手下的一名高级指挥官，他对彭德怀的军事艺术天才和正直为人的品质佩服又敬重，并一生视为榜样和楷模。但庐山会议上余秋里无奈地看着自己的这两位崇拜者之间出现的各不相让、各持己见又最后在完全不均衡的较量中草草结束了这场心底流血的“路线斗争”。

庐山会议对余秋里内心深处的影响是巨大的，而对他正在全力指挥石油战线打开新局面的战斗也带来不可低估的负面影响。

在参加庐山会议之前，松基三号井已经开钻两个多月。包世忠这位满身带伤的残疾少校钻井队队长也真不简单，在没有吊车、没有大型运输工具和没有一条像样的路可走的条件下，硬是把 120 多吨重机台设备搬到了地处黑龙江肇州县联合乡高台子村和小西屯之间的那片空地上。开钻的仪式也并不像余秋里、康世恩和何长工他们在决策井位时那么翻来覆去、几经周折那么复杂和劳神，基井综合研究队队长钟其权找来一根小方木杆，上面写了“松基三井”4 个字，用榔头往地里一钉，对包世忠他们说：就在这儿钻！

包世忠是带兵的出身，他懂得鼓舞士气该怎么做。于是在 4 月 11 日开钻那天，让队里的几个年轻人给 41 米的钻塔披上鲜艳的红旗，还特意上镇上买了几挂鞭炮。全体队员列队站在钻台，他一声令下：开钻！

顿时 5 台 300 马力的柴油机齐声怒吼，将强大的动力传送给钻杆。直插地心的钻杆开始飞旋，泥浆带着水花，溅向四方，令围观的几百名村民一阵阵欢呼和惊叹。

但是松基三井的钻探并不一帆风顺。一天，包世忠正在为解决职工的吃菜问题，带人在一片荒地上垦荒翻土，副队长气喘吁吁地跑来报告：“队长，快去看看，井上出事啦！”

“什么？”包世忠没有顾得上问清是怎么回事，就直奔井台。

带班的司钻耷拉着脑袋报告说，由于开钻的时候井队没有配好足够的循环泥浆，钻井开始后他们用的是清水造浆办法钻开了地表层。这办法不是不可以，但东北平原的地层与西北黄土的土质不一样。钻杆下旋不多久，地下的流沙层出现，造成表层套管下放时井壁出现坍塌，在一百多吨的钢铁钻塔下出现一个不见底的深坑正吞噬着地表松软的土层……情况万分危急，如此下去，不光钻进无法继续下去，弄不好连整个钢铁钻塔都有被陷下的可能！

怎么办？千钧一发之际，全队将士们看着包世忠，盼他拿主意。松基三井关系到余部长、康副部长和全石油系统对松辽找油抱不抱希望的命根子，谁也不敢轻举妄动，可眼下要是连钻塔都保不住，这罪可就大了去啦！

“愣什么？快填井吧！”包世忠与几个技术人员和队干部迅速商量后，立即回到机台，果断做出决定。

填，用可凝固的沙泥夯实塔基！

填，用碎石子和草根条阻挡住坍塌的流沙！

填，用心和意志拦阻险情与恶果！

高耸入云的“乌德”钻机又重新抖起精神，发出“隆隆”的清脆歌喉……

“同志们哪，我们要把昨天损失的时间夺回来！加油干哪！”包世忠再次站在井台上作战斗动员。

然而老“乌德”好像有意要跟32118队较劲似的，在他们革命加拼命抢回前些日子因为填井后放慢的进度，钻至1051米时，测井显示井孔斜了5～6度，这与设计要求直的标准相距甚远。

包世忠这回是真急了。生产分析会上，他的脸绷得紧紧的，说话也比平时高出了几倍：“都在说大跃进大跃进，可到底怎么个跃进法？如果光想要数量，不讲究质量的话，你打了几千米成了废井，这不是什么大跃进，而是大败家子！……当然，责任不在大伙儿身上，我前阵子脑子就有点发热，不够冷静，一心想把松基三井打完，所以指挥上有操之过急的地方……”

“这不是一个基层单位的每位队长、书记头脑发热、不够冷静的问题，而是我们整个石油系统都有这一热一冷的问题！”庐山会议回来不久，余秋里在党组会议上面对当时部内外山雨欲来风满楼的局势，以一个马克思主义革命者的胸襟和气魄，用辩证唯物主义的观点，阐述了“热”与“冷”的关系：

"什么是热？就是冲天的革命干劲！是对社会主义事业的积极态度！什么是冷？就是科学分析，就是要符合客观规律。热和冷是矛盾的两个方面，是对立的统一。没有冲天的干劲，就没有做好工作的基础；没有科学的分析，干劲就会处于盲目状态，不可能持久。这就像打仗一样，是勇与谋的关系。冲天干劲和科学态度结合起来，我们才能立于必胜之地……不然，我们就会犯大错误！"

也许今天我们听这样的话并不感到什么，但在庐山会议刚刚结束的那个时候，余秋里能这样说话，真可以用振聋发聩四个字形容。

余秋里的不简单之处就在这里。毛泽东、周恩来和邓小平等老一代领袖们欣赏这位独臂将军不仅是因为他作战勇猛，所向披靡，而且他头脑机智，对问题的判断与看法通常不人云亦云，总能根据具体情况，做出符合党和国家及人民最高利益的正确选择。

别看国家做事那么大而杂，有些事情上与过小家的日子形式差不多。在那个都在想为"社会主义高潮"出头露脸时，每年国务院的计划工作会议就是一场你争我夺的无休止吵闹。

谁都想在毛泽东和党中央面前多干点名堂出来，于是谁都想伸手向国库多要点投入。于是为争抢饭吃，部长们在计委主任面前争得面红耳赤是常有的事。

钢铁是老大，粮食是老大之老大，煤炭的投入一分不能少，水利是"命脉"，交通是"生命线"……轮到石油部的余秋里，他只能做"老末儿"。

是嘛，我们石油部区区一个小部，又生产不出多少石油来，新油田的开发总一直处在"可能有"的未知数之中，谁买你账？

"嘻嘻，秋里啊，还是你最让我省心。"被部长们搅得头昏脑涨的副总理兼计委主任李富春同志这时最爱跟余秋里唠唠嗑，并总会捎上那么一句话："要是部长们都像你余秋里，我这个计委主任可好当多了。"

"副总理，我……也有一个要求。"余秋里不紧不慢地说。

李富春一愣，即刻道："说，你石油部提的要求最少，我不能让老实人吃亏。说吧，我一定尽力而为。"

余秋里抿抿嘴一笑，显得还有些腼腆似的："我们系统有个先进代表大会要开，到时候请副总理在百忙当中去接见一下代表，讲个话，做做指示。给我们石油系统勉励勉励。”

李富春一听大笑起来：“好好，这个好！到时候不但我去，我还想法请总理和主席一起去呢！你看怎么样？”

余秋里像获得几十亿投入似的高兴得站起来，伸出那只右手直握住李富春的手道谢。之后爽快地甩着他的那只空袖子，离开了国务院。

李富春站在原地，看着远去的那只甩得“飕飕”生风的空袖子，久久不能平静地感叹道：“一条真汉子，一个顶天立地的人！”

空袖子甩进秦老胡同时，已经是又一个深夜了。房间里的电话骤然响起。

“喂，余部长吗？你还没有休息吧？我是康世恩呀！对对，刚才松辽那边来电话，说他们今天已经在泥浆里见着油气泡了！”

一听康世恩报来的喜讯，余秋里一边接电话，一边将汗淋淋的白色圆领汗衫脱下，露出光光的上身，声音特别大地：“好啊，你知道他们现在打到多少米了？”

“1112 米。”

“那油气泡能证明下面一定有油吗？”

“那边电话里说，他们井队的技术员取了气泡样品，用火柴一点，你猜怎么着？点着了！是一团橘红色的火苗。肯定是我们要的油！”电话里的康世恩激动不已。

余秋里用握电话的右臂膀蹭蹭颊上淌下的汗珠：“这样，老康，既然那边有情况了，我看你应该立即上前线去，坐镇那儿，等待进一步成果！明天你就出发上哈尔滨！”

“我也是这么想的。那我明天一早就动身了？”

“好。我在北京等待你的好消息。”余秋里放下电话，见齐腰高的三女儿晓霞揉着眼睛，从里屋摇摇晃晃地出来：“爸爸，你又把我吵醒了。你真讨厌！”

余秋里高兴地上前一把抱起女儿，用胡子扎晓霞：“爸爸真讨厌吗？啊，还说我讨厌吗？”父女俩嘻嘻哈哈一阵闹后，妻子终于摇着扇子出来干涉了：“都深更半夜了，还让不让人睡觉？”

"走，到妈妈那儿去！"余秋里放下女儿，自个儿进了另一间屋子去冲澡。这个澡用的是冷水，可他觉得十分爽快，竟然一边冲澡一边少有地哼起了"社会主义好，社会主义好"……

这是1959年盛夏的一个日子。此刻松辽平原上的那口松基三号井现场，变得特别紧张和热闹。

昨天包世忠亲自看着技术员将气泡用火柴点出一团橘红色火苗后，立即命令钻工："抓紧时间取芯，说不定下一次提杆就能逮住油砂呢！"

果不其然，今天刚刚天亮第一个早班的队员们在提取岩芯时，发现了一段厚度达10厘米的黑褐色油砂。

包世忠欣喜若狂地对自己的队员们高喊着："今晚我请大家喝酒！"这个酒是值得喝的，油砂出现，意味着钻机已经摸到油王爷的屁股了。

这一天，康世恩已经到达哈尔滨，在华侨饭店住下。一同来的有苏联石油部总地质师米尔钦柯及中国石油部苏联专家组组长安德列耶柯夫等人。

"好啊！你们尽快把有油砂的岩芯送到哈尔滨来！我和专家们要看看，越快越好！"康世恩的电话打到离松基三井最近的大同镇邮电局。那年代国家的通信设备极其落后，钻机井台上不用说根本没有电话，连电报机都没有，所有对外的联系必须经过当地最基层的邮电局来完成。于是，小小的大同镇邮电局成了松基三井和北京及石油部领导们唯一的联络点。

长途电话的声音极其微弱，每一次通话，无论是余秋里还是康世恩，都得站直了身子、用足力气才能让对方听得到自己的声音。

打包世忠第一次向上面汇报见油砂后，大同镇邮电局简直忙得不亦乐乎。包世忠向北京和外面汇报一件事、说一句话，几乎全镇上的人都知道——他不吊高嗓门喊着说话不行呀，而且经常一句话要重复喊几回才行！油砂出来那几天，正逢大同镇所在的肇州县开人代会。县委书记找到包世忠，说："你一定要来列席会议，给我们农民兄弟们讲讲咱这儿发现了油田的特大喜讯。"包世忠面对全县人大代表赶紧更正："我们现在发现的是油砂，还不能说咱们这儿的地底下一定有油田，但这是个重要的希望！”

“好——毛主席万岁！”代表们依然欢呼起来。

从这时起，32118 队钻井台就成了四里八乡老百姓赶集一样的热闹地方了，天天有人里三层外三层地前来参观，谁都想第一个看到地底下“哗啦啦”地冒出黑油来。

“北京的余部长着急，派康副部长来哈尔滨听我们的消息了。你俩赶紧收拾一下，带上油砂上哈尔滨去，康副部长和苏联专家都等着要看我们的油砂和测井资料呢！”包世忠对地质技术员朱自成和测井工程师赖维民说。

“是。队长，我们坚决完成任务。”朱自成和赖维民带上含油砂的岩芯样和测井资料，早已按捺不住内心的激动和喜悦，搭上火车，直奔哈尔滨。

北国冰城哈尔滨的夏天，特别美丽。这一天，在十分富丽堂皇的哈尔滨国际旅行社宾馆的四楼会议室里，灯火通明，里面不时传来阵阵欢笑。

“同志们，现在已经到了关键时候，只要我们抓紧工作，松辽找油肯定会有重大突破！”这是康世恩的声音。

突然，楼道里有人急促地喊着：“快让路！让路！松基三号井的技术员到了！”

康世恩三步并作两步地直向门口走去。当他看到手里抱着一大包资料的赖维民气喘喘地进来时，连声说：“辛苦辛苦！你是负责电测的赖维民工程师吧？”

赖维民忙点头应道：“是，康部长，我把测井资料都带来了！”说着，将肩上挎的和手里抱的一股脑儿放在会议室的沙发上。

“岩芯也运来了吗？”康世恩一边迫不及待地翻着测井资料，一边嘴里问着。

“运来了。朱自成技术员就在楼下……”赖维民一边擦汗一边说。

“请朱技术员上来！”康世恩嘴里说着，眼睛一直目不转睛地盯着密密麻麻的电法图……

“康部长，油砂样品拿来了！”朱自成抱着重重的岩芯，轻轻在康世恩的面前放下。

康世恩一见黑褐色的油砂，眼睛闪闪发亮，连声赞叹："太好了！太好了！"

"快请专家！"突然，他对身边的人说。

正在房间里洗澡的米尔钦柯听说是康世恩请他，那颗圆润而布满银丝的头颅高兴地摇晃起来："噢，康肯定要告诉我们好消息了！"

情况正如米尔钦柯猜测的那样。康世恩见老朋友、也是他的苏联恩师之一笑呵呵地进屋，便一把拉过米尔钦柯："好消息！尊敬的米尔钦柯总工程师先生，你快看看这些资料和这油砂……"

米尔钦柯看了一眼岩芯，又用鼻子闻闻，连连点头，然后又伏在电法图纸上认真看起来，而且看得特别仔细。这位苏联石油部的总地质师，也是苏联第二巴库等大油田的组织发现者，不仅在苏联石油界享有威望，而且在世界石油界名声显赫。康世恩和在场的中国技术人员们等待着米尔钦柯的结论。那一刻，四楼会议室静得出奇，连手腕上的手表走针声都听得一清二楚。

米尔钦柯终于抬起头。他朝康世恩微笑了："康，祝贺你！这口井的油气显示很好。要是在我们苏联，如果得到这么可喜的情况，我们就要举杯庆祝了！"米尔钦柯说完这话，屋子里的人全都欢呼起来了，唯独康世恩的笑容里带着几分若有所思的神色。

"康，难道你还有什么不满意的地方？"米尔钦柯有些奇怪地问康世恩。

"不，我是在考虑下一步的问题。"康世恩说。

"下一步？你指的下一步是什么？"

"松基三井目前的进尺是1460米，而且出现了5—7度的井斜。我想如果按照设计要求再钻进到3200米深，肯定有不少困难。纠偏井斜需要时间，往下再钻进1700多米，如果没有什么特别意外的话，恐怕还得用上一年时间……"康世恩嘴里喃喃地念叨着，既像对米尔钦柯说，又像是在询问自己。

"怎么，你想现在就完钻？"米尔钦柯瞪大了眼睛。

康世恩这回清清楚楚是对米尔钦柯说的："是的，我想我们打基准井的目的就是为了找油的，现在既然已经看到了油气显示，就应该立即把它弄明白，看看这口井到底具备不具备工业性油的条件。"

“不行！”不想米尔钦柯像一下失控似的冲康世恩叫嚷起来，完全没有了苏联大专家的样儿，更顾不上外交礼仪了。他抖动着根根银丝，愤愤地：“康，你这样做是不对的。松基三井既是基准井，那它的任务就是取全芯、了解透整个钻孔的地下情况。这是勘探程序所规定的，不能更改！”

“可勘探程序是你们苏联定的。我们中国现在缺油，国家需要我们尽快地找到油啊！找到大油田才是最根本的目的！”康世恩力图解释道。这话更让米尔钦柯火冒三丈，老头子气得一下又不知如何是好，于是冲着康世恩大叫：“松基三井必须坚决打到3200米！不这样你们就是错误！错误！”说着，双手一甩，气呼呼地回到房间，“嘭”的一声关门后再没有出来。

怎么办？会议室顿时出现了少有的紧张气氛。二十多双眼睛一齐聚向康世恩。

“看我干什么？我脸上生油？”康世恩吩咐自己的中国同行，“他说他的，我们干我们的。”

会议室顿时又重新恢复了欢乐。

康世恩让人安排好从前线报喜来的朱自成和赖维民，然后说：“我要给北京打长途！”

于是这一夜，哈尔滨——北京、康世恩——余秋里之间有了一段重要的通话。

“……情况就是这样。现在请余部长你拿主意。”康世恩静等在电话边，他的心跳得很紧张。

北京。余秋里家。

长途电话被一只有力的右手握着，这是需要做出决断的时刻。松基三井，影响到松辽找油整体方向，也关系国家能不能摘掉“贫油”帽子！区区一井，非同寻常啊！

余秋里双眉一挑，对着电话筒，大声说道：“我同意你的观点：松基三井现在就停钻试油！这个责任我负！”

“好！我、我马上组织人员试油……”听得出，对方康世恩的声音微微发颤。

余秋里放下电话，大步走到小院子的中央，仰头看着满天的星星，心潮起伏：松辽啊松辽，现在就看你松基三井这一步的结果了！

“秋里吗？我是何长工呀！你们的决定我赞成。既然现在已经看到了油气显示，再往下打又有不少困难，那就停钻试油嘛！至于专家说的取岩芯的事，我看这样：我派我们的队伍在松基三井旁边，重新钻口井，设计深度与松基三井一模一样，全程取芯，以补松基三井的地质资料！”

余秋里接此电话，脸上露出少有的感激之情：“老将军啊，你这是解我大难啊！”

“哎——一家人别说两家话。松辽找油，我们地质部和你们石油部是一盘棋的事。祝你成功。对了，别忘了你说过的话：等钻出油了，你得请我吃红烧肉！哈哈哈……”老将军在电话里发出爽朗的笑声。

“唉，我一定！一定！”余秋里的嘴都乐得咧开了。

# 第四章

乌金涌出，千里欢腾。

离国庆观礼只有两日，石油钻工刮掉胡子、换上新衣，捧着油样要上天安门见毛主席。

省委书记激情发挥，说："我看这个即将诞生的油田就叫'大庆'吧！""大庆"从此出现在中国，属于中国。

冰天雪地时，独臂将军亲赴松辽，"三点定乾坤"。

自余秋里和康世恩决定松基三井停钻试油后，石油部上下这几天可是既兴奋又担忧，兴奋的是松辽找油的曙光即将出现，担忧的是松基三井再试不油来，那可就霉到家了。松基一、二号井打了一年多，基本上是失败的，如果三号井再来个水中捞月，那石油部有何脸面向国人交代？不说别的，光一口基准井的成本就是几百万元哪！几百万元在当时是个什么概念？等于打一口井，要让几万人饿一年肚子！这还不说，松辽找油自地质部韩景行等第一支正式普查队伍进驻安达之后，这三年多中，已经相继陆陆续续有几千人在这儿工作，浅孔深孔多多少少加起来，那就不是几百万的事了。早在余秋里上任石油部时，在他全力支持康世恩的找天然油为主的战略方向时，有人曾在背后捣鼓过不少事，说康世恩是能干，可他只会花国家的钱而见不到油——人家说这话的根据是，在"一五"期间，石油部投入在找油上的勘探费远远高于人造油的成本，但获得的油气量却没有人造油多。这回好，余秋里上任后，石油部在寻找天然油的勘探经费上的投入更大，瞧瞧川中会战——有人又把这事抬出来了，花钱海了，油呢？油没见着嘛！等着吧，今年再抱不到"金娃娃"，看余秋里和康世恩咋个收场！说不准哪，连我们的工资明年国家都不一定给了！

议论有时是很杀人的。余秋里自已没有亲耳听到这样的话，但他的司机也是石油部机关的老百姓呀！老百姓之间聊天啥话都能传到首长身边的人耳里。余秋里当部长后，他对基层和百姓了解的一个重要信息来源，就是从他的老司机那儿得到的。这一点余秋里的家人向我证实，尤其是他的几个女儿告诉我，她们的爸爸后来官越当越大，在家的时间也越来越少，跟家人交流和闲聊得非常少，即使在一起时，讲的也是国家大事，或者最多问问孩子们的工作、学习之类的事。而且因为父亲“高高在上”，她们不怎么多问多说一些他工作上的事。“师傅就不一样，跟我爸什么都可以聊。我爸也愿意听师傅的话。就是爸爸后来当了政治局委员和书记处书记，师傅还是唯一可以说说他的人。”女儿们说。

余秋里从解放军总后调石油部部长及后来到国务院计委主任、副总理、总政治部主任，一直到离休和临终前，有过几任司机，但时间跟得最长的要算贾师傅了。

“谁说的打不到油连工人的工资都不发了？扯淡！真要那样，拿我的工资给石油工人们发去！”余秋里一生最听不得有人欺负老百姓。

北京冬季取暖有个规定，就是“3・15”，即不管天多冷多热，一到每年开春的3月15日，取暖单位将一律把炉子停了。贾师傅说的事是余秋里已经到总政工作了，有一天余秋里上北京黄寺总政宿舍看一名老同志，走进房间后，余秋里觉得很冷。回来的路上跟贾师傅聊起这事。贾师傅说：“这今天不是3月16号了嘛！”余秋里不解，问：“3月16号怎么啦？”贾师傅就笑了，说：“你当大领导的不知道吧：北京有规定，一到3月15号，所有的取暖就取消了。”余秋里一听就生气了：“天这么冷，让老同志钻在被窝里怎么行嘛？家里要是有小孩子不冻得哇哇乱叫嘛！”贾师傅说：“人家取暖单位也有难处，总得有个开炉停炉的时限吧，否则怎么弄？你当过计委主任，总知道国家的开支那头松一下得多花一大笔钱嘛！”余秋里不服：“你别这么教训我！我要知道绝对不会让有关部门这么做事的。取暖多长时间，是得有个时限，可在这时限里得灵活些，比如在3月15日之前，哪一天天暖些，你不会把炉子少加点煤？等3月15日之后，天特别冷时，你再多烧几天不可以吗？干什么事都那么教条主义，不从实际出发，不为老百姓想就办不好！”贾师傅说，总政后来在余秋里的干预下，真的在取暖问题上改变以往的“3·15”做法，机关上下都很满意。

贾师傅那儿的故事可以一筐一筐地装。他说余秋里到总政后为了解食堂吃得怎么样，可身为总政部主任的他是不太可能与普通干部战士一起天天吃的，于是贾师傅就成了余秋里的“情报员”。从贾师傅嘴里，他余秋里能准确无误地知道总政食堂能不能让干部战士们满意。

“别看他在外面脾气好像特别大，其实一接触，余部长这个人待人是最好的。”贾师傅说他有绝对的证明权。他说在60年代初的几年困难时期里，余秋里多次一有空就让他开着车，上京郊的几个石油部农场看庄稼地，就是到了90年代，余秋里已经离开石油部20多年了，他还经常问起石油部的那几个农场情况怎么样了。

松辽找油进入紧张时刻，余秋里工作千头万绪，他身边的工作人员也是忙得手脚并用。许多人以为余秋里是只知指挥千军万马的大将军，他说起话来像火炮筒似的，可他又是个特别粗中有细的人。那时有个通信员姓马，小马承担着上送下发文件的任务，整天四脚朝天。可机关有点什么好事，好像从来没有他的份似的，小马自己也不吭声。余秋里知道了，一问小马家7口人，就靠小马一个人拿40来块工资支撑着。“这么困难的同志，工作又做得这么勤勤恳恳，你们就没有眼睛关心关心？”余秋里冲办公厅的人发火了，亲自为小马争取了一笔生活补助。

相反，有人要想在余秋里身上讨点什么好处，可就麻烦大了。

有一次贾师傅从机关给余家带回了点日用品，也就是一瓶油、几斤肉之类的东西。余秋里看到了立即警惕地责问：“谁给的？”贾师傅说：“是机关发的。”

余秋里立即来火了：“你怎么拿东西回家嘛？回去回去！把东西给我还给人家！”

贾师傅委屈了，说：“这东西是石油部机关发的，每人都有份的呀！”

余秋里嗓门大了：“每人都可以有，但我当部长的就不能有！”

贾师傅也不买账地回敬道：“这东西不是发你的，是给素阁的（余的夫人——笔者注）！她也是石油部的员工！”

余秋里一愣，继而瞪着眼对贾师傅不依不饶道：“给她的也不行，她是我家人！”

无奈，贾师傅只能屈服后才换得余秋里的一脸笑容。“老贾，我可不是冲着你的啊！有些人哪，就因为我是个部长，人家想方设法来套近乎，我就得注意！时刻警惕知道吗？这关系到党风！关系到干部的形象问题！”

贾师傅心头其实对余秋里的做法佩服得五体投地，但表面上也不买账：“你官大压人，反正理都在你那儿。”

“是吗？哈哈哈……真要这样，我改我改。来来，消消气，抽支好烟！”这时的余秋里格外谦和，给贾师傅又是递烟，又是点火的。

余秋里就是这么个人，外表铁骨铮铮，干事雷厉风行，气吞山河。而他内心又是那么多情善感，细腻周密。

松基三井进入停钻试油阶段，余秋里虽然人在北京，却心系北国松辽。在听完康世恩对下一步行动计划时，余秋里告诉康世恩：“既然固井和试油是关键，就要调玉门最好的技术人员支援松基三井！”

康世恩立即表示马上调人。

“哎，老康，还有一件事：听说松基三井那儿经常有野狼出没，你让松辽局或者当地武装部给井队配几把家伙！”余秋里在长途电话里补充道。

康世恩笑了：“我知道了。”

康世恩接电话时，身边有松辽局的同志在，他们不解余部长除了帮助他们调几个试油的技术人员外，怎么还要配啥家伙？

“就是打狼的枪！”康世恩说。

“哈哈，这事余部长都知道啦？”大伙儿笑开了。

松辽的事余秋里哪样不知道？

队长包世忠给前往井台指导工作的工程师们描述得绘声绘色：那狼大喔！而且特狡猾，它正面不袭击人，总是等你背过身去，忙着干活的时候，它就悄悄走近你，然后突然发起进攻……钻机刚搬到松基三井时，狼崽子开始还挺害怕的，钻机一响，它们就拼命地跑，后来听惯了，就不害怕了。瞅着我们在干活时，它们远远地躲在草丛里等候机会袭击，有一次地质员一个人在井台后摆岩芯，那几只狼就“哗啦”一下扑了上去。千钧一发之际，我们井台上的同志正好在提钻，一股泥浆水顺着巨大的提力冲出地面，溅向井台四周，那几头狼崽吓得拔腿就跑……包队长的故事讲得惊心动魄，也传到了部机关，传到了余秋里的耳里。说者无意，听者有心。于是余秋里就想到了要给钻井台配几把“家伙”。

打狼是小事。试出油则是天大的事。

一切为了松基三井出油！那些日子里，北京的余秋里、前线的康世恩，每天通一次长途，一次长途短则几句话，通常有时一两个小时。

“松基三井的地下情况还是不十分清楚。主任地质师张文昭必须在现场。”

于是松辽局的主任地质师张文昭背包一打，就住在了小西屯村，天天在井台上与钻工们一起天天一身水一身泥地盯班。

“固井？固井解决问题？……我明白了，那就调玉门钻井部工程师彭佐猷同志去。”

于是彭佐猷带着助手直奔松基三井。8 月 23 日、24 日，彭佐猷一到那儿就指挥固井战斗。几千吨的水泥从堆场要扛到搅拌现场，正在这里“督战”的松辽局副局长宋世宽一声令下：“跟我走！”100 多名工人、干部，脱下上衣，在炎热的大太阳下，扛着 50 公斤一包的水泥袋，飞步在堆场与井台之间……

“试油？试油碰到难题了？ 85/8 寸套管上的采油树底法兰缺失？井场上连试油的计量器也没有？没有那些东西也得试！土法上马嘛！对了，我看赵振声行！别看他年轻，技术可蛮过硬的呢！调，调他过去！我给焦力人讲！”

余秋里一番调兵遣将，各路精英汇聚松基三井。

康世恩下过“只准捞水，不准捞油”的命令之后，井底的清理已经就绪，现在就看效果怎么样了！

赵振声果然不负众望。他和井台技术员朱自成、赖维民和前来支援的钟其权、焦亚斌等通力合作，连连攻克难关。这是见油前的最后准备：赵振声和他的战友们做的第一件事是：组织测井队和钻工们挖一个试验坑，下入一段 85/8 寸套管，埋入地面以下长度 1.5 米，管外灌水泥环厚 330 毫米，先试射 4 发 58～65 射孔弹，在进行射孔观察后再发射 10 发 57～103 射孔弹。没有见过这种特殊井下射击的人无法想象这一道工序对采油是多么重要和多么复杂。用通俗的话来解释，就是钻杆往地底下打后，油并不是那么容易“哗啦哗啦”自然就涌出来了。它需要有个孔道，这个孔道应该是坚固的，固井的作用就是为这。但一固井又把油层与孔道隔绝开来，而且几千米深的井孔，有有油的地层，也有没有油的地层，为了保证能让有油的地层与孔道相通，就必须在加好的钢管上打开孔隙，射孔弹的功能就是准确无误地完成这一程序的手段——把射孔枪轻轻放入钻孔内，在预想的地方发射，打穿钢管，让油层里的油通过弹孔源源不断地涌出地面……

够复杂和神奇的吧？赵振声他们要做的第二件事是：找一块一寸厚的钢板，并设想一个用气焊割下大小两个环形钢板焊在一起制造出一个土制的大法兰。啥叫法兰？那是采油树上的玩意，很专业。啥叫采油树？以前我看过石油部作家写的小说，却从未见过这么一个富有诗意的东西。到了大庆我才看到这采油树原来就是油井出口处由大大小小各种阀门组成的器具，一排一排的，像结满果的桃李树，所以取名为“采油树”——当我第一次在大庆油田的松基三井纪念地看到它时，我真的很激动，我才真正明白石油工人对采油树的那份情感，也明白了石油作家们一提起采油树时的那种掩饰不住的冲动。采油树是石油人的象征，“采油树”是石油事业的总阀门。

那天在松基三井纪念地，我久久凝视着左臂右膀挂满各种“果实”的“采油树”，突然发现那棵“采油树”其高度和肢体与我尊敬的石油指挥者、独臂将军余秋里十分相似，相似得惊人！因为那棵“采油树”的肢体不是均衡的，有一边的阀门比另一边少一枝，我因此联想到这是不是就是独臂将军那不灭的身躯和散布在神奇大地上永远不散的石油魂呢？

当我再转向千千万万大庆油田里的“采油树”时，我又觉它们有的像康世恩，有的像王进喜，有的像翁文波，有的像张文彬，有的像李人俊、焦力人、宋振明……也像杨继良、李德生、翟光明、包世忠……它们像所有我认识和不认识的石油人！

这让我感动不已。“采油树”的名字可以是一首诗，也可以是一部书，更可以是一种象征，一把火炬……可现在还不是我抒情的时候，松基三井的试油阶段一切都是在严肃而紧张的科学程序中进行着。

赵振声他们真有办法，第三天就把土法制作的一个大法兰搞成功了：往采油树上一挂，然后进行清水试压——试压压强到 72 个大气压时，法兰处没有任何渗漏，这说明土法法兰成功了！

井场上一阵欢呼。

第三件事是邱建忠几个地质人员研究的结果，他们认为从地下油层组的油气显示和油层情况看，松基井下的油难以自喷、大喷，对它采取提捞法试油不会出现“万丈喷涌扼不住”的局面。因此建议积极准备提捞手法和相应的措施。

第四件事还是赵振声做的：他从废物中翻腾了半天，找到一根约 13 米长、4 寸直径的管子，然后再请车间工人师傅动手，自制了一个下井捞油的捞筒！这东西看起来很土，但是实实在在第一个与千米之下的石油“亲密接触”者。

剩下最后一件事：做两个大油桶，每个能盛 200 公升的油桶——余部长说了，如果松基三井出油了，就得知道它能出多少油。

万事齐全，只欠东风了——这东风就是下去捞油上来！

“不行，现在不能捞油！只准捞水！”康世恩好厉害喔！他在哈尔滨坐镇指挥，就是不让松基三井的人在固井和试油开始阶段捞油，只许捞水。

为什么？我不懂。只有专家知道：松辽地底下的油是稠油，而油层上面有水层，下面也有水层，先捞油的话可能把油水搅在一起，油都“游”走了！这明白了吗？康世恩是大专家，他身边还有一群更大的专家——苏联专家组在一起研究分析呢！

听他们的没错！这是技术问题，更是科学。

苦了包世忠他们 32118 队的全体钻工同志们了！可包世忠他们并不感到苦，从玉门到松辽，打了一井又一井，不就是为了看到涌出油来嘛！

捞！捞！把地球的胆水也捞他出来！

捞！捞！把地球的每一滴血都挤出来！

“停！停停！”康世恩又发话了。这回是不让捞水了——地球的苦胆水都捞尽了，只有血了、黑色的血了！

9月26日，1959年的9月26日。中国人应该记住这个日子。因为这个日子中国的松辽出了石油，“哗啦哗啦”地直往外冒的石油！

有人也许会问为什么1959年9月26日这个日子松辽出了石油才需要人们记住它，而不是1874年春天晚清同治年间钦差大臣沈葆桢在台湾苗栗山挖井出油的那个日子，或者也不是1907年9月12日日本人帮助下在延长打出油的那个日子，再为什么也不是1939年8月11日玉门老君庙油田第一口油井出油的日子，或者也不是新中国发现开采的第一个油田克拉玛依油田第一井出油的那个1955年10月29日那个日子呢？

道理非常简单，所有1959年9月26日之前中国出油的地方，都无法与松辽出油的这个日子相比。松基三井出油是一种标志，它预示了中国乃至世界上少有的一个大油田的诞生。这就是我们后来人人皆知的大庆油田的诞生。大庆油田的诞生改变了世界的石油经济格局，石油经济格局的改变，延伸下去就是世界政治和军事的全面改变。这一点，20世纪的世界历史演变过程充分地证明了。

石油让人类在20世纪发生了质的变化。难道不是？

你敢与我一起回顾吗？

请看：

20世纪前叶的1859年，“上校”德雷克先生在泰特斯维尔钻出第一口油井的第二年，美国就发生了内战。

1885年，皇家荷兰石油公司在苏门答腊岛发现石油，老牌帝国主义者便开始将掠夺的魔掌伸向南亚纵深。

1896年，标准石油托拉斯的进一步风起云涌，使亨利·福特开动了世界上第一辆汽车，而在这之前，蒸汽机无法实现文明人对机动车的文明要求。

1901年，美国得克萨斯州的平德托普油田喷油，使美国人陷入了石油革命的狂欢之中，两年后，莱特兄弟因为有了汽油，才实现了人类第一次离开地面的飞行。

1908年，波斯湾发现丰富石油后，世界便开始混乱起来，新老帝国主义便从这时起各打各的算盘。

1958年，伊拉克革命。后来掌权的萨达姆在世界面前牛了二三十年，凭的就是手里有丰富的石油。

之后，中东就没有安静过，理由种种的背后就是为了一样东西：石油。

终于，1980 年，中东的两个兄弟伊拉克和伊朗开战。

1990 年，刚刚从“两伊战争”走出来尚未喘过气的伊拉克入侵邻国科威特，还是为了那儿的有取之不尽的石油让萨达姆眼红。这回美国人不干了，“沙漠行动”将伊拉克人打得差点回不了家……

20 世纪就是这样走过来的，它带着石油的浓香腥味，影响和支配着人类的这段最辉煌也最悲惨甚至有时是最卑劣的历史。

正如《石油风云》的作者、丹尼尔·耶金先生所说：“石油带来了我们的文明中最卓越、也是最糟糕的东西。它一直既是恩惠也是负担。能源是工业社会的基础。在所有能源中，石油，由于其核心作用、战略性质、地理分布、反复出现的供应危机的模式，以及为了获得石油的报偿而控制石油所不可避免和不可抗拒的诱惑，一直看来是最大、然而也是最成问题的能源。如果我们到本世纪末，石油的卓越地位不一再受到（也许已预见到）也许是突如其来的政治、技术、经济和环境保护的危机之考验和挑战，那将是异常了。在一个由石油如此深刻地形成影响的世纪中，不应不作如此预计。石油史一向是杰出成就的概论和一系列灾难性而且代价巨大的错误的冗长陈述。它一直是人类崇高的和卑劣的品质的表现剧场。创造力、献身、企业家能力、独创性以及技术革命始终跟贪婪、腐化、盲目的政治野心和暴力同台共存。石油有助于主宰物质世界成为可能。它实际上通过农业化学和运输给了我们日常生活的需要和面包。它也为全球争夺政治和经济的优势的斗争提供了燃料。很多的血以它的名义而流。只要石油仍然居于核心位置，对石油以及它所带来的财富和权势所进行的激烈有时是凶暴的探求，必将继续下去。因为我们的世纪一直是一个世纪，我们的文明的方方面面始终是由石油这个现代和使人着迷的炼金术所改造的。我们的世纪确确实实仍然是石油的世纪。”

我们今天的世纪确实依旧是石油世纪。21 世纪了，石油依然是核心的能源，而且比 20 世纪更加突出了它的核心地位——至少我们目前还看不到可以彻底替代它的新能源产生出来。那么，21世纪——至少是这个世纪的前50年里，我们将继续饱尝尤其是飞速发展的我们中国人将饱受前所未有的关于石油带来的幸福与痛苦、机遇与危机。正是因为这一点，我们有充分的理由应当更加动员全体国民记忆1959年9月26日这一日子。

当然，我们记忆这个日子是为了更好地记忆起那些在这个日子里为我们民族创造了奇迹的人，以及人民共和国之所以能够走到今天的国家精神是什么！

9月26日，松基三井的井台上一片繁忙，大家期待已久的目光全都盯在那根通向采油树阀门口的一根长长的出油管……下午四时左右，主任地质师张文昭一声令下："开阀放油！"

"哗——"那根8毫米的油管里顿时带着巨大的呼啸声，随即人们见到一条棕褐色的油龙喷射而出……

"出油啦！"

"出油啦！"

那一刻，整个松辽平原欢呼和震荡起来。32118井台上一片沸腾：包世忠抱着油管直哭，朱自成跟着队长也哭了起来，张文昭从老乡那儿拎来一只葫芦瓢盛满新鲜的原油，他看了又笑，笑了又看，最后竟然情不自禁地坐在地上失声号哭——那是兴奋的。突然，张文昭捧起原油，飞步离开现场……

"出油了！我们出油了！"这一天，黑龙江石油勘探大队党委的领导同志正在松基三井驻地开会，张文昭端着葫芦瓢闯进会议室，欣喜若狂地向与会者喊着。会议室的同志"哗啦"一下围住张文昭，争先恐后地抢着看那瓢中散发着清香的油花。有人太心急，将手伸进瓢中，于是葫芦瓢承受不了太多的手，"扑通"一下落在地上，黑色的原油顿时溅在所有围观者的身上。大家兴奋得顺手捧着原油往自己的脸上和手上抹，仿佛少抹了会吃亏似的，欢笑声一浪高过一浪。

"出油啦！油量而且很大！日产能达十几吨！"身在哈尔滨的康世恩比预定的时间早出两小时，给北京的余秋里报告道。

"好嘛！"这头，余秋里像早有预料似的，回答得特别简单，只是"好嘛"这两个字说得比平时爽朗和有力得多。

这一夜，秦老胡同反倒安静了许多。一则因为康世恩不在北京，二则松基三井出油后，余秋里表面上变得不像初来乍到石油部时急切期待能够立马“抱个金娃娃”的那股劲头。

孩子们这一晚见自己的爸爸总在电话旁打着一个又一个电话。忽而往松辽那边打，忽而往中南海打，忽而往地质部何长工家打，忽而干脆坐在木椅上一声不吱地猛抽烟……

“爸爸今天有点怪喔！”晓霞拉着妹妹晓红偷偷从门缝里看着父亲，回头对妈妈说。

妈妈便笑盈盈地告诉孩子们：“松辽那边出油了，你们爸爸今天事多，别去打扰他。”

晓红和晓霞手拉手，轻声细语地走到会客厅：“我们要睡觉了！晚安爸爸！”

沉浸在思考中的余秋里，一见是两个宝贝娃儿，顿时站起身来：“好，睡觉！我今晚也早点睡！”

余秋里睡下了，但他哪能睡得着嘛！他的心早已飞到了松辽……

松辽那边此刻早已热闹透了。热闹的还有黑龙江省委的上上下下。

“喂，是李局长吗？我是省经委老封呀！你们快把松基三井的石油送点来给省委领导报喜呀！”松辽石油勘探局的李荆和局长刚从32118队现场回来，省经委封仲斌的电话已经追到他的办公室。

“好好，我马上派人送喜报。”李荆和放下电话，就找到黑龙江石油勘探大队党委书记关耀家同志：“关书记，省里等着我们报喜去，你下午就动身上哈尔滨吧，带上油。”

关耀家愉快地接受了这一光荣任务，并随即起草了一份喜报，请李荆和审定后写在大红纸上。下午，他和办公室秘书小李俩人抱着喜报和两瓶原油，从安达火车站赶到哈尔滨。经委封主任约定他们明天在哈尔滨市工人文化宫门外等。

第二天上午，关耀家他们准时到达。不一会儿，封主任满面春风地对关耀家他们说：“走，我们上对面的‘107’去。”封主任说的“107”是黑龙江省委的招待所，这所看起来很普通的两层建筑，其实是省委领导经常开会的地方。

封主任带关耀家等来到“107”二楼的一个会议室，当他们推开大门时，正中央坐着的一个身材中等、年约六旬的老同志立即站起来：“来来，是松辽前线来的同志吧？快过来让我们看看油是什么样的！”

封主任向关耀家等介绍说：“这是我们省委第一书记欧阳钦同志。”

关耀家早听说过欧阳书记，但却是第一回见面。他抱过油瓶和喜报，正要张开红纸念时，欧阳书记笑着对他说：“喜报就别念了，给我们讲讲就行。”看得出，欧阳书记也有些迫不及待了。他指指关耀家放在地毯上的那个瓶子，问：“这就是原油吗？”

“是的，就是埋藏在1000多米的地下喷上来的原油。”关耀家说。

欧阳书记的眼里露出了光芒：“是真的吗？拿火点点看能不能着呀？”

关耀家说：“能着。”说着他便顺手卷起一个小纸条，然后伸进油瓶内蘸上原油，再用火柴点燃。

原油熊熊燃烧。

欧阳书记兴奋地冲屋里的常委们大声说道：“看见了吧？这是真正的原油啊！我们这里出油啦！这太好了！”

常委们无不欢欣鼓舞。

几日后，省委就派副省长陈剑飞和经委封主任代表省委前往松基三井现场慰问钻探职工和技术人员。

而这时负责松基三井钻探任务的32118队成了大忙单位。除了执行余秋里等部领导要求他们十分仔细认真观察出油情况外，白天队上的同志忙碌着向方方面面的参观者介绍喷油情况，每个晚上几乎都有来自省、县等单位的文艺剧团的演出节目看。而令全队人最兴奋的事还是余秋里部长指示下来说让队上立即选出一个代表上北京参加“十一”国庆观礼。现在的年轻人不知道什么是“国庆观礼”，那会儿谁能参加“国庆观礼”就是一种极高的政治待遇和荣誉，因为能见到毛主席。

这回让队长包世忠犯难的是：一个名额，给谁呢？部里传来余部长的意见很清楚：要挑一线的同志去。谁都是一线的同志呀！包世忠扳着手指：“四大金刚”的司钻吴三元、王顺、刘福和、安发都是吃苦在先、手握刹把用汗水换出来的劳动模范；哼哈二将：副队长乔汝平、钻井技术员周达常更是冲锋在前的勇士，还有地质技术员朱自成勤勤恳恳，就连炊事班的老班长张学孟都是功不可没的松基三井的功臣啊！

“指导员你看这怎么办？”包世忠找到指导员沈广友。老沈笑笑，说：“要不你去最合适，因为队长只有一个。”

包世忠不干：“这么大的荣誉，我跟你都不能去！得让工人们去。”

俩人最后商量由王顺去。“我们32118队来松辽后，一波三折，总算打出了油。现在上北京向毛主席报喜，得顺当点儿。王顺的字里有‘顺’字，他去好。”包世忠没辙，最后找了这么个理由。

哈哈，就王顺！

26日出油。27日向省里报喜。28日部里下达参加国庆观礼名额。29日王顺的名额才定下，而此时离“十一”只有两天时间。

“快来刮胡子！把你那身臭烘烘的衣服也脱了！”包世忠和全队上下像要嫁闺女似的给王顺从头到脚、从里到外收拾了整半天。

上天安门向毛主席献什么礼？这又是犯难的事。

“当然是带上我们打出的原油呗！”包世忠从朝鲜战场回来见过大世面，这点子是他出的。全队同志欢呼雀跃。

王顺后来真上了天安门城楼，不过他没有机会代表石油工人给毛主席献礼，因为毛泽东和他有一段距离，但王顺回到队上坚持说毛泽东笑眯眯地向他招手呢！只是参加观礼要求太严，大会工作人员根本不让他们带什么东西上城楼。

余秋里后来上32118队视察工作时，包世忠跟他聊起此事时，余秋里笑着告诉包世忠：毛主席其实已经知道松辽打出油了。是他余秋里打电话给了周总理，再由周总理转告给了毛泽东。

“同志们，你们听到了吗？毛主席知道我们打出油啦！知道我们32118队在松辽打出油啦！”包世忠拿余秋里部长的话，在井队全体人员会议上好好鼓动了一番。这是后话。

在王顺带着喜报进北京时，黑龙江省委的欧阳钦书记他们则已经坐不住了。

“余部长，你的队伍在我这儿打出了油，老头子我高兴啊！我得去看看他们！而且是带着大肥猪去！你什么时候过来呀？我也准备给你设宴接风啊！”欧阳钦书记给北京余秋里打电话。

“哎呀老书记，太谢谢您了！我代表在松辽工作的全体石油同志谢谢您。没有您老的支持，我们还不会这么快见了油，我现在真想就飞过去看您，可手头事太多……”余秋里接到欧阳钦的电话，有些喜出望外。听余秋里身边的人介绍，余秋里生前对欧阳钦书记怀有特别的感情。余秋里几次说过：他之所以能指挥石油大军搞出了个大庆，离不开黑龙江地方党委和政府的全力支持，尤其是欧阳钦书记的支持。

欧阳钦还是位老资格的革命家，1959 年的省委书记中，年近六旬的欧阳钦算是少有的长者之一了。但这位老书记革命激情不减，从那天亲眼看到石油部的同志送来飘香的原油起，他老人家就一直处在高亢的兴奋之中。

“好好。当京官身不由己，那我先行一步，替你去慰问一下石油同志！”欧阳钦性格爽朗，快人快语。

次日，黑龙江省委、省政府派出两辆嘎斯车，分坐着省委书记欧阳钦和李范五、强晓初、李剑白、陈法平等领导，直驰肇州县的大同镇。

北大荒的秋天，清风习习，到处是金黄色的如画风景。望着辽阔的黑土地，遥远耸立在平原腹地的高高钻塔，这一路上欧阳钦书记兴致格外高涨，他对身边时任省委秘书长的李剑白说：“北大荒啊北大荒，你沉睡了几万万年总算又要欢腾了！李秘书长，你说我们在北大荒发现了油田，谁想卡我们脖子也卡不住了，这在国家经济困难时期，我们这儿出油了，是不是一个非常关键而伟大的发现呀？全国人民是不是应该为这好好庆贺这一具有历史意义的事件？”

李剑白秘书长也被欧阳钦书记的话所感染，连连称道：“是该庆贺。松基三井喷油正值国庆十周年的大庆前夕，是向国庆献了大礼，喜上加喜，应该大庆。”

欧阳钦书记的眼睛闪动着，露出少有的惊喜：“好啊，那咱们就给这个即将诞生的油田起个名吧！松基三井在大同镇，我们就把大同改成‘大庆’，你看怎么样？”

“太好了！名副其实。将来这儿要是有了大油田，肯定会成为一个非常漂亮的城市。山西有大同市，我们这儿再叫大同市就重复了。改！改大庆好！”

欧阳钦听后发出一阵朗朗笑声，他的嘴里不停地在喃喃着：“大庆、大庆……”

“同志们，我们在松辽打出了油，这是历史性的事件，值得纪念。将来，我们这儿要大发展，油田一旦建立起来，这沉睡了千年的北大荒将是一个充满生机和希望的地方，因此我建议，把我们未来的油田叫成大庆，因为它是在我们国庆十周年的大喜日子里发现的！你们说好不好？”在与松辽勘探局的干部职工见面会上，欧阳钦书记把自己的想法向大家征求意见，立即得到了所有人的热烈响应。

“好——大庆好！”

“大庆！”“大庆好！”

大庆的名字就这样叫开了。

“大庆？！”余秋里第一次听人说欧阳钦书记把松辽出油的地方叫大庆时，眉头一扬，“好嘛！大庆好嘛！”他对康世恩和石油部机关的同志说：“今后我们就把松辽改成大庆。哪一天允许对外说了，我们就把它标在地图上。现在嘛，我们只能在内部称它为大庆，对外还不能说。嘿嘿，这叫内外有别嘛！”

其实，自松基三井出油后，在黑龙江和石油部上上下下一片欢庆之时，唯独余秋里显得不那么喜形于色——至少他在表面上不那么像其他人天天挂满了喜色。

一口井出了油就下定论，为时还太早。可见余秋里心头川中失败的阴影太深。或者说作为一个全局的最高指挥官，余秋里愈在此刻愈清醒。

在王顺等石油战线的“国庆观礼”团忙着天天出席庆贺活动之际，余秋里组织他的石油部党组成员开了三天会，听取松辽方面李荆和他们的汇报。松辽石油勘探局的汇报是令人振奋的：地质部长春物探大队重点对大同镇一带进行的地震勘探证明，松基三井所在高台子构造以南，还有一个更大的葡萄花地质构造，面积在300平方公里以上。针对上述情况，松辽石油勘探局在松基三井进入试油阶段时便提出了葡萄花构造预探的总体设计，而且就在余秋里组织召开党组会前一天的国庆十周年之日，葡萄花构造上的第一口井已经开钻。

“好，现在我们的任务是要加大勘探力量，争取早日把那儿的油田面积搞清楚，把油层的厚度搞清楚，还有是保证找到油后能将它采出来！”余秋里在党组会议的最后一天说，“今年我们的原油生产已经处于主动，第四季度可以腾出手来，以更大精力来抓勘探。松辽目前已有一口井探出油来，这是一个很大的希望，但远远不够，我们还要争取看到更多的井出油！而且要搞清油的分布情况和范围，这些都是至关重要的……”他的这些话，在几天前就由秘书整理成报告，以石油部党组的名义向毛泽东和党中央做了汇报。

很快，根据余秋里和党组的决定，康世恩同志立即着手，与技术人员迅速又布置了63口探井井位，其中大同镇长垣构造内布下了56口井，并且专门从四川石油局调集了一批勘探人员，参加勘探。

此刻的余秋里已经强烈意识到松辽将有一场大仗要打，而这场大仗极有可能使中国一下改变缺油的被动局面！

“历史经验告诉我们，要采取大的行动，必须先统一思想。思想统一，才能行动一致……”1959年11月26日，北京华侨饭店的会议大厅里，余秋里的声音在此久久回荡。

“余秋里同志主持召开的这次会议，可以说是新中国石油工业发展史上的一个里程碑。它对建设一支拖不垮、打不烂的石油队伍起了重要作用。通过这次会议，我们一下子将原来一盘散沙式的队伍变成了一支指向哪儿就战斗到哪儿并且能够取得胜利的钢铁队伍！”10年前的1994年，已是80岁高龄、身患绝症的康世恩向人谈起当年余秋里召开的华侨饭店会议，仍然激动万分道，“那会议才叫会议！开得极其认真，余秋里同志抓住石油行业是否应该‘又让又上’问题，和要不要提倡顾全大局观念、集中力量保重点这两个重大原则问题，进行深入讨论，大做文章，整整几十天时间，嘴巴都磨破了。我家与华侨饭店就一街之隔，可会议期间我儿子结婚我都没敢请假回去……”

“跟大家有言在先，我这回没有啥长篇大论。只带来耳朵想先听听大家的意见。所以这次会议期间你们可以把想说的话，全部说出来，连一个屁都不要憋着，给我好好地放！”余秋里的开场白，就把各地石油局和矿厂的头头脑脑们的情绪给调了起来。

余秋里则和党组成员们整天拿着小本本像小学生似的来到会议

代表中间听他们“放炮”。

“我要说！”首先站出来的是新疆局党委书记、老红军王其仁。

“好，老王你先说。”余秋里一副虔诚的姿态。

“余部长，我有话要先对你说！”王其仁不愧是一位在苏联工作多年的老红军战士，他站起来面对面地指着余秋里，丝毫没有半点含糊地开炮了：“说什么呀！说你余秋里来到石油部后是干得雷厉风行！新官上任三把火，这我们也理解，你想上任后立马抱个‘金娃娃’好在毛主席面前报喜这也可以理解。可你理解我们下面吗？一个好端端的新疆石油局，才像模像样几天时间，你倒好，搞个川中会战！热热闹闹，轰轰烈烈，大部长一声令下，就让我们张局长带上大队人马，千里迢迢赶到天府之国去了。可你知道之后的日子我这个局党委书记咋干的吗？精兵强将都上你们那个会战去了，我们剩下的呢？都是些老弱病残，我是整天又得抓独子山的炼油厂，又得抓克拉玛依的生产，顾头顾尾，结果啥也没顾上。大跃进年代，看人家兄弟单位风风光光，喜报一个又一个，我们呢连扬眉吐气的机会都没有！”

会场静寂。代表们紧张地看着余秋里的表情。木椅子上传来嘎吱一声响，那只空袖子甩了 180 度拐弯。

“王书记，别说了。”有人轻声提醒王其仁。

“为什么不说？”王其仁突然大声吼道，震得会场内四处回音。

老红军战士果然视死如归。会议代表们在内心敬佩王其仁这样敢于直言的老红军时，他们并没有忘记坐在他们中间显耀位置的那只甩着空袖子的人也是位老红军。论参加革命工作的资格，两个老红军不相上下。

当过兵的人都知道有个不成文的规矩：谁要在部里多当一天兵，后面来的战士就是以后当了再大的官，你在这兵面前仍然是“新兵蛋子”一个。

王其仁知道，坐在他面前的那个空袖子的人比自己不是多当几天兵，而是有些年头。但这怕什么？你自己说的，让我们有屁也痛痛快快地放嘛！何况我这不是屁呢！是冤屈呢！新疆局咋啦？我的新疆石油局的队伍先姓“新疆”，其次才姓“石油”！

老红军王其仁竟然说着说着，哭了起来："反正、反正我新疆局再不做那样的傻事了！要支援，也得等我新疆局自己先把指标跃进一回了、扬眉吐气了再说！否则就不行！"

"不行！不行！"不知谁撞了一下麦克风，结果会议厅里一下传出几个回音。

代表们用不敢直视的余光看着用右手解着上衣扣的余秋里部长。

"王书记说完了？"余秋里有些发闷的声音。

"暂时说完了。"王其仁也不含糊地回答，看来他是准备惨遭部长"不打肥皂刮胡子"了。可代表们有些意外地听到部长的声音这回异常平静。

"好嘛，谁接着说？"余秋里干咳了一声，然后声音不高不低地问一声后，抬眼看了一圈身边坐着的人。

"那我就说说吧。"青海局局长李铁轮站起来不紧不慢地说着，其实看得出他心里的话已经憋了好久了。这也是头高原犟驴。话不多，也不绕弯，却火冲冲的："希望以后石油部干什么事，先照顾照顾我们青海这个穷局。咱不容易啊！要什么底子没什么底子。部里有难处，我们小局下面也有难处呀！部里有难处时，往局里要人要物，可我们局里有难处时找谁去呀？你们说是不是？"

一个软里见刀子的家伙。代表们今天都在为余秋里部长和部党组捏把汗，特别是脾气大的余部长。他们心里在想：这阵势下去，结果只能有两种，要么风风火火想大干一番石油事业的余秋里部长从此做缩头缩脑的乌龟部长，人家下面几个顶着国家石油大梁的管理局和油矿吆喝什么你部长在上面就跟着吆喝什么；要么是下面的几个管理局和油矿厂领导的脖子软蔫，老老实实俯首称臣，听从他余秋里指挥调遣，不说一句怨言。总之，不管哪种结果，这回华侨饭店会议肯定是一次不见血的"鸿门宴"！

不一定不见血！有人私下窃窃议论道：瞧那些老红军、老八路，他们的身上谁没几个枪子穿过的孔？他们怕过谁？说不准会一吵起来，拍桌子瞪眼还嫌不过瘾呢！

看吧：第一位老红军都哭了！第二位局长不是软里藏刀嘛！

我看余部长绝不会饶了这些家伙！他们算个鸟？想跟部长较

劲？真是不知天高地厚！没听说毛主席为啥让他来咱这儿当石油部长？就是他余秋里能干！能打开局面！哎，你们听说这个故事没有？ 1940 年前后，我们八路军跟日本鬼子干得最凶的时候，兵力损失巨大。余部长那时就是支队政委。他奉命在冀中平原一边跟小鬼子干，一边发展八路军队伍，你们猜怎么着？嘿，短短十几个月，余部长他带的队伍，把冀中平原的小鬼子打了个稀里哗啦的，而他自己的部队由开始 3 个连队的二三百人一下壮大到了 5000 多人！这在当时可是了不得的事！毛主席都表扬过余部长的本事呢！

嗯，我看呀，他们新疆局、青海局的人是吃错了药！就是嘛，我看他们太牛了！是呀，这几天他们打出了油，《克拉玛依之歌》也唱得太响了，还有柴达木人啥的，这本来也是全国人民支援的结果，他们现在倒好，以为自己是谁了？柴达木油田是他们自己家的了？克拉玛依油田也是他们自己下的仔？呸，我看他们是井底之蛙！不知天高地厚。

是嘛，余部长他们有什么错？咱国家的石油底子就这么薄，不靠集中兵力作战，将来找油的地方越来越多，而且油田也越来越多，如果都各干各的，找出一油田自己就独立一块地盘、搞一支应有尽有的队伍，那我看整个中国人都调来搞石油还未必够呢！

可不是！那么干法咱们石油部就不叫石油部了，该叫“全国部”了！

得了，还叫“全国部”呢！要真到了那时候，我看也是我们石油部灭亡的时候了！怕是连石油部的名分都不会有了！

是啊，要真到那份上，他们克拉玛依、他们柴达木也全给灭了，那时他们往哪个地方去牛呀？

哈哈哈，我看应该让他们尝尝苦头。要不他们也不知道自己姓什么了。

这油田那油田，这管理局那管理局，如果他不姓石油，也不姓石油部了，看他们还能牛多少时间！

真是不懂一点马克思主义！毛主席早就说过，搞社会主义就得有全局观念。我看余部长和党组的方向是对的，行动的措施也没什么错！咋，国家这么缺油，他一个克拉玛依、一个柴达木油田就能满足国家发展需要啦？全国人民就该向他们供煤火烧啦？真是恬不知耻！

唉，说到底啊，还是去年川中搞砸的原因。他们四川也真是的，本来地质情况没搞清楚就在那儿瞎嚷嚷，就凭着几口井喷油便到处吹发现大油田了！弄得余部长跟着他们在毛主席面前都丢了丑……

我看这事不全怪四川局，部里决策也是有些问题，搞啥会战嘛！把几个局的人马都拉上去了，结果啥名堂都没干出来，被动吧！

你不当部长说话轻飘飘的，余部长他们容易吗？中央天天喊着要大跃进，大炼钢铁，粮食一亩要收几万斤，这“卫星”一天放一个！石油部咋一点动静都没有？让别人以为你石油部是跟毛主席、党中央唱反调？把搞油的都整成“大右”了！这不是大笑话、大悲剧嘛！他余部长能这么干吗？

唉，其实啊要我看，他余部长啥都别操心，上面说啥就跟着吆喝啥就得了。你不是让大炼钢铁吗？那我们就都去炼吧！让新疆局、青海局去风光吧！

屁话！他们风光啥？拿好端端的国家进口无缝钢管去扔在土炉里烧瘩疙出来去风光？这叫败家子！余部长骂得好！还骂得不够！

行了行了，我看呀石油部眼下这种局面都是四川那边没搞出油来给闹的。

是是，哎，四川局的龟儿子来了没有？他们缩到哪儿去了？

“我是四川局的。那我就说说吧。”四川局的张忠良终于站了起来。他也是一名老红军，石油师的副师长，他身上也有敌人枪子留下的一道道伤痕，他平时的脾气也能吃掉人。可现在他变成了一只受气的小兔子——哪回会议石油师的人从上到下好像都不吃香似的。政委张文彬在新疆虽说是局长，但人家党委书记老王头觉悟更高，张文彬要不是余秋里保，早就是右派分子了。师长张复振也不硬气呀！搞运输去了，干来干去也是个受气包。本来副师长张忠良可以为石油师的全体将士直直腰杆的，偏偏川中一仗打得窝囊喔！

“是我工作没做好，拖累了各兄弟局的后腿，让大伙儿跟着我们四川倒霉。”张忠良真有绝招，这会上他一说话就向人检讨。特别是见了新疆局的王其仁和青海的李铁轮，就一头往胸前垂下，抱起双拳一个劲地赔不是，而且好几回是当着余秋里部长及其他几位部领导的面。

好你个张忠良，这不是拐着弯在我面前骂我嘛！余秋里不是傻人，这一点还看不出来？

“余部长，这会这么开下去不行啊！”有人满脸愁云地跑到余秋里的房间说。

余秋里奇怪地问：“怎么不行？我看挺好的。”

“还好啊！再这么下去，他们非得把你吃掉不可。没瞧这几天几个骨干局领导脸上都春风满面、得意扬扬的？”

“好啊！让他们春风满面、得意扬扬嘛！只要他们能说出心里话，那就让他们去洋洋得意吧！我要的就是这个！”

“可这样下去我们部里以后怎么领导队伍呀？每个局自己都有一套，上面的话没人听，我们怎么集中兵力找大油田呀？”

余秋里笑了：“对头，你提出的问题也就是我心里想的，也是要在会上向大家提出来的。我们既然以后还要长期地在一起搞石油，现在就先得把心里想的，连同我们过去做得对与不对的地方都摆在桌面上，说他个痛快，直说到连屁都没有可放的时候，我们再一起统一思想，统一认识，这样以后我们才能更好地领导和组织队伍向更高的奋斗目标前进！”

“这么说你心里早有底啦？”

“没有底我还开什么会？开会的目的就是要达到一个目的。我们现在的目的是：石油部上下要统一认识，思想往一处想，下一步我们才能在松辽和全国的找油战斗中取得突破性的战略与战役的伟大胜利！”

“余部长，你又要给我上战争军事课了……”说话者偷偷笑了。

余秋里的眼睛瞪得溜圆：“搞石油就跟打仗一样呀！我不用战争军事手段我能搞得赢吗？”

“嘻嘻，我看你打仗这一套行。”

“你以为我这个中将是捡来的？”余秋里说完这话就哈哈大笑起来，“走，继续听同志们放炮去！”

刚出门，工作人员就将余秋里叫住，并引到一边悄悄说：“李立三同志和李雪峰同志来电话说找时间想跟你谈谈。”

“嗯，他们要找我谈什么？我现在正开会呢！”余秋里一时没反应过来。

“肯定是有人将会上讲的内容向两位主管工交口的领导反映了。”

余秋里的脸沉了下来，又马上绽开：“让他们反映吧。”

后来李立三和李雪峰两位主管中央工交线的领导真找了余秋里谈话，并且好言劝他注意下面的意见，尤其是当下大跃进的形势，千万别让人抓住啥把柄。

见鬼了！老子从干革命那天起就没有想过自己怎么着！我抓石油怎么着？国家那么穷，毛主席和全国上下又急着要油，我不采取些特殊手段，不集中兵力去打歼灭战，我们什么时候能搞出大油田来？急啊！都是给逼出来的！那是没有办法的办法嘛！跟我们当年与小日本鬼子干仗一个样，他把我们的根据地毁了，又到处建了碉堡、伪村公所，我们八路军到哪儿都受到限制，可我们得站住脚跟，取得胜利呀！那就得想法在敌人的夹缝里求得生存，有了生存就有进攻和出击的机会，就有了战胜敌人的可能。那会儿我们搞石油就是这个样！国家没钱多给你，石油系统自己的底子就这么薄，你这么干猴年马月找到大油田？不行！这都是逼的！

余秋里在90年代初成为植物人之前，一次接受一位部队写作者时这样说。

但在华侨饭店的会议上，他知道靠简单的几句话是说不通那几个很会“蛮不讲理”的局长书记的。再说那会儿政治形势可不是对余秋里干的那一套很有利，弄不好整个石油部都会被人说成是“右部”——有右倾机会主义意识的部门。搞油的部真成了“右部”麻烦可就大了。这种先例不是没有。

了解一点新中国史的人都知道有个叫周小舟的人，当过湖南省委书记，一度是毛泽东非常喜欢的人物。可因为在庐山会议期间跟彭德怀有过相同的对当时中国形势的认识和看法，也被打成了“反党集团”的成员。毛泽东在庐山会议结束之前有个重要讲话，中间有这样一段话，“周小舟你这个人，我跟你讲过，你是民主人士，你是挂着共产党招牌的民主人士。”周小舟哪是什么民主人士？他是有几十年党龄的共产党人，是省委领导。毛泽东这样说他，是因为过去毛泽东曾经把周小舟看作是有能力敢干大事的党内少有的几个

"海瑞"式好干部的。现在毛泽东不相信周小舟这样的"海瑞"式干部了。毛泽东接着说："现在听说海瑞出在你们那个里头，海瑞搬了家了。明朝的海瑞是个左派，他代表富裕中农、富农、城市市民，向着大地主大官僚做斗争。现在的海瑞搬家，搬到右倾司令部去了，向马克思主义做斗争。这样的海瑞，是右派海瑞。我不是在上海提倡了一番海瑞吗？有人讲，我这个人又提倡海瑞，又不喜欢出现海瑞。那有一半是真的。海瑞变了右派我就不高兴呀，我就要跟这种海瑞做斗争！"（《毛泽东传》，第1007页）

余秋里过去一直是毛泽东眼里的那个"好海瑞"，可会不会现在因为提出石油工业"又让又上"而被划到毛泽东不喜欢的像周小舟式的"右派海瑞"行列中去呢？

在1959、1960年的形势下，这可都是说不准的事。

崭新的华侨饭店在当时的前门一带是座别致的建筑，冬雪飘落的时候里面的气温很舒适和温暖，但独臂将军感到他的那只已经空洞了二十几年的残臂阵阵作痛……这是为什么？打仗那会儿条件那么差为啥没感觉？噢，是因为一个劲头地向前冲！冲！这样的情况下再有疼痛的伤口也不会感觉到的。解放也有10年了，一直没有作痛过呀？这是怎么啦？

余秋里推开窗户，看着漫天飞舞的雪花儿，将右手向窗外伸去……几片雪花儿飘在他手心上，很快融化了——他的手一直是滚烫的。

噢，是心在疼。是自己用滚烫的心在倾注对中国缺油的局面而焦虑而奋斗之后得不到人理解和共鸣而撞击在心头的疼！

窗外飘雪，飘得京城一夜银装素裹。余秋里关上门，不让一个人进屋，就连秘书也不准进。会议室里的争吵声仍在继续，而且一声比一声更高……

都说独臂将军生性脾气暴烈，哪知他内心世界却时常细腻微妙。如果不是这样的人，那就不是他余秋里，而是许世友，许世友一生性格独特，刚烈有名，在其生命最后时候也一副虎豹之相。但余秋里不一样，我作为他几百万队伍中的一员，曾经在余秋里晚年时看到的他形象是一尊完完全全的佛相——善良至极、和蔼至极，心里能装得下天，脸上总一副笑眯眯的样。他可以毫无顾忌地走向"中央首长”住的那种深宅大院，跟左邻右舍那些站在马路边下象棋的爷们和赤着背的三轮车手聊上几个小时——那会儿没人相信他是个中共中央政治局委员、书记处书记那么官职显赫的大人物。

“我怕啥？我一生没有给老百姓办过坏事！”多少次身边的警卫和中南海的人劝他外出要“注意”，余秋里实在生气了就口出此言。

不是一生积德的人是无法修道成佛的，更不用说有佛相了。共产党人是不信修道的。但共产党人也讲道德和修养。要不为什么现在胡锦涛为总书记的党中央向全党提出“执政为民”和人文治理社会呢？

在军队，在打仗和完成任务时，没有那么多废话，下级就得服从上级，指挥员让你打到哪儿你就冲锋到哪儿！死了是烈士，回来的是逃兵。甭废话！什么正确不正确？执行就是正确！不执行就是错误，就是违纪！上级有错怎么办？当然可以改正嘛！提意见也是可以的。但在大战来临之前，在决策已经下来的时候，你甭再怎么哼哼唧唧，让你干什么你就去干什么！死了一个，死了一片，就是全军覆灭也得执行！

这就叫军队！这叫指挥打仗！干啥？仗还没打起来，就嚷嚷这不行那不行，那等你什么时候说行的时候，黄花菜不都凉了嘛！黄花菜凉了就算了，脑袋要是掉了你找谁去？

石油部的几个副部长和一些司局长看着会上下面的石油局领导那么“猖狂”，很为自己的余部长和党组抱不平。

咋，真是你们下面油田、油矿打个喷嚏，我们石油部的大楼就摇晃不停？那也太小看人了！

“哎嘿哎嘿，你们瞎嚷嚷什么呢？开会就是让人家把心里话掏出来的嘛！这有啥不好。我看好得很呢！”余秋里从房间里出来，一脸平静和温和之色。这反倒让机关同志捉摸不透了。

“将军这回咋的啦？给下面的人吓着啦？”

“去去，余部长怕过谁？”

“那他这是怎么啦？别人在他头上拉屎他也这样忍着？”

“他怎么啦？我怎么知道？你有本事自己去问问他！”

“得得，这段时间他和几个副部长天天找人谈话、征求意见，嘴皮子都磨破了，今天他不是要讲话吗？听听看他怎么说。”

“走，去听听——”

余部长终于说话了——“鸿门宴”正式开始！台下的各种角色心里头都悬着，七上八下的。只有玉门局的人心里比较踏实，因为前几天余秋里请他们发言，介绍他们顾全大局、支援兄弟油田建设的事迹经验。玉门人来这里谁都没话说，新疆能出克拉玛依、青海能出柴达木盆地，没有不是玉门人支援的结果。那个作家李季不是说“凡有油田处，都有玉门人”嘛！搞油田的人，谁也牛不过“玉门人”，因为玉门是中国的石油摇篮，而玉门在一边支援全国找油，同时又注意发展自己的“玉门经验”和“玉门风格”也确实让人佩服。

比比玉门的风度，再看看自己的雅量，新疆和青海局的早就心里有点发毛了。

现在又看到余秋里部长走向主席台时那只空袖子“飕飕”生风的样儿，新疆局、青海局的领导开始感觉脖子后发凉了……

“同志们哪！这个会已经开了十几天了。收获不小。现在我代表党组讲五个方面的问题：一、观大局、看主流、辨方向，对我们每一个领导干部和机关来说，是一个带有根本性的课题，也是检查我们机关和领导干部政治强弱的试金石……”听听，第一个问题就是“试金石”！啥叫“试金石”？你是革命者还是不革命者，你是好领导者还是个不好的领导者，“试金石”上一试就明白。

那也是要看余部长今天举出的是什么“试金石”了！要是像当年项庄在沛公面前要的那把剑，这回新疆局、青海局还有前几天“牛”气冲天的头头脑脑们倒霉了！

“观大局，我们现在的大局是什么？搞社会主义！把国家经济搞上去！毛主席和党中央天天都在操心把经济建设搞上去，把老百姓的生活搞上去。不搞上去行吗？苏联赫鲁晓夫卡我们就是不想让我们搞上去；美帝国主义帮着台湾企图反攻大陆也是不想让我们搞上去！而我们呢，毛主席说了，一定要搞上去，新中国不能因为苏联和美帝国主义卡我们脖子，蒋介石在那儿嚷嚷，我们就搞不上去了！搞不上去就不是中国共产党人！”

“这就是大局！不认识这个大局，光想着自己那么一点小天地、整天算自己的小账，就不可能理解国家的大局。我们石油工业建设的大局是什么？不是有了几个小油田就可以躺在那儿吃等老死了！那是不行的！国家建设大家都看到了，蒸蒸日上，日新月异，一天一个样！建设发展了，就要用油！毛主席说了，没有石油，国家就发展不上去。他老人家着急，全国人民着急，这就是我们面临的大局！我们石油部目前的大局：找油！找大油田！找出国家和人民建设所需的石油！”

“连这个大局也认不清，我们还算什么石油人呀？”

“鸿门宴”血腥味出来了。会场上鸦雀无声，只有主席台上那只独臂不停地在空中挥舞着。

“我们石油部的油怎么找出来？靠什么？我看就是要靠组织全面的、综合的、有效的大协作！有了这种大协作，就能最大限度地挖掘潜力，实现大跃进！”

“我们的潜力在哪里呢？企业内外，这个地区和那个地区的协作，就能发挥很大的潜力！因此，可以说，协作本身就是蕴藏着巨大的生产潜力。全面的、综合的大协作，是我们社会主义的一大重要特点，只有社会主义制度下才能最大地发挥这种协作的威力！”

乖乖，上纲上线了！台下的人用眼睛偷偷地在交流。

台上的人，继续挥动着右边的独臂：我们石油部为啥要搞大协作呢？看：独臂先是握紧拳头，然后一个指头一个指头分开来——

“第一就是我们落后。一穷二白地落后，产量还少，少得可怜。可我们石油部也要实现高速度呀！怎么办？到毛主席那儿哭穷去？我不干，我余秋里不会干这种事的！我相信在座的同志们都不会干，我也相信石油部所有的同志都不会这么干！毛主席让我们来搞石油，就是希望我们搞出名堂、搞出大名堂来！新中国建立起来不容易，我们也是在帝国主义、封建主义和官僚资本主义扔下的一个烂摊子上建立起了人民共和国。现在国家要发展，要大发展，因为不发展不行，帝国主义欺负我们，连一直跟我们很好的“老大哥”也要欺负我们，怎么办？就得高速发展，把我们自己的事办好！石油部建立时间不长，比别的部委更可怜些。但我们不怕，我们靠大协作精神。这样做，可以解决无论是油田建设，勘探也好，炼厂建设也好，都可以在某一点上，某一个方向上，把劣势变为优势。所以，我们要实现高速度发展，就非得协作不可，而且是大协作。青海冷湖是个荒凉的地方，那里草木不生，连麻雀也不去，条件很不好，但今年上得很快嘛！克拉玛依在采、炼、储、运等几个环节上能迅速建设，保证了高产！他们都是什么原因取得这样好的成绩？我们看就是全国石油工业系统中组织了大协作的结果。这叫大家发扬了共产主义风格，你帮我，我助你，七手八脚，一下就上去了！这就是大协作的结果。你单靠自己一个小矿一个油田办得了大事吗？一时你可能行，可再大上十倍八倍，你还能行吗？

第二是我们石油勘探工作的发展常常出现不平衡。这是我们石油工业本身的特点。为啥？就是因为油田经常是不以我们人的意志为转移的客观情况，它加起来可以归结为“有、无、大、小、东、西、南、北”。啥意思？就是油田有的地方有，有的地方它没有；有的地方它大，有的地方就小；有的东边有油，西边就没油了！有时南面有油，北边可能有，可能就没有。同样是一块南边的地区，也不是都有油！有的今天油哗哗啦啦地冒个不停，明天你就是叫它老爹老妈它也不出油呀！这样就会给我们石油系统形成一种你无法改变的力量的不均衡性。你有时忙得不行，有时你就闲得不行。怎么办？我们是社会主义，整个石油系统是一盘棋，全国是一盘棋呀！这样就更需要大协作。特别是碰到找大油田时，我们就得集中兵力，加速地质勘探能力，尽快找到油田，而且在找到油田后也得再集中力量打“歼灭战”，把油量搞上去。

再一个就我们本身石油底子差，国家现在的底子也很差。怎么办？我们不能因为底子差就不干活，或者等底子好了后再干，成吗？不成！毛主席不答应，全国人民不答应，我们石油系统自己的同志不答应！可你又不得不承认，我们石油部就那么点底子！这是个不利因素，是个弱点。我们就得克服它。靠啥克服？靠我们把有限的力量集中起来，把困难留给自己，把方便留给别人，主动、全力地支援兄弟单位、兄弟部门，而且这种支援和帮助从长远和全局看，是相互的帮助和支援。这样我们就能把有限的技术力量、有限的人力、有限的财力放在一起，以较小较弱的力量去完成我们的大任务！去争取我们石油事业的大突破、大胜利！

你们觉得这样的大协作，有意义吗？值得吗？你们把手伸起来我看看！大家赞同不赞同我的观点？

台下早已被台上说话的人深深感染了。这回齐刷刷地把手举了起来。有人怕部长看不到，就干脆站立起来举手。

余秋里高兴了，他不仅看到他的战友们全都举起了手，而且连新疆局的王其仁、青海局的李铁轮，还有四川局的张忠良，他们全都举了手。

好嘛，大家都同意我这个观点，这证明我们开这个会是成功的，达到了统一思想的目的。但是我确实也要进行自我批评：我们以后不管打什么大仗恶仗，也不管像玉门这样风格特高的油田怎么不叫苦、不喊冤，我们在集中兵力的时候，也得讲究从实际出发的原则，不能像割韭菜似的，或者像杀鸡取卵那样，那绝对不成的。新的基地、新的油田要开发，也不能把老的油田、老的基地丢掉和破坏掉嘛！那不是真正的马克思主义做法！

“好——”谁在下面高喊了一声，一看原来是新疆局的王其仁。

“好好！”也不知谁附和了一声，于是整个会场里“好”声一片，掌声一片。

余秋里趁着大家鼓掌之际，往会场扫了一遍：他高兴地看到了想看到的人，于是站起身：秦文彩同志和李德生同志，你们都来了啊！去年我在四川会战期间没有认真听你们的意见，而且也不正确地批评了你们，还有张忠良同志也提了很好的意见，我没有接受。现在，我再一次代表党组，也有我个人的意思在里面，我向你们检讨，向你们赔礼道歉！

将军部长突然庄严地挺直胸膛，举起右手，向秦文彩、李德生等同志又敬礼，又鞠躬。

“哗——”这回掌声真是雷鸣一般。华侨饭店的服务员以为出什么大事了，纷纷拥到走廊和会议室的门外，当她们听到里面随即传来欢笑声时，才微笑着回去干自己的事。

“同志们，现在我想趁这次会议的机会，向大家报告一下明年——1960 年咱石油部的工作计划。明年可能对我们石油人来说，是个好年份。我们的松辽已经出现希望的曙光，如果勘探计划继续发展，我们要准备组织一次史无前例的大会战！彻底把中国贫油的帽子扔进太平洋去！同志们有没有决心啊？”

“有！”会议室的房顶出现了强烈震颤。

余秋里这回笑了。是该值得笑一笑了。石油部的华侨饭店会议已经过去了45年，当我怀着一颗虔诚的心，一步一步走入这段历史并再回过头看看后来新中国石油走过的石油史，我才深深地理解了康世恩同志为什么说此次会议是“中国石油工业发展的里程碑”了。是的，石油工业与其他行业很不相似，尤其是中国的石油工业，这个行业本身的基本特点是它的“未知数”，油在哪儿是未知数，能不能成为油田开发、怎样开发、开发的结果又会怎么样等等都是未知数。对待这样一个特殊战役，靠常规的工业化运作简直是无法前进一步。

“好，现在散会！”

代表们带着一身热血，纷纷离开北京，准备接受更大的任务。而新疆局和青海局、四川局等局的领导没有先走，他们围着余秋里和康世恩等部领导就是不走，说一定要从部长嘴里听到下一步如果松辽要大干，必须有他们几个局的任务、而且是最光荣最艰巨的任务才走。

“放心，余部长绝对不会轻易将啃松辽的硬骨头任务放过你们几个局的！他是干什么的？指挥打大仗打硬仗的将军！他最知道关键时刻用谁不用谁！回去吧，好好统一思想认识，做好松辽大仗准备！”李人俊对几个局长表态道。

仗，有的是给你们打的！这是将军们习惯用语。但余秋里没有理会王其仁他们几个，现在他心里想的是尽快弄清楚松辽到底是个啥情况！松基三井一口井出了油，并不能说明松辽是否有油的根本问题——当然它出油本身也是个希望，一个很大的希望，但川中的教训一直压在他余秋里心头，再不能轻举妄动了，否则再一次在毛泽东面前丢丑的话，他余秋里真的只能回家帮素阁抱孩子了——余秋里是这种人吗？四十四五岁，年富力强时，自然不会干这种“没出息”的事！

这时的康世恩有些弄不清余秋里的意思：按照他这一年多来跟独臂部长一起工作的习惯看，他余部长的性格绝对不会在见了松基三井这样“曙光初照”的形势面前那么沉得住气！干吧！甩开膀子在松辽上干他个翻天覆地！至少比四川那边的会战干得更欢实嘛！但康世恩很快明白了余秋里的意思。

"老康，这回松基三井的出油情况，以保守的数字向外说。宣传上更不要多说这事，现在还不是时候。"秦老胡同的再次聚会时，余秋里第一句话说的就是这个。

康世恩完全明白了：余部长在等待松辽下一步的进展情况。于是他报告说："松基三井这两个多月的出油情况一直稳定，这说明地下储油情况和地质构造不像川中。"

"其他布置的井进展怎么样了？"余秋里更关心松基三井后部里所决策布置的另外63口井，尤其是布在大同长垣构造上的那56口井。地质部现场地震队送到石油部的资料已经证明，那个长垣构造长达千余公里、宽有数十公里，横卧于松辽平原的盆地中央，像一只巨大的长方形鱼盘，葡萄花、高台子和太平屯等几个构造则像大"鱼盘"中的几个小土豆。要是长垣整个构造都能证明是储油的，那将是个什么样的油田呀？！

不敢想不敢想，部机关好几个技术干部一听连连摇头，虽然他们心里也希望能为祖国找到一个大油田，但他们没有勇气去想到这回要找出一个世界级的大油田。

怎么不敢想？中国就不能有"巴库"？何长工老将军不已经说要在三年内找到"中国的巴库"嘛！余秋里把右手压在中华人民共和国地图的"雄鸡头"上，丹田之气一提：我就要"中国的巴库"！

"部长，松辽的长途电话接通了。"秘书将电话筒放到余秋里的手里。

"喂，我是余秋里啊！什么？还听不清啊？"余秋里说第一句话的时候，已经把院子前后的人都吵醒了，可松辽那边的电话里还像苍蝇似的不停叫嚷着："你能不能再声音大一点？"

余秋里用力抬起一条腿，跨在木椅上，想借助这力量把底气再往上提高两倍："……同志们哪：你们必须千方百计地争取速度！对，速度！在工作中要做到四快：快运输、快安装、快开钻、快钻进。哎，对头，四快！你们要知道，这一批打得快和慢，会直接影响到下一步的布局问题！也关系到明年全盘的工作布局问题和决心啊！是的，我很着急。你们早完成 10 天，我和部里就可以早 10 天下决心。对，对对。所以我现在再次要求你们：务必在明年 3 月前将长垣构造上已定下的 56 口井打完它！哎，对对。目前松辽只有一口井出油还不能说明问题。能不能把松辽这个油田定下来，你们还要做许多艰苦的工作。现在的任务是加速勘探，鼓足干劲，分秒必争！听明白了吗？”

“听明白了！”松辽那边回答得很响亮。

读者是否意识到，此时的将军部长心目中已经开始在酝酿一场共和国空前的建设大战了！从来到石油部后，将军经过相当一段时间对克拉玛依、柴达木等油田的实地考察和调查研究，早已认识到，中国的石油之战，再靠过去分散兵力在这一处掘几个孔、在那一处再搞几块地普查勘探一下，或者像西方的公司式开发是不可能大有作为的。另一方面，新中国成立才十来年，完全的计划经济形式也不可能让他采取西方式的石油开发模式。那么可以选择的只有一种：利用社会主义的优势，集中兵力干大事。而石油工业的特殊性，又使他非常自然地想到了用军事手段、军事艺术和军事思想来完成和实现这样的大作战计划，便成了毫无疑问的最佳选择。

这是余秋里娴熟的一门指挥科学。他在战争年代，从毛泽东和贺龙、彭德怀那儿学到了很多东西，当然，更多的实践是他自己的。关于余秋里在军事科学上的独特才能，我听过专门研究过他的军事专家们说：余秋里的本事在于他既有纯粹军事家的那种决断勇气、敢打敢冲和战之必求胜的战将风范，同时又有政治家的那种善于把握战斗人员的思想、觉悟，并通过行之有效的政治鼓动，使每一个参战人员时刻处在自觉自愿的高昂斗志状态的政治韬略。

川中一战，余秋里在毛泽东和全国人民面前丢过脸面。但对余秋里个人和对后来的中国石油事业来说，真是难得的一份宝贵财富。

华侨饭店会议吵得很厉害，有人认为按余秋里的脾气，必定会把那些不听命于他、在关键时刻另有小九九的下属，以最严厉的方式来解决他们的问题。但将军这回没有，他镇静自若地驾驭着整个石油队伍的方方面面，以细致、耐心、实事求是和体谅、理解的工作方法，让人心服口服，最后达到他愿望的那种“万众一心，所向披靡”的目的。

好了。队伍不再是你行你素、我行我素的散沙一盘了。情绪高昂的战前准备已就绪。现在只等一声令下了。

战令好下，但“敌人”在哪儿？“敌人”的兵力有多大，又以什么方式采取行动？余秋里现在需要亲自决断——川中经验已经告诉他在没有弄清地下情况时，他的“石油之战”就不能发令。

战前的侦察是最必要的。布孔打井的勘探普查，是“石油之战”的基本侦察内容。余秋里因此特别关注新布下的几十口井，尤其是地质部现场地震资料所显示的那个“大鱼盘”——长垣构造上的那56口井。这是余秋里为了继续论证松基三井的出油是否真的稳定和高产，更为的是确定松辽是否真的存在大油田。

“老康，应该再派技术力量往那儿去，只有吃透吃准那边的地下情况，我们才能决定行动决策。”余秋里急切和焦虑地一次次找来康世恩，催促他调集更强的力量到松辽那边去。于是康世恩迅速把石油部几位技术“大将军”张俊、翁文波、李德生、童宪章等全部派到松辽前线，与已经在那儿的张文昭、杨继良、安启民、武依民及从苏联留学归队的胡见义、崔辉、李葆青等会合，展开技术评估松辽的“侦察尖刀行动”。这些技术专家来到前线后，分组行动，有合有分地死死盯住每一口勘探井的钻探进展，一有情况，立即汇聚一起研究分析。

即便如此布局，余秋里仍然不很放心。1959年12月26日将军部长风尘仆仆地踏上了松辽大地。也许谁也无法理解日理万机的他，为什么在本年度只剩下最后几天的时间，还要赶到遥远的北国？

将军到底在想什么呢？

将军一路默默无言，只有那对深邃的目光透过苏式嘎斯吉普车窗口，在寻觅、在探究、在思考他眼前的这块陌生而充满神秘感的黑土地。

啊，这就是松辽，广袤无垠，一展平川，举目无边。

啊，这就是松辽，白雪皑皑，漫天银装。一个连一个的水泡子像一面面巨大的镜子，在阳光下格外耀眼……而在几千万年前，这里曾是草木茂密、鸟飞雀欢、鱼虾满塘、玉珊碧翠、兽禽同乐的水泽天国呀！

太美了！美得透心，美得刻骨，美得热血腾升。

但也太苍凉了！苍凉得叫人恐惧，叫人寒战，叫人慨叹。

嘿哈哈哈！这就是我们的北大荒！将军突然一阵放纵的大笑。

那笑声惊得近处的一群黄羊蹿跳躲闪，逃之夭夭……

松辽，以其原始的质朴和宽阔的胸怀，第一次迎接了我们的将军部长。

“真他妈的冷噢！”司机一次次叹息，一次次呵气——从他嘴里呵出的气，如同白色的狗尾巴，又忽而消失得影迹无踪。

毛领军大衣里的将军部长则露出头，朝司机笑笑，然后举起右手，来了一个出人意料的动作：摘下头上那顶绿呢军帽，朝自己的脸上扇起来！

“部长你还热啊？”司机惊叫起来。

部长又是一阵爽朗的大笑，说：“热！就是热！”

司机疑心重重地瞅了一眼将军那个头颅，可不，毛茸茸的发根里竟然有晶莹在闪动！

热！哈哈哈！这零下几十度的冰天雪地里，谁能言热？唯有大将军也！

“咔嚓嚓——”突然，吉普车前的轮下响起一声冰裂，于是四周的冰天雪地犹如一块电极板，顿起一串奇妙而悦耳的声音，一直传至天边……

怎么回事？司机惊得目瞪口呆。

什么也没有发生。大地仍然白雪茫茫，连天接地……

“嘿嘿，你们没有往前看嘛！看，那边是什么？”将军部长笑呵呵地抬起右手，指指略偏西向的前方。

“哎，快看！红旗！”司机惊呼。他的眼前，一面鲜艳的红旗分外醒目地在雪地里招展……

“是是，还有钻塔！我们的队伍呀！”秘书也看到了：一尊耸立在天地之间的钢铁钻塔……

“加速！上我们的井台去！”将军部长把右臂奋力地向前一挥，像当年带着红军纵队飞越雪山草地。

吉普车的四轮后顿时溅起一片雪浪……

“到了到了！葡萄花 7 号井！”在北京很少有笑声的将军部长，今天格外高兴，尤其见了自己的队伍，笑呵呵的脸没换过相。

“同志们辛苦啦！”吉普车的轮子刚刚停下，将军部长的双脚已经踩到了井台。

“是部长啊！部长您怎么来啦？！”工人们先是一愣，继而欢呼起来，纷纷围聚过来。

“我来看你们哪！”将军部长抬起左腿就往钻塔井台的甲板上迈。

“哎哎，部长别上来，小心滑倒！”工人们嘻嘻哈哈、咋咋呼呼地又想挡住部长，又想拉他上去。愣神间他们发现挡是不可能的，于是干脆扶住部长的胳膊，一把将他拉到了又滑又冰的井台上……

“来，我们握握手！”余秋里将手伸向每一位正在井台工作的工人和技术人员。

“小心哪余部长，您的手没戴手套，可千万别碰上铁器，那样会撕掉皮肉的！”轮到与一位青工握手时，那青工缩回手，这样说着。

这回是将军愣了：他想脱去青工的手套与他握手，但没有成功。

“部长您别动，我自己来。”青工慢慢地脱下手套，露出裹着纱布的手。

“怎么，手受伤了？”将军把那只裹着纱布的手放在自己的手心里。

“有一次换钻时，没顾上戴手套，结果摸了一下钻杆，就给撕下了一块皮……”青工不好意思地说。

余秋里不无心疼地问：“很疼吧？”

“不疼！”青工挺挺胸脯，脸上露出孩子般的稚气。

余秋里转过头，对井台的干部说：“咱们来这儿工作的同志不少是南方人，他们不知道北方到底有多冷，千万要告诉同志们在冬季施工的注意事项！”

“是，我们一定注意。”

“这儿真是奇冷啊！”余秋里这回真开始感叹了。他看到井台上刚刚泼上的热水，仅仅冒了几丝白烟就变成了硬邦邦的冰碴。再看那铁塔四周的帆布上，挂满了密密麻麻的冰凌，阳光一照，如同瀑布一片。再看看零下二三十度下工作的工人们，因为不停地提钻下钻，那泥浆劈头盖脸地到处飞溅，于是他们的身上个个都像穿了厚厚的大盔甲……

“辛苦啊！辛苦！”余秋里一次次地喃喃着，脸上开始凝重起来。

“晚上让同志们多吃点热乎的东西！”余秋里对随行的干部连声叮

咛后，又高声地问工人们："同志们，你们知道今天是什么日子？"

工人们一下愣了：什么日子？好像离新年还有几天嘛！是啊，12月26日，啥日子？

"对，今天是12月26日。是我们的毛主席66岁大寿的日子！"部长说。

井台顿时欢腾起来，嘻嘻哈哈地你一言我一语地：那今晚我们吃面条！庆祝毛主席生日！

余秋里笑了，大声说道："对，我们吃热面条！吃长寿面，一是祝毛主席健康长寿，二是为我们在松辽大地上找到大油田！"

这一晚上，凡是余秋里去过的那些井台，全都吃上了热腾腾的面条，有的井台还弄了些酒。大伙儿吃得非常开心。

这一幕远在西子湖畔的毛泽东并不知道。他正在和身边的一帮秀才们读书，读《政治经济学教科书》。参加读书会的有陈伯达、胡绳、邓力群、田家英。从12月10日就开始读了，而且一直读到新年的2月9日，前后历时两个多月。"26日，是毛主席66岁生日，也没有中断读书。只是毛主席要我们读书小组的几位同志同他一起吃晚饭。客人只请了当时在浙江工作的江华及其夫人吴仲廉两位。江华是井冈山时期的老同志。饭后，毛主席赠给每人一册线装本《毛泽东诗词集》和他当时写的两首词作为纪念。"毛泽东是个大诗人，他的诗充满了政治家的胸襟与情怀。他曾说过，自己的许多诗句是他对当时时势的一种抒怀。在他并不多的诗词中，他比较喜欢那首《沁园春·雪》——

北国风光
千里冰封
万里雪飘
望长城内外
……
数风流人物
还看今朝

“数风流人物，还看今朝！”银装冰封的大同镇街头一间土坯房子门口，一位胖墩墩的小伙子迎着呼啸的北风和扑面打来的飞雪，高亢地咏吟着，仿佛这世界上独他一人顶立在天地之间。

“杨技术员，你还在‘数风流人物’啊！”有人在门口大声叫道，“快进屋开会吧！一会儿余部长又要来问我们问题了！”

被称为“杨技术员”的吟诗者似乎诗兴未尽地闭上眼睛，然后深深地吸上几口带寒意的新鲜空气，转头钻进那间低矮的小土坯房。

土坯房内，与寒气逼人的外面截然相反，里面热气腾腾——而热气来自二三十名男男女女的年轻人的情绪与干劲。他们都是地质技术人员，中间有早一两年前就到这儿的“老松辽”，也有刚刚从西安等地质调查队过来的新同志。一块由七八米长、一两米宽的木板钉成的“办公桌”四周，围聚着这群热血青年，他们指指点点着铺在“办公桌”上的那张地质图，在热烈地讨论着、争执着。那是一张张被喜悦兴奋着的脸，那是一串串被曙光映红的脸。

这时，石油部的几位大专家相继进来，他们是翁文波、童宪章、张文昭、姜辅志、邓礼让等人。

“继良，听说上次你乘飞机上天，人家驾驶员就是不让你上啊！”精瘦的翁文波笑眯眯地拍拍胖子杨继良，打趣地问，“你是吃什么山珍海味，长这么胖嘛？”

杨继良不好意思地：“翁先生，我、我喝白开水也长膘呀！”

翁文波随手拿起桌上的放大镜，朝杨继良的胃部照了照，然后一本正经地：“那就是你的体内 Machine 太好了！”

“哈哈哈……”屋内顿时响起一片欢笑声。

杨继良不好意思地说：“翁先生，你的英语太好了，我虽然也在大学里念过几本英语书，可像 Machine——‘机器’这样的单词也忘得差不多了。你给我们传传经，怎样才能把英语单词跟我喝凉水一样长到我身上来嘛！”

“这好办。”翁文波立即一口气吐出一连串英语。

“好”技术人员和专家们立即报以热烈掌声。

“翁先生真了不得。”几个女技术员敬佩地在一边窃窃赞言。

“又是翁文波同志在进行英文讲演吧！”门口的草帘被揭开，余秋里部长进来了。

“余部长来啦！”小屋子欢笑声戛然而止。原先七拐八扭的青年人立即挺直腰板，全体站立起来。

“哎坐坐坐——”余秋里脱下大衣，摘下帽子，一屁股坐在胖子杨继良的身边。那只空袖子正好碰在杨继良的右手，这让青年技术员有些敬畏：独臂将军，果然是啊！

杨继良瞅着那只空袖子出神。

“哎，年轻人，你来谈谈对松辽的看法？听说你还是松基三号井的设计者之一呢！怎么样，对松辽找油的信心如何？”余秋里发现了身边的杨继良。

“噢。”杨继良一惊，立即站起身，大声道，“我太有信心了！从现有掌握的地质资料看，松辽一定是个大油田！”

余秋里笑笑，又转头问其他人：“你们觉得怎么样呢？”

“肯定是个大油田！余部长。”一个快嘴的女青年说，“一亿吨储量保证没问题！”

“不止不止，一亿吨储量肯定不止。我看至少有20亿吨！”

“20亿呀？”余秋里张大嘴盯着说“20亿”的那位眉清目秀的小伙子。

小伙子一般初生牛犊不怕虎的劲头，朝自己的部长肯定地：“对，我看20亿吨储量没有问题！”

20亿吨储量是个什么概念？就是20个当时全国最大的克拉玛依油田，就是世界级特大油田。

小伙子的回答惹得满堂大笑。余秋里也笑得合不拢嘴，他打量了一下小伙子：“你是哪个学校毕业的？多大了？”

“嘻嘻，余部长，我叫王玉俊，北京石油地质学校。刚毕业，今年20岁。”

“好嘛，玉俊同志，如果这儿真是你说的那么多储量，我就封你为石油部总地质师嘞！”余秋里的话再次引得满堂大笑。

小伙子这回脸红了。其实，一年多后，通过进一步的勘探调查，松辽的储油量远远超过了20亿吨这个数量。当然，余秋里在获得如此巨大的一个已经控制的世界级特大油田的储量后，并没有兑现提拔王玉俊小伙子为“石油部总地质师”的承诺。但可以看出，余秋里开始对松辽地底下的情况到底是个什么样，他一直是慎之又慎。

自从松基三井号出油后，地质部在扶余三号井也打出了油，而此时石油部上下也都沉浸在“松辽大发现”的喜悦之中，尤其是那些参与现场勘探和地质调查的技术人员们更是一口肯定松辽会是个大油田了。然而此刻只有一个人的头脑异常清醒，他就是部长余秋里。

“同志们，这些天来，我跟大家一样，心情是很高兴的，看到松基三井出了油，谁不高兴？要说高兴我是最高兴的一个。但我又是一个最高兴不起来的人！为什么？”土坯房子里，正当前线将士和技术人员都在为眼前的光明前景喝彩时，部长余秋里竟然抬出了这样一个硕大的问题。屋子里的气氛一下变得紧张起来，连翁文波这样的大地质学家都屏住了呼吸。

“是啊，为什么呢？”余秋里抬起右胳膊，摸了摸自己光秃秃的额头，神情凝重而又严肃地扫了一遍屋子里的所有技术人员。突然他的右臂从空中猛地落下，“因为在大家一片喝彩声中，我要提个反面的意见，这个意见就是过去石油勘探的经验和教训告诉我们：一口井出油并不等于是一个构造出油！几个构造有油并不等于连片有油！一时高产并不等于能够长期高产！”

哇，多么精彩的经典话语！多么深刻的睿智哲理！

有人统计，一个普通人一生所说的话大约在10亿句左右，可多数人的话可能找不出几句是独创的和能够流传下去的；但有的人则不一样。这也是伟人和普通人、智者和愚者之间的差异所在。

余秋里不是毛泽东式的大理论家，也不是邓小平那样的中国改革开放总设计师。但余秋里之所以后来一直被人们称之为“新中国石油工业的领导者和组织者”，是因为余秋里不仅用军事家和政治家的伟大气魄与胆识，领导了后面我所要叙述的像大庆会战那样一场又一场艰苦卓绝、成就巨大的石油战役，更重要的是他给中国石油工业留下了永远无法替代和抹去的精神遗产和可以传世的战略指导思想。

“一口井出油并不等于是一个构造出油！几个构造有油并不等于连片有油！一时高产并不等于能够长期高产！”这短短三句话，比起大地质学家们的鸿篇巨制，比起世界石油勘探学的教科书，它也许太短太短，但在我与所有而今仍然活着的地质学家和石油专家们的交流中深切地感受到，他们中没有一个敢否定余秋里这三句话的意义。

难道不是吗？这三句话中所包含的地质学和石油勘探学的深刻性、辩证性，还有什么更经典的话可以概括和取代的呢？

没有！

同样，这三句话中还深刻阐明了人与自然之间相互认识与理解的哲学关系，而且它还揭示了科学与自然之间的均衡性和不均衡性的统一问题，以及它们之间必须共同遵循的基本规律。

10 年前，我在采访黄汲清和翁文波这样的大地质学家时，这些大师们就脱口朗诵余秋里的这三句话，并称其为“大哲学家的科学语言”“石油学的战略与战术的经典思想”。

10 年后的今天，我在走进运用卫星等高尖端技术进行地球勘探的石油科学研究机构时，年轻一代的石油专家们仍能熟诵将军的这三句话，并作为“找油哲学经典”或“座右铭”信条，压在自己办公室的玻璃板下。

在 40 年前的那个冰天雪地的土坯房子里，这三句话是将军从心底迸发出的，因此落地有声，振聋发聩。这缘于他作为一个身经百战的将军和从事军队政治工作多年的高级领导者，在来到石油战线后所经历的那些包括川中会战在内的失败教训和对克拉玛依、玉门、柴达木等油田成功开发的全部认识及不断总结的结果。

余秋里让他们重新认识了什么是共产党人和共产党的领导者。

“同志们，你们的热情，你们的干劲，你们现在所向我报告的每一个新情况，都让人激动、高兴，但我请大家冷静和清醒地想一想：这松辽到底是个大油田还是小油田？是个活油田还是死油田？是好油田还是坏油田？”余秋里说到这儿又把话顿住，然后目光从翁文波开始，一直转到那个开口说“20 亿吨储量”的小伙子身上。那目光是急切的、期待的，更是犀利的。

没有一个人敢回答得了将军部长的话，也没有一个人能回答得了将军部长的话。

余秋里收回犀利的目光，投出温和诚恳的目光：“所以，同志们务必保持清醒的头脑，继续做更加深入、更加细致的工作！”

土坯小屋里静得出奇，那些平时高谈阔论、信口开河、慷慨激昂的技术人员们像换了个人似的，一个个低着头，似乎不知如何是好。

“其实，当时我们听完余部长的话后，每个人的心脏，都像被狠狠地敲打了一下的警钟，顿时清醒起来，而且这样的清醒让我们保持了一辈子。中国石油工业之后50年发生了翻天覆地的变化和发展，应该说，余秋里同志这三句话中所包含的精神遗产是实在太丰富了！它让我们学会了科学辩证法，学会了处理人与自然、人与科学、科学与自然之间的关系，也更学会了怎么做学问和做人的道理。”当年亲耳聆听余秋里讲话的现今大多是中国科学院和中国工程院的院士们，如此感慨地向我表达这样的心声。

翁文波为首的技术人员们在余秋里那番话后，没能回答出来，是因为他们陷入了技术程序上的难题之中：要搞清地下的储量，纸上谈兵解决不了问题，只有靠打深井，而且要打得准确。可是打一口深井至少需要几个月的时间，因为打井过程中都要取岩芯和试油，同时每口井都需要几百万元的费用，这都是余秋里部长不那么愿意那样做的。显然，将军愿用最少的代价、最短的时间获得地下的真实情况。可这是技术人员又无法解决的事，但松辽找油战役打响之前这些问题又必须解决。

精于地质和物探的翁文波苦思冥想，仍然不得要领。

李德生才思敏捷，但就是不愿多说——他的心里多少留着川中会战时因为多说话而受到批判的阴影。

张文昭此刻正在盯着前期布置的60多口井的勘探任务已经够忙乎的了。

办法总是有的。办法需要靠打破思想束缚，其实解放思想的行动在中国共产党的历史上有过无数次成功经历。只是不同时期叫法不同，余秋里挂帅石油工业时，他管解放思想叫作“开动脑筋，多想点名堂”。

脑筋动到了家，名堂就自然而然出来了。

余秋里自26日来到松辽后，白天一个一个地跑机台，晚上又整宿整宿地找人谈话，倾听技术人员的意见，与他们一起研究分析。

“他简直就是一台机器，你不让他停下来就永远会转下去。”现今也已变成“老爷子”的王玉俊谈起当年的余秋里时如此说。

专家们谁也解决不了的问题，最后还是由将军解决了。

“时间紧，布井又那么多，靠常规等一口口井取芯打完再试油，那么我们不知要等到什么时候，至少一两年以后吧？”余秋里把技术员召到自己的“部长临时办公室”——那是当时大同镇最“豪华”的地方，镇政府后面的一排“干打垒”——墙是土块打的、屋顶是高粱秆或用麦秸秆铺垫再压上厚厚一层土的那种只比人高出半个头的土建筑。

屋子里烟雾弥漫，技术人员们整整齐齐地围坐在几张长条木椅上，面对着坐在木椅上的将军。只见他盘着双腿，抽着烟，态度似乎比平时亲和与恳切得多。

“按照世界上找油的基本规律看，一个大油田从发现到搞清它的储量至少得三五年。这也是发达资本主义国家才能做得到的。”翁文波回应部长的话。

“是吗，三五年我们哪受得了？”余秋里“噌”地从炕上跳下来，把手中的烟蒂往脚底下一踝，然后在烟雾腾腾的低矮的小土坯房里来回走动起来。

技术人员的目光随着部长的身影移动。那些年轻一点的同志则把眼睛停在那只“飕飕”生风的空袖子上，内心泛起几丝敬意和畏惧。

空袖子甩着甩着，在那幅墙头挂着的松辽石油地质勘探图前缓缓停下……

啊，密密麻麻、横七竖八的线条和曲曲弯弯、形状各异、颜色别样的地图！将军部长的眉睫紧锁：这家伙跟打仗的军事地图真不一样啊！军事地图多好——敌我双方，清晰明了。进攻箭头、阵地区位，指挥棒所指之处，便能听得见千军万马，炮声的隆隆。这家伙地质图真是复杂，密密麻麻的像理不清的乱丝，叠叠重重的像翻不完的奇书。布下的几十口勘探井，在庞大的图纸上显得孤孤单单的，如同撒在一张大贴饼上的几粒芝麻粒……

“星星点点，点点星星喔！”空袖子甩了一个180度，“同志们，你们都是专家，我们能不能采取些打破常规的勘探方法，争取更快的时间完成勘探任务，摸清这个‘敌人’的底细？”

技术人员面面相觑，还像前一晚上一样，不能也不敢回答如此的问题。

不过这回有人把皮球踢回了余秋里："比如呢？"

"比如我们能不能将所有布下的勘探井分为三类：一类井只管往下打，不取芯，把电测、综合录井的资料搞好，争取最快时间掌握控制含油层就行；二类井则在油层部位全部取芯，以掌握油层特征，为计算储量取得可靠资料和数据；三类井是在构造的边缘打深井，以便通过分组试油等措施，确定油水的边界到底在哪里！最后再把这三类井所取得的各种资料合在一起，相互验证，这样是不是也可以达到你们地质勘探教科书上的技术要求，从而获得了解这一地区的油层和圈定含油面积之目的了？你们说说，这样做行不行？是不是可以同样达到我们想达到的目的？"余秋里这回说完，没有用他那双锐利的目光射向现场的人，只是顺手操起烟盒，然后划燃一根火柴，悠悠闲闲地点着烟卷，深吸一口，又吐出一缕烟雾，像是在自问。

"我看可以！"突然响起一个年轻而响亮的声音。

余秋里的眼睛一亮。他在寻找是谁的声音，但没有找到。大概这个声音自知在这种场合有些底气不足。

"翁文波同志，你说呢？"余秋里把皮球踢到技术权威那边去了。

"very good！"翁氏冒出一串将军部长听不懂的话。

"什么意思？"余秋里追问。

余秋里的目光直逼翁氏："嗯？你是说我的意见不行？"

翁氏急了，站起身来："不，余部长。我、我是说你的意见不仅可以，而且非常好！"

"真是这样？英文也这样说？"

"是的。"

"噢把我吓了一跳。"将军长舒一口气，脸上露出笑容，然后转向其他技术人员："你们是什么意见？"

此刻的"干打垒"里，气氛一改沉默，顿时活跃异常。

"好！我看余部长的意见完全可以！"

"是嘛，我们的勘探目的就是为了查清油田的情况，这样干省时省钱又能达到目的！从松辽整体的勘探看，也是符合技术要求的！"

“行，我看行。”

余秋里“嘿嘿嘿”地笑个不停，他将一包“中华烟”甩给那些抽烟的人，不会抽烟的人他也硬塞一根，口中道，“抽一口，抽一口！”然后说，“我是外行，你们回去好好再研究研究。张院长，这个任务交给你了！”他在张俊面前停下，又把目光转向屋子里的人：“好，今晚我们就说到这儿。现在散会！”

翁文波等专家们带来全新的问题，颇为兴奋地边议论着边出了门。石油部科学研究院院长张俊是最后一个离开余秋里屋子的，他似乎还有什么问题想问问部长，但见余秋里已经转过身去，眼睛又盯在地图上，便打消了念头。

第二天，余秋里又是一整天地往野外跑，转机台，找人谈话，在那个冰天雪地里与工人和技术员们滚打在一起。

“余部长！余部长！”余秋里刚刚从井台回到大同镇那个“豪华”招待所，胖子杨继良和张文昭兴冲冲地揭帘而进。他们一边吹着寒气，一边迅速解开手中的一张图纸，异常兴奋地说：“快来看看地质部长春物探大队的同志刚刚送来的大庆长垣地震构造图！你看你看——”杨继良口快地指着那张 1 ∶ 100000 比例的地震图纸，将手指滑向北边的那片广阔的地区：“这儿，这儿的地震显示，还有三个大约有一百至数百平方公里面积的大地域我们还没有布过一个钻孔，而地震资料显示那儿的储油构造比我们原先估计的南边这一带要丰厚得多……”

余秋里两眼看着图纸上那片叠叠重重的波纹形曲线——那波纹形曲线组成的图案好怪喔，余秋里看着看着，用手一指：“这玩意跟王八盖子一样嘛！”

杨继良和张文昭笑了：可不，那地震图上显示的大庆长垣构造可不跟甲鱼的背盖儿一个形状嘛！“余部长真会形容！”两位年轻技术专家看着将军的那只空袖子不再生畏了，而且多数时候还特随和、亲近，仿佛身边的将军是个农民大哥。

“你们的意思是北边还有更大的储油区域？”余秋里的右手掌压在“王八盖儿”的北边那一片，眼里闪闪发光地询问。

张文昭连连点头：“没错。地震资料显示储油构造，是目前我们侦察地下情况最先进的技术手段。你看，图上现在除了南部构造这一块外，我们通过这图可以清晰地看出北部杏树岗、萨尔图和喇嘛甸这三个高点，它们不但重磁力、电法显示的轮廓和高点吻合，而且这些构造的范围和高点的位置也清清楚楚。”

余秋里听完两位年轻专家对地震资料图的一番解释后，几乎将整个身子全都趴在一米多长的图纸上，嘴里还喃喃地不停叨唠着：“真得好好谢谢地质部，谢谢地质部的同志们哪！”那一刻，余秋里的心潮澎湃，后来在将军自己的回忆录里我看到他用了八个字：“兴奋不已，彻夜难眠。”我知道像铁铮铮的将军这样身经百战的人，一生中很少用这样的词汇来形容自己某一刻心情的。但此刻将军用了。这与大庆油田即将被发现这一伟大时刻有关。

我们知道，人们现在通常把松基三井出油当作一个标志。其实大庆油田的发现有过几个重要历史阶段，最早的贡献，应该是李四光、黄汲清、谢家荣、翁文波等提出的陆相生油理论，并由黄汲清、翁文波他们几个正式圈定松辽找油的地质构造图；其次是松基三井出油。而紧接着就是关于大庆油田是个大油田还是小油田？是个好油田还是差油田？是死油田还是活油田等这些决定大庆油田前景的关键性时刻。毫无疑问，中国石油工业史和许多当事人都证明，余秋里在这一关键时刻起了决定性的作用。有人形容余秋里在这一时刻对大庆油田所做的贡献，如同毛泽东当年在“遵义会议”上的贡献一样。而我看完众多原始记录资料、走访石油战线的不少老同志后，所得出的印象也是如此。

趴在那张地震图上的余秋里不能不激动！他是国家的一个部长，又是军事家，当他看到松辽大地下蕴藏的石油资源不仅证实了他们原先的估计，而且比他们原先估计的要大出不知多少倍时，他能不激动吗？那是真正可以让一直戴在我们中国人民头上的那顶“贫油”帽子扔进太平洋的天大喜事呀！而且余秋里还比别人特别多了一份高兴——他看到地震图上所显示的那个萨尔图构造正好有条滨洲铁路横穿其中。一旦萨尔图构造富油层成立，那对开发和外运石油将起多么好的作用啊！别人不知道，他余秋里知道：周总理为了把几千里之外的玉门、克拉玛依和柴达木的原油运往内地和沿海，不知花了多少心思，而且成本吓人！如果地处东北部的大庆油田是个大油田，这对国家建设该是多么大的一个福音嘛！不等于好像在建设工地旁有个大油库一样，想什么时候用，就什么时候去放阀门便是了！

这一夜，余秋里没有睡，“大中华”抽掉了两包。而在这烟雾腾腾的“干打垒”里，他已经为未来的大油田孕育了一个伟大决策……一清早，余秋里就让秘书把张俊和李德生叫到自己的房间。

“北边的构造显示告诉我们，那儿值得去大干一番。因此我考虑咱们把原来的勘探作战方案作些调整，在北边三个构造的高点上各定一口井，立即着手进行‘火力侦察’，彻底把这王八盖子底下的储油情况弄他个明白！你们看怎么样？”余秋里今天说话时，像扫机枪似的，用的也都是一串串军事术语。

“我看行！这个设想可以用绝妙来形容！”一向用词严缜的张俊这回说话也带着夸张语。

“你呢？李德生！”余秋里喜欢这位曾经批评过的年轻人。

李德生不知什么时候也学起了将军那套喜欢用手指在图纸上指指点点的习惯，只见他在三个构造高点画了一个三角形后响亮地回答道：“余部长，这回我一百个赞成你！”

余秋里的右巴掌一下重重地落在年轻人的肩上，不无信任地：“谢谢。”又说：“既然这样，我把这三个井的设计任务交给你了，得用最快的速度搞出来！一会儿就去！张院长你看可以吗？”

张俊说：“可以。”

“是！部长你放心！”李德生领着任务刚要出门，又被余秋里叫住。

“你叫邓礼让一起去，井位一旦定下，就让他立即调钻机去开工！”将军以军事作战的方式命令道。

“是！”李德生脆响一声，还真有几分军人的样儿。

漫漫风雪里，李德生和邓礼让带着一个测量小组，驾车从大同镇出发，一直向北边大草原穿越。那一望无边的雪地里，他们连口水都顾不得喝。第一口萨尔图高台子上的探井很快确定，当时定名为萨一井，后重新排序叫“萨 66 井”——现在史书上的叫法都为“萨 66 井”。该井定在萨尔图镇以南、大架子屯北一公里左右的草原上。李德生刚把井位确定，邓礼让就调来 32149 钻井队。而李德生则带着测量小组，继续沿着冰天雪地向北前进，目标是安达县义和乡大同屯南 1.5 公里的杏树岗构造高点，又在这儿确定了第二口——杏 66 井位。随即他们又继续向前，到达喇嘛甸构造高点的那处距喇嘛甸镇红星猪场北一公里半左右的地方定下“喇 72 井”。邓礼让紧接着又先后调度两个钻井队奔赴后面两个井位……

这是一场真正军事行动式的“火力侦察”，更是石油史上浓墨重彩的一笔。因为最早的松辽普查勘探工作一直是在原长垣构造的南部地区的葡萄花高台子上，松基三井就是在这个构造上。按照一般的勘探程序，一个地区打出见油井后，都是采用十字剖面布井办法，以两公里左右的井距依次向左右展开勘探，以这种方法一面扩大侦察地下储油面积，一面探明油水边界在何处。现在余秋里完全打破了常规，他让李德生、邓礼让定下的三口井，从松基三井所在的大同镇一下甩到“王八盖子”构造的北边 150 多里外的萨尔图和喇嘛甸子那儿去了。在石油史上是没有的，这也是只有像余秋里这样敢作敢为、气吞山河的军事战略家才能想得出的决策。

关于李德生和邓礼让定井位和调度钻机上马，我在上面说得很简单，其实这三口井尤其是后来搬迁、施工等都比较复杂艰苦，正如杨继良回忆的那样：“当时钻机的搬家安装，除了缺少大型运输和起重设备外，许多器材设备也比较困难。其中安装较迟的一些井，为了开钻配泥用的水都成问题。一般在探井旁边要另外钻一口水井。有的探井为抓紧开钻，就用人拉、车推到附近的水泡子中运来冰块，等融化后再配泥浆，或是组织机关和后勤人员一起动手，用扁担挑，用脸盆端。这样，硬是要配出几十立方米泥浆来保证开钻……”

杨继良是地质工程师，他描述的仅仅是配泥浆这样的技术困难，事实上，当时开钻打井遇到的问题何止这些？冰天雪地里，光是晚上睡觉的问题都没法解决，前不着村，后不着店，井位都是在荒无人烟的草原上。吃饭更是个大问题。

“你们机关的统统下到一线去！你们现在吃什么、睡什么，钻井队也要吃什么、睡什么！”余秋里走出他的“豪华”住所，一个草帘子一个草帘子地揭着，让住在老百姓牛棚马厩里的“石油部松辽石油勘探局”的机关干部们全部上前线支援钻井队。

其实那时前线哪有什么机关？不就是一条硬炕，一床棉被，另一条木长凳和几幅图纸！

那会儿的干部和群众的觉悟与思想境界，真的让我们现在的干部和机关人员感到汗颜。那会儿人们不讲价钱，更不讲你我，能为国家早日找出大油田，就是让他们去死，他们照样义无反顾。

这是余秋里带出来的队伍——一支不穿军装但保持军队作风和传统的钢铁队伍。这支队伍的作风和传统一直保持到今天……

中国石油史上著名的余秋里“三点定乾坤”故事就是上面叙述的事。之后，在三口井分别获得了高产油。第一口“萨 66 号”井，于 1960 年 2 月 20 日开钻，很快见了油层，3 月 13 日完井，初试日产量达 148 吨。如此高产量油井，如此厚的油层，如此好打的油井，在中国石油勘探史上也是第一次。出油那天，工人们简直发狂了，他们说自己真的掉进油海了！喜讯传到石油部时，六铺炕的那栋石油大楼响起震天的欢呼声，人们都在感叹着：“没想到！没想到！”似乎说一百个、一千个“没想到”还不过瘾。是啊，太大的惊喜之后，除了用“没想到”三个字外，还能有什么比这更好的形容词呢？

继“萨 66 井”踩到富油区后，在杏树岗构造上的“杏 66 井”也于 1960 年 4 月 19 日喷油，日产 27 吨。最北边的喇嘛甸子构造上的那口“喇 72 井”更是让余秋里和石油部上上下下美滋滋了好几天，因为那口井日喷油高达 174 吨！

至此，那个“王八盖子”一样的大庆长垣构造正式被确认是富油区，而且是个世界级的大富油区。

这是一个让余秋里激动不已的大“金娃娃”！

这是一个让全中国人民激动不已的大“金娃娃”！

让我们暂时还继续回到余秋里派李德生和邓礼让出去布置井的时间。

1959 年 12 月 30 日下午两时，这是余秋里来到松辽后的第四天，一切战略布局确定后，同时也对前线情况熟悉后，现在将军要作次正式报告了。对象是参加松辽勘探工作的石油部在大同镇地区的所有井队、车间以上的干部。这 4 天里，余秋里加起来没睡上 10

个小时的觉，一直处在紧张和高亢的情绪之中。今天的会议上，他依然精神抖擞，风纪扣扣得整整齐齐——在正式场合，他余秋里一生不马虎，别看他在家里赤着身子、穿个大裤衩到处溜达，可一出门从来不含糊。

军人就得像个军人的样。那是一种力量的象征，一种作风的表现。当了部长不再穿军装了，可他始终以一个军人的形象出现在人们的面前。

现在开会了。他以一副将军的姿态，健步走向会场。

嗯？这是什么会场嘛！将军部长来大同镇 4 天，似乎还是第一次注意这个小镇：冷冷落落的一条百米小街，两边没有一间像样的房子，更不用说有半间楼房了。所有的房子全是土垒的那种又低矮、又没屋顶的泥棚棚。秘书说了，今天的会是在镇上的一个剧场举行。

北大荒上的一个公社小镇还有剧院？将军部长迎着呼啸的北风，走到公社招待所对面的那排泥垒平房门口，用手揭开一块棉布做的门帘，往里一看：嚯，这就是剧场啊？黑洞洞的连个电灯泡都没有嘛！

“余部长来啦！”

“余部长好！”

“好好！大家好！”余秋里看到满屋子的人站立着向他鼓掌欢迎，这让他格外高兴。虽然他和他们中间大部分人刚刚才认识，但这就足够了。因为这是他的队伍，他的将士们！松辽找油的先头部队！

在主席台前的木凳上刚刚落下屁股，余秋里心里就在想今天讲些什么呢？当然是鼓劲了！这几天在一线看到自己的勘探队伍不断取得找油的进展，尤其刚才听张俊院长说，李德生他们已经把北边的“萨 66 井”、“杏 66 井”和“喇 77 井”都已定下，而早先在葡萄花构造上的那几十口井又日见进展，能不心头喜气洋洋？别开局面的 1959 年即将过去，全面见成效的新一年即将开始，该给大家鼓鼓劲了。战斗队伍要有战斗力，就得不断鼓劲，不断锤炼他们！这一点将军比在场的所有人都清楚。在石油部上上下下也只有他最清楚。

“同……”余秋里坐正位置，刚想张嘴先向诸位问一声“同志们好”，却被坐在第一排那个胖墩墩的年轻人的一脸眯眯笑的样儿愣住了：这不是刚才给自己送“葡 20 井”岩芯资料的小杨、杨继良地质工程师嘛！是他。

余秋里一下火了，声音严厉得很："你这个年轻人怎么搞的嘛！"

方才还有说有笑的会场一下静了下来，后面的不知发生了什么事，见部长在教训前面的人，便往前拥着看热闹……

杨继良！是杨继良地质工程师撞上将军的枪口了！有人幸灾乐祸地悄声私语着。

手里拿着钢笔、一心准备坐在第一排好好听部长讲话的杨继良见部长盯着自己在问"你这个年轻人怎么搞的嘛"时，他杨继良蒙愣了："怎么啦部长？我哪儿做错了？没有呀！我坐在这儿什么也没做嘛！"

"你自己看看，什么军容风纪！"将军显得有些怒嗔。

军容风纪？杨继良被问得莫名其妙：什么是军容风纪？地质教科书上从来没有这样的名词嘛！军——容——风——纪？杨继良始终想不出来，只好可怜巴巴地看着台上一脸怒容的部长。

"你挺帅的小伙子，扣子掉了也不知道钉一钉，鞋子破了也不补！头发长了也不剃……你这样，往大街上一走，人家还不把你当成叫花子？哪一点像我们的队伍？"

杨继良终于明白了：原来部长批评我这身打扮呀！可不，胸前的两个扣子绷不住他的一身天生肥肉，大棉鞋什么时候也张着嘴，衣服裤子来到这儿几个月了也没有换过——这不能怪我，一是太忙顾不过来，二是我媳妇跟我一起从西安来松辽后局里说没有条件给安排一起生活嘛！再说，你部长不是一向提倡"知识分子工农化"嘛！嘻嘻。

"你还笑！笑什么？"不想台上的人大发雷霆起来，"像你这样的队伍能打仗吗？能打胜仗吗？不能！没有严格的作风和端正的仪表，就是没有战斗力的表现！你自己说说对不对？"

对？还是不对呀？没有当过一天兵的杨继良哪想得出这样的结果嘛？你要问他什么构造、什么地层，他可以滔滔不绝给你讲三天三夜，可这军队的事……我哪知道嘛！杨继良从来没有这样窘过，那张本来很可爱的胖乎乎大脸，此刻又可怜又滑稽。

"你走吧！"台上的人竟然一挥手责令他离开会场。

杨继良没想到问题竟会这么严重。无奈，他只得灰溜溜地低着头，向门外走去。当揭开那块大棉帘时，他转头朝台上的人定神看了一眼：是啊，人家大部长，年纪也比自己大近一倍，而且又是少一只胳膊，瞧人家穿得整整齐齐、有模有样的。

年轻地质工程师自愧不如地飞步回到宿舍，翻开那只从西安带到松辽的木箱子，捣鼓了半天也没找出一件像样的衣服，气得他狠狠一脚将那木箱踩成个扁疙瘩。这可怎么办？还要听报告呢！这余部长今天的报告可不是一般呢！杨继良想了想，也没想个啥招。干脆，挨批就批吧！报告不能不听！

一溜烟，年轻的地质工程师又回到了小剧场，又重新坐在第一排的位置上。

这回台上的人似乎并没有注意到一个"军容风纪"不整的人就坐在他眼皮子底下。他正在忘情地挥动着右手，声音震天地演讲着：

……松辽是我们的希望，是中华人民共和国的希望！我看我们就要在这儿抱个大"金娃娃"了！同志们有没有决心呀？

有！惊天动地的回应。

好嘛！有决心就好！我们就是要有一个朝气勃勃的精神面貌！就是要有冲天的革命干劲！我们的主席早就说过，人就得有点精神，没有精神的人是干不出什么名堂的！没有干劲的人，半点马克思主义也没有！我们就是要马克思主义、毛泽东思想！就是要干出大名堂！干出让全世界都感到震惊的大名堂！

"干出大名堂！"

"向毛主席报喜！"

"向全国人民报喜！"

"向新年报喜！"

"……"

"当！当当！"正当大同小镇的那个小剧场里的几百个人跟着独臂将军高呼阵阵口号时，北京新建的电报大楼已响起新年钟声……

"报告部长，北京来电，请你立即启程到上海参加重要会议。"秘书送来一份由黑龙江省委转来的中央办公厅通知。

余秋里抬起右腕，借着马灯光亮看看表：嚯，12 点 01 分。

新年到了啊！他的脸上露出了笑容。

"立即出发！"他站起身，没有一点含糊。

可是秘书急坏了：往哪儿出发呀！黑龙江省委从哈尔滨来电特意说，希望余部长能在元旦清晨赶到哈尔滨，然后再跟他们省委主要领导一起乘车途经北京再去上海参加毛泽东主持的中央政治局扩大会议。从大同镇到哈尔滨有两三百公里，那一路弯弯曲曲的土公路，又盖满了厚厚的冰雪。就是白天也没有人敢开这么远的路，何况现在是深更半夜！

这可怎么办？

省委一名送中央通知来的副秘书长悄悄对余秋里的秘书说："省里知道余部长可能坐汽车赶不到哈尔滨，就让我来协助当道拦一列火车让余部长准时赶到哈尔滨的。要不我们还是上离这儿最近的让湖路火车站去看看？"

"现在去能有啥车子过嘛？"秘书问。

副秘书长说："我打听了，说正好有一列拉煤的货车要在小站上停一下。"

"你是说让首长搭货车走？"秘书瞪大了眼睛。

副秘书长不好意思地："没办法，只有这趟车。"

秘书为难地把这事只好报告自己的首长。

"很好嘛！是个机会！走，搭火车去！"余秋里二话没说，拔腿就走。

小车站也真够小的。连站长在内共 3 个人。站长一听是部长搭停在他站上的货车，又是激动又觉此事非同一般，于是亲自举着小旗，吹着哨子，有模有样地笔挺站在不足 50 米的站台上，看着列车徐徐驶出自己的小站，目送着共和国的一位部长远去……

惨了。上了货车秘书才叫苦不迭呢！他真想把省里那位副秘书长骂个狗血喷头，可人家也是好意，希望余部长能准时赶到哈尔滨嘛！

"嘿嘿嘿，我看这儿挺好的。"哪想偎缩在旮旯里的将军倒也自在地一个人抱起一捆麦草，往自己的身子底下一垫，仰面四脚朝天地躺了下去，而且嘴里还念念有词地说着："舒服舒服！好舒服啊！"

一盏马灯，在昏暗的车厢里摇晃着。几个臭虫顺着麦秸秆和杂草，正向熟睡的将军部长进攻，尤其疯狂地向那只空洞洞的袖子发起不停的袭击……

蹲坐在一旁的秘书气得直想伸出十指，将这些可恶的臭虫一只只捏死！可不行，那样会惊醒首长，而首长来松辽后就没有好好睡过一觉。无奈，秘书眼睁睁地看着可恶的臭虫在向熟睡的首长进攻着，甚至是肆无忌惮地。

将军没有醒，似乎根本没有把这些区区小虫放在心上。他睡得酣香、酣香……这算什么？当年长征路上毒蟒就在身旁都没有抬一下眼皮！惹急了，什么臭虫烂蟒，抓起来往嘴里一塞：娘的，还能顶上几天雪山草地的战斗呢！

这是将军在1960年第一天所经历的生活内容。现在的人们怎么也不会想到一位政府部长竟然会在如此恶劣的环境下度过了新年第一天。但大庆会战时的余秋里和千千万万石油人几乎都是这样工作和生活的。尤其是这一年开始的大会战中，他们几乎天天都是在这种条件下生活和战斗着，甚至比这更加艰苦卓绝……

列车在“轰隆”、“轰隆”声中向东飞驶着。

将军部长在这“轰隆”声中做着明天的美梦……

# 第五章

"余秋里，你那边有没有点好消息呀？"又是毛泽东的声音。

"报告主席，从目前勘探情况看，这回我们真的找到了一个大油田！"

"啊，大油田？"

"是的，主席。"余秋里回答得很肯定。

罗瑞卿大笔一挥：自己人，3万官兵给你了！

调兵遣将，黑土地上雄师呼啸。

挥师北上，和平会战史无前例。

"首长！首长您醒醒呀！"警卫参谋已经在301医院高干病房的走廊里睡了10个月了。他还像过去一样时刻不离首长。现在首长从来没有离开过病榻，而忠于职守的警卫参谋仍然形影不离首长，因为首长的安全是他唯一的也是全部的工作责任。

但现在的首长不再用他鞍前马后地奔跑了，甚至连叫他一声的可能都已经没有了。

"首长，小周我在您身边！天天都在您身边！您叫我一声，哪怕就像以前您临去开会忘了一样文件让我奔跑回办公室取我也时刻准备着！可您说嘛！啊首长，您咋这么长时间也不说一声。我、我憋得慌呀首长。

"什么？您说您还要睡觉？噢——那首长我不打扰您。首长您一生太累，是该睡个好觉。就像您过去对我说过的，困极时您说要睡他个天昏地黑！哈哈哈，那时您多么爽朗。说睡就睡，说起就起。

"什么？您说您还要做个长梦？嗯，你说什么？您又见到毛主席啦？"

病榻前的警卫参谋立即肃然挺身而立——那是神圣的时刻。

1960年1月7日。上海。锦江饭店。

还是一年前毛泽东问他"四川的情况怎么样"的地方。那次是余秋里一生中少有的一次在最高统帅面前显出窘相。

时逝365天，情况已经发生了巨大变化。但锦江饭店没有什么变化，这不能不让余秋里联想到去年的窘境。这回他是有备而来——因为他刚从松辽前线回来，那边的情况他心里有底，虽然不能保证已是“日出东方”，但石油曙光却已喷薄而出了。

余秋里在等待毛泽东的发问。当然是问石油的问题，石油部长嘛，该汇报的自然是石油。他知道毛泽东和中央领导对石油问题越来越着急和关心。自打他余秋里来石油部后，虽然摘掉了“完不成任务”的黑帽子，但就全国的石油紧缺仍然形势严峻。就拿刚刚过去的1959年来说，全国石油消耗总量为505万吨，而国内自产的仅为205万吨，自给率只有40%多一点点。国家依然不得不消耗大量外汇购置进口原油和成品油，那时国家受西方封锁，外汇少得可怜，甚至有时不得不拿出国库里的黄金通过香港等友人转手套些外汇回来。可是国家建设各行各业都在蓬勃发展，哪个地方少得了外汇呀？石油一家就用掉了国家外汇总量的6.7%，为此中央着急，毛泽东更着急。

毛泽东着急的不仅仅是用掉外汇的问题，他有更大的担忧：南边的印度一直在擦枪，北边的苏联赫鲁晓夫看来是铁了心想跟中共决裂了，台湾岛上的“老蒋”也不消停呀！

仗是不可避免的了！而且是要准备打大仗了！毛泽东一直在对自己的助手们这样警告着。

一打仗，就得动炮动飞机吧？那时用油可是海了去了！石油部的同志们啊！得“革命加拼命”噢！

余秋里身为军人出身的石油部长，他耳边不时传来那些老帅和军委总部的老领导们对他的一声声提醒和催促。这样的提醒和催促，对他余秋里来说其实就是命令，其实就是批评，他是军人，他懂得这样的提醒和催促的分量。

在余秋里之下的石油部的同志是不会有这种感受和体会的，就连康世恩也不是有太多这种感受和体会。只有当过新四军“财务一支笔”的李人俊副部长可能还比较理解和同情将军内心的这种巨大压力。他们同是军人，而且都是会算账的军人。军队统帅人物中除了那些指挥作战的司令员外，还有会做思想政治工作的政委，再有一种也是必不可少的，那就是保证供给的算账人——部队用语叫作后勤部长。军队机关按司、政、后分就是这个道理，这三种大员少了谁也不行。三种人才合起来就能打赢仗。而中国军队里能一人兼有三种军事才能的并不多，余秋里可以算一个，是非常杰出的一个。这也是我们的独臂将军为什么在新中国成立前的战争中能得到毛泽东、贺龙、彭德怀的特别赏识，到了和平建设时期他又从解放军总后财务部部长、总后政委，到石油部长、国家计委主任、国务院副总理等重要岗位。

这是后话。

现在，余秋里仍然在等着毛泽东问话。他从李富春副总理的口中得知，1960 年国家对石油的需求更厉害，得 1000 万吨以上。余秋里原来跟部里的几位副部长商定新一年的石油产量目标是：争取在 1959 年基础上再翻一番。可再翻一番也就是 400 多万吨，到不了国家需求总量的一半。这事咋弄嘛！

余秋里急着在元旦前 4 天赶到松辽实地考察和布置战局，有一个非常紧迫的现实问题是：新一年石油部的产量怎么样跟中央要求统一起来的问题，这是大局，包含着政治内容的大局。是毛泽东主席和周恩来总理的棋盘上要考虑进去的“车、马、炮”嘛！

以为国家的部长就这么好当啊？嘁！

“余秋里同志！”嚯，毛泽东终于问话了！

余秋里“噌”地站起来。

“你看过那篇文章吗？”不是问石油呀？是的，毛泽东这回问的是一篇文章，这篇文章刊于 3 天前的《人民日报》，有两个版面，是专门评印度总理尼赫鲁在苏联暗中支持下对我西藏边界一块 4 万平方英里的面积抱有野心的所谓“麦克马洪线”存有企图。如此重要的信号，毛泽东当然一直在关注，而且这样的文章必是经过他和周恩来之手认真推敲后发出的。这是当时一个重大的国际问题态势。但说老实话，那一段时间的《人民日报》上几乎三天两头有重要的长篇文章出来。领导同志们都看过没有？毛泽东要求高级干部是非常严格的，尤其是重大国内国际问题，你高级领导干部要了解，不看报还成？所以此次政治局扩大会议正式开会的“前奏曲”是他毛泽东特有的提问式——

“昨天睡得很好，今天上午就抓紧开会吧。”毛泽东点上一支烟，显得很愉快轻松的样子开始发问，“我问你们一个事：前几天报纸上的一篇文章，评尼赫鲁的一封信，你们看过没有？”

会场上鸦雀无声。

“柯庆施同志，你看过没有？”毛泽东像上课的老师似的，开始点起名了。这一招更令在场的与会者紧张万分。毛泽东才不管你是谁，他照样会对刘少奇、周恩来点名，问同样的问题。你以为他点点名，你说一声“看过了”就完事了？大错特错！毛泽东说不准冷不防追问你“哪段哪段讲了些什么”之类的话，你没看过想蒙他麻烦就会更大。

但还是有人怀有侥幸心理。大人物也是人嘛！他们也是从逃学的小学生开始成长起来的，再说他们都是日理万机的人，又不都是像陈伯达、康生式的整天抱着书本的理论家，也不像柯庆施这样善于看毛泽东喜怒行事的人，他们难免像没有做完作业的小学生。

“吴德同志，你看过没有？”

“看过。主席。”吴德确实看过。

“×××”后面的人毛泽东不再另说“看过没有”这样的提问内容了，只点名。

会场变成考场一样，静得出奇，只有毛泽东和另一位被提问到的人的声音。

毛泽东的点名很随便，既有台下的，也有坐在他身边的。想点哪个就是哪个。让你没有心理准备，当然也有人怀着侥幸心理想逃脱提问——那些没有看过这篇文章的人。余秋里就没有，他哪有时间看嘛！元旦那天他还睡在货车的麦草里，之后两天急赶慢赶地几乎一直在路上，那时火车也没有提速一说，从哈尔滨到北京，再从北京到上海，少说也得三四天时间！再说他的心思天天盯着松辽那边勘探井的事，这中间他在哈尔滨还检查了几个炼油厂，4 日赶到北京，5 日那天开了一天党组会议，指派康世恩同志上哈尔滨准备筹建下一步大规模行动的事宜。6 日他余秋里又登上开往上海的火车。说实话，3 日，其实还不止 3 日的《人民日报》，他就根本没来得及扫一眼。

等着吧！听天由命吧！

毛泽东真的点到了余秋里。

余秋里直挺挺地站起来，这会儿那只空洞洞的袖子一点儿都没有声响。会场上所有的人都把目光聚在他身上。

“报告主席，我……我没有看过。我还在路上……”余秋里像做错了事的小学生，偷偷看了一眼毛泽东，然后低下头，等待着“老师”的一顿剋——因为会场上刚才点到的名他们都回答“看过了”，只有他余秋里说“没看过”——而且距去年的庐山会议不足半年，什么时候有倒霉的事落到自己身上，除了毛泽东自己外，谁也心里没个底。有人比余秋里更紧张，因为他们坐得离毛泽东更近，越近的人越紧张，一旦风暴刮起，先吹倒的肯定是那些在风暴中心的人。

余秋里在等待，眼巴巴地站在那儿。他抬起眼再一次看了一下毛泽东。发现毛泽东在示意他坐下。他坐下了。毛泽东说话了：“都说‘看过了’‘看过了’，其实真正有几个人看过了呢？我知道，你们许多人是没看过的！”

会场上顿时响起一片轻松的自嘲。大家都在笑，毛泽东也在笑——今天他显得很高兴似的。

“余秋里啊，你可是给我帮了大忙啊！我也没有看过嘛！”解放军总参谋长罗瑞卿坐在余秋里旁边，低着头，用肘子捅捅余秋里的右胳膊，窃窃偷笑着。

会议正式开始。毛泽东则一直没有问起石油的事。

余秋里不行啊，他的心时刻惦记着松辽那边，几乎半天就要往那边打个长途，好像就他忙似的。

“喂喂，今天有什么新情况？”7日晚饭后，余秋里又关上房门，给松辽那边挂长途。

“余部长，情况好极了！‘葡7井’今天试油，用了3毫米至7毫米4种规格的油嘴系统测试，日产达到9.2吨至39.66吨啊！”康世恩的声音。

“好嘛！这可比松基三井高产多了！”余秋里解开中山装的风纪扣，脸上像开了花。

"松基三井也有新情况，他们换了一个与上次不一样的油层，结果你猜怎么着，也喷油啦！"

"好好好！继续观察其他井！有情况马上给我来电话！"余秋里这一天心头实在高兴，出房门时嘴里还哼了几句："社会主义好，社会主义好，社会主义好，社会主义江山人民保……"

晚上继续开会。这是毛泽东的作风。在他那个时代，部长以上的领导们谁想晚上12点前睡觉，那肯定是睡不安稳。毛泽东逝世后，这个作风仍然保持了相当长时间，不过后来慢慢地好了许多，但晚上中央召开紧急会议是经常的事，所以高级领导们仍然保持着这样的习惯，只是深夜开会的次数比毛泽东时代少多了。这就让一些人麻痹起来。余秋里的管理员陈先学同志给我说过一件事，说在余秋里同志当中央书记处书记时，已经有些日子没有深夜开会了，那天他觉得也不会再有事了，便在12点前让首长服了安眠药——许多年来余秋里睡觉前都要服一定量的安眠药，而且都是在12点以后才服的。这一天小陈提前了几十分钟给首长服药。也巧，安眠药刚服完几分钟，红机电话就响起了，说请余秋里同志马上到中南海开紧急会议。

"你看看，我说等一会儿再服药再服药，你说没事没事！这下好！"首长一脸怒气。年纪大了，又吃了安眠药，开会时睡着了这不是误大事嘛！余秋里从家门到上车子时，一路生气。

管理员小陈知道自己做错了，心里忐忑不安地等着首长开完会回来批评。

几个小时后首长回来了，进门时脸色比出去时要好得多。见了管理员小陈，有些幸灾乐祸地喃喃着："今天王震副主席也肯定服过药了，我看他开会没多长时间就眼睛都睁不开了……"

小陈如释重负。

"你以后再别在12点前催我吃药了啊！"余秋里突然声音很大地冲小陈说。

"是，首长，今天是我不对。"小陈牢牢记在心里。

现在我们继续回到1960年1月7日晚的上海锦江饭店。

会议内容没有改变，毛泽东和他的助手坐在主席台，一个一个地听各部门、各省市主要负责人汇报各自的情况和对当前形势的看法，像有些“侃大山”似的，谁愿意先讲就先讲，毛泽东还不停地插话，气氛非常和谐。只是余秋里没有抢在前头，他的心里一直在想着松辽油田那边一个接一个的喜事。他有些闷不住了，毛泽东怎么还没有问他话？

“好，今天的会就到这儿结束！明天继续！”毛泽东宣布散会。

与会者纷纷起身，准备离开。余秋里跟着站起。

突然主席台上有人大声叫道：“余秋里同志……”

余秋里一震：是毛泽东的声音！

那些准备退场的人也跟着站住了。

“你那边有没有一点好消息呀？”毛泽东的问题终于提出了。

余秋里这回心里很爽，声音也变得很敞：“主席，好消息还是有一点的！”

“噢？怎么样啊？”

“从松辽勘探的情况看，这回大油田我们是拿到手了！”余秋里的话让会场气氛活跃。

“嘿，是真的吗？有大油田？”毛泽东欠欠身子，兴奋中似乎还有些不太相信。

“主席，不光是大油田，可能还是世界级的特大油田嘞！”

余秋里今天的底气很足，因为他刚才从长途电话里已经得到松辽那边的确切情况，特别是葡7井出高产油喜讯来得及时，而且好戏还在后面呢！

“好哇！这是个值得注意的好消息！”毛泽东这回从椅子里站起身，满脸笑容。一天的会议，余秋里最后的非正式汇报是毛泽东今天最高兴的事。

新年伊始，石油部高兴的事接二连三，有点目不暇接。

继葡7井1月7日喷出高产油后，葡20井、葡11井、葡4井等共有6口井相继喷油，且都是稳定在日产10～24吨的高产井，基本都大于松基三井产量。此外，还有正在钻探之中的7口井也相继钻到了油层。而仅这13口井所控制的油田面积就在200平方公里左右，粗略估计，地质储油量达到一亿吨以上，相当于克拉玛依规模。

“老康，你把技术人员召到你身边，你们一起好好研究讨论一下，看看松辽那边的情况到底优点是哪些、问题是哪些，然后你回北京，我们要商量后面的大事了！”余秋里在上海的会刚开完，就令正在哈尔滨的康世恩迅速准备大战前的技术准备。

康世恩遵嘱立即把松辽一线的翁文波、李德生、张文昭、杨继良等主要骨干召到身边，夜以继日地展开了讨论。最后大家一致认为：松辽长垣石油勘探目前的结果有16条有利因素和一条不利因素，它们分别是：油田大；构造平缓完整；储油层多；生油层厚；盖层好；储油层物生好；油井产量高；油层压力高；储油层埋藏深度适中；油井可以自喷；油层温度高；电测对油、气、水解释准确；地层可钻性好；地层自造浆；有丰富的地下水；地势平坦、交通便利。一条不利因素是原油油质有三高：含蜡高、凝固点高、黏度高。

“16条有利因素，好嘛！你们是说这个大庆油田哪方面都是得天独厚？”余秋里看了上面这些分析，十分惊讶地问康世恩。

“是的。从现在勘探和出油的基本情况看，大庆长垣构造属于整装砂岩油藏，其有‘教科书式’的穹隆背斜构造的特点，总之，比世界上像巴库等大油田的地质情况还要简单。可以说是上帝给予我们的一个得天独厚的好油田！”康世恩很专业地回答说。

“那你说说这一条不利因素什么意思？是我们的油质不好？”余秋里接着对油性的“三高”非常警惕。

“噢，这里说的三高并非我们的油质不好，而是油性有些不利于开采开发。”

“怎么个不利于开发？”

康世恩想了想，还是用个形象比喻来回答吧，于是他想起了那天张文昭在现场向他汇报的葡7井出油后的情景：“那天张文昭他们告诉我，说葡7井喷油时，外面寒冷，那喷出的油一会儿就凝成一个个黑豆粒似的从天上掉下来，大伙儿踩上去就像踩在软皮筋上一样。油滴落在脸上也会自己滚下来，不粘皮肤……”

这有趣的故事，余秋里听了却脸色很不好看：“你是说这油稠得很啊？”

康世恩点点头：“是这样。所以下一步炼油厂建设的问题要抓紧，再有我们在开发时如何保证原油从地下喷出后能够顺利地储运也是个重要问题。”

余秋里若有所思地：“这事老康不能马虎，得想点办法。”

后来在余秋里和康世恩等人的亲自关注下，堪称石油战线“五朵金花”的攻关项目迅速上马，为大庆油田的原油开采和成品油生产提供了技术保障。如当时大庆油田发现后，原油滚滚而涌，全国上下一片欢腾，喜气洋洋。可是原油从井里喷出来后不是马上就能用的，尤其从原油变为成品油，还有很多工序需要进行。大庆当时没有炼油厂，原油只能运送到大连炼油厂等地方去。过去大连炼油厂炼的油都是进口苏联库页岛油田的原油，凝固点很低。而大庆油田的原油凝固点在20度以上，加上那一年送到大连石油七厂炼的原油季节也正好是冬天，七厂的装置、设备和生产技术是很不错的，可他们对大庆油田的油从来没有碰过，被凝固点高的原油弄得狼狈不堪。据说从火车站卸车开始，一直到数公里外的炼油厂车间，没有一处不是“油毯”铺盖着的——原油掉落得到处都是，生产只能停停开开，工厂上下一片埋怨声，于是“大庆油不好”、“无法炼”的话到处传开了。余秋里知道后大发雷霆：“真是岂有此理！是你们的本事没到家，却怪大庆的油不好！”正巧七厂的厂长姓苏，名得山。余秋里的火就更大了：“就是因为你们厂的厂长姓苏，你们就迷信苏联的油一定比我们的好啊？”这顶帽子够吓人的，从此再没人敢乱说“大庆的油不好”了。不过批归批，说归说，但大庆原油的“三高”确实也就像现在人们常得的“三高”富贵病一样，不是那么好治。余秋里后来专门派了生产技术司司长孙晓风和专家侯祥麟等人进行技术攻关，并经过反复试验，最后“五朵金花”终于绽放，朵朵开得鲜艳多彩，成为石油史上一景。此是后话。

松辽前线的勘探工作可以说已经基本摸清了地下情况，大油田唾手可得，现在是怎么个开发的问题了！面对如此空前规模的大油田，怎样把它拿下来，这对余秋里和整个石油部来说是个全新的问题，即使对毛泽东和周恩来领导的中央政府来说也是个全新的课题。那是个特殊的历史条件：帝国主义对中国实行经济全面封锁，中苏关系已经日趋恶化，“老大哥”的专家已经基本撤光了，依靠外援已无可能。只有一条路：自力更生，艰苦奋斗。

艰苦奋斗好说，可怎么个自力更生法？自力在哪里？余秋里掰掰手指，算算石油部自己的力量少得可怜呀：松辽那儿总共只有20多台钻机，不足5000名职工。不过从全国石油战线看，还是有些力量的：老的新的加起来有17万职工，钻机嘛也有300多台，再加上国家一年给的总投入10个亿。应该说打一场战役基本具备。

干！要干就得痛痛快快干！

“我们搞石油勘探，跟打仗很相似。要勇于解放思想，敢于在情况基本搞清楚的情况下做出果断决策。有充分根据而不敢做决断，就会贻误战机，就会一辈子落后！”党组扩大会议上，余秋里挥动着独臂，慷慨激昂，“现在国家迫切需要石油，松辽的资源又比较可靠，地质情况也搞得比较清楚，是到了下决心的时候！我们要准备从全国调集力量，组织石油大会战！改变石油工业的落后面貌就在此一举！”

“我们必须下定决心，背水一战，全力以赴拿下这个大油田！”

“松辽石油会战，只能上，不能下！只准前进，不准后退！”

“就是天大的困难，也要硬着头皮顶住！争取以最快的速度、最高的水平，把这个大油田勘探、开发建设好！把石油工业落后的帽子甩到太平洋去！”

石油部大楼，此刻春雷滚滚。那只呼风唤雨的右胳膊在不时地掀天扫地，那只空洞洞的左袖子也变得急雨劲风……

“余秋里同志挥动胳膊的神情和这番荡气回肠的话，我们记了一辈子！每次回想起来，都十分激动！”康世恩活着的时候几次说过这样的话。我在采访中也听到许多老一辈石油人说过同样的话。

余秋里不是演说家，但他一旦激动起来，那讲的话极富感染力、鼓动性，能把一颗颗冰冷的心扇乎得热血沸腾！能让本来已滚烫的火星熊熊燃烧起来！

余秋里不是理论家，但他一旦作起报告时，便会出口成章，而且把最想表达的主题用最明了、最准确的语言，形象而生动地表达到位。能让那些本不在意的人迅速进入一个巨大磁场般的境地，然后身不由已地跟着他去赴汤蹈火，去冲锋陷阵，且丝毫不感后悔，反觉无上荣光。

“富春、一波副总理：从2月1日到2月5日，我们部党组对东北松辽地区的石油勘探情况和今后部署问题，反复进行了讨论……”夜深人静时，余秋里叫上笔杆子、机关的宋惠同志，一句话一句话地记录下来。这种习惯是余秋里几十年军旅生涯养成的，那时大仗激烈时，他都这样一边说一边让作战参谋记下战事报告和战斗通知的。现在松辽地区的油田大战役即将开始，余秋里完全又重新进入了战时的那种状态。

东方欲晓时，给中央两位主管工业的副总理的报告已经写好。余秋里让秘书端来一盆冷水，擦擦脸，说：“上班后马上跟中央办公厅联系，我要面见李富春、薄一波副总理。”

“哎呀！秋里啊，这是啥时候嘛？别的部门都在下马，你们却要上马，而且是大上马！这么个大行动，我说了怕不算数，你得找小平同志，他是总书记。”厚道、实在的李富春以长者的身份对余秋里说。

“那我就找小平去。”余秋里夹起“报告”，便带着“石油部铁算盘”李人俊副部长找到邓小平。

邓小平仔细看完报告，又让余秋里说一说。

“松辽大油田已经摆在面前，国家又那么需要原油。我们是想在今年搞出些大名堂，但力量分散是不行的，所以想集中石油系统一切可以集中的力量，用打歼灭战的办法，在松辽地区开展一场勘探开发石油的大会战！”余秋里说。

邓小平吐着烟气点点头说：“在力量有限的情况下，集中兵力打歼灭战的路子对头。我赞同。这样吧余秋里同志，你给中央正式打个报告。”

“好的，总书记。”余秋里悬着的心落定了，他从邓小平那儿明白了中央的态度。

真是马不停蹄。2月13日，石油部给中央的报告正式报送中南海，报告的题目是《关于东北松辽地区勘探情况和今后工作部署问题的报告》，这个报告具有历史意义，是余秋里一个字一个字地定的稿，我们现在摘上几段一读，仍然能感受到一个伟大发现之前的那种激动人心的气氛：

中央：

最近，我们对东北松辽地区的石油勘探情况和今后工作部署问题，作了反复的研究和讨论。从现在已经掌握的资料来看，可以说形势很好，来头很大。目前，已经在黑龙江省肇州县大庆（原名大同镇）地区，探明了一块200平方公里储油面积的大油田。初步估算，地质储量在1亿吨以上，大体上相当于新疆克拉玛依油田……整个大庆地区，从地质资料上看，是一个很大的适于储油的构造带，面积达2000余平方公里。现在拿到手的这块油田，仅是其中的一部分，边界尚未摸到。看来，储油面积还会有大的扩展，远景非常乐观。

这个地区的石油勘探工作进展迅速，收效特大。我们和地质部一起，在黑龙江省委的大力支持下，进行了大量的系统的地质调查。1959年9月26日我们打的第一口探井出了油。此后，我们就迅速地抽调一批较大的力量，加强了勘探科学研究工作，打了22口探井，并取得了大量的地质和试油试采资料。从开始较大规模地钻探，到找到这块200平方公里的大油田，仅仅用了4个多月的时间。这是一个很大的胜利。像这样的大油田，全世界也只有20多个。它又处在工业发达、交通便利的东北地区，这对加速我国石油工业的发展，是具有极其重要的意义的。

大庆地区的石油勘探工作，虽然经过了很大努力，取得了很大的效果，但总的来看还是一个开始，要想把油田全部探明，并投入开采，还需要做更大的更艰苦的工作。根据这个地区的情况，我们认为应该下一个狠心，用最大的干劲，用最高的速度，迅速探明更大的油田面积和更多的新油田。为此，我们的部署是：

……

为了实现上述任务，我们打算集中石油系统可以集中的力量，用打歼灭战的办法，来一个声势浩大的会战。从玉门、新疆、青海、四川等石油管理局和其他有关石油厂、矿、院、校，抽调几十个优秀的钻井队和必需的采油、地质及其他工种队伍，加上2000多名科学技术人员，参加这个大会战。抽调的人员都要精兵强将，在现场大搞比武竞赛，掀起一个大规模的群众运动，一鼓作气地拿下这个地区……

石油工业部

一九六〇年二月十三日

中央对石油部的《报告》很满意，仅 7 天时间就给予了批复，并向华东局、黑龙江和其他有关省市自治区党委、国家计委、经委、建委、地质部及其他有关部委的党组作了批转，总之一句话：中央对余秋里的“大庆会战”一路绿灯。

“有人说我们的军队干部打仗可以，不能搞经济建设。我就不信！你们看，余秋里在搞石油大会战嘛！”毛泽东在一次会议上颇为得意地对人这样说。

中央批示下达，石油部有了打大会战的“尚方宝剑”。可战前余秋里还有千头万绪的难题需要解决。

第一个问题就是资金缺口。那几天余秋里跟李人俊俩人反反复复、东抠西卡，弄出了一个会战的账目，可怎么算俩人还是直叹气：至少有 2 亿～3 亿资金和几万吨钢材设备没地方出来。报告再打到中央，李富春一听就跳起来：“秋里呀，以前别人跟我争项目争钱，你在一边不吭声，我说你好话。现在你倒好，动不动就狮子大张口，我这个副总理兼计委主任真是没法当了。国家这么个一穷二白的摊子，我哪里给你弄这么多钱嘛！你啊，还是找小平去吧！”

余秋里只好硬着头皮，再和李人俊又去找邓小平。

邓小平爱抽烟，余秋里上前先敬烟。烟雾中，余秋里让李人俊把缺口的“账目”给总书记递上。

“就这么多了？”邓小平一边吐烟，一边眼睛盯着余秋里和李人俊，意思是说，你们别没完没了啊！

“就这么多！其他的缺口我们自己解决！”余秋里口封得很紧，回答得也干脆。

邓小平在石油部的资金缺口“账目”报告上大笔一挥，嘴里还喃喃道：“大庆会战是大事，国家再穷，也得支持这个事嘛！”总书记不愧大将风度。

余秋里与李人俊偷着乐。第一件难事办得利索。

第二件难事是战斗人员问题。

年初，余秋里在主持开党组会时，大家就提出：如果搞大会战，遇到的首要问题是人力不足。

“松辽环境恶劣，任务又这么艰巨。我看只有采取用部队的办法。建国初期，石油师成建制地改过来为我们石油系统所用是个好办法。这回我们还是争取中央支持，调退伍的部队来！”余秋里又开始挥洒用兵之道。他对副部长周文龙说：“老周，你跟总参谋部关系熟，你给他们写封信，先给几位总长报告一声。”

周文龙接令后立即给罗瑞卿总长和张爱萍副总长写信恳求道：“……最近在东北大庆（大同镇）地区发现了一个大油田。远景非常乐观。我们已决定在最近时期内集中石油系统一切可以集中的力量，进行一次大规模的会战，一鼓作气地拿下这个地区。会战中各种技术工种队伍及几千名石油技术干部的配备，我们已组织调遣中，但由于这个地区非常辽阔，又是平地起家，一切基本建设、道路、电讯以及后备力量的补充，需要工人的数量很大，我们实在无力解决，特请求您设法支持我们一下，在今年转业军人中酌拨 2 万至 3 万人，以解决目前我们工作中最大的困难。争取在夏秋两季就把这个大油田拿下来，尽早投入大规模开发。”

信写得既激情又恳切。

但余秋里还是不放心，便找到周恩来总理。

“好啊，这个想法很好嘛！”周恩来一听，非常赞同。突然他对余秋里说：“主席正在广州召开军委扩大会议，你快到广州去！”

“好喽！”余秋里谢过周总理，直飞广州。

下飞机后，见到军委的第一个人是总参谋长罗瑞卿。

“3 万人？就你余秋里真想得出，一要就是 3 万部队！”被毛泽东叫出名的人民解放军总参谋长“罗长子”，这回瞪大眼睛瞅了将军部长足足一分钟，然后嘿嘿一笑：“好好，3 万就 3 万，只要你能干出个大名堂，我给！”

“总长你要给 3 万官兵，我就能在几年内干出大名堂！”将军部长挺直身板，说。

总长笑了，心想：你余秋里是谁？毛主席都那么信任你，我还有什么可说的？总长嘴里说："好了好了，反正都是自己人，这事就这么定了！"

"谢谢总长！"

"谢什么！哎，你说说，这回到底是不是一个大家伙？"总长高高的个头，一把拉住将军部长的一只胳膊，让其坐下，并叫警卫员："快给余部长沏茶。"

将军部长听了总长这样的问话，内心是痛苦的，甚至可以说有几分耻辱感。为啥？当然还是为了川中油田那桩事。

将军在当石油部长前，是执掌人民解放军总财务部部长，后来总财务部与总后勤部合并，他当了总后的政治委员。之前，他奉彭德怀老总之命，率部队出征西南、西北的解放战役。

毛泽东在北京天安门城楼宣布中华人民共和国成立之时，将军被任命为人民解放军一军副政治委员。刚上任，老领导贺龙就让他南下指挥作战。

那年他 35 岁。早已在我军队伍里赫赫有名。

也不知怎么搞的，毛泽东、任弼时、彭德怀、贺龙等诸位开国元勋们在对这位红军团长、政委出身的将军似乎有种特别的器重：哪个地方战役打得越加艰难惨烈，他就被召去指挥攻击敌人的顽强抵抗；哪个地方的非军事战斗的难题出现时，他又被召去打开局面。而他呢总是又完成得让毛泽东和几位老总满意称道。

什么叫爱将？这样的人才可以当之无愧。

拣近的先说。共和国成立后的 1950 年贺龙带着几十万大军解放西南的战役，如利刀破竹。国民党残余军队溃不成军，我人民解放军连连接收新中国成立后的各地城池。但那时农村基层政权尚未建立，群众没有发动起来。突然之间几十万部队拥进一个城市，吃饭成了大问题。如当时刚解放的成都市内，我军正规部队有 10 余万人，周边国民党起义投诚的有 20 万人，再加上十几万旧政府的公职人员，四五十万人一天的口粮就像一座小山似的。不解决这事插上五星红旗的共产党天下还能立得住？

跨马挥刀的贺老总从来没被前面的敌军难住过，时下倒被饿肚子的部队找不到粮食难住了。

“征粮嘛！西南这儿好天好地又好水，跟我老家洪湖地区差不多富饶，还怕没粮吃？”贺龙拿着烟斗，有些怒气地对部下说。

部下一脸阴沉地说：“已经下去过几次，但派出去的同志死的死，伤的伤，大多又回来了……”

“粮食征上来了吗？”贺龙更生气了。

“不多，还不够部队每人吃饱一顿的。可部队兵员损失却很大。”

贺龙气得直敲烟斗：“笨哟！笨哟！”老总的眉睫打了结，魁梧的身子在小木楼里来回走动。突然他眉飞色舞起来：“找余秋里来！他有招！快，召他到我这儿来。”

此时的余秋里刚从医院养病回来。贺龙找到他后，问：“病养得怎么样了？”

余秋里回答：“好了。老总让我干什么？”

贺龙满意爱将这样干脆直接的回答，便说：“找你来就是为我解难题的。刚才你一路来时没看到城里城外都是队伍嘛！这么多人吃饭的事愁死我了。派出去的征粮队伍又收获甚微。地主、富农们到处叫喊着‘负担过重’。其实他们是存心让我们挨饿。我想派你带工作组先到新都县搞个试点，你看行吗？”

“行，我马上出发！”

贺龙看着还像当年跟自己转战湘鄂边界的他，心头无比高兴，用手示意让余秋里坐下再说。“这次下去不仅任务艰巨，生活艰苦，而且也有很大危险。现在土匪活动很猖狂，不断袭击我们的征粮队伍。你要去的新都那边也很乱。我给你派一个连怎么样？以防万一。”

余秋里“噌”地从椅子上坐起：“不用。我一个班都不带。只要一辆吉普车，两个警卫员！”

贺龙笑了：“那你也得小心些。”

“是。”

爱将走后，贺龙理了理小胡子，重新点着烟斗，终于将心思收回到下一步进军西藏的问题……

再看往征粮征程上行进的余秋里。风风火火，腰上别着盒子枪，坐在吉普车上，那只空洞洞的衣袖边是警卫员兼司机正全神贯注地将车行驶在崎岖颠簸的山道，后面是持枪警惕巡视着道路两边的警卫员小张。

余秋里往后看了一眼，笑问："小张，别那么紧张。几个土匪真有那么可怕？"

小张擦擦额上的汗珠，说："首长，你可不知道，我原来的营长前些日子也是出去征粮，他们还是全副武装地住在一户贫农家里，结果有地主半夜上山向土匪通风报信去了，后来他们把我营长他们20多个全给杀死了，而且还将尸体挂在村口的树头示众，放言说谁要给共产党和解放军送一粒粮食，他们就要谁家的一颗脑袋。"

余秋里听后没有说话。

到达县城后，听取当地县委领导汇报情况后，有人问："首长您住哪儿？我们保证给您找个安全的地方。"

余秋里跳上吉普车，问："你们说这儿哪位地主的名气大？我就上他家住。"

随行人员不解其意，惊恐万分地："首长您的安全我们可要负责啊！"

余秋里没有说话，坚持道："你们领我上大地主家就行，别的不用管。"

住进大地主家后，县委领导怎么也不放心，非说要派个武装排来保护首长。

余秋里生气了："我是来征粮的。你们团团把我围住了我找谁要粮食去？"他又转头问大地主的房东："你对他们说说，我住你家，还用得着他们派队伍来吗？"

老地主毕恭毕敬地："不用不用，我、我这儿也有几支枪，保护首长的安全还是能起点作用的。"

县委领导无奈，只好撤出，临走时把大地主叫到一边，严厉地："放明白点：要是我们的首长出了事，你们全家人就得去见阎王去！"

老地主吓得连连称是。

几十年后，小女儿晓阳看了父亲回忆录中的这段往事，问父亲为什么这么胆大？

父亲笑呵呵地说："这叫最危险的地方也是最安全的地方嘛！你们不想想，我住在老地主家，他老地主能不想想现在已经是共产党的天下了，我们住在他家，如果一旦出了事，他负得起责吗？这不。我住那个地主家，他后来不仅天天亲自布置自己的家丁负责我的安全，而且再不敢上山向土匪报信说他们家、他们村有征粮的共产党队伍了。相反，还要不停地派人到周围地区探听土匪活动的情况。地主老财才真正怕出意外呢！"

原来如此。

事后贺龙听了爱将的汇报，笑呵呵地称赞不已。可不，以前派出去的征粮队伍，他们一般都住在贫民家里。一住下，反动地主就偷偷给山上的土匪送信，这样就使得我们的同志经常惨遭杀害。

余秋里的这招治得地主老财们有苦难言。西南征粮食工作因此由被动变主动，半年工夫，整个川西征粮工作进展顺利，完成了上级交给的任务，为稳定部队和当地的民众起到了关键性的作用，同时也为大部队继续西进备足了物资。

当年 10 月，西南军区军政大学成立，余秋里被任命为军校副政委，校长和政委是刘伯承。不多时，刘伯承奉命进京城筹建陆军大学，这边的军政大学由余秋里全面负责。当时他手下有两大要员：一位是教育长徐特立，一位是政治部主任刘华清。前者早年去世，后者后来成为江泽民任军委主席时主持军委工作的副主席和中共中央政治局常委。

40 岁那年，余秋里被一纸调令，调往北京的中央军委主持财务部工作。第二年，他被授予中将军衔。

这一时刻对军人们来说是难忘的。

次年，余秋里任军委总财务部部长。

又次年即 1957 年 5 月，总财务部与总后勤部合并为总后，余秋里被毛泽东任命为总后政委，时年 43 岁。总后部长是洪学智上将。

作为解放军三总部的首长之一，余秋里与罗瑞卿也算是老交情了。现在就看交情深不深了。

"余秋里啊余秋里，你一下就要改编我们的 3 万部队呀！"罗瑞卿摇晃着他那高大的身躯，不停地用手指着余秋里，又是摇头，又是笑声："就你想得出来！你可真会找窍门啊！"

"总长，我们有困难，是实在没的办法呀！"余秋里解释，一脸真诚和恳切。

罗瑞卿一挥手："没问题，自己人嘛！我去向主席报告一下。"说着，就进了毛泽东住所。

余秋里还是不放心，又跑到贺龙和刘伯承房间。

贺龙笑眯眯地嘴上叼着烟斗，眼睛半眯着朝余秋里直使眼色：你还不向刘帅说话。于是余秋里就赶紧向刘伯承汇报来龙去脉。

"对头嘛！打虎要靠亲兄弟，出征还得父子兵！我赞同你向部队要人去！"刘伯承连连点头。

余秋里听了喜从心头涌。他看看贺龙元帅，元帅正理着浓浓的小胡子朝他挤眼呢！

"报告二位老总，主席请你们到他那儿去。"有工作人员进屋说。

"余部长，主席请你也一起过去。"工作人员补充说。

原来毛泽东是想了解松辽的情况呀！余秋里进了毛泽东的会客厅才知道。

机会难得。余秋里知道今天的汇报直接关系到军委主席毛泽东及几位军委副主席给不给他 3 万部队的大事。于是他用简单而明了、有力而急切的口吻讲了几十分钟时间，尽可能地把松辽油田的现在情况和未来前景及组织大会战的事让毛泽东和元帅们听后产生深刻印象。

"好……好嘛！这很好！"效果达到。毛泽东不停插话，一脸满意之色。"听说你们有个报告，要搞会战。好哇！准备上阵喽！"

元帅们频频点头，一片附和声。

有戏！余秋里站起身，向毛泽东一个敬礼："报告主席，我可以走了吗？"

"好，上阵吧！"毛泽东笑眯眯朝余秋里扬扬手，然后问老帅们："你们看他的事行吗？"

"很好。就得这么干！"老帅们异口同声。

"谢谢各位老帅！谢谢各位首长！"余秋里又向元帅和军委领导

们敬礼。

正是一路东风劲吹，大地到处春光明媚。

从广州回到北京时，周文龙副部长向余秋里报告说，总参谋部张爱萍副总长已经在给他的信上作了批示，同意从军队里拨 2 万至 3 万人给石油部。

余秋里喜上眉梢。

2 月 22 日，中央正式下达了“关于决定动员 3 万名退伍兵给石油部”的指示，之后军委又决定给大庆分配 3000 名转业军官，他们中不少是党团员，有的还是刚刚从抗美援朝战场上下来的战斗英雄。中央考虑得要比石油部自己想到的还要周全。

余秋里仿佛感到自己又重新回到了那个指挥千军万马的战争年代。

那段时间里，石油部大楼就像大战前的总司令部，一份份调兵遣将的命令和通知，发往全国各油田、矿区、院校和研究机构……

“我去！”

“我们队全体报名！”

“请批准我吧，我已经把铺盖都卷好了，只等坐火车了！”

“……”

在石油部“开赴松辽前线，迅速拿下大油田”的战斗命令下，各地石油人无不以最高昂的战斗姿态，投入了紧张的会战行动。真是了不起！真是一群和平建设时期“最可爱的人”。各地石油人个个以参加会战为荣，人人都像战士上战场一样摩拳擦掌地争着到松辽去。从干部到工人，谁都生怕自己掉队。许多单位从动员到出发仅两三天时间就登上了北去的列车。他们纪律严明，完全是军队的作风。从西北来的队伍，必经北京换车，多数人是第一次到北京，连上天安门广场照个相的难得机会都顾不上就搭上了北去的列车。石油部机关则组织了以老红军、行政司司长鲍建章为首的迎送队伍，在火车站又是敲锣打鼓，又是送饭递茶，北京火车站一时间成了“石油人”的天地，好不热闹！

我采访在北京站附近住的一位老人，他风趣地回忆说：那会儿北京站上，今天是一批批头戴羊皮帽的人上上下下；明天是背着辣椒、扛着凉席的一群群人进进出出；后天是那些抬着锅碗瓢盆、举着红旗的队伍又是唱歌又是呼口号地在站台上蹦蹦跳跳，嘻嘻哈哈，我们还以为要去解放台湾的部队呢！可看他们手里又没拿枪，没拉炮，又觉得不像。有人悄悄告诉我们说，是到北边去抱“金娃娃”的。那时大庆油田还是保密的，石油工人们很神气地告诉我们说：他们的工作是保密的，不能随便告诉人呢！

干保密工作的人那时特别吃香。石油人的自豪劲儿难以言表。

再看看“总司令部”的石油部机关：部长余秋里和副部长们一派作战姿态，各种地图、战斗命令、电话铃声，甚至相互指责和骂声不绝于耳……

“报告部长：玉门局的先头队伍已经到达松辽的安达！”

“报告部长：新疆局的队伍今天已从嘉峪关抵达北京！”

“报告部长：四川局的同志说明后天就可以全部到达目的地……”

“北京石油学院的师生们问他们什么时候启程？”

“研究院的几十名教授请求部里让他们到最前线接受任务！”

“好嘛好嘛！老康，文龙，还有人俊，你们分别给他们布置一下各自的战区位置！”大会议室里，余秋里右手叉腰，左边的那只空袖子则随着他走动的身子在来回甩动。

“好嘛好嘛！‘拔萝卜’‘割韭菜’‘切西瓜’好！”独臂将军不停地甩着空袖子，嘴里喃喃有词地说着。办公厅的人听不明白他们的部长在说些什么？康世恩就在一边笑着告诉他们：“拔萝卜，就是从老油田那儿抽调一些标杆钻井队；割韭菜，就是把原来的队伍成建制地调出；至于切西瓜嘛，是把原来的队伍一分为二，调走一半，留下一半。”

“嘻嘻，真是老农民打仗！”有人听后哧哧暗笑。

有什么可笑的？中国的几千年历史靠什么推动的？还不是农民？！共和国缔造者还不是农民？建设社会主义照样还得靠农民嘛！农业大国不靠农民靠谁？别忘了经过马列主义灌输的已经觉悟了的农民可不是传统意义上的农民了！他们的意志、他们的信仰、他们的素质，是中国人中的精英和豪杰！也许他们还保持着农民的生活习性、农民的淳朴，但这无妨他们领导全中国人民从黑暗走向光明，从光明走向更加灿烂、更加辉煌的伟大抱负！他们是中国农民中的代表，也是农民利益的忠实捍卫者，更是农民们实现理想的领路人。

余秋里是这样的一批人中之一。毛泽东是更典型之一。

现在是战斗！是千军万马投入战斗的大战役。

战斗和战役只有懂得军事的人才能指挥。

这是中将余秋里部长得心应手的事。

首先要明确任务。会战初期的三大任务是石油部向中央报告的：第一，在松辽 2000 平方公里的面积上，争取打 200 口左右的探井，迅速探明大庆油田的真实地下情况，目标是找到 10 亿吨的可靠储量；第二，选择已经探明的有利地区，打出 200 口左右的生产试验井，进行油田开发试验，实行早期注水，当年生产原油 50 万吨，年底达到日产 4000 吨水平和年产 150 万吨生产能力；第三，在大庆长垣以外的附近地区，进一步开展地震勘探，完成细测 4 万平方公里，争取再找到更多的“金娃娃”……这是余秋里他们最初的目标，而这个会战目标后来随着不断出现新的更大的油田前景而被迅速调整。

既然叫会战，就得按军事行动进行。一个油田目标就是一个战区。因此长垣几百平方公里便被按照已经出现的油田显示划成 5 个战区，它们分别是：葡萄花战区、太平屯战区、萨尔图战区、杏树岗战区和高台子战区。每个战区由一个地方石油局负责。

因为是会战，还得按照军事行动来进行。余秋里下令：所有参加会战的队伍，不管来自何方，工资关系、人事关系、粮食关系还是在原单位！物资调配、任务安排则全部由会战总指挥部统一决定。

会战前期的时间安排：3 月份调动人马，4 月份开始动手，5 月初正式打响。所有参战队伍包括附属单位必须在 3 月 15 日前完成集结，就是说要到达松辽会战现场！

真的是打仗了！那些从来没有经历过军事行动的地方职工，在大踏步奔赴松辽的途中，情绪格外亢奋，他们在激动中第一次感受着军人的那种战斗作风。

就是打仗嘛！那些刚刚摘下军衔标志和符号的转业军人和石油师的指战员，则像重新回到了雄赳赳气昂昂的战斗部队。他们似乎想通过自己的精神风貌来证明曾经的辉煌和与众不同的军人性格。

所有的人都在寻找自己能够意气风发的闪光点。

指挥员们毫不例外。“既然叫大会战，那么我们的指挥部就得搬到前线去。为此我建议：石油部党组要成立大庆会战党的工作委员会和会战总指挥部。而且所有前线指挥人员必须到第一线去。从现在开始，石油部的工作将以前线会战为一切工作的重点。”将军的建议在党组会上立即得到全体党组成员的赞同。

会战“总司令部”即刻宣告成立：部长余秋里任会战工委书记，副部长康世恩任会战总指挥；石油“余康”从此并肩共同挑起了新中国石油事业的艰巨重任。他们身后还有一大批优秀的指挥员，如周文龙、孙敬文、李人俊、徐今强、张文彬、唐克、宋振明、焦力人、李敬和、吴星峰、李敬、陈烈民等等。

嚯，了不得！从3月初调兵遣将令发出，到3月15日止，松辽集结地的安达这块地图上还不易找到的方寸之地，一下已经到了1.7万人！其中部队转业官兵11000多人。而后续的队伍仍在源源不断地向这儿开拔……

“那人哪，多得老了去了！”安达站的一位老信号工，抖动着双唇不知如何形容。

“就像当年解放军进攻沈阳……”一位志愿军老兵看着排山倒海似的人群从一列又一列火车上往下跳时，张开的嘴半天合不上。

人头攒动的队伍中，一辆苏式嘎斯吉普车左拐右拐地驰向前方。里面坐着一位头戴狐皮帽、身着军大衣的中年人，目光不停地在四处扫射，不时有人向他高喊：“政委”、“政委好！”

“同志们好！”中年人频频招手，脸上露着自豪和欣慰的微笑。

就在这时，车子里又探出一个中年人的脸来。他戴着单薄的列宁式棉帽。

“副师长好！”

“同志们好！”戴列宁式棉帽的人频频招手。

“看到了吧！我们石油师的同志们又可以在松辽战斗中一显身手了！”两个中年人显得异常激动地攀谈着。

“是啊，忠良，你要是也能参加会战该多好！我们这些老战友又可以聚在一起痛痛快快大干一场了。”

“有点可惜。四川情况你是知道的，去年那会儿没打出油来，到现在工作还没有什么大的进展。不过这次已经决定让李镇靖和李敬带队伍来与你老政委会合。”戴列宁式棉帽的中年人说。我们细细一看，原来他是前面我们早已提及的四川石油管理局局长张忠良，石油师老副师长，红军老战士。

坐在他前面的正是石油师的老政委、现为新疆局局长张文彬。

同在五十七师南征北战的老战友今天在松辽重逢，俩人百感交集。尤其是看到自己的部队仍然那样雄赳赳气昂昂的情景，他们既自豪又感动。

“老政委，松辽会战，全仗你把我们的部队再振雄风了！”张忠良从吉普车上跳下的那一刻，久久握住张文彬的手，似乎有千言万语要诉说。

“放心，老伙计：石油师的官兵不会在大庆丢脸的！”张文彬伸展双臂，将老战友紧紧搂在胸前。

雪地里，两位石油师首长留下了难忘的一幕离别情。

但更多的石油师官兵却因松辽会战又重新相聚在同一战场。新疆局来的有 800 多人。他们中有许士杰、陈烈民、张瑞清、王瑞龙、张云清等等；玉门局的也有近 800 人，他们中有宋振明、程国策、王思文、张会智等等；四川局和青海局少一些，但加起来也有四五百人，他们中有李敬、段兴枝、刘安时、孙荣福等。石油师的官兵不愧是新中国第一代军人转业过来的石油人，他们用自己顽强拼搏精神和战斗作风，在大庆会战中建立了卓著功勋，名留青史。他们中涌现出的共和国政府部长、副部长就有 10 多个！

大庆无疑是所有献身共和国建设事业者的大舞台。而在这个大舞台上表现最出色、功勋最卓著的无疑是余秋里，还有康世恩、李人俊……

战幕拉开，形势瞬息万变。

“余部长！好消息！好消息……”那一天，余秋里的腿刚刚迈进家门，只听康世恩一边喊着一边就到了他的跟前。

“老康回来啦？辛苦辛苦。”余秋里见康世恩浑身上下雪水融融，赶紧让过身子，让秘书倒上一杯热茶：“先暖暖身子。慢慢说。”余秋里笑呵呵地看着这位从哈尔滨回来的战友，几乎是头挨着头看着康世恩喝下第一口热茶。

康世恩笑了，心想：你这架势哪是让我慢慢说，分明是恨不得立马抠我嘴巴掏话嘛！“大好消息：萨 66 井出油啦！”

“多少？”

“现在用的 6.5 毫米油嘴管，日产 56 吨！”

“可比松基三井大多了！”余秋里乐得合不拢嘴。

“你不知道，我在现场时，他们用 9～14 毫米油嘴试时，你猜达到多少？”

“有 80 吨？100 吨？”

“哈哈哈，不对。148 吨！日产！”康世恩像孩子似的在余秋里面前高兴地转起圈来。

“148 吨啊！这简直跟油库里倒油没啥区别嘛！”余秋里猛地将右掌往木椅上一击，身子从地上蹦起。

“可不是像油库里倒油嘛！”康世恩手舞足蹈地在余秋里面前绘声绘色地讲着他在现场看到的萨 66 井喷油的那一幕令人欣喜若狂的情景——此刻他依然欣喜若狂。

余秋里大步在会客厅走动着：“这不行！这得修改我们的会战行动计划了！得马上修改！秘书！秘书——”余秋里突然立住脚步，大声喊着秘书。

秘书过来：“首长，有什么事？”

“你马上通知各位副部长和全体党组成员，让他们到我这儿来参加紧急会议！”

“是。我马上通知。”秘书跑步去打电话。有几个党组成员住在秦老胡同，秘书干脆是跑着去将他们叫过来的。

这一夜，秦老胡同将军家的灯光彻夜通明。时间是 1960 年 3 月 14 日。

余秋里：“同志们，形势变化比我们想象的还要快啊！老康从前线带回的消息，让我坐立不安。这萨 66 井如我们先前所料，出大油了。它证明长垣北边确实有大油田！比南边的葡萄花构造还要富油！”

周文龙：“你的意思是我们要调整战局？”

余秋里：“对！必须立即调整，否则错失战机，更加被动。”

康世恩：“余部长的意思是，趁现在队伍还没有全部到达安达一带，就位的也是少数，要往北行动现在就得下决心。”

李人俊：“这笔账应该是合算的，早调整比晚调整好。”

孙敬文：“可是南边葡萄花构造已经有多口井喷油了，而北边现在只有一口井，是不是也像南边把握这么大呢？”

余秋里点点头：“敬文同志提的意见是对的。但葡萄花的情况现在看基本上是我们捏在手心里的东西了。这里的油肯定我们不能放弃，但我们不是为了抓大油田吗？抱大‘金娃娃’吗？萨66井出如此高产油就证明北边的情况大大好于南边，富油区在那儿无疑！这是个新情况，说明形势发生了变化，出现了更加有利于我们找油田、搞大会战的形势！既然形势变了，我们就要当机立断，调整部署。否则，当断不断，就会贻误战机，就像刘伯承元帅讲的那样，五行不定，输得干干净净。”

孙敬文开始点头。

余秋里：“既然是抱大‘金娃娃’，那我们就先肥后瘦。在对整个长垣进行勘探的同时，把勘探重点从南部转移到北部，先控制住萨尔图、喇嘛甸子构造的含油面积，并着手搞生产试验区。”

康世恩：“萨尔图那边交通方便，有利于快速调动队伍。”

余秋里一挥手：“因此我建议部党组立即做出修改会战方案，立即将主战场从南部转移到北部！”

李人俊：“我同意。”

孙敬文：“我没意见。”

周文龙：“一着好棋，我完全赞成！”

余秋里和康世恩相视一笑。

好，就这么行动！明天发通知，命令后天16日全线队伍向北转移！余秋里一拳砸在桌子上，震得茶杯摇晃了好几下。

这是中国石油史上著名的“挥师北上”行动！

关于这一幕气势磅礴、波澜壮阔的石油大军的战略大转移，我在大庆采访时，许多老同志一提此事，都会眼睛发亮，都会滔滔不绝地给我讲一大通，如果有时间他们可以讲三天三夜……

实在是太宏大了、太壮观了！是松辽大地上从未有过的那种铁流滚滚的大迁移、大行动！想想看，四五万人的队伍，几百几千台铁塔、钻机和车辆组成的钢铁队伍，在一望无际的平原上齐步奋进，那阵势北大荒上有过吗？没有。那阵势，黑土地上祖祖辈辈住着的百姓见过吗？没有。

天，没见过这排山倒海的人流；地，没听过这隆隆作响的战车。云，停下来观看；雪，融化后等待……

“同志们，拿出干劲，拿着力气，向萨尔图进军！”

“同志们，脱下棉衣，挽起裤腿，向萨尔图前进！”

萨尔图？萨尔图是什么地方？真的很惭愧，在写本文之前，我不曾知道过这个地名。而到大庆后，我才知道原来今天的大庆市区所在地其实就是过去的萨尔图。萨尔图作为一个地名，今天还在大庆市区的许多地方仍然保持着。比如大庆市现在最大的一个区就叫萨尔图区，大庆的火车站过去就叫萨尔图车站。大庆油田没有之前，大庆这儿就叫萨尔图。

这个听起来像是外域的地名，其实还真有些神秘。蒙语里的“萨尔图”，其意是“月亮升起的地方”，或者说是“有月亮的地方”。而到了满语里却很不一样，称它为“多风沙的地方”。截然不同的解释恰恰印证了这个神秘地方既有月亮又有风沙，既有温柔美丽一面，又有寒冷严酷一面。

传说在19世纪的某一个夜晚，一位蒙古族兄长和一位满族阿弟带着家人游牧到这里，他们抬头望着刚刚升起的满月，沐浴着习习春风，各自对身边长满丰盛的大草原发出不同的感叹：一个说：“啊，月亮，多么美丽啊！”另一个说：“啊，风，多么强劲啊！”于是“萨尔图”便成了两种不同解释。但无论何种解释，萨尔图确实既美丽——美丽是因为它有宽阔无边的大草原，又令人恐惧——恐惧它荒无人烟和零下几十度的严寒。

萨尔图有自己真正地域上的名字意义，应该从20世纪的1901年沙皇俄国修筑东清（中东）铁路铺设至此，才在地图上标了萨尔图这三个字。过去的萨尔图是什么样，今天已经无法见到一点影迹，只是大庆的同志告诉我：现在大庆油田最富油的一块地方，就是以火车站为中心几平方公里的那个地底下。

余秋里当年统率石油大军“挥师北上”的目的地就是这一地带，即以萨尔图火车站为中心的地方。这里距当时打出高产油的萨66井仅5公里。

“同志累不累啊？”铁流滚滚的行军途中，一辆绿色吉普车飞驰而来，一个中年男子的身影从吉普车前座探出身子，不停挥动着那只有力的右手。

“呀！是余部长啊！”有人惊呼起来。

于是，整个几十里的行进大军欢呼起来。

“余部长好！”

“余部长辛苦啦！”

“同志们好！”

“同志们辛苦！”

这一呼一应，如同一次盛大的阅兵式。是阅兵式，是余秋里将军在检阅他的石油大军！将军的脸上严峻而神圣，他的目光一直在注视着迎他而来的钢铁队伍。尽管这些拖机运输的队伍比起正规军显得少了些神气，但他们的步子一样坚定有力，一样铁流滚滚……

这让余秋里欣慰和自豪。

“会师萨尔图！拿下大油田！”

“同志们，前进！”

突然，吉普车来了一个180度转向。余秋里猛地竖起身子，奋力将手挥向前方，喊着震天动地的口号……

“会师萨尔图！”

“拿下大油田！”

“前进！”

口号声、脚步声、车轮声……汇成一片惊天动地之声。这不是导演的电影，这是1960年春天在东北大平原上发生的真实一幕。我曾对几个著名电影电视导演说这样的话：仅凭这一幕，你们就可以拍出新中国建设史上最精彩感人的一部惊世之作。

我不知道中国有没有这样的优秀导演。而现在我书中描述的松辽石油大会战中“挥师北上”的宏大场景，其“大导演”是余秋里。他所导演的这一出戏已经成为新中国建设史上的经典一幕而载入史册。

历史的真实常常比艺术的真实更具魅力。我们的领袖和人民经常教导我们“生活是创作的源泉”之深刻意义就在于此。让我们在伟大的历史时刻面前虔诚地学习和感受吧！

“哎哎！那劲头呀，我是描绘不出来的！”时任行政处长的刘文明感受也许最深。他是挥师北上中负责物资的一位处长——其实是个“光杆司令”。

3 月 16 日那天，刘文明和十几名处、科级干部接到挥师北上的命令后，立即乘卡车从高台子村出发，前往萨尔图报到。他是行政处长嘛，大小也是个官，也有车坐。可北大荒的 1960 年 3 月，仍然大雪纷飞，一路寒风刺骨，100 多里路，停停走走，用了大半天时间。到萨尔图时，他的腿冻得半天伸不直。那时萨尔图啥都没有——除了传说中的“月亮”还在脚底下睡觉外，什么都没有。石油大军能找到一间牛棚便是好运了。

“老刘，你来啦？太好了太好了！”三探区指挥宋振明见自己的老部下出现，欣喜万分。他往四周一指：“你看看，这儿乱成了团，我快急死了。哎，你来当我们三探区的行政处长吧！”

“行，你给我多少人？几间房子？多少东西？”刘文明听说有活干，挺高兴。

“人有一个，就是你自己。房子和东西一样也没有。”宋振明说。

刘文明拍大腿了：“我的老天爷，你不是要我命嘛！这人山人海的都待在雪地里，要吃没吃、要睡没地方睡，你让我当行政处长，人家不把我皮都要扒掉嘛，宋指挥你干脆让我上吊去吧！”

“少啰唆啊！5 天之内，你要准备出 5000 人的吃和住。完不成任务，我再找个牛棚让你去上吊！”宋振明人高马大，双眼一瞪，说完就忙其他的事去了。

刘文明愣在雪地里想哭都没地方蹲下身子。

“听说部里唐克司长现在在安达，你赶紧去找他。”探区党委副书记李云过来悄悄给刘文明出了个点子。

刘文明一听，没多想一下，立即赶到火车站，买了一张到安达的票。听到石油部的会战领导们就住在离火车站一二百米的第二马车店，刘文明没费劲就找到了唐克司长。

“找我干啥？”一头埋在办公桌上正翻阅着堆积如山的各种报表和材料的唐克司长见面前有人站着，便问。

“我找你要锅、碗、瓢、盆，还要帐篷。”

“那你看着我这儿有什么你就拿吧！”唐克头也不抬地说。

“这哪够？我要 5000 套呢！”

唐克一惊，抬头颇具怒气地问：“你是谁呀？你把我的拿走不就得了，怎么要那么多？”

刘文明赶忙自我介绍：“我是三探区的行政处长，宋指挥刚任命的。他让我 5 天内要保证 5000 人的吃住问题。”

唐克明白了，直直腰杆，说：“东西是没有，可倒是有点钱，我让财务的同志开张支票先给你们拨点。”

刘文明连连点头，眼睛又不觉落在唐司长办公桌上的一个茶具：“还要这个。”他用手指指。

唐克一愣，继而笑了：“行，你再把这屋里的两个暖水瓶也拿去吧！”

刘文明伸开双臂，“呼啦”一下把唐司长的几样家当全都卷跑了。

回到萨尔图，刘文明立即着手支起行政处，他和宋振明又派来的几个同志一起在牛棚的一角设了一个办公室和一个仓库。又兵分两路：一路上哈尔滨、齐齐哈尔购买物资，一路则在萨尔图火车站旁负责接待参加会战的大队人马。

来的人太猛了，前五天就一下上了六七千人。开始是一个锅做饭，从早到晚地做也只能供每人吃一顿，不少会战人员只能到火车站的几个小店里买干粮吃。那萨尔图才有几个小店嘛！两天就把所有的小店存的东西全部吃了个精光。刘文明他们只好后来又架了三大口锅，仍然整天整夜地烧啊烧……到底一天烧了多少锅，给了多少人吃，刘文明他们都搞不清。反正有两点他们是清楚的：吃饭的人都是来参加会战的，全是自己人，因为当地基本没有老百姓；二是说好了凡是路过这儿的下属队伍，行政处接待点只管一人一顿饭，常在萨尔图的机关人员一人吃两顿。那会儿人的自觉性高，不太可能有人多偷吃一顿。当然，吃饭是不用付钱的。

掌握会战物资大权的刘文明他们挺会动脑筋，凡看到披羊皮的，就知道是玉门、新疆和青海那边来的，给他们的物资就是帐篷和锅、碗、瓢、盆；凡是看到穿工服单薄的，就知道是四川来的，除了上面的物资外，还另加一条毯子和一件棉衣。人群中更多的是那些头戴军帽、身穿军装的转业军人。他们最好对付，给一顿饭吃，再说一声“向解放军学习”，就完事了。

会战大军来到萨尔图，不管怎么说，多少还有人管他们一顿饭，可当他们再往战区的工作点落脚时，才发现真正的困难还在后面呢！

那是啥工作点嘛！一片荒原，除了冰天雪地，什么也没有！

薛国邦可能是运气最好的一个。他的采油队一到萨尔图，指挥部就把接收萨 66 井的任务交给了他——老薛是玉门油田的全国劳动模范，萨尔图眼下就一口出油井，他能得到这样的任务是挺光荣的事。老薛他们 3 月 18 日到的萨尔图，大伙儿没在萨尔图歇脚，第一天就步行到了井场。那时行李和工具啥都没有到，原来的钻井队已基本搬完了东西，只留下一间值班房。老薛他们就凑合过了夜。第二天钻井队连值班房都搬光了，整个萨 66 井成了一处光屁股井，还有就是周围的一片荒原。白天，老薛赶紧上萨尔图指挥部领到了一口锅和一袋粮食——刘文明他们告诉老薛：“你们可别再来领东西啊！这已经是特殊照顾你们了！”意思是再来领也不会有啥东西给你们了。

饭总得吃嘛！大伙儿从荒原上捡了些柴草，总算开了两顿饭。白天日子好打发，夜间可就惨了。十几人在零下二十多度的寒冬下，一无房子，二无被褥，老薛他们只好抱成一团，围在一堆柴火前跑着圈子取暖。实在吃不消，有人就干脆张开嗓门，来一段秦腔，那一夜他们把周围的狼群吓得不知是咋回事地蹲在地上不敢靠前一步。这是第三天。

第四天，老薛有些着急了，这样待着不是事，好不容易在井台周围发现了钻井队遗忘的一把管钳，于是他分组让同志们轮流修理起油井，以保证继续出油。其他的人则跑到萨尔图去要回了一顶帐篷。这一夜大伙儿说是来松辽后过的最幸福一夜：他们把帐篷铺在地，当作大被褥子，铺一半盖一半，人就在中间睡着……

第五天行李和工具总算到了。大伙儿高兴得跳起来，一大早就上萨尔图火车站搬东西。指挥部的人说，没有车给你们拉东西，你们自己想法吧。这不算什么事。老薛他们连背带抬将工具和行李运到井场，下午大伙儿就把帐篷一支，行李还来不及打开，便开始忙着采油前的准备。哪知，突然老天变脸，一阵狂风刮来，并且越刮越猛，刚支起的帐篷，被卷起跑了好几十米。十几个人手忙脚乱去逮住帐篷，可就是敌不过狂风。

老薛火了："我们到大庆是来干啥的？参加大会战的呀！可连顶帐篷都支不住，还拿什么大油田？"

队员们不言声了，憋足劲，说啥也要把"家"安住！十几人也不知哪儿添来的猛虎下山之劲。

"一二三！拉！一二三！拉！"

"一二三！拉！一二三！拉！"

狂风中，帐篷终于立住脚。这个时候东方已露晨曦……五天五夜，这是老薛他们上松辽的初历会战的日子。薛国邦是后来大庆"五面红旗"之一，南战北征的他，为中国石油事业鞠躬尽瘁，屡屡负伤积疾，现今他仍在大庆安度晚年。那天我说要采访他，大庆的同志说老人家肯定现在说不了多少话，限我采访他半小时。哪知我到他家后一谈起当年的会战，几个小时里老人家就没有停过话。

比薛国邦晚来几天的玉门石油大军中还有一个人更了不得。他一下火车，拔起双腿就奔到一片大草原上，"扑通"跪下双膝，用力抠起一把土，然后仰天大喊："这下咱们可是掉进大油海里啦！甩开膀子干吧！"

这个中年男子，个头不高，说起话来，震地动天。他瞅着车站上人山人海的都挤在那儿不是找队伍，就是向接待处的人问这问那，便火冲冲地大步流星地跑到那个牛棚改的指挥部，也不问谁是领导谁是管事的人，劈头盖脸吼道：“我们的井位在哪儿呀！钻机到了没有？这里打井的最高纪录是多少？”

顿时乱哄哄的指挥部里被这吼声震得静静的，人们回头一看：嘿，这不是玉门的老先进王进喜吗？

王进喜来啦？王劳模好！

大伙儿有人见过他，有人听说过他，这王进喜原来果真厉害啊！指挥部的干部和前来领东西接受任务的人都向他围过来。

“我是来问任务的，你们快告诉我吧！”王进喜瞪着三角眼，只对指挥部的干部说话。

指挥部的同志只好笑言相答：“王队长，你们1205队第一口井是萨55号，在马家窑附近。”王进喜一听，转向就出了那个牛棚。

“哎，王队长！让你们队的同志在这儿吃一顿饭，我们准备着呢！”接待处的同志在后面拼命叫喊着，王进喜像没听到似的，直奔他的队伍去了。

全队30多个人在马家窑井场住下后，钻机却没到，怎么办呢？第二天一早，王进喜冲大伙儿一挥手：“走，上火车站去！”

上火车站干啥去？

“帮着卸货呗！没看到车站上忙成这个样？”王进喜将鸭舌帽往额边一拉，跳上货车就干了起来。队员们没辙，谁让自己在全国劳模的井队呢！

王进喜和井队的30多名同志就这样，一到松辽便先当了7天义务装卸工。第九天，他的1205队钻机到了，全队人欣喜若狂，七手八脚便搬运起来。当时整个车站上只有4台吊车，成千上万的货物都在等待排队，轮到1205队还不知何年何月。

王进喜急得直拉帽子，问打过仗的指导员孙永臣怎么办？

孙指导员说：有一次他和战友们守高地时子弹打光了，就用石头跟敌人拼。

王进喜大喜：“对，我们就是有条件要上，没有条件也要上！人拉肩扛也得把钻机运到井场！”说着，他就让大家去找棕绳和撬杠，自己又在车站的人群中穿来穿去的，不知从哪儿弄来一辆“解放”牌汽车。

这回齐了，王进喜让汽车倒到火车皮的旁边，架好跳板，于是全队 37 个人，你吼一声，我吼一声，硬是用了近一整天把几百吨井台的设备靠人拉肩扛从火车上搬了下来，然后又像蚂蚁啃骨头似的一点点往井位挪动。似乎现在读者们看我的笔下很简单，其实王进喜他们干这活费老劲了！你猜猜，光两台泥浆泵，每台就有 7 吨半重，4 吨载量的“解放”被压得轮胎“吱吱”乱叫，那会儿超载不是什么事，而且应该说越超越有本事。王进喜他们就是靠这本事硬将自已队上的所有装备弄到了井位。这就是“有条件要上，没有条件也要上”的经典作风。后来余秋里听到王进喜这句“经典语”觉得很好，就在大会上到处讲：咱们为国家找油田，就这么个条件，国家穷呗！等行吗？不行！那怎么办？就要学王进喜的精神，有条件要上，没有条件也要上！

话从部长嘴里一出，就是行动的命令了，就成战斗口号了。说多了，有些知识分子和技术人员在嘀咕：这有条件要上没说的，没有条件也要上是不是有点违背科学规律啊？于是有人悄悄把这话反映到余秋里那儿。

余秋里一皱眉头，猛地一甩右手：这样吧，我们就说有条件要上，没有条件创造条件上！

OK！这就完整和科学了！其实在那个年代，即使说没有条件也要上也没错到哪个地方去。就像王进喜队上的指导员说的那样，跟敌人打仗子弹打完了，不也是属于“没有条件”了嘛！可人家战士用石头跟敌人拼去！那也是既可称没有条件也要上，也可称没有条件创造条件上。“没有条件也要上”里包含更多的是一种精神，一种发挥人的能动性的精神，一种藐视一切困难的大无畏精神，其本身就是在科学地争取条件过程，因此笔者不认为余秋里和王进喜他们最初的原话有什么缺陷，相反更真实、形象和生动。

王进喜是了不得！别人到萨尔图后看到人山人海乱哄哄的一片，也不知打哪儿干起，或者等着上面分配任务、安排工作时，他早把队伍和设备拉到了井位。第一口井 5 天零 5 个小时完成了钻井任务，而他本人 5 天零 5 个小时没离过机台。还记得他下火车后跑到指挥部吼着问领导那几句话吗？其中最后一句就是：“这里打井的最高纪录是多少？”他王进喜奔的是要在大庆会战中争挑头战绩。1959年——也就是他来大庆时的前几个月，他的井队在玉门创造了年钻井71000米的全国最高纪录。这个数字相当于旧中国有钻井史以来42年的总和。

你说王进喜了得吗？他在松辽出现仅短短十几天时间，就把几万人的钢铁大军震得全都对他又敬佩又羡慕。你看他整天一身泥一身油地没日没夜摸爬滚打在机台，受了伤、拐了腿，一跛一拐地照常在风雪飞舞的井台上冲锋陷阵。钻机刚转起来那会儿，附近没有水。王进喜一吼，端起脸盆就往水泡那儿去，一边端着水，一边拐着腿说：“余部长说了，我们来这儿是拿下大油田的，早一天拿下大油田，就早一天向毛主席报喜！没水就难住我们啦？呸！老子就是尿尿也要把井打了！”

房东赵大娘第一次见王进喜这样没命干活的人，感动得直对1205队的同志们说：“你们的王队长，可真是一个铁人啊！”

“铁人？！这个名字叫得好！对，王进喜就是王铁人！我们在这么艰苦的条件下搞大会战，就得有千千万万个王进喜那样的铁人！向王铁人学习！”余秋里在一次干部会议时听说这事后，很受触动，于是经他这么一振臂高呼，“王铁人”的名字就传遍了整个松辽大地，后来又传遍了祖国大地。

没看出来？余秋里和王进喜都是天生的语言大师！他们的话生动——生动得每个字都似乎在你面前蹦蹦跳跳的；他们的话形象——形象得你不用作任何比拟就会听后哈哈大笑；他们的话有力——有力得能调动你全身的热血去沸腾、去燃烧！

“石油工人一声吼，地球也要抖三抖！”这是王进喜的话。

余秋里说：“拼命也要拿下大油田！把贫油的帽子扔进太平洋去！”

我在采访那些曾经与王进喜一起战斗过的同志时，他们给我讲的许多故事，让我认识了生活中真实的王进喜：他绝对是个“大老粗”，可又绝对不是个“大老粗”。他的语言和行为生动得不用导演。我们后来看到的许多关于王进喜跳泥浆池、振臂高呼“石油工人一声吼，地球也要抖三抖”那样的镜头，都是后补的——是周总理批准让新闻电影制片厂的人拍摄纪录片的。导演们与王进喜交流后，用不着多说几句，王进喜立马“进入情况”，且保证能令导演们满意。

王进喜的个人魅力、个人形象、个人语言，是在松辽的石油大会战中得到磨炼和开始完美的。能使这位中国工人阶级形象达到完美程度的“艺术大师”，既有会战生活的本身，还有便是余秋里等人的推崇。

余秋里 22 岁时失去了一条胳膊，但在他一生的工作和战斗中从来没有少过与他并肩奋斗、争取胜利的左右手。石油战线几十年，他得到了康世恩这样的左右手，还有就是他树立起的王铁人这样的标兵与标兵队。有过军旅生涯的人应该都知道，部队中还有一面旗帜，叫“硬骨头六连”。这面旗帜就是余秋里在军队工作时借以鼓舞指战员们学习奋勇杀敌、所向披靡、夺取胜利的一面旗帜。六连出名是在 1940 年余秋里担任八路军某支队政委时，那一次他领导的部队所属七团三营官兵们跟日本鬼子打得极其惨烈。为了保证大部队安全转移，六连在指导员张会田和连长的指挥下，几度击退敌人进攻，把日本鬼子杀得尸横遍野。小鬼子也急红了眼，靠着比六连多几倍的兵力，在山炮、机枪和掷弹筒的支援下，连续 5 次向六连阵地发起进攻。紧要关头，指导员张会田端起上了刺刀的步枪，跃出工事，一声“同志们，跟我上！杀啊——”战士们跟着指导员冲出工事，如飓风般地扑向敌人，杀得敌人溃不成军，而指导员张会田和许多六连官兵也壮烈牺牲了……余秋里在血流成河的战场上，喊出了威震山河的“向六连学习！消灭小鬼子！”口号。“硬骨头六连”的名字从此在人民解放军队伍中传遍，直至今日。2004 年 5 月，我专门到驻守在杭州的“硬骨头六连”拜访，在那个光荣的连队荣誉室里，我知道了他们是全军所有连队中荣获最多荣誉的“全军第一连”。毛泽东和许多无产阶级革命家对“硬骨头六连”的珍爱就像对铁人王进喜一样珍爱。

独臂将军在他灵魂和精神世界里从不曾缺过胳膊。他余秋里一生树起的这两面旗帜就够我们中华儿女好好学习和继承的。“硬骨头六连”所铸造的军魂和王进喜身上体现的民族魂，早已成为中华民族精神的重要组成部分。

余秋里对此功不可没。

罗斯福有句名言：政治家的作用，就是使自己的国家和人民有个正确而明了的方向，并为之自觉奋斗。对此，有人总喜欢把余秋里归为那种善于发现典型、善于宣传鼓动的政治家。其实看看余秋里一生走过的战斗经历，我们会很难断定他到底是个杰出的政治家还是杰出的军事指挥家（建设事业领导者）。因为他在这两种不同角色里都有非凡的业绩和贡献。

毛泽东欣赏余秋里也许正是他既能武，又能文。文武全才者，在高级领导者中不是很多，余秋里理当是其中的佼佼者。

第二次来松辽时，余秋里是以会战工委书记的身份而来。既然是前线大会战的一员，他就不喜欢别人再用部长的规格来迎接他。这回他下车的地址不是上回的大同镇，而是"挥师北上"之前就定下的会战指挥部所在地——安达县城。1903 年这儿虽是中国的领土，但俄罗斯人却远远多于中国居民。到 1909 年有记载的史料上说，当时安达的中国居民是 7 户，俄罗斯人则有 75 户。

不过余秋里带着他的石油大军来这儿时，安达已经与俄罗斯人在这里的时代完全变了样，但这儿的建筑最像样的仍然是俄罗斯人建的。特别是那个并不大却很讲究的火车站及火车站旁边的那栋两层楼的铁路俱乐部，十分别致和突出。这些建筑在今天我去安达采访时，仍然感觉它的风采照人。

20 世纪 60 年代的安达，俄罗斯人留的这些建筑几乎可以盖过安达小城里的全部风光。余秋里他们的指挥部没有设在俄罗斯人留下的那栋豪华建筑里，而是在距火车站一两百米的那个县政府财务局小楼里。安达县城再找不到第二处这样的中国建筑了。其实这小楼也是可怜得很，最多也就像北京城里我们以前经常看得见的那种烧锅炉用的临时建筑罢了。但当时的安达只有这个条件。会战机关的干部和科研人员一律住在民房。至于一线的队伍不用说了，能有间牛棚、马厩、帐篷住就算是天堂了。即便如此，对当地政府和百姓来说，这已经也是尽了最大的努力。有一次，个别机关工作人员嫌自己住在牛厩里气味不好、虫子咬人，便嘴上带出了几句牢骚。

余秋里听后勃然大怒，桌子一拍："若在北京你发这么个牢骚，我会向你检讨，因为是我这个部长没当好。可是在这儿，你要再说一句这样的牢骚话，我就把你开出石油部！你看看四周：荒无人烟，有几个当地百姓？你想住什么？有牛厩住算是天堂了！"

余秋里后来没过一个月跟着队伍也从安达搬到了萨尔图。他跟康世恩等会战领导也住在马厩里。雨季里，大部长住的房间里竟然到处漏雨，秘书给余秋里挪床铺一夜挪动了六七次，最后还是没有办法。"算了算了，我站着吧！看这雨滴还能把我淋成落汤鸡不？"余秋里在会战时有过这么精彩的一幕。

这一天，余秋里跨进会战指挥部的自己办公兼卧室时，一眼就盯上里面摆着的那张三人沙发。他的眼睛瞪圆了，一声高吼，便把行政处负责人叫过去狠狠训斥一番："对你说了：会战的同志们住什么我就住什么！你把房间里的沙发马上拿走！立即拿走！"

行政处的同志吓得只好把沙发给了正在筹建的会战医院。

当下，余秋里向会战全线干部和机关发出一道"圣旨"：所有会战一线的干部和机关人员，一律"约法三章"：一、不准买卧车；二、指挥机关不准有沙发、地毯之类的高档商品；三、不准为领导干部建单独的宿舍。这三条"政策"实在太具体了，具体得令下面有些人想"灵活"也不知从何下手。于是大庆从 1960 年会战开始，一直到十几年后的 1978 年前，这个后来已经有几十万人的石油城，竟然没有一栋楼房！有人说都是余秋里"约法三章"给"约"的，赞成地说这种作风就该代代传下去，反对者说这样城市还有啥可发展的！但谁也不能否定一点的是：余秋里在会战时做出的"约法三章"实质上就是后来毛泽东号召全国学习的大庆精神的一个重要组成部分。

大庆会战和大庆油田是在什么情况下进行和上马的呢？现今 40 多岁的人都应该还记得，那正是我们共和国处在最困难的年代。三年困难时期，就是从 1960 年开始的。中央当时给大庆会战追加的经费是两个亿。两个亿能干啥事？现在造一栋并不怎么气派的建筑就得花两三个亿，可那时国家拿出两个亿去搞石油会战，这已是全国人民勒紧裤腰带的事了。余秋里不靠提倡这种"约法三章"的做法，四五万人每人多吃一口饭，多加一碗菜，也会用不了多长时间就把两个亿吃得精光，到那光景还谈什么大会战、找大油田？

“约法三章”其实是孕育大庆精神的第一把土壤。

我们还是把目光投向会战大军吧：

翌日，余秋里乘坐那辆嘎斯吉普车，再度“检阅”起他的“挥师北上”队伍。这会儿从安达到萨尔图的沿铁路50多公里线上，余秋里所看到的情形让他吃惊万分：这是什么战场呀！到处是乱堆乱放的物资，绵延几十里人都无法插足！再看看会战的队伍：那些找到落脚点的支锅搭棚开始起火露宿，再仔细瞧瞧他们的生活：做饭用的是脸盆，吃饭用的是脸盆，洗脸洗脚用的还是脸盆——他们多数人全部的个人生活用品就是一只脸盆。有人讲究一点的，做饭用的是脸盆，盛饭则用头上戴的铝盔帽。那些不讲究的人干脆不洗脸不洗脚；那些没找到地方的钻机队，几十人几十人地排躺在露天雪地里做“冻肉卷”——用被子或毯子裹着身子露宿；再就是一些还在等待分配单位的部队转业官兵，则坐在铁道两边扯着嗓门，一遍又一遍地在那儿唱着有气无力的歌……

“我得到的总印象是，队伍上得很猛，地面、地下各种矛盾突出。比我想象的要严重和复杂得多！”几十年后，余秋里在写自己的回忆录时，仍然对会战初期所见的一幕刻骨铭心：“铁路线上，每个站台都下人、卸货，铁道两边堆满了各种设备、器材、行李、货物。由于缺少起重运输设备，这些物资怎么也疏散不开。有些火车皮几天卸不下货，有些卸下的设备材料几天运不到施工现场。不到现场，很难想象会如此的混乱……职工们一无房屋，二无床铺。吃得也很困难，少粮缺菜，连锅灶、炊具都很不够，不少职工用铝盔盛饭，脸盆煮汤。施工现场没有工业水源，靠农村的土井连生活用水都保证不了，生产用水只能到水泡子里破冰取水。公路不通，电话不灵，组织指挥生产常常要步行。在这种情况下，职工队伍思想上也存在不少问题。部分干部对组织会战心存疑虑，有的担心靠石油部有限的人力、物力，能不能把这场会战打赢；有的到了现场之后，面对着艰苦的环境、困难的条件和种种非常规的措施、办法，感到这里的一切都是乱糟糟的，埋怨会战不正规，不像个搞工业的样子。有不少同志怕艰苦，怕受累，挑工种，讲待遇。个别干部一下车，不管队伍，不问设备，不关心工作任务，先打听食堂在哪里。还有人干脆开小差，当了逃兵……”

更让余秋里预想不到的是：“对于油田地下情况，当时我们还了解得不多。长垣南部已经打了20多口井，经过初步分析，掌握了一些情况，但有些情况一下子还说不清楚……”

以最早出油的松基三井为中心点的南部战区，会战的队伍已经到位，可真要甩开膀子大干时，技术人员拿出的那些标着红点点、黄点点、蓝点点的图纸时，竟然连自己也解释不清到底哪儿该打生产井，哪儿该打勘探井！

“队伍开到了前线，敌人也就在眼前，却不知道仗怎么打！这是什么事嘛！”余秋里面对如此混乱而毫无章法的战役，真的感到有些束手无策。

这可怎么办？他把康世恩叫来。

康世恩也抓着头皮直嚷：“怎么弄怎么弄嘛！”

余秋里气得无可奈何，“嘭”地关上门，把自己反锁在屋里。指挥部的工作人员在外面瞅着，谁也不敢上前去敲一声门，只能眼巴巴地看着那个小窗口里冒出一股股浓浓的烟雾……

许久，门突然开了。余秋里右手叉在腰际，冲工委副书记吴星峰喊：“通知所有会战指挥部领导上我这儿来学习！”

学习？学什么？

“学‘两论’！”

“两论”？“两论”是什么？

“毛主席的《实践论》和《矛盾论》你都不知道？”

噢，这样啊！

吴星峰猛然省悟，拍着脑袋转身去通知各位领导上将军这儿来。

那些处在一片混乱中的会战领导干部们被“请”到余秋里面前，他们不敢正视自己的部长，因为谁都知道他的脾气——“不打肥皂刮胡子”，这也是碰到一般问题时，眼下是大大的问题了！队伍乱七八糟到有点失控的地步……干部们只敢用眼睛的余光看着将军那只空袖子——空袖子一甩，麻烦和噩运怕就轮到头上了。

奇怪，这回空袖子没甩呀，而是听到一个非常温和的口吻在说：“同志们，你们先放一下手中的活，关起门来，好好学习毛主席的《实践论》和《矛盾论》，用他一个星期时间……”

干部们抬起头，面面相觑，有些不敢相信。有人轻声问道：“那外面的事管不管了？”意思是说队伍乱成一片，就不去管了？

“不去管，让下面的人盯着。”余秋里一字一顿地说，“我们现在的任务是把主席的这两篇文章学好、学透！”

这是前线指挥员们所没有想到的。居然在大战和恶战出现难以收拾的时候，他余秋里居然一改往日雷霆万钧的暴脾气，让高级指挥官们跟着他天天关上门静静地坐在小桌子和炕头上看起书来。

你瞧，他比谁都认真：每天必有半天什么人都不许去打扰，坐在那儿除了抽烟就是翻书，再便是站在窗口前久久沉思……另有半天，他便上技术人员那儿，盘着腿，听他们没了没完地讲，讲地质、讲钻井、讲取岩芯的意义。

干部们见这景况，也只好硬着头皮坐下来翻“两论”。开始时，大家脑子里依然是外面乱哄哄的情形，慢慢地，慢慢地乱哄哄的情形消失了，变成了一条条清晰的思路：是啊，这么大的会战，谁也没有经验。没有经验怎么办？不跟没吃过梨子一样嘛！咬上一口尝一下，不就知道梨子的滋味了吗？实践的意义原来就是这个理哟！这不，过去一直说松辽、说中国不会有油嘛！可我们为什么在这么短的时间里发现了大油田？不就是用革命的精神和非常的手段嘛！在地质理论方面也是这样，靠的是从实际出发，重视大量实践、大胆探索才产生和证明了陆相生油的理论。在勘探方面，我们既学习外国经验，又不受外国经验之束缚，从松辽的具体地质情况入手，以最短的时间，打出了油，控制了油田面积。而集中优势兵力打歼灭战是毛泽东领导中国革命战争中已经证明也是一个行之有效的手段和用最短时间、用有限兵力最大可能地达到战略目标的战术思想。中国的石油工业落后，条件和设备差，人少力薄，进行必要的大协作、大会战，不正是为了创造条件实现早日扔掉中国贫油帽子的伟大目标吗？是的，我们谁也没有搞过世界级大油田的开发，地上的和地下的矛盾错综复杂，而这么多矛盾应该怎么抓，抓什么？什么是主要矛盾？什么是次要矛盾？主要矛盾和次要矛盾之间的关系又是怎样？解决好了这些矛盾，我们才有可能胜利实现会战的目的。

哈哈，毛泽东的“两论”原来都把这些剪不断、理还乱的问题，通过辩证法和唯物论，都给解释得一清二楚了啊！领导干部们合上书本，纷纷来找余秋里：“部长，我们现在明白了应该先干什么、后干什么、干的过程中出现了新问题又该怎么处理了！”

余秋里笑了：“你们说我们现在的会战怎么个干法？地上的问题和地下的问题怎么处理？”

干部们说：“得抓主要的。眼下主要的问题是要任务清楚，岗位到位。地上的问题虽然很严重，但地下的情况掌握好了，地面上的问题才会不乱。”

余秋里笑得更爽了：“对头嘞！哎，学了‘两论’是不是觉得心里亮堂了许多？”

干部们说：“可不！前几天看着队伍这个样子心里着急，越着急心里就更乱了，这我们当干部的一乱，队伍就更乱了。哎，部长，你当年指挥打仗是不是也经常碰上这样意想不到的事？”

余秋里说：“那是。打仗的时候，瞬息万变，意想不到的事每时每刻都会发生。指挥员就得根据情况，随时调整战略战术思想，才能做到无往而不胜。”

干部们开心地讨教：“那个时候你也学毛主席的‘两论’？”

余秋里乐了：“学毛主席的‘两论’是周总理在前些日子对我说的。他说大庆会战会遇到极大困难的，你们应该用毛主席的‘两论’，用辩证唯物主义思想解决好各种矛盾，才能夺取会战的全面胜利。”

原来如此！

好了，现在我们集中起来，开会！余秋里的空袖子又甩动起来。

开会的结果，会战面临的矛盾一个个被解开：

不是队伍混乱吗？那就先抓明确战区、明确任务、明确指挥者。于是，余秋里的麾下迅速呈现一个司令部、三个战区的战役布局。它们分别是：司令部，即会战总指挥部。总指挥康世恩，副手唐克、吴星峰。康不在时唐、吴代理。张文彬，负责总部常务工作，并兼管总调度室、工程技术室、规划室、钻井指挥部、运输指挥部、水电指挥部等部门；焦力人，负责地质室、采油指挥部、运销处、研究站等；陈李中、王新坡、只金耀、刘少男四人以陈李中为主，分别负责基建处、油建公司、工程指挥部、建筑指挥部、设计院；党务和行政机关方面，李荆和在吴星峰回部开会时负责党委全面工作，并管人事处、石油学院等部门；宋世鉴负责供应指挥部；杨继清负责保卫处、技术安全处等；宋世宽负责计划处、财务处、卫生处、行政处、办公室等；李镇靖负责党务日常工作和群众运动……

“司令部”——会战总指挥部，统一服从石油部党组。部长兼党组书记余秋里拍板一切重大决策。

三个战区：第一战区，以葡萄花、太平屯、高台子、升平杏 96 号井以南一线的南部地区，其工作由最先在此作战的松辽勘探局负责，李荆和局长和副局长宋世宽领兵；第二战区以杏树岗、龙虎泡杏 96 井以南一线北杏 16 井以北一线之南地区。由四川、青海局负责，李镇靖和李敬、杜志福、郭庆春等领兵；第三战区以萨尔图、喇嘛甸、林甸杏 13 井以北一线的北部地区，由新疆、玉门局负责，宋振明和李云等领兵——第三战区后来是会战的主要战场，惨烈的战斗和最辉煌的战果几乎都是在这儿产生，今天的大庆市就建在这个战区之内。

好了，指挥系统已建立起来。可仗怎么打呢？

去动员？去一个个钻井队挥着鞭子督促？这自然要的，但队伍分散在几百公里长的战线上，每个战区也有几十公里的范围，干部下去，到一线指挥当然必不可少。但所有井队、所有部门，都面临着吃没吃的、住没住的，如此情况下怎么个干法？

“部长，1205 队跟其他的队不一样，他们一到这儿不是在等，而是自己想办法，钻机没到的那几天，他们主动上火车站当义务装卸工。钻机一到，他们立即自卸自运，把几百吨的家伙，硬是靠人拉肩扛弄到了井场！”身材颇为高大的三战区指挥宋振明向余秋里举手反映一个情况。

“这个好嘛！他们的队长是谁？”余秋里最爱这样的有自己脑筋、敢于在困难面前不畏惧并冲锋陷阵的队伍。

“王进喜。”

“王进喜？”

“就是在克拉玛依跟1202队队长抢话筒打擂的那个！”张文彬说。

余秋里拍拍脑袋，哈哈大笑起来：“噢——是他呀！”

“这人可不简单，他们队到萨55井后啥也没有，他就说，为了早日甩掉中国的贫油帽，有条件要上，没条件也上！争取早日开钻多打井！”

“嗯，人拉肩扛。有条件也上，没条件也上！好嘛，我们这次大会战就是在啥也没有的条件下进行的，我看这个口号叫得好！”余秋里连连叫好。

“王进喜到这儿后，整天没日没夜地干，腿伤了也不休息，天天起早摸黑，使不完劲似的……房东赵大娘见了，感动得称他是铁人。”

“铁人？！铁人王进喜！”余秋里的拳头又重重地砸在桌子上，大声叫好，“好，铁人这个名字好！我们石油工人就得有这样的铁人！大庆会战就得有千千万万个王铁人！”

“吴星峰，你们政治部得好好抓一抓这样的典型。”抓典型、树红旗、以点带面，是余秋里一生从事政治、经济和军事工作的一大工作艺术特色。王铁人无疑是余秋里抓的又一个最成功的典型。

“王进喜他本人在解放前是什么情况？”

“他是个穷娃子，15岁便到了油矿当童工……”

“这样的同志是我们真正的工人阶级嘛！”余秋里放心了，又问宋振明他们：“这人还有什么情况？”

“这人还能写诗呢！”

会场一片哄笑。

“写诗？”余秋里也笑了，“写什么鸟诗呀？”

“他们队到松辽后，大伙儿在雪地里施工，非常艰苦，又刮着北风，王进喜为了鼓动大家，就编了一首顺口溜：北风当电扇，大雪是炒面。山南海北来会战，誓夺头号大油田。干！干！干！”

“哈哈哈……”会场又一片哄笑。

“北风当电扇，大雪是炒面？！”余秋里喃喃地重复着，“好！有气概！这种敢于藐视一切困难和敌人的气概不简单！”

得到鼓励的宋振明越说越来劲了：“王进喜还会叫号子呢！人拉

肩扛抬钻机时，他的号子一叫，大伙儿力气倍增、干劲冲天！”

“老宋你学一段嘛！”有人怂恿道。

于是宋振明扯开嗓门真的学了起来：

咱们干劲大呀——嗨嘿！
再难也不怕呀——嗨嘿！
大家齐用力呀——嗨嘿！
底座往前搬呀——嗨嘿！
工人干劲大呀——嗨嘿！
困难咱不怕呀——嗨嘿！
这个动弹了呀——嗨嘿！
步子可挺大啊——嗨嘿！嗨嘿嘿哟啊！

“哈哈哈……”会战部的小楼里热闹到了极点。

余秋里和康世恩也快笑出眼泪。这样的气氛是余秋里最喜欢的，他要的就是在大敌当前、困难面前他的战斗人员个个精神饱满、斗志昂扬。

“后天我们要开首次油田技术开发座谈会，你把那个王进喜也叫来。”余秋里悄悄对宋振明说。

后天是4月9日，大庆会战史上一次重要的会议在安达火车站旁的俄罗斯人建的那栋别致的两层楼铁路俱乐部召开。会前党组已经研究决定，号召会战全体人员掀起学习毛泽东“两论”的热潮。

入夜，安达财政局的小楼里彻夜灯火通明。机关党委副书记宋惠和秘书王倍恩正在一字一句地起草学习“两论”的决定。

“不行。太长了！”第一遍，厚厚的10多页纸，余秋里瞅着就打了回来。

第二遍，压成七八页。“不行，还是太长。”又被退了回来。

第三遍，余秋里干脆让宋惠到他住处，俩人一个字一个字地推敲。

宋惠是石油部有名的才子，又是1935年入党的老革命知识分子。余秋里挺信得过他，每次重要文件差不多都得让他起草。但宋惠“不怕枪不怕炮，就怕给余部长写报告”。这回又碰上了嘛！余秋里有个工作特点，无论在战争年代还是建设年代，他总是特别重视党委和政治部门的作用。过去在军队里当纵队政委时，他会兼任政治部主任，有人暗里说他“独臂将军”哪是少一只胳膊嘛！而是一只胳膊插到底，谁想偷懒也没门。余秋里到石油部后，身为党组书记、部长，可他偏偏还兼任机关党委书记，这在国家部委中可能是从没有的事。但余秋里就这么干。部长何以要兼一个区区机关党委书记小职？余秋里有自己的独到想法：眼皮底下的事，更要抓到实处。大庆会战也是如此，他干脆让石油部机关党委搬到了会战一线，主抓会战全线的思想政治工作，而且他还是这个党委的书记。

这不，学“两论”的决定是以机关党委名义发布的。机关党委副书记宋惠现在执行的就是起草决定。起草就起草呗，反正是决定和通知一类的东西，多一个字少一个字无所谓。

“那不行。我不喜欢花里胡哨的。”余秋里有多少文化？不知道，只知道他小时读过几年私塾，再后来上过抗日军政大学。但他能把一个个为他写报告起草文件的大知识分子折腾得纷纷“缴械投降”。

宋惠体会最深。大庆会战前线正式发出的第一个决定，不足450个字，却是他和余秋里磨了差不多一夜才最后定稿。

“我们正面临着会战——大规模的生产实践。在会战中，把别人的经验学到手，但又不迷信别人的经验，不迷信书本。我们要勇于实践，发扬敢想、敢说、敢干作风，闯出自己的经验。同时，我们在实践中要不迷失方向，就要掌握马列主义的理论武器，把实践经验上升到理论，包括正确认识油田规律，使我们的实践具有更大的自觉性。”

“为此，部机关党委决定立即组织全体共产党员、共青团员和干部学习毛泽东同志的《实践论》和《矛盾论》，并号召非党职工都来学习这两个文件，用这两个文件的立场、观点、方法来组织我们大会战的全部工作……”

1960年4月10日，大庆会战前线每个班组都得到了一份散发着油墨香的《战报》，在这份创刊的《战报》头版右上方，全文刊出了以石油工业部机关党委名义的《关于学习毛泽东同志所著〈实践论〉和〈矛盾论〉的决定》。共和国历史上掀起群众性学习毛泽东著作的活动，其实不是林彪在“文化大革命”搞的那种花架子，而真正的第一次群众性学习“毛选”活动，是在石油部，是在余秋里主持下的石油大会战的大庆找油战斗中。这是真正的一次学习毛泽东思想、学习辩证唯物主义的群众活动。它的形式、它的内容、它的意义可以同新中国经济和社会发展史联系在一起。可以毫不夸张地讲：这是余秋里发明的一次管用的学习运动。后来大庆人和石油人常说的“两论”起家指的就是这个。

一场伟大而空前的经济建设，一场谁都不知道怎么打的世界级大油田开发战役，一场又在特别困难年代展开的特殊战斗，中国石油人在余秋里领导下，举起马列主义、毛泽东思想旗帜，运用辩证唯物主义的观点去认识和分析问题、解决和处理错综复杂的矛盾，而且始终以实践为检验真理标准并赢得伟大而全面的胜利，这在新中国历史上几乎找不到同样的例子。或者说，如果共和国的历史都能像石油人这样运用辩证唯物主义思想，依靠实践是检验真理的唯一标准的话，那么我们不知要少走多少弯路，也不知今天的现代化建设是不是已经进入了2050年时我们期待想实现的水平？！

历史无法设想，现实才是真切的。我们进行思考和某种参比，可以从中得出谁是历史的真正创造者和为什么他能成为永恒的值得人民纪念的结论。

在一部并不完美的电影《创业》里，我们看到过大庆会战的干部职工们在荒无人烟的草原上、油泥斑斑的钻塔上、在低矮潮湿的帐篷内挑灯夜战学习毛泽东“两论”的镜头，让现在的小青年们看了觉得似乎很可笑和滑稽，但那却是真实的一幕——既不做作，又非形式。学习“两论”对当时的会战上上下下所起的精神作用和物质作用都是巨大而实际的。人们解除了对困难的恐惧，理清了对付复杂地下情况的思路，更增添了战胜艰苦条件和开发大油田的信心与勇气。

这绝不是空话。

在我们进入网络时代的今天，年轻的朋友们可以通过互联网实现生活的虚拟化，也可以通过资本运作一天之内发大财，他们也许根本不信或不明白为什么我们的先辈们靠一条拐杖和几支破枪走了二万五千里长征，去饿着肚子走雪山草地？他们或许不信或许根本不明白为什么大家都要过好日子的时候有人却在红岩渣滓洞里唱着《义勇军进行曲》去抛头颅洒热血？他们很多人不明白他们的先辈为什么这么“傻”，“傻”到现在还在宁可自己不吃不喝也希望子女们上个好大学、有个好工作？

在大庆采访的日子里，我被这个现代化的城市中的一幕所吸引和震撼：那便是一台台无法数清的“磕头机”——油井抽油机，它们每天24小时地在自己的岗位上不停地一点头、一磕头，几年几十年天天如此，但似乎谁也没有把它们当作一回事。该骂骂咧咧的照样骂骂咧咧，该对现实不满并张口脏话的依然大有人在。但是似乎唯独忘了他们身边的那些“磕头机”，忘记了是它们给予了这块富饶的土地和这个美丽的城市。

而从大庆回到北京后，当我看到一幢幢更高的高楼和立交桥、看到更加繁华的街道和更加如潮涌动的车水马龙时，我听的和看的骂声更刺耳，有人直着脖子喊着更高的骂声时，我更强烈地想到大庆城内城外那些“磕头机”……

“磕头机”在干什么？为我们在输油——把地下源源不断的油输出来供大家生活和发财、幸福和快乐、憧憬和梦想。可是北京有几个人知道大庆那儿有5万多台40多年来一直默默无闻地在为我们送来汽车可以转动的油料、做饭可以开启的液化气和身上穿得如此美丽的化纤衣料的“磕头机”？全国还有多少人知道40多年前中国北方的荒原上有一群饿着肚子、捧着两本“毛选”、用肩膀和流着鲜血的双手在为共和国的昨天和今天奉献青春和生命的人？

我想知道的人不会多过知道刘晓庆的人数、也不会多过知道“小燕子”的人数，更不会多过知道肯德基和麦当劳的人数。

以为我因此悲哀？不！恰恰相反，我坚信我写此作和我所歌颂的主人公绝不会如同几个时髦明星、几样快餐品牌那样昙花一现，过去若干年后再也不会有人提及。我叙述的事件和人物终将成为历史长河中永远闪耀的星星，他们在月夜和严寒的帐篷里手捧“两论”的情景也绝不比身家亿万资产的慈善家捐出百万千万那一刻所闪动的光芒低微什么、黯淡什么。

“两论”对几万石油会战大军而言，每一个人都可以写下一部感人至深的史书。这是因为，“两论”让困守在冰天雪地荒原的共和国建设将士们获得了一种信念和实现信念的指路明灯。

今天的大庆人曾不止一次自豪地告诉我：40多年来，大庆油田共相继有27个油（气）田总计1885平方公里的含油面积投入开发，建成年产原油5600万吨的我国最大的石油生产基地。累计生产的原油占全国陆上石油总产量的近一半。特别是自1976年起至2001年，连续实现25年产石油在5000万吨的水平，创造了世界陆相非均质、多油层砂岩油田注水开发的最高水平。如此令世人瞩目的巨大成就，靠的是什么？“最根本的一条就是油田历届领导带领广大职工，以毛泽东主席的《实践论》和《矛盾论》为指导，针对非均质、多油层砂岩油田的地质特征和开发特点，坚持实事求是，勇于科技创新，制定并实施了一系列符合油田实际的科学对策。”大庆人如此说。

文行此处，笔者想起了余秋里老秘书给我讲过的一则故事：1963年底，余秋里向毛泽东汇报大庆会战情况时说道，大庆石油会战是靠“两论起家”的。毛泽东听后有些惊异地问：“是哪‘两论’啊？”余答：“就是您的《实践论》和《矛盾论》。”毛泽东笑了：“我那两本小书还有这么大的作用啊？”“作用大着呢！”余秋里说。

将军部长的感慨绝不是为了讨好毛泽东，他是从那场史无前例甚至可以说是空前绝后的伟大建设战役中涅槃后的有感而发。

难道不是？

有一个会议对那么多参加过大庆会战的人记忆特别深刻。这就是余秋里亲自主持的第一次五级三结合油田技术开发座谈会。所谓五级三结合是参加的人员由小队、中队、大队、指挥部和会战指挥部这五级的干部、技术员和工人参加的会议。这是余秋里抓油田开发或者说抓经济工作的一大发明——他总喜欢发动群众——这个群众是多层面的、多层次的各类人员参加的“诸葛亮会”。“五级三结合会”后来在大庆油田建设乃至全国的石油开发工作中成为一种制度而被固定下来，直至今天仍被教科书般地沿用下来。

第一次“五级三结合”油田开发技术座谈会三天时间，于4月

9 日至 11 日在安达火车站附近的那栋俄罗斯建筑的铁路俱乐部里举行。开始 180 多人，后来扩大到 500 来人。

那是个真正意义上的“诸葛亮会”。按照余秋里的要求，会场不设主席台，中间只放几张桌子，桌子不是为了领导而摆，而是为了摆放图纸所用和发言者能以图说事。所有参加会议的人围着桌子而坐，每个人都可以发言，有话则长，无话则短，不能说废话，但寻寻开心、活跃活跃气氛可以。这是余秋里的作风。

会场很不规范，这与参加的人员有关，大到部长，小到以前连局长都没见过的普通工人代表。但进了会场，人们发现所有的人都一样：会抽烟的可以随便抽，想喝水的随便倒。可以跟部长握握手，聊上几句闲话也没关系。胆大的偷偷从余秋里那儿要支“大中华”叼在自己嘴上。胆小的开三天会却没敢让部长们在自己的小本本上签个名。

“好了，现在开会。”主持人余秋里宣布。

既然是技术座谈会，专家们讲得自然更多一些。

先是摆问题。问题多啊！可最后大家认识达到了统一：这困难那困难，国家缺油是最大的困难；这矛盾那矛盾，社会主义建设等油用是最大的矛盾。

接下去是由专家讲述如何开发油田问题。那专家就是有水平，一讲话又是图又是表的，在那儿比比画画，他们不少人戴着眼镜，上去一讲就像课堂的老师，这“构造”那地层，这浅层那深波，“学生们”竖着耳朵听着，耳朵不够眼睛凑上……可是，“学生们”听着听着，似乎越听越有糊涂。这这，这是怎么回事？

“不行！”突然，会场中央有人大喝一声。“学生们”定神一看：是部长余秋里。

余秋里低着头，板着脸，大步流星在会场空隙的过道里走着。当走到那张标着“红点点”、“黄点点”、“蓝点点”的地质图前，他停下脚步，强压怒气地责问一位专家：“你们凭什么说这口井是日产 10 吨油的高产井，那儿是很少出油的低产井或是没有油只有水的枯井啊？”

“这个……”专家支支吾吾地说不上来。

“不行！”余秋里再一次大声喝道，“这样没有充分根据的仅凭主观意识来说事太粗了！老康你说呢？”

康世恩有些坐不住了，皱着眉头捏着下巴，连连摇头叹息着：“是太粗了！太粗了！”

余秋里猛地扯下一张地质图，又在会议代表的空隙间边走边大声说着：“不把地下情况搞清楚，光在地面上戳窟窿，我们吃这样的亏还少吗？同志哥啊，你们得知道，我们千辛万苦找到的这个大油田，一旦搞坏了，比川中不知还要难收拾多少倍呀！到那个时候，我们怎么向党和人民交代？”

方才还有人叽叽喳喳的会场上顿时一片寂静。

那些技术人员个个后背直发凉。干部和工人们这回也领略了将军部长的厉害：“你们搞钻井的、采油的，都是指挥员派出去的侦察员，是去侦察主攻的对象，是地下的油层，因此必须把油层的孔隙度、渗透率、压力等各方面的情况侦察得清清楚楚，有半点马虎也不行！”

是啊，这部长可不比两年前刚来那会儿了。现今你想再糊弄他，那就等着他“不打肥皂刮胡子”吧！

“大庆油田，一个世界级大油田。这是铁板上钉钉子的事了。可怎么开发这样的一个大油田呢？”余秋里收住话，用目光问在场的每一个人，没有人敢回答他的问题。

还是他来回答：“我看至少要先弄清楚这么些地下情况吧……”余秋里伸出那只右手，习惯地扳起指头：“你得弄清楚测井资料吧？得弄清楚岩石资料、储油层岩性资料、储油层厚度资料、孔隙率资料、渗透率资料，还有油层温度资料、油层压力资料、井口压力资料、产量资料、储量资料和生油层资料吧？这已经是十几种了？13种了嘛！”独臂将军如熟诵军事术语一样如此娴熟地数列石油地质专业，令在场的专家和勘探队干部职工代表感叹不已：乖乖，余部长什么时候也成石油专家了？！

“还有饱和压力资料、流动压力资料、油气比资料、原油性质资料、天然气资料和地层水性资料等等。”康世恩补充道。

“对啊，而每个大项下面是不是还应该有几个小项？”

"有。像原油资料下面就应该还要掌握它的比重、粒度、原始油气比、压缩系数和体积系数等好几项资料。"康世恩又补充。

"是嘛！我们每一个参加会战的干部和技术人员都要把这些情况时时刻刻、千方百计地去想好掌握好。这是我们搞石油的人的责任！我们石油工作者的岗位就是在地下，我们的斗争对象是油层。这一点务必要牢记！"余秋里铿锵有力的话在那栋俄罗斯建筑里阵阵回荡……

"岗位在地下，对象是油层。"余秋里又说了一句中国石油人的经典语。

"老康，你让李德生他们立即动手把需要掌握的地质资料和数据整理出来，越快越好，并且形成文件，发到每一个机台上。要大家照着它一项一项资料、一个一个数据给我落实，谁要马虎，谁就是对党和对人民犯罪！"余秋里的最后一句话说得特别重、特别严厉。

康世恩不等余秋里坐下，便站起来接上话："余部长刚才的话非常正确。大家知道，油田的油层是在地下，看不见，也摸不着，它是一个巨大的、极为复杂的非均质体。因此发现油田之后，储油层的岩性和物性变化往往是评价油田的重要条件之一。这就更加要求参加会战的各探区对油层的每一个油砂体都要研究清楚，对比清楚……"

近 500 名参加"五级三结合会"的代表们一眼不眨地看着他们的部长，每一双耳朵都竖得直直的，生怕漏听了一个细节。后来有人把安达铁路俱乐部会议说成是引领新中国石油开发正确方向的"石油遵义会议"，这是因为在此次会议上根据余秋里的意见，后由专家组李德生起草、康世恩定稿的被日后的石油界奉为"石油开发法则"的"20 项资料 72 种数据"的油田开发调查纲要。这一"石油开发法则"，用中科院院士、石油专家李德生的话说，它使大庆石油会战实现了"树立地质工作的科学态度"，"一切科学分析要建立在大量数据资料、大量事实的基础上"，"要做一个自觉的乐观主义，不做一个盲目的乐观主义"，从而掀起了一个取全取准各项地质资料的群众性活动。李德生说："过去我们在工作中仅仅依靠很少数地质人员收集资料，资料与生产常有矛盾，工作中困难很多。有了这个会战技术规程以后，加强了党对地质工作的领导，掀起了以‘四全’‘四准’为目标的群众性搞地质资料活动。‘四全’是：1. 录井资料要全；2. 测井资料要全；3. 取芯资料要全；4. 分析化验资料要全。‘四准’是：1. 测量压力要准；2. 油气水计量要准；3. 各种仪表要准；4. 各种资料样样准。”因而这一“石油开发法则”的确定和实施，使大庆乃至后来整个中国石油开发事业有了科学规范的技术依据和行动准则。

“那时候民主气氛真好。别看余部长脾气大，说话嗓门特大，但他对油田开发技术方面的问题又细到针尖尖的事都一点也不放过，就连康世恩、翁文波这样的大专家也被他追问得一愣一愣的。他对我们一线的技术人员意见又特别重视，他觉得在像大庆油田这样谁也没有经历过的大油田开发，来自实践和第一线的意见和经验是最宝贵和重要的，因此他格外尊重和注意倾听我们下面人说的话。如果我们说的十句话中有一句话他认为是切中了问题的要害，他会盯着你不断追问，直到问得你水落石出方肯罢休。我们看部长这么亲切和民主，也就放开了胆子，想说什么就说什么，这你一言我一语的，三个臭皮匠就凑出了个诸葛亮。”一位当年参加安达技术座谈会的当事者这番感慨万千的话，让我想起亲历了那个载入史册的“石油遵义会议”——

“会战的战幕已经拉开，每一项工作都不能马虎……”余秋里像一团熊熊燃烧的火焰，以其炽烈的光和热，感染和影响着所有与他并肩战斗的将士们跟他一样腾起团团火焰。“总之，我们每个队、每个单位、每个人，都要有革命战争时期那种敢于冲锋陷阵、英勇牺牲的精神和压倒一切困难而不被困难所压倒的气概！”

瞧，那只空袖又开始“飕飕”生风，随之飓风雷闪，惊天动地。这是那些跟随余秋里南征北战的将士们最受感染、最受鼓舞、也最容易激情澎湃的时刻！那一刻，独臂将军的一声令下，他们便会义无反顾，赴汤蹈火，在所不辞。

安达会议的最后时刻，余秋里挥动着有力的右臂，一边走一边高声鼓动着。突然，他收住脚步，一转口吻，目光炯炯地向会场的四周扫射——“王进喜来了没有？”

蹲在边角一张凳子上的一位瘦弱黝黑、嘴唇干裂、胡子老长的中年男子瓮声瓮气地移动着身子，一副憨傻的样儿站了起来："来了，余部长。"

"哎，真是王进喜哪！"会场上那些认识王进喜的人叫了起来。

余秋里笑眯眯地绕过脚跟前的几排人，走到王进喜的跟前，然后转向会场："这就是王进喜，大会战中的第一个英雄，我们的王铁人！你们知道他为什么叫王铁人吗？他来到这里一不问吃二不问住，先问钻机到了没有、井位在哪里、这里的最高纪录是多少。钻机没到时他带领队友上火车站干义务工。等钻机一到，没有吊车拖拉机，他领着队友人拉肩扛，硬是把钻机抬了上去，立了起来。为了工作，他连续五天五夜没离开井场，把自己买的摩托车用来跑配件，这是工人阶级的高度觉悟！房东大娘因此叫他铁人！这是一个非常光荣的称号。会战指挥部号召参战的全体职工都要向铁人王进喜学习！"

"向王铁人学习！"突然，余秋里挥起那只握紧的右拳，振臂高呼。

"向王铁人学习！"会场顿时一片口号声。

余秋里哈哈大笑，他所期望的目的达到了：被激动和感染的几个领导上前抬起王进喜，嘴里吆喝着口号，绕会场整整走了一周。本是严肃而紧张的技术座谈会最后结束时，竟然是众志成城、气氛活跃、斗志昂扬的热烈景象。

这就是余秋里。他是将军，他的指挥艺术里有个显著的特色是：每一场决定性的大战之中，他总是要培养一个甚至一批"跟我上"的冲锋陷阵的先锋。他一生坚持认为，一个民族要有民气，一支队伍要有士气，一个人要有志气。而要树立这三气，一要靠领导以身作则，带头往前冲的精神，二要靠有个好典型来带动大家。大庆会战中，余秋里一方面自己身先士卒，与会战干部职工们同在一线战斗；另一方面他抓住了王进喜等这样不怕苦不怕死、一心为了国家扔掉贫油帽子的先进分子和先进团队的榜样，从而使整个会战的千军万马，始终处在高昂的战斗情绪之中。

1960 年 4 月 29 日这一天，会战大军的战斗情绪达到了高潮。由各路人马参加的"万人誓师大会"在萨尔图的那片荒芜而宽阔的草原上隆重召开。

原定是“五一”召开的誓师大会，康世恩在三探区检查工作时，见探区指挥宋振明他们已经提前把会场准备好了，于是请示余秋里是等“五一”开还是提前开。

“别等呀！开会本来就不是为了形式，同志们既然想早一天投入会战，那就开吧！”余秋里说。

通知下去，相距几百里的会战队伍的代表们，举着红旗、擂着战鼓，从四面八方向萨尔图中心会场处集结。那一幕，大庆人始终念念不忘：什么叫人如潮、什么叫歌震天、什么叫威风凛凛、什么叫盛况空前，这一天他们都看到了——

看，穿红棉袄包着羊肚毛巾的陕北秧歌队来了！

看，两三百人组成的东北“二人转”队伍来了！

瞧，骑毛驴、划旱船、踩高跷的也都上了……最引人注目的是由16个小伙子抬着的两米直径的一面大鼓，4个壮汉子使劲地擂动，伴随6个东北大汉擎着三尺直径的大钹而打出的成套鼓乐，声震天地，那非凡的气势，似乎一瞬间把荒原的千年沉寂一扫而光！

嚯，简直是一出万人的狂欢！万人的歌舞！

主席台上站的独臂将军看着台下红旗招展、拉歌声此起彼伏的场面，脸上露出了满意的微笑。站在他身边的戴着眼镜的一向文绉绉的康世恩显得异常激动，不停地用右手的食指抬抬眼镜，看得出，他敬佩余秋里这位“石油事业大导演”，更庆幸自己手下有这么一支斗志高昂、气贯长虹的战斗队伍。

上午十时许，在齐鸣的锣鼓和礼炮声后，余秋里健步走向麦克风：

“同志们，今天的大会是来自全国石油战线的各路英雄的会师大会，又是检阅我们力量的誓师大会！”将军的声音通过麦克风的扩音，以十倍高的声响在草原上回荡。

“我们集中石油战线各个方面的精兵强将，进行大会战，就是为了高速度、高水平地拿下大油田！这标志着我国石油工业的发展进入了一个新阶段！”

“因此我们要猛上！快上！坚决地上！”

“猛上！”

“快上！”

“坚决地上！”

整个上午，余秋里在台上不时挥动拳头，台下便掀起山呼海啸般的回应。

总指挥部康世恩被深深地感动了，轮到他走向麦克风布置任务时，这位石油儒将竟然也像余秋里那样不断挥动起拳头，激情无比地说：“同志们，英雄手下无难事，现在就看我们志气大不大、气魄高不高了！我们的队伍，是转战祁连山、昆仑山、天山和峨眉山的英雄好汉，打遍了长江和黄河之间，现在我们在这里会师。同志们，大好的时光，大好的油田，正是英雄好汉大显身手的大好时机！干吧！”

“干！”

全场的各路英雄奋然起立，振臂誓师。

“会战检阅开始！”独臂将军并不因此想收住这激动人心的誓师场面，他又以独特的军事指挥家的高超艺术，将与会的每一个人推向表演的主角——而他则以一个老军人的风度，直挺挺地站在那儿注目着一支支钢铁队伍从身边走过……

身边，他的助手、会战指挥部的其他领导学着他的样，精神抖擞地站成一排，以同样严肃和神圣的注目礼，检阅着自己的英雄队伍——

啊，这个队伍看上去有些滑稽可笑，穿着也各不相同，比起整齐划一的解放军检阅队伍要差得多，但他们的精神斗志则一点也不逊色。瞧，最引人注目的队伍来了。哇，是五匹高头大马啊！那大马上面分别坐着王进喜、马德仁、段兴枝、薛国邦、朱洪昌，他们骑坐的马都由一个探区的领导牵着，他们是三探区的党委书记李云——他为王进喜牵马；副书记张云清为段兴枝牵马；副指挥孙文燕为薛国邦牵马……这就是闻名大庆、闻名石油战线、闻名全国的“五面红旗”。

“五面红旗”披红戴花，在五位领导人的引领下，骑在五匹大马上接受余秋里等领导的检阅，又在万众欢呼和簇拥下绕场而行……

这一幕永远留在北大荒的记忆里，也永远留在那个时代的全中国人的心目中，当然也永远留在共和国建设的史册上。

誓师大会的最后一刻，余秋里又一次带领万人高呼："向王铁人学习！"、"人人争做铁人！"

"轰隆隆——"一道闪电和霹雳，划破千里荒原。

1960 年——人民共和国最困难的时刻，松辽大地上却响起了一声震撼世界的春雷。

# 第六章

艰苦卓绝。荒原上迎来“上甘岭”之战。

饥饿困扰会战全线，一夜间有几千人因饥饿患上浮肿而相继倒下。将军部长心急如焚：“下泡子逮鱼！上荒地挖野菜！扒树皮！吃雪水！就是用草根泥巴填塞肚子，也不能败下阵来！”

“谁做逃兵，我就在萨尔图车站用机枪挡他回去！”

钻井台上，一位正跪着双腿摆岩芯的女技术员说：“我的腿有毛病，站不起来。跪着好干活。”

吉普车上，铁骨铮铮的将军部长脸色铁青，一言不发。在一座“干打垒”前，他飞脚踢开木门，对正坐在椅子上的一位领导干部开骂：“我操你个奶奶，工人和技术人员跪在地上干活，你却舒舒服服坐在椅子上！听着：把你们办公室的所有凳椅统统送到施工一线去！否则我枪毙你！”

“轰隆隆——！”这是天上的一个响雷。

余秋里撑着雨伞，在萨尔图的一间牛棚里听着黑龙江省委书记欧阳钦从哈尔滨打来的电话：“邪了门了！这以前还从没有下过这么大的雨嘛！而且又下得这么早呀！”电话那边，欧阳钦书记好像因为天上的雨是他没有挡住似的，口气极为歉意。

“谢谢欧阳书记，你和黑龙江人民已经付出了许多许多。我和会战的全体人员是从心里万分感激的。请放心，我们一定以你们无私的共产主义精神为榜样，战天斗地不动摇！雨挡不住我们找大油田和开发大油田的雄心壮志！这一点请欧阳书记务必放心嘞！”余秋里对着电话大声说道，眼睛却在看着牛棚外面的老天爷。

“余部长啊，告诉你一个消息：老大哥那边的天上也打起了雷啦！前些天美国的一架 U−2 间谍侦察机入侵时被打下来啦！”

“噢？好啊！这‘雷’响得有点意思嘛！哎，北京这边有什么反应？”余秋里把探出的头收回牛棚，压着嗓门问电话里的对方。

“中央办公厅已经发通知了，二十号北京要举行声势浩大的抗议美帝国主义入侵老大哥的声援大会……”

“好嘛！主席就是有远见。他老大哥虽然对我们做得不够意思。可我们仁至义尽，书记你说对不对？好，我这儿也准备来点声势，给老大哥点支持！”余秋里说完，哈哈大笑起来。

放下电话时，余秋里再一次将头探出牛棚，一阵飞溅的瓢泼大雨打在他伸出的右胳膊上。“看来老天爷是存心想跟我较劲喽！那咱们就走着瞧！”余秋里转过身子，冲身边的工作人员说："备车！”

这一天，北京的天气多云。天安门广场上聚集了二百多万群众，毛泽东出现在城楼时，“打倒帝国主义”的口号响彻云霄。毛泽东神情凝重地傲视着北方，显得心事重重。中苏之间的争吵已经很激烈了，而毛泽东此刻仍然期待着能够弥合已出现的裂痕，天安门前这声势浩大的声援便是一种姿态，但能不能换得赫鲁晓夫的回心转意，毛泽东显得并不那么有信心。

这一天，余秋里没能上天安门城楼。他乘坐的吉普车正陷在雨中的荒原上，进也不是，退也不是。站在泥水里的司机急得一边抹着脸上的雨水，一边不知如何是好地叫嚷着："这鬼地方怎么天天雨下个不停呀！”

余秋里无奈地打开车门，一手挑着盖在头上的雨衣帽，眯着被雨打淋的眼睛，向四周瞭望：四周是什么？什么也没有，只有白茫茫的一片望不见边的水乡泽国……那些刚刚露出绿芽的野草七歪八斜地漂浮在汪洋之中，仿佛在痛苦地向过路者求助。但它们得到的结果是更加的痛苦——几乎从它们身边走过的人无一例外地反过来求助这些野草，他们或双脚踩在它们的上面以求不陷入沼泽之中，或干脆将它们连根拔起，当作阻滑器，垫塞在拖拉机或者汽车的轮子底下……

嘎斯吉普车毫不例外地同样采取了野草垫塞车轮子的办法。司机和秘书几乎把长裤和短裤都浸湿透了，但由于陷得很深，车子不仅发动起来后前进不了半步，反而陷得更深。此刻的部长也成了“泥猴”，唯有那只贴在一起的空袖子还能让人认出他是谁。

“哎呀，余部长，你们怎么在这儿呀？快快，快上我们的拖拉机吧！”真是天助余秋里！在司机和秘书不知所措之时，老劳模薛国邦从一台送货路过的拖拉机上跳下。

“是薛国邦呀！我们抛锚啦！抛锚啦！”余秋里欣喜地握住薛国邦的手，问他队上的情况怎么样。

薛国邦直摇头：“大伙儿有劲使不上呀部长！你瞧这天，打誓师大会那天起，雨就下个不停。我们想抢任务，可物资供应不上来，这不，我们这批材料已经等三四天了，指挥部就是送不上来，我们只好想法从几十里的一个农场那儿借来了一台拖拉机自个儿去拉的。这不，本来一个星期就能干完的活，现在还不知误到什么时候呢！”

余秋里皱皱眉头：“工人的情况怎么样了？”

“更别提了。我们都是从西北过来的，一辈子都没见过这么多的雨。队上住的又是地窨子，您瞧这水汪汪的，大伙儿住的地窨子里面，那床变成了能浮在水上划动的船了……”

“快领我去看看！”不等薛国邦说完，余秋里心急如焚地跳上刚刚从泥潭里拖出的吉普车，直奔井队。

眼前的情景，是余秋里不曾想到的：油井几乎全泡在水里，上班的采油工一半人在操作，一半人则用着各种可以抵挡雨水的布、篷、瓢、盆，站在雨中守护着采油树……而更令余秋里不安的是当他走进工人们住的地窨子时，那个半在地面半在地下的地窨子里到处都是水汪一片，原先搁在地下的木板床无一例外地漂在水里，被子和物品湿成一团……下班的工人们没有干衣服可换洗，只能光着身子在一只烤火盆边取暖……

“部长?！部长您怎么来啦？这雨下得这么大您咋还上我们这儿来呀？”正在烤火的工人们见湿淋淋的余秋里来到他们身边，感到十分意外。

余秋里解下身上的雨衣，裹在一位浑身瑟瑟颤抖的小工友身上，心疼地说：“我怎么不能来？瞧瞧你们冻成这个样！又住这么个地方……我这个部长没当好啊！”余秋里有些说不下去了。他顺手提起一个工人放在床板上的湿棉衣，觉得特别的沉，便让人拿过来称。

一称：整整 18 斤！

余秋里骇然变脸。

薛国邦不好意思地喃喃道：打会战誓师大会那天起，老天爷就一直“泪汪汪”的，大伙儿只能穿着又油腻又潮湿的棉衣上班，多数人为了保证能睡觉时有身干衣服贴在肉边，其他时间穿的全是湿衣。这三天五天下来，就成“铁衣”了。

“我……是我没当好这个部长！没当好嘞！”余秋里听着，一脸自责。

“部长您可千万别这么说！这都得怪老天爷！它是想有意跟我们会战大军较量较量！我们不怕它！同志们说了：我们从大西北来到北大荒，如今大油田已经找到，我们就要为彻底甩掉进口洋油而奋斗。它天公想跟我们较量，那好，我们就跟它宣战：无雨时咱特干！小雨时咱大干！大雨时咱猛干！不信天公不低头！”薛国邦在余秋里面前握紧拳头，壮志凌云。

“对。部长您放心，我们一定战胜天公：无雨特干，小雨大干，大雨猛干！”工人们情绪高涨地在部长面前表决心。

余秋里真的被感动了：“好！同志们，我要向你们学习。同时还要把你们的战斗口号宣扬到整个会战所有战区！我们一起跟天公比个高低！就是上甘岭战役，我们也得冲上去！你们有这个决心吗？”

“有！”地窨子里震起比雷声响十倍的声音。

那是一种什么样的战斗激情？那是一种什么样的精神姿态？也许今天的人已经无法想象，但昨天的共和国建设就是这个样——在他们心目中没有别的，只有为国家建设出力流汗，甚至不惜英勇牺牲的心愿。

余秋里离开薛国邦的采油队时，虽然被会战指战员不畏困难的精神所感动，但他作为五万余会战大军的最高指挥官，他依然忧心忡忡：地处松辽腹地的大庆油田发现和开发初期，整个会战大军完全是在毫无依托的一片荒芜的大草原展开的。这里霜期有近五六个月时间。进入5月，大地刚刚解冻，雨季便开始了，而且1960年的雨下得特别的多。松辽油田的所在地，又是地势低洼的松花江和嫩江两条江河的自然泄洪区，这给油田会战的五个战区全线带来难以想象的困难。原有的几条土公路，已寸步难行。汽车出门，都得拖拉机保驾。就是拖拉机上路，也不时陷入泥潭。更让人头痛的是当时气温很低，一般不过四五度。会战队伍面临想干活工地一片水汪汪，又等不到物资供应，想干也没法干；一旦停工，别说总指挥部定下的计划落实不了，就是职工们待在工棚和宿舍里也遭雨淋遭寒冷……职工们的干劲和精神是一回事，但没有物质保障的会战必然会造成战斗力的严重损害，这一点当过司令员和政委的余秋里十分清楚。什么都不重要，人是第一位的。他想命令后勤人员迅速给各井场和分队的职工们送去能够暖身子的生姜和辣椒，后勤供给部门的同志告诉他，几十辆车子全部出去一天也送不了几个井场；生产部门的人更是叫苦，说空车子往外跑还能走上几里，一装上物资连几百米都走不动——全线物资供应断档。

“有一个油建小分队五个人，困在几百里外的暴风雨之中，已经五天失去联系，不知是死是活……”有人报告说。

“部长，今天装卸一中队七分队的三十名复员战士，为了赶抢一批泡在一米多深积水中的材料给井队前线送去，他们从早晨三点一直干到晚上六点，十五个小时奋战在水中，硬是把 250 吨钻杆和油管装上了车……”有人兴冲冲地前来报告一个战况，可余秋里听了不知是喜是悲，心情反而更加沉重。

“老张，当务之急，必须让所有车子都动起来，否则我们全线几万人会陷在大草原上的！”余秋里把张文彬叫到他的牛棚办公室，异常焦虑地命令道，“你得用主要精力解决好这个问题。道路不通，物资送不到井场和野外分队，我们整个会战就是死棋一盘。必须限期解决，分秒必争！明白吗？”

“明白！我马上去执行！”张文彬二话没说，领了“军令状”就走。

余秋里有个特点，在关键时刻，他用兵总是爱挑那些曾经是军人出身的指挥员和战斗员。张文彬是石油师的老政委，许多人都这么说过，余秋里生前对张文彬总是特别的重用，余秋里欣赏张文彬办事稳当、脑子灵光又为人忠厚。会战几年里，张文彬不仅是领导小组成员，而且又是每次召开大会的主持人，或者代表会战领导小组在五级三结合大会上作总结报告，这种情况一直延续到张文彬被余秋里任命为工委副书记兼副总指挥、主持油田全面工作。

张文彬接受任务后，知道这份责任之重大和紧迫，可他其实一点经验也没有。过去在玉门和新疆油田工作时，队伍可能遇到的危险就是随时随地呼啸而来的沙尘暴。这沙尘暴说穿了，别看它漫天狂舞的挺吓人，可只要躲它一阵子它就没脾气了。然而眼下东北大草原上的雨水让张文彬有些束手无策。

怎么办？张文彬知道余秋里的脾气，交代的事办不好、办不利索，那是要受到“军法”处置的。轻则一阵狗血喷头的臭骂，重则撤职受罚。而这也是张文彬格外欣赏余秋里的一个地方：军人嘛就得有点军人的血性。黏黏糊糊，拖拖拉拉，还能干什么呀？当年战场上你慢一拍、愣一下，就是一条命、一场战斗胜利的结果可能就没了。石油会战就是战场，就是人与自然较量的恶战，含含糊糊，不是余秋里的作风，也不是他张文彬的作风，更不是全国人民时刻在期待扔掉贫油帽子的中国作风！

找群众去！这是张文彬从余秋里和其他指挥者那儿学到的秘诀，也是他本人多年养成的传统。车子动不了找谁呀？当然找会开车的人嘛！

果不其然，张文彬找到在三战区工作的运输处。运输处的同志发动全处职工献计献策，两天之内就设计出了40多种方案，画了59张图纸。一区队二分队司机郑学书听说余部长给张文彬下的“军令状”后，自告奋勇报名参加“欲与天公试比高”的革新活动。这郑师傅还真有能耐，他在汽车轮上设计出了一套“防滑鞋”——用钢板制成的又可固定在轮轴上的“铁鞋”，而且不仅雨天能穿上，晴天还可以卸下，又不磨损轮胎和钢圈。钳工、电工连的同志们加班突击，把郑师傅的“防滑鞋”进行技术加工，待完工后套上汽车一试：嚯，效果好极了！汽车再不怕翻泥浆和陷烂泥地了，装着货物也能跑得飞快。

张文彬让运输处的同志将穿上“防滑鞋”的汽车开到总指挥部。余秋里见后大喜，命令政治部的同志给郑学书师傅和运输处的同志记功嘉奖，同时又立即召开会战总指挥部领导干部会议，进行抢送物资和防雨工作的大动员。

于是全线机关和后勤人员全部出动，帮助供应部门突击抢运前线所需物资。各战区也针对前期对雨季的认识和准备不足的问题，纷纷成立了防雨指挥部和防雨突击队。指挥机关连续七天七夜人不下班、车不熄火，及时将3000多吨物资送到野外深处的40多个井场和工地以及数百个点的小分队。各战区的同志更是按照余秋里的统一部署，在自己所属的工作区内和井场周围展开了挖掘排水沟等堵漏防漏的与老天爷争夺时间和比高低的阻击战，创造了一个又一个“九天九夜不休息”的动人故事。会战后来一直坚持的“九天制工作周”就是从这个时候全面形成，即工作九天休息一天的周十制。一周十天，这是余秋里和大庆人发明的。那个时候没有《劳动法》，多快好省为社会主义建设是全国上下的大法。毛泽东对石油工业还有一句话叫作“革命加拼命”，余秋里领导他的队伍执行的就是这个法。

历史阶段不一样，“法”的内容和含义也不一样。现在我们对劳动者的尊重是在确保他的劳动权利的同时要保障他休息好福利好在内的权利。五六十年代那时，让所有劳动者拥有参与建设社会主义事业的权利是对他的最大保护，这种保护带着一种荣誉和自豪感，是政治和精神方面的因素更多些。一个人如果没有权利参加建设事业，那他就不是社会主义的公民和积极分子了，他很可能是人民的敌人和一个对社会无用的人。那时的人们绝不愿意做这样的人，他们宁愿干死，也不愿做让人唾弃为不劳动的寄生虫。

九天工作制是大庆会战的一个特殊产物。余秋里领导的会战团队在那个时候还发明了许多这样的产物，如“九热一冷”制，即把九成的时间用在热火朝天的生产实践上，一成时间用在冷静研究工作中存在的问题和提高认识上。每月月末有三天时间召开“五级三结合技术座谈会”便是在他提议下、大庆人一直坚持了几十年的好作风。其中有一项叫“大游地宫”的活动，便是会战初期召开的一次“五级三结合”会议上由康世恩同志提议而形成的一种走群众路线、让群众自觉行动起来学习技术知识的活动。“大游地宫”是针对当时会战队伍绝大多数的参战人员来自非石油专业和不懂地质技术及对地下情况不明而开展的一项学习地质科学知识的群众性活动。

"地宫"现在仍是大庆油田的一个引以为自豪的标志性博物馆和科普场所。会战时期的"地宫"可是多得不得了，不少施工钻井队也有自己的"地宫"——岩芯是"地宫"的主要成员，排列整齐、一目了然的效果，使得过去从未接触过石油勘探和地质知识的职工们很快了解和掌握了石油生成与开发的基本知识，从而对打井找油的大会战起到了积极作用。

余秋里后来回到北京有人告诉他，这个5月份的黑龙江松辽地区，是有史以来同期降雨量的最高峰，为107毫米，比有记载的历史最高纪录的1919年5月的83.2毫米高出近24毫米。老天爷给余秋里和石油会战大军来了个"下马威"。但一番激战之后，输家还是老天爷。老天爷无论如何也想象不出天底下竟然还有这样一支摧不垮、打不烂的建设大军：

大雨滂沱中，他们连搬钻机的样式都变了——5月4日，1247队在萨15井中，利用雨水打滑泥地所产生的润滑，并依靠钻机自身动力，将钻机整体从这一井位挪动了100米。几天之后，他们第四次试行，仅用18分钟时间，将钻机移动250米，安全准确到达新井位……在石油史上创造了又一个创举。这个队的队长叫段兴枝，也是大庆"五面红旗"之一，他领导的这一创举，为会战的生产队伍提高劳动效率所起的作用是前所未有的；

大雨滂沱中，一支野外地质小分队为了追回因泥泞耽误的时间，在冰冷的溪沟里，顺着湍流蹚水八个多小时，一天走完晴天两个工作日的普查线路；

大雨滂沱中，"八一部队"的3000余名官兵在负责铺设管道中，几乎天天是在一米多深的水沟里挥锹挖、用手抠，突击完成输水管线28公里、输油管道28公里，共完成土方46.4万方……

"余部长，哪一天需要，我准备到你这儿借一支队伍，再战一次上甘岭也不怕！"一位将军听余秋里介绍会战情况后如此兴奋地说。

余秋里笑笑，说我现在带的是找油队伍，不过哪一天真用得着让他们打仗去，我相信他们都是"硬骨头六连"式的好队伍。余秋里心想，我还有许多"雨中上甘岭"没给你讲呢：那天，二战区65名同志为参加生产技术座谈会和同时向会战指挥部汇报会战成果，为了赶时间，每人仅带了两个饼子，在倾盆大雨中走了22个小时，行程140多华里，而且这140多华里全是泥泞之路哟！

这不也是“上甘岭”嘛！跟当年红军翻雪山过草地差不了多少，就差了前后敌人的追击与围堵而已。余秋里坚信，这样的队伍就是有敌人前后追堵也一定能战无不胜、所向披靡。

5月25日，余秋里见会战队伍在雨季中站住脚跟、生产开始走上正轨后，带着周文龙和康世恩赴哈尔滨向黑龙江省委汇报会战首战情况。

“了不得了不得！石油战士们的冲天干劲和建设社会主义的积极性，是我们全省人民学习的榜样。我一定要让各地的干部和群众到你们那儿看一看，学一学。”欧阳钦书记握住余秋里的右手，直竖大拇指。宴会的饭桌上，欧阳钦书记悄悄问余秋里：“北京二十号声援老大哥的示威大会声势空前，你没看报纸吧？”

余秋里抱歉地笑笑：“这些日子整天被暴雨冲得晕头转向，没来得及看。”

欧阳书记又神秘地问：“你上次电话里说不是也想给老大哥助助威，怎么样，准备差不多了吧？”

余秋里听后笑笑，指指康世恩：“你问他。”

康世恩爽朗地点头说：“争取在六一。”

欧阳书记一听，高兴地站起端上酒杯：“来来，我代表省委先向你们表示祝贺！”

余秋里和周文龙等赶紧跟着起身，频频向黑龙江省委的领导们敬酒致谢：“没有欧阳书记和黑龙江省委、省政府和全省人民的全力支持，我们的几万会战大军真是寸步难行啊！来来，我们敬你们……”

高级干部们轮到有高兴的事聚在一起时，也弄得挺热闹的。那天酒桌上没有露底的事，后几天就在萨尔图那个小小的火车上爆了出来：装满21节大庆原油的第一列油车在喧天的锣鼓声中徐徐开出……消息传遍了东北大地，也传到了毛泽东的耳里。

毛泽东这些天在上海。他是专程为了会见英国的蒙哥马利元帅而从杭州来到黄浦江畔的。蒙哥马利是二战中的名将，指挥过北非战役，又参加过诺曼底登陆战役，名声显赫。毛泽东对这位二战名将的访华十分重视，并与将军进行了长时间的友好而无拘无束的谈话。处在苏美夹击中的毛泽东此时关注的一个中心意思是：希望英法苏中四国接近起来。他提出了“冷战共处”的构想。蒙哥马利对此很感兴趣，并表示愿意做能使这四国走到一起的工作。但将军向毛泽东提了另一个重要问题：

“五十年以后的中国命运怎么样呢？我的意思是，到那个时候，中国会不会是世界上最大的国家了？”

毛泽东“嗯”了一声后，马上敏感到对方想的是什么，便答：“你的看法是，那个时候我们会侵略，是不是？”毛泽东说完自己先笑了，然后坦诚道，“五十年以后，中国的面积还是九百六十万平方公里……如果我们占人家一寸土地，我们就是侵略者。实际上，我们是被侵略者，美国还占着我们的台湾。”（见《毛泽东文集》第8卷，第181、188、189页）

蒙哥马利将军后来回国后写了一篇文章，刊登在英国《星期日泰晤士报》上，他说：毛泽东是个了不起的人物，他建设了一个统一的、人人献身和有目的感的国家。他的人民正在进行一场伟大的奋发图强的社会主义建设事业。在这其中，有些成就已经可以让全世界震惊。

“六一”的第一列原油驶出大庆油田这一事件，引起了全世界许多人的关注。虽然那时连大庆这个名字都是保密的，可再保密的事也不可能不透一点风声。更何况，苏联“老大哥”的专家组一直参与了松辽找油的工作，他们不知道中国发现了大油田那是天大的笑话，已经开始同中国翻脸的苏联人知道的事，美国人不会一点不知道，美国人知道的事，他的欧洲盟国小兄弟们也不会不知道。

很有意思的是“六一”第一列原油驶出萨尔图站时，有一位专管装油的会战英雄却竟然不知道他灌的油车在他呼呼大睡之时“隆隆”轰鸣着从他身边开走了。当他醒来时，听说油车已经过了哈尔滨时，气得直嚷嚷队友们“缺德”。

此人便是薛国邦。四十年后我在这位老英雄的家里听他讲述了一段趣闻：

上面已说过，薛国邦带领他的采油队到松辽后，接受了萨66井的采油任务。这是大庆油田试验区的第一口高产井。当会战指挥部决定要在“六一”前外运第一列原油时，自然而然装油的任务他薛国邦队又摊上了。那时外界的人还不知道，大庆的原油凝固度特高，从井里喷出后一到地面就凝固起来，尤其是天气一冷，其凝固度就更高了，无法成为流动的液体。薛国邦接受外运列车的装油任务时，只离“六一”一个星期，这一个星期里他们先要把21节油罐车的原油加温、熔化好。偏偏在临装车的前三天，气温低于原油的凝固度，土油池里的原油变得愈来愈稠，蒸汽盘管又进不了油池中间，那台土抽油机——水泥车的泵机不时发出“哼哧哼哧”的怪叫。“不行了！打不上油啦！”水泥车的司机从驾驶室里一次次探出头来，异常焦急地喊着，最后干脆关停了抽油机。

这可怎么办？满身油泥的薛国邦瞅着像凝结成冰块一样的油池，直抓头皮。队友们则眼睁睁地瞅着自己的队长，等待他决策。

“指挥部已经确定了第一列外运原油的火车出发时间，要是耽误在装油上，那还要我们干什么？”薛国邦奋力将衣服一脱，腾起双腿，一跃跳进了油池，然后张开双臂，左右划动起来……结成冰块似的原油开始蠢蠢欲动起来，又渐渐变成流动的液体，涌动着、奔流着。

水泥车的泵机重新隆隆响起。“行了行了！”负责抽油的司机欣喜万分地高呼起来。

乌黑的原油再次源源不断地流入油罐车内……

“队长，你的腿关节不好，快上来吧！”队友们一遍又一遍地喊着，可谁也没有喊动池子里的薛国邦。四天四夜，薛国邦就这样和他的战友激战在油池里，用身体熔化着原油，直到灌完前20节油罐车时，他才被几位党总支的领导硬拉出油池。

“几天几夜下来，太累了，我被大伙抬到宿舍，一躺下就没醒过来……”老英雄回想当年的壮烈一幕，仍然记忆犹新。“‘六一’中午时我才醒过来，走出门一看，怎么油罐车没了？就问队上的人，他们笑着告诉我说，现在火车都快到大连炼油厂了，你还想看什么呀？我生气地问他们为啥开车时不叫醒我？队友们说，我们不知叫了你多少次，叫醒一次你又倒下睡着了，连续叫了不下五六次，就是叫不醒！我听后自己也乐了，心想，反正油车已经走了，毛主席也知道我们大庆的石油要派上用场了，这不就是我的愿望吗？那会儿，人不知啥是累，睁开眼睛就是干活，眼睛闭了也想着工作……”薛国邦后来是大庆“五面红旗”之一，与铁人王进喜等名列在中国石油史篇上。退休前，他是大庆市人大常委会主任。

中外历史上有许多战役可以用“艰苦卓绝”四个字形容。二万五千里的长征是这样，斯大林指挥的卫国战争是这样，诺曼底登陆战是这样。和平建设时期的不少战斗，能用上这四个字的也有不少，像美国人修建纵横南北的大铁路工程时，每一公里就要死掉十几个人，其中中国的华人在此次修建铁路中便有千数的尸骨埋在加利福尼亚州沿线。在新中国的历史上，大庆会战可以说是六十年建国史上一场最为壮烈的艰苦卓绝的战斗了。

五万余人的队伍从四面八方一下来到荒原后，他们几乎没有顾得上垒一个像样的窝、多备一件御寒的衣，便投入了紧张而激烈的施工。又可以说在脚跟尚未站稳之际，便遭受了一场连绵不断的暴风雨袭击。于是不管是先前在松辽进行普查的松辽勘探局的几千名职工，还是后来从四川、玉门、新疆和青海来的一万余名石油老职工和三万多部队转业官兵，他们都是遵照会战总指挥部的命令，以最快速度轻装来到这儿的。大雨将他们仅有的随身物品泡了又泡、湿了又湿，结果让他们遭受了生命中最严峻的考验。

“我从四川来时就带了两身外衣，三身内衣，加上到松辽后发的一身工作服和一块棉毯，不到半个月就啥也没可换的了。不瞒你说，我当时下面的裤裆里烂得路都走不动。下裆发烂的不是我一个。那时钻井台上基本没有女同志，所以大伙上班时里面不穿短裤，这样舒服些。一回到住处，大家干脆脱得精光往炕上一躺，十几条汉子，赤条条地躺在上面，双腿叉得大大的，我们自嘲这叫烤小黑鱼——从井台上捡点原油，放在盆罐里点着后，将红肿溃烂的双腿根烤着取干取暖……”一位“老四川”对我说。

“我们几个女孩子都是地质学校刚毕业就到了会战前线。那时到会战前线、到会战前线最基层的单位是最光荣的事。所以我们几个姐妹抢着上野外普查分队。到野外分队后，整天一身水一身泥的，几乎每天都要蹚水。男同志们把衣服一脱，往头顶一举，光着屁股就过去了。我们女的不行啊！内衣总得穿吧！所以蹚一次水后，就得湿一次身子。时间一长，身体就发生了变化。我和队上的几个女孩，开始几个月的‘例假’都不对劲，两三个月不来是常有的事。队上有个女孩子见两个月没来经，吓得以为自己怀孕了，她有男朋友。后来到医院一检查不是。她为这高兴得请我们几个吃了一斤糖。可后来这位同志到了想生育的时候却再也没了能力。医生说她因长期患经病而丧失了怀孕功能。在参加会战的女同志中，像这样的人不止一两个。可我们至今没有一句怨言，因为我们一直是高唱着‘我为祖国献石油’过来的……”一位女地质师对我说。

在大庆、在石油战线，我听过无数这样的讲述。说起当年会战，他们每个人都可以给我讲三天三夜，每一个人都是一部不朽的史书。

但，我知道在五万多人的会战大军中，余秋里无疑是最精彩和最动人的篇章。因为他是这个队伍的最高指挥官，他有十倍百倍于普通会战干部和职工所经历的困苦与艰难需要面对。

现在他需要面对的是比雨季更为严重的一件事：荒原上的四五万大军，冬天来了怎么过？

松辽的冬天是什么样？

松辽的冬天有一百种说法：

一场雪能把一年长起来的草压死；

一日结冰能五个月不化；

一次寒流能灭掉秋夏两暖；

而有人说在冬天的北大荒上拉一回屎你累了可以坐在屎堆上保证不塌下去，你尿一泡尿转眼变成冰棒，这绝对不是玩笑话。滴水成冰，随处可见。

余秋里相信，因为在第一次上大同镇视察时他已经领教了北国冬的严酷。那时整个松辽平原上仅有几台钻机、几个野外地质调查队，无论如何石油部和地方政府都能用全力去保证这些队伍不出任何问题，即使如此，第一次他上松基三井等钻井队看到工人们穿着盔甲似的冰泥服，放岩芯的技术员，稍稍不慎手皮便被整块整块地撕拉出血淋淋的情景，这样的记忆无法抹去。

雨季无论多可怕，那是零上温度的春夏里；东北的冬季，从10月开始，将一直延续到第二年的三四月份。而这五个多月的时间里，一般气温都在零下一二十度，最低能过零下三四十度。零下三四十度是什么概念？那绝对不仅仅是拉一回屎可以当凳子坐和尿一泡尿成冰棒的事——你假如不小心迷失在露天几个小时就可能会冻成僵尸，你假如穿一身湿透的衣服在几十分钟内便会冻得失去知觉……在冬季，经常还有被当地人称之为“大烟炮”的暴风雪，那一刮起来，真可谓地动山摇。至于这儿的雪一个冬天下多少场就更是谁也说不清了。在大同镇采访时，当地百姓告诉我，说他们经常遇上这类事：晚上好好的把马儿圈在马厩里，可第二天一开门，却见老马上了房顶。为啥，下雪呗！大雪降落，渐渐积起。马儿没处跑，只好跟着积雪往上走。一夜大雪掩过房墙，马儿也就上了房顶……

“秋里啊，咱东北可不比你老家江西，要是冬天没有很好的防寒设施，别说人过不了冬，就是铁疙瘩的机器设备也会成一堆废铜烂铁呀！”早在会战初期，“钢铁大王”王鹤寿等过去在东北开辟革命根据地的老同志就关切地告诫过余秋里，并说如果会战队伍过不了冬，就争取在10月份之前把人和设备拉到哈尔滨、长春或沈阳等城市，等来年开春后再把队伍和设备拉到大庆油田去。

“这样保险。”王鹤寿特别提醒跟他仍在较劲“一吨钢一吨油”的石油部部长、好友余秋里。

这是肯定的，把人和设备拉到有保暖设施的城里，会比天寒地冻的北大荒要保险得多。但余秋里却不甘心这么做：一年十二个月，过冬就要花去六个月，搬进搬出两次折腾，队伍的消耗不说，光会战的时间就至少拉长一倍！这油田开发将拖到什么时候呀？

“不行！这么干我们耗不起！队伍耗不起！国家要油的时间耗不起！既然一屁股坐定了北大荒，那就不该随便动来动去。还是我说的老话：这次会战，只许上，不许下；只许前进，不许后退！无论遇到多大困难，也要硬着头皮顶住！”余秋里在领导小组会议上，那只有力的右拳，一连挥动了十几下。“就这么定了，天塌下来，也要把它顶回去！”

然而决心是决心，办法何在？

盖房子？在荒原上一下盖起几十万平方米的房子和其他防寒设施，再让职工们住进去，让机器设备进暖库，吃的粮食蔬菜也能入窖，能做得到吗？肯定不能。一是既没有那么多钱，二也没那么多建筑材料和施工队伍，另外时间也来不及呀！北大荒的冬天不仅寒冷，还有风暴呢！房子不盖坚固，一阵风刮来伤亡不更严重吗？

挖地洞？到处水泡子、沼泽地，夏天雨季来了还像时下让职工们长年累月光着腚子、叉着双腿烤火盆？

不行不行！余秋里和会战指挥部领导成员为此苦思冥想，一时不得要领。康世恩更是急得眉头直皱："目前油田开发的注水试验正在关键时刻，要是注水的工作一停下来，问题可就更严重了……"

"别急别急。活人不会被尿憋死的。"余秋里嘴里安慰自己的亲密战友，心里其实比谁都着急。

关键时刻，还是黑龙江老书记欧阳钦同志出了个好主意。余秋里因此生前深怀感激地这样回忆道："有一天，欧阳钦同志对我说，有一种办法可行，就是东北老乡搞的那种'干打垒'。这种房子一可以就地取材；二可以人人动手，来得快；三可以节省木材；四是冬暖夏凉。于是我们就立即派人到农村考察，了解当地居民的住房情况。又找民间泥瓦匠，调查当地居民住房的用材、设计和施工情况。经过调查，发现附近乡镇除主要公用建筑为砖木结构外，居民建筑主要是砖框土坯房和当地称之为'干打垒'的房子，它除了门窗和房檩需要少量木材外，几乎全用土垒筑成。墙壁是就地取土，装入活动木夹板内，用木槌、铁钎分层夯实而成。房顶不用瓦，把当地的羊草和芦苇等捋成草把子做垫层，上覆碱土泥巴抹光而成。取暖则用火墙或火炕。这种'干打垒'房子看起来很土气，但墙厚实，房顶密实，结构也严实，防寒性能比较好，夏天也不太热，适宜居住。且施工简单，操作容易，随时可建，便于广大职工人人动手，能够很快地大面积地建设起来。我们一致认为搞'干打垒'这个办法可行！"

瞧，大部长对这土房子的认识水平如此专业！如此专业的不止他一人，参加会战的几万名干部职工每个人都对"干打垒"很专业。

大庆的老一辈告诉我，他们人人都会建“干打垒”。“不会建干打垒的，没住过干打垒的，就不是真正的大庆人。”现今三十岁以上的大庆人，他们也非常骄傲地这样告诉我。

“干打垒”是大庆历史上第一批居住的建筑，也是永远留存在大庆人记忆中的那种不可抹去的一种象征，就像延安窑洞一样。虽然现在我们上大庆市看到的是高楼耸立的现代化城市，但在二十多年前的漫长岁月里，这儿的人，无论是部长市长，还是司机炊事员，他们无一例外都是居宿这些用泥、羊草和芦苇等垒起的原始式建筑内。

余秋里是将军，熟知中外战争史上曾经发生过多少因孤军深入雪域疆塞之后，面对茫茫冰雪旷野、奇寒骤至时将士不战而倒、坦克大炮如同一堆废铁、最终铁骑雄师溃不成军的悲剧。因此他在雨季尚未结束之际，就向全线提出“以建干打垒为中心的冬防保温工作是确保会战存亡的一个政治问题”。各单位必须“第一把手挂帅，建立必要的组织机构，制定长远规划和每月、每旬、每日的计划，抽调专人负责这项工作，定期检查规划执行情况。与此同时，开展一个轰轰烈烈的大搞冬防的群众运动”。而且他把这样的全体动员、人人动手的建屋战斗，形象生动地搞成了“七手八脚，七嘴八舌，人人动手，个个献策”的为自我生存而战的大比赛。

纵观余秋里一生，我们不难发现他的一大工作特性，就是他娴熟的“群众运动”本事。人民群众是创造历史的动力，什么事离开了群众，将一事无成。余秋里在领导军队和地方经济工作中之所以能够几度出色和辉煌，与他这种娴熟的“群众运动”的本事密不可分。

在进行生产实践和科学实践上的“群众运动”中，余秋里每一次都是创造不朽业绩的常胜将军。

石油大会战中的防寒之战，余秋里依然稳操胜券。为此，他亲自签署三条命令：一、不管西伯利亚的寒流如何凶猛，会战队伍一定要像解放军在战场上一样，坚守阵地，一个也不许撤走，一步也不准后退；钻井一刻也不能停，输油管线一寸也不能冻，人一个也不能冻伤。二、由油田建设指挥部迅速调查总结当地老百姓“干打垒”的施工方法，油田设计院提出“干打垒”的标准设计，供应指挥部负责木材、木房架、门窗、芦苇、油毛毡及砌火墙和炕口的红砖。三、各级领导干部分工负责，充分发动群众，在搞好油田生产建设的同时，抽出一切可以抽出的人员和时间，开展一个人人搞干打垒的群众运动；和老天爷争时间，为国家原油自给争速度。

真是军令如山。7月份开始，“干打垒”行动在不影响石油开发和勘探主业的前提下，全线开战。顿时，在轰鸣的钻机林中，一座座、一排排遍地丛生。到9月，历时一百天的为生存而战的“防冬保温”战斗胜利完成，全线建起30万平方米的干打垒，转眼间百里亘古的荒原上出现了众多村落，如同天上撒下的繁星……除了人居住的居室外，车库、机房、食堂，甚至干部办公室、职工学习室和卫生所等也沾了“干打垒”的光。一个个“铁人村”“群英村”“八一村”等地名也应运而生……

入冬时，会战全线基本做到了“人进屋，菜进窖，机器车子进库房”。但绝对不要把“干打垒”想象成天堂一般。泥垒草秆房毕竟是原始的，更何况所谓的“火墙”也不是那么绝妙。加上当时根本没有通风通气的必要设施，取暖所用的也净是大伙儿从井场上捡回来的落地油。这油烟的污染和毒气自然少不了。特别是南方过来的干部职工，打小没睡过暖炕。睡时往暖炕上一躺挺舒服，可一睡下去半夜常常不是背上被烧脱了一层皮肉，就是衣服棉被化成了灰烬。更有甚者，由于通风不够，焦油熏出的毒气，也不乏有人在不注意时第二天再没醒过来……后来成为石油部副部长的李敬同志就有过如此险情。那是这年的11月12日早晨。北风怒吼，滴水成冰。第二战区的两名机关干部有事向时任副指挥的李敬请示。可当他们来到李敬同志办公兼宿舍的干打垒前见房门紧闭，便猛然紧张起来——因为这两名干部知道平时他们的副指挥有起早的习惯，不会像今天这个时候还不起床。于是俩人立即撞开房门，顿时里面冲出一股浓烈的油烟味和皮毛烧焦的气味。再看电话机上，尽是呕吐之物……李敬出事了！两名干部去看床上的李敬时，见他已皮焦肉烂，惨不忍睹，早已失去知觉。“医生！医生快来！”电话铃立即响彻战区。李敬被送到急救地。经诊断为：一氧化碳中毒。在一番紧张的人工呼吸等抢救措施后，李敬终于得救。石油战线后来才有一位诗才横溢的“诗人部长”——李敬写过许多诗篇，也出版过诗集，可称石油高官中文采最好的一个。这是题外话。

尽管“干打垒”差点使石油战线少了一个“诗人部长”，但它终究还是救了余秋里和五万会战大军。之后的若干年里，大庆人每年都要动手筑起一批又一批干打垒，以满足日益发展和壮大的队伍。现今年轻一代的大庆人，他们虽然不曾像前辈人亲手参与那火热的建村盖房之战，但他们却多数是属于“干打垒”里呱呱落地的“小大庆”，而且“干打垒”还诞生了大庆人的第二代、第三代。

大庆会战多艰难！艰难是因为那个荒原的特殊地理环境，还因为会战岁月偏偏遇上了共和国最困难的三年困难时期。

那年 10 月，会战的五万大军尚处在脚跟未稳、半饥半饱之中的激战时刻，黑龙江省委和省政府来了一个要命的电文：素有中国米粮仓的黑龙江省的储备粮已过“危险线”，大庆会战人员的粮食定量必须按国家规定全线下调。

“下调到多少？”此时正在北京的余秋里一听就大嚷起来。

北京—萨尔图的电话专线里，张文彬向他报告：“钻工从每月 56 斤减至 45 斤，采油工从 45 斤减至 32 斤，干部、专家和机关人员一律减到 27 斤。而且每人每月还要省下两斤爱国粮。部长你看怎么办？咱们会战的同志多数是干体力活的，原本的口粮也刚刚够大家填饱的，这一下要降这么多……”

“……”北京方面没有回答。

张文彬着急地：“余部长，你在听吗？”

片刻，电话线里终于有了声音：“我听着呢！”从来声如洪钟的余秋里第一次在电话里变得有气无力。

张文彬不敢大声了，小心翼翼地补问了一句：“余部长，你看还有啥办法？”

这一头的余秋里长叹一声，无比沉重地：“知道吗？主席也从 10 月份开始不吃肉了，总理和中央领导现在都不吃肉了……”

张文彬不再说什么了，他想放下电话，又怎么也放不下。

“文彬同志啊！现在会战的同志情况怎么样？千万千万要稳住

啊！有情况随时向我报告。部党组正在召开会议研究对应措施。”余秋里焦虑万分地叮咛着。

“是，部长。”

张文彬放下萨尔图—北京的专线，会战各战区求援的电话却早已四起，震耳欲聋：

——不好啦，张指挥，我们这边有工人因为没吃饱饭，结果从卡车上掉下去摔死了！

——了不得了不得呀，我们这儿也有因为几天没好好吃东西，今早上班一不小心掉在油池里淹了个半死……

——总指挥部吗？我是油建食堂呀，这儿有30个同志因为吃了发霉的豆饼中毒了，你们快来救救呀！

——哎呀，你们领导快想想法子吧，我们队上已经有好多人得了浮肿病，现在连正常上班的人都排不出了。张指挥你说怎么办呀？

“我、我有啥办法呀？”张文彬冷汗淋淋，最后连电话都不敢接。这可怎么是好？

“快向北京报告吧！赶紧给余部长他们求救呀！”会战指挥部里挤满了各战区的头头脑脑们，他们个个都在跺脚拍脑袋。

被吵昏的张文彬仿佛刚从噩梦中醒过来似的，重新扑到萨尔图—北京专线电话上，操起话机，火急火燎地：“立即给我接北京！”

“文彬同志，慢慢说！到底发生了什么事？”那头，余秋里在询问。

“部长，我、我们工作没做好，今天已经发现356个职工出现了全身浮肿……”张文彬几乎是含着眼泪在说话。

“什么？356个？就一天之内倒下了这么多？”电话机里，余秋里的声音震得全指挥部的人都听得一清二楚。

“是。他们有的已经被送到医院，有的还在干打垒里躺着，有患病的同志还坚持要上班，结果半道上跌倒了又被人抬了回去……”张文彬的声音在哽咽。

“……”北京专线再度沉默。

“文彬同志，从现在开始，你每天向我和部里报一次。听清楚了没有？每天报一次！”余秋里终于说话了，声音是沙哑的。

第二天，张文彬在电话里报告说，会战前线患浮肿病的人已经超过600，几乎是前一天的一倍。

余秋里听到这个数字硬忍着。

第三天，浮肿病的人数达到800多……

余秋里听后还是强忍着，但心已经在焚烧。

第四天，浮肿的数字过了千人。

“不行！这样下去还了得？”忧郁沉闷多日的秦老胡同，终于爆发出余秋里无法排泄的焦虑和痛苦疾号。此时，他正和康世恩等部领导在北京召开石油部厂矿长会议，会议还在半途，将军便对康世恩说：“老康，你赶紧过去！一定想法阻止和扼制浮肿病的蔓延，同时务必要稳定队伍！”

“行，我明天一早就走。”满脸忧云的康世恩猛地从沙发上站起，低头就往院子外面走，步子如箭一般。

余秋里抬头扫了一眼留下的几位副部长，异常沉重地说：今天有人告诉我，说机关也有同志出现浮肿。

“再怎么着，坐机关的人勒勒裤腰带，接电话、写文件时少花些力气能对付。可会战那边得把机器发动，得把钻杆提起来嘛！人要是都没了力气，机器就得瘫在那儿……”李人俊说。

一直沉默不语的周文龙瓮声瓮气地冲余秋里询问一句：“要不我给中央起份求援报告？”

余秋里摇摇头：“没用。主席和总理要管全国几亿人的饿肚皮问题，一些省的情况比我们还要困难……”

“河南、安徽等不仅出现了成批成批外出要饭的，而且已经有不少死人……”

要饭？死人？！余秋里像触电似的身子一颤，两眼发直地看着天花板，站在那儿一动不动。那一刻，他的那只呼风唤雨的右胳膊，也像左袖子一样，无力地垂贴在裤缝上……

康世恩很快到了会战前线，又很快来了电话：今天一到这儿，我就上各处转了转，情况比我想象的还要严重。油田的临时医院和地方医院都已经住满了我们的人，多数患病的只能住在自己的原单位。要命的是患者还在成百成百地增加……

余秋里：再怎么着，也必须保证能让患者医治。发动各个战区建小医院和临时救护站。

康世恩：现在关键是要稳住还没有倒下的人和继续在战斗岗位上的同志，想法能让他们吃饱些。

余秋里：粮食情况到底怎么样了？

康世恩：短缺太厉害了。本来定量就少，可不少职工们还要顾远道而来的家属，一份定量有的要给三四个人吃……

余秋里：家属？什么时候让家属来嘛！

康世恩：没人说让家属来过。可她们都是因在家里过不下去了，才拖儿带女投奔到油田来的。她们以为这儿有吃有喝的，哪知……

余秋里打断康世恩的话：有多少家属？

康世恩：没有一万，也有七八千吧！

余秋里粗气高声：让所有的干部千万要注意，就是自己饿死，也不能让那些来队的家属和孩子饿死一人！那种情况一出现，军心可就全乱了！

康世恩：我已经布置各战区了。但我最担心的还是照这样下去，会战的队伍稳不住了。今天到工程指挥部食堂，听他们的党委书记季铁中说，前天他在食堂帮厨，看到一个青年工人端着饭盒，大口一张，人还没有离开卖饭的窗口，一大碗粥就没了。老季好心，又给那青工盛了一勺，结果后面一大帮人拥到窗口要加粥，食堂师傅急了，说哪有那么多粥嘛！上百个人差点大打出手。

余秋里长叹：都到这地步了！

康世恩：老季还说，有次食堂蒸了馒头，工人们敲着碗又叫又嚷，恨不得把食堂掀翻。老季问一个工人说你到底能吃多少个馒头。那工人说，你给多少我吃多少。老季想验证一下，便把自己的钱和粮票都掏了出来，一共给那工人买了八个馒头、半斤苞米粒子和两份菜，结果那工人没五分钟全部倒进了肚子，回头又咧着嘴冲老季笑笑，想还要点。老季不好意思地说他自己这个月的口粮也没了。那工人才朝他鞠了一躬，说：季书记，谢谢你这顿饭，我会保证拼命会战的，要不对不起领导……

余秋里感慨道：是我们对不起他们啊！

康世恩：余部长，我还是把到今天为止全线患浮肿病的人数报告一下：现在已经过了2000多人了……

余秋里无语。

康世恩：我还要报告另外一个情况：已经有几个队报告说，他们那儿已经有人擅自离队……

余秋里警惕地：干什么去了？

康世恩：逃回老家去了。

余秋里震惊：什么？当逃兵啦？他们怎么可以当逃兵呢？那会战还搞不搞了？啊？

康世恩似乎没有发现电话对方的声变，继续汇报着：离队的人数大有急剧上升之势。

余秋里跳起来了，声音冲出房顶：你让他们听着：谁都不能当逃兵！不能！谁还要当逃兵，我就扛着机枪，上萨尔图火车站把他们挡回去！听清楚了没有？你，老康，还有张文彬他们，都给我上火车站，把那些逃兵统统挡回去！

“哐！”铁拳砸在办公桌，压板的玻璃粉碎，震落的电话耳机掉在桌边晃荡着……余秋里无法自控内心的焦虑与愤怒。他是将军，他绝不允许自己的将士在任何时候成为逃兵。时下他虽然已是石油部长，但他的骨子里依然把自己的会战队伍看成是当年打鬼子、推翻蒋家王朝的钢铁部队。

当晚，余秋里登上了北去的列车。最危急时刻，他知道自己必须在前线亲自督阵。

“呜——”列车在北风的呼啸中似乎非常吃力地行进着，仿佛也像没有吃饱似的老牛。专列软卧里的余秋里无法入睡，干脆走出卧室，站在列车走道里大口大口地抽起烟来。一支接着一支……

“首长，您怎么还没有休息呀？”列车长走过来轻声问道。

“嗯?！噢，睡不着啊！”一闪一闪的烟火照亮着一副严峻的脸庞。“小同志啊，这趟车怎么这么慢哪？”余秋里有些烦躁地询问。

“对不起，首长，刚才我们接到上级的通知，说是关外最近经常有人卧轨，所以要求我们减速行进，以防不测。”

“谁敢卧轨？是阶级敌人想破坏？”将军的眼睛瞪大了。

列车长的眼睛惊慌地左右扫了一眼，见没有人，便小声回答：“首长，可不是阶级敌人，是讨饭的老百姓……”

“老百姓？老百姓卧轨？怎么回事？”

“唉，都是关内逃难的呗！有人饿了，跑不动了，干脆就往轨道上一坐……险啊！我们上次走的一趟就差点轧了一堆人。您看，这不都是逃难的嘛！”列车长借着车内黯淡的星星光亮，指着窗外的铁道沿线，让余秋里看。

可不，成群结队的灾民，在列车的窗口外闪过，有人甚至举着双手在向火车窗内做着乞讨的动作。余秋里的眉睫顿时紧锁，情不自禁地想起前些日子的西北之行——

9月，余秋里奉周总理关于加强和提高西北石油运输能力之命而专程来到甘肃的敦煌。石油部的运输公司就在这儿。当时的运输公司在石油部占有特别重要的地位，因为大庆油田尚未开发之前，国家的天然原油主要在西北。余秋里任命了原石油师师长张复振任运输公司的党委书记兼公司经理。上运输公司后，余秋里本来是检查如何提高运输能力的问题，结果摆在他面前的竟然是职工们日益严重的生活问题。

“我这儿患浮肿的已经有2000多了！”年长于余秋里七岁的张复振像做错了事的孩子，颤颤巍巍地站在余秋里面前，低着头汇报道。

余秋里一听都快跳起来了：“2000人？你公司总共才有多少人嘛！”

“我们……”张复振知道余秋里的脾气，他本来想说“已经都到这个份上，你还让我们提高运力”，可后面的话他不敢说。

余秋里看着身穿补丁军装、一副憨厚相的张复振，便降低了嗓门：“你先带我去食堂看看。”要看职工们的日子过得怎么样，看食堂是余秋里的一大工作方法。

上运输公司的路上，给余秋里开车的司机是个典型的西北汉子，又是当过兵的老战士，遇上自己的部长也不拘谨，大大咧咧地跟余秋里攀上了话，头句话就是个顺口溜："进了食堂门，稀饭一大盆，盆里照见碗，碗里照见人！"这苦涩的顺口溜让余秋里和随行人不知是笑好还是哭好。

"你觉得吃这样的食堂还能开得动车子吗？"余秋里关心的是这个。

司机立即腾出一只手，让余秋里看："不瞒你余部长，我是很想开好车的，可您瞧，我这手捏不拢啊！"

"怎么啦？"余秋里握住司机的手，细看起来。问："也是饿的？"

司机点点头，刚强的汉子竟然掉泪了。

余秋里转过头，再也没有说话，也没有再想对运输公司的张复振说什么"快马加鞭"之类的话了。现在他最关心的是队伍生存。这是最要命的事。

"走，上玉门去！"余秋里对随行人员说。

那会儿，虽然大庆油田已经初见端倪，但玉门油田仍在石油部领导们心目中占有不可替代的地位。不说别的，光松辽会战开始，他余秋里一声令下，时任玉门管理局局长的焦力人就前后带走了18000多人的队伍，其中干部就有6000多人，几乎能上前线的干部和职工都走了。当时玉门局一共才有49台钻机，上大庆会战去了48台，仅留下一台坚守后方阵地。自然不用说像王进喜和薛国邦这样的标杆队了。彭德怀派兵从国民党手里接过玉门油田时，就给康世恩和焦力人指示要把玉门矿搞成"中国石油的摇篮"。这一点上，玉门当之无愧。要不也不会留下诗人李季的著名诗篇："苏联有巴库，中国有玉门。凡有石油处，就有玉门人。"

余秋里对玉门的感情就像对自己家的大孩子一样，既严厉又慈爱。此次他来玉门自然最想了解的是当下油田到底有多大困难。

双足未进油田，一路上的情景已经足够让将军吃惊的了：沿途，他接二连三地看到成批成批的讨饭大军在他车子的两旁闪过。更触目惊心的是，因饥饿而弃尸于荒野的也不绝视野之中——叫余秋里甚感心痛的是，老百姓穷得连给死人穿衣服的钱都拿不出来了，能给死者身上涂点酒精擦擦干净、再卷上一块破布或者旧席子什么的往野地里一埋就已经算不错了……

“你到下面多转转。”一到玉门，余秋里就对自己的秘书说。这也是他经常采用的一种调查方法。

秘书李晔现今也是“古来稀”的人了，他亲口给我讲了将军让他在玉门进行“微服私访”的两件事：

一件事是“买粮”。

那天余秋里在走访了玉门大小十几个油田生活基地后，突然对李晔说：“你去执行一个任务。”

“什么任务？”李晔问。

“去买一次粮食。”余秋里说得很平静，然后一甩手，“我还要到食堂去。”

李晔笑笑，心里明白了：首长来这儿当了一个星期的炊事员，现在他要为油田职工出口气了！

刚出门的余秋里突然又从门外回过身，上下打量了一下自己的秘书，问：“你就这样去？”

李晔手拿借来的粮本，不知出了什么问题：“那你说怎么去？”

余秋里瞪了他一眼：“一看就知道你没当过侦察兵。你穿的一身机关模样，完得成任务吗？”

李晔恍然大悟，边笑边连忙脱下衣服。

当李晔再出现在大街上的那个粮店前时，谁也不会相信这个穿着油乎乎一身旧军服的人会是北京来的部长大秘书。排队。买粮。李晔一点没碰到与众不同的事。

当他拎着一小口袋买来的米回来时，将军早早等在那儿。不等李晔开口，他的手就伸进了米口袋。

一把“米”捏在拳里，然后再展开。余秋里的嘴唇立即颤抖起来：这就是卖给咱职工们吃的“米”？

几个干部凑过去一看：妈的，太欺人了，净是沙子嘛！

“去！你们去通知玉门市的市长、书记，还有那个——粮食局长！”余秋里胸中的火山要爆发了。

不一会儿，他带着玉门局的几位领导出现在李晔刚才买粮的那个店面。

哪来的大干部呀？北京来的！老百姓闻讯赶来，一时间，粮店前挤满人群。他们本来对一只胳膊的人就有种畏惧感，又听说他是北京来的大干部，并且如此怒发冲冠：今天有好戏！

那个粮食局长肯定是个倒霉蛋了。

果然，一只胳膊的人举起那只右手，从天而降地在粮食局长的脸前挥动着拳头："你！你这做法叫丧尽天良知道吗？这粮店是谁的？是我们共产党的粮店呀！你把石油河里的沙子掺在米里，再卖给老百姓，你让老百姓说我们共产党是什么吗？"

粮食局长早已浑身像筛子似的在颤动，眼睛看着鞋尖，只感觉那只"嗖嗖"生风的空袖子像根钢鞭一般地在抽打着自己……

"你不配！你不配当人民的粮食局长！"一只胳膊说这句话时，在场的老百姓流着激动的泪水，发出一片叫好的欢呼声。自然，这个粮食局长后来为此丢了乌纱帽。

李晔执行的第二件事，是在玉门矿上。

这天，李晔来到一个仓库"微服私访"。他见一个看守仓库的汉子人高马大，但却骨瘦如柴。再看看这个汉子身边的那男孩子，长得眉清目秀，可在小孩转过身的那一瞬，李晔惊得半天没合上嘴：七八岁的娃儿，怎么屁股上一点肉都没有？

"太瘦了！像块鞋底板似的！我从来没见过瘦成这个样的娃儿。"四十多年后的李晔跟我说起这事时，仍然又摇头又叹气。

"这娃儿是不是有病呀？快带他去医院瞧瞧嘛！"李晔对那汉子说。

汉子抱过小男孩子，说："没病。一天给他三个窝窝头'病'就全好了。"

李晔明白了，可又不明白：照说像眼前这位蛮有些岁数的老职工，应该还能养得起家人吧？

汉子苦笑着转身从炕底下摸出几个玻璃框，让李晔看。

噢，你还是老先进呢！李晔有些意外。

汉子长叹一声，说：那是过去的事了。现在我是刑满释放分子……

为什么？李晔的眼睛瞪圆了，因为那个时候，刑满释放分子跟地富反坏右差不多被划为同类的“阶级敌人”。

汉子便把自己的不幸境遇倒了出来：原来他是1949年就到玉门参加工作的“老油田”，名叫张子和。因会些拳脚，矿上就让他看管仓库。由于表现好，所以多次被评为先进分子。可有一回他在晚上值班，见两个偷木柴的，便三下五除二地给逮住了。一问，人家是党员干部。那两个党员干部被当场逮住，知道事情说出去麻烦大了，便乞求张子和放他们一马。张子和那天喝了些酒，心想这回逮住两个大贼，一定可以在领导面前立大功，于是口气也大了，冲偷东西的人大声喝道：“你们别想美事了！什么共产党！我看跟国民党差不了多少！”那是什么年代，这话能乱说的？就这样，张子和不仅没把两个偷东西的党员干部治了，反倒被人家往上面一汇报他的言论，于是一顶右派帽子牢牢地扣在了他的头上，还判了两年刑。好在张子和表现突出，在坐监狱时也年年立功受奖。提前出狱的他，回到矿上，还算运气不错，被重新安排看仓库。只是工资变了，从学徒工算起……

“首长，救救那孩子吧！”李晔回到余秋里身边，带着沙哑的嗓子乞求了一声。

余秋里半晌没说一句话，只是一支接一支地猛抽烟。突然，他把半截烟往烟灰缸里一拧，咬着牙说：“翻过来！”

不用说，部长一句话，谁还敢违抗？那时玉门市和玉门油田两块牌子一套人马，余秋里的话非常管用——张子和平反了。

那一天，余秋里要回北京了，李晔正在忙着收拾东西。外面突然有人在敲门。

“谁呀？”李晔开门一看，是张子和！

张子和今天穿得特别整齐，也好像变得年轻了不少。只见他手提两个口袋，说是自己上野地里采的野蘑菇，给余部长送行来的，并且希望见一面余部长。

这时，余秋里正好从里屋出来。张子和见是一只胳膊的人，猜想肯定是他的救命恩人，便“扑通”跪下双膝：“余部长，余青天哪！”接着是磕头声……

李晔对我说，他后来与张子和家人有过接触。一次是1975年，他被部里派到大庆抓农副生产，见到了张子和的大儿子。张的儿子告诉李晔，父亲张子和已经去世，但父亲在临死时一直没舍得花掉余秋里当年给他的两块钱——余秋里当时留下了张子和送来的两包野蘑菇，让李晔代他给了张子和两块钱。张的儿子对李晔说，他爸后来从报上得知余部长回北京了，便领着全家人面朝北京方向，排成一列，跪在地上，连磕了三个头。他们这样做，说是感谢“余青天”救了他们全家。1999 年，李晔又一次上玉门，这次他费尽力气想再找找张子和的后代，最后才找到了张子和的小儿子。小儿子告诉他一件事：“父亲临终前定下一个遗嘱，每年在他平反的那一天，他张家的所有后人都要向北京方向的‘余青天’磕三个头……”

余秋里本人并不知道后面的这些事。但那晚张子和夜访时，跪在他脚跟前“扑通扑通”地磕响头让他意外和震惊。不是别的，是他作为一名共和国的部长、一名曾为共和国的建立几度连命都差点搭上的堂堂大将军，怎么也不曾想到新中国成立十多年后，竟然还有那么多娃儿、那么多背井离乡去讨饭甚至抛尸荒野的惨情。这一幕假如发生在热火朝天的石油会战之地，后果将是不堪设想。可前线一份份求援的电报和电文，已经说明那儿的情况已经到了万分危急的时刻。

想到此处，余秋里不由忧心如焚地在软卧车厢内走动起来。

“首长，时间已经不早了，您该休息了！”余秋里回头一看是自己的秘书李晔。

余秋里双眼盯着李晔，突然发问：“哎，你的娃儿现在身体怎么样了？”这几天余秋里的心头不知咋的，经常有那些吃不饱、穿不暖的娃儿在眼前晃荡。这不，见了李晔又猛然想起前几天的事：那天他不经意看到了李晔的第一个孩子，是个女娃。脸上皮包骨，肚子却大得出奇，两岁了，连路都不会走。余秋里见了心疼地直斥责李晔：“你是怎么养的娃吗？”当他得知孩子是因为营养不良造成的后，气冲冲地跑回家，让夫人做了碗红烧肉端到李晔家。这事让李晔非常感动，因为他对余秋里家的情况一清二楚：余家的五个孩子也已经有很长日子没闻到肉腥味了……

“好多了。您那碗红烧肉可是救了她的命。”李晔颇为高兴地答道。

余秋里苦笑地摇摇头，然后默不作声地进了软卧室，一头倒在铺上，扯起毛毯捂在胸口，长叹一声："唉，天灾人祸啊！怎么会这样呢？"他想不通，也根本不曾料到。

李秘书从一个小药瓶子里倒出几颗安眠药，又把暖水杯倒满放在茶几上，然后轻声说道："明天到了大庆再说吧。"

明天？大庆？这话更勾得余秋里一夜无睡意。

……五万余会战大军，又添了近万名来队家属，这么一大群饿肚子的人留在狗不拉屎的荒原上，真要有个好歹可怎么办？就说饿不死人，可这油田开发的会战又怎么个弄法？

愁啊！愁死人啊！怎么比当年的长征还让人发愁呀？余秋里闭着双目，翻来覆去，可眼皮外晃荡的净是那些讨饭的老妪和脸如树皮肚如鼓的小孩，还有就是一排排躺在干打垒里的石油职工……

"首长！醒醒，到站了。"不知什么时候，秘书李晔的声音又出现了。余秋里睁开眼睛一看，可不，车窗外那个俄罗斯建筑风貌的安达小站出现了。

站台上，康世恩等会战指挥部的干部已经久候在那里。老康怎么啦？几天不见，憔悴得快不成样了！

一出车站，余秋里便停住脚步，一脸严肃地问康世恩："老康，你没事吧？"

康世恩一愣，定定神说："没事。"

余秋里这才缓和了一下，又问："你哪只手有力？"

康世恩不知其意，便伸出右手："这只有力。"

余秋里又伸出自己的右手——他的唯一一只手，说："那好，我们俩人从现在开始，你的这只手抓生产，我的这只手抓生活。"

在安达未歇脚，余秋里直赴萨尔图前线。现在他想做的第一件事是要亲自看一看队伍到底被饥荒摧毁到什么严重程度。

想象到的事都发生了：在一排排"干打垒"里，余秋里串东房、走西屋，一个一个地巡视，每一个"干打垒"内的炕铺上，他都看到了躺着的那些有气无力的患病职工。有人见部长来了，想伸手跟部长握一握手，却就是抬不起手臂，甚至连应一声的力气都没有。

余秋里握着一双双软塌塌的、枯干的手，心如刀割——昨天这些手还跟着他振臂高呼“让地球抖三抖”，今天却……余秋里两眼噙着泪水却又强忍着不让其流出来。他知道此刻的会战官兵们，无论是躺在铺上的浮肿患者，还是仍拖着疲惫身子、坚持在岗位上战斗的人，他们需要更坚强的后盾支撑。

“会好的！会好的同志们！”余秋里不断用这句话鼓励自己的干部职工。

走出“干打垒”，余秋里立即吩咐张文彬和吴星峰：“你们两个从现在开始要把主要精力放在抓病号治疗和会战职工们的生活上。所有病号要立即集中起来，不管有多大困难，必须对他们进行抢救。”

“可一下躺了这么多人，本来咱这儿也缺医少药……”吴星峰说。

“再缺医少药也要保证患者。”余秋里斩钉截铁地说，“让他们吃饭吃好些，是最好的治疗。老张，你通知所有食堂，一定要保证患浮肿病的人每天都能吃上二两肉和一顿白面或白米饭。”见张文彬面有难情，余秋里补了一句：“让办公厅的同志负责把我和几个部长们的特供全部调到这儿来！”

张文彬知道余秋里说的是什么，便忙说：“可你们也拖家带口的……”

余秋里右手一甩：“我们那点困难算什么？对了，从现在开始，我和老康等领导，生活上一律跟前线的职工们一样，他们吃什么我们也一个样！听明白了吗？要是搞啥特殊，小心别说我不客气！”

“知道了。”张文彬和吴星峰哪敢违抗。

“主席都好几个月不吃肉了。他老人家体重已经减了二十多斤！”在走进钻井指挥部的办公室时，余秋里的嘴里嘀咕着。

又是一个座谈会。“你们都说说，队上和基层都发生了些什么事？”余秋里的目光扫向在场的干部，发现他们一个个都变了样似的，前次来时他们个个生龙活虎，今儿个咋成了有气无力的败军之将？

“李云同志，你是不是也得了浮肿啊？”余秋里一把抓过坐在身边的党委书记李云的手，捏了一下，软的，又用手指一戳，塌下处没有弹起来。

宋振明替李云说："李书记患病已经有些日子了！"

余秋里大为惊愕地站起身，然后一个一个地捏了捏干部们的手，发现至少有三分之一的人不同程度患有浮肿。"这不行，你们是指挥员！你们要倒下了，队伍就更不得了啦！"

康世恩掏出小本本，说：我作了一下调查和统计，重灾区一般都发生在生产和工作任务繁重的几个战线，他们分别是施工第一线的干部职工，像功勋队的王进喜队和1202队等，他们的患病比例基本在50%左右；再就是负责生产、调度的部门，比如像建筑指挥部，也达到了45%患病率；还有像指挥部机关的同志，他们加班加点的特别多，患病率高达80%，打字室的同志全部浮肿了！另一个特点是党员团员的比例在患病者中占多数，像水电机修处的21个患病中，有20个是党团员……

余秋里坐不住了，空袖子又扇动起来，一边频频点着头，一边说着："我们的事业能够取得胜利，关键时刻，就是靠的党团员骨干！"突然他的脚步停住，右臂有力地一挥，洪钟般的声音又一次响起："但现在我们要保护他们！保护这些同志，就是保护了我们的大油田！保护了我们的大会战！"

"这样，老康，除你前期已经布置的几条应急措施外，我看我们还需要再补充一条：前线的职工要进行轮休——当然钻机不能停！物资供应也得保证，这是会战的前方战场，不得马虎。但可以做些适当的调整。保证战斗员的战斗力不减，就是为了更好的战斗嘛！第二点就是机关、指挥部一级的机关同志，得让他们有休息时间，加班加点也得有个时间限定。我看——还可以搞点文化娱乐活动嘛！吴星峰同志和文彬同志，你们在这方面是行家，周末我看可以搞些舞会啥的……"

座谈会顿时有些活跃。在场的干部都知道，他们的最高指挥官余秋里一生除了工作从来不会其他什么娱乐活动，而且也是极看不惯那些嘻嘻哈哈、搂搂抱抱的舞会啥的——用现在的话说，一点也不开放！我从余秋里的几任秘书那儿知道，余秋里一生中没有参加过一次舞会，他本人更不会跳了，再说一只手也没法跟人跳嘛！"他？他就是生五只手十只手，也不会上舞场的！"余秋里的女儿们笑说。我还知道，即使在几十年后身为总政主任的余秋里，他也从来没有到过一次名声显赫并且经常需要出现在党和国家领导人及全国人民面前的总政歌舞团。有人曾经暗暗埋怨过他这一任总政主任："余主任在位时，我们总政歌舞团是最不受器重的！你千请万请让他上团里视察一次，他就是不来，还说什么我对那些扭屁股、咧嘴巴、扯嗓门的事不感兴趣！你瞧他这个人！多没情趣！"从生活这个角度，余秋里绝对是个"不活泛"的人！但我知道余秋里任总政主任时，却帮助和关心过多位著名艺术家。现在名声很大、专写重大历史题材而闻名的王朝柱就亲口对我说过，他说他今天之所以能够写出像《长征》、《延安颂》等名篇，就是因为当年余秋里任总政主任时，大笔一挥，调他这个"流浪文人"到了总政歌舞团当编剧。如果没有余秋里，他王朝柱不会有今天成功的机会。而像八一队、八一厂的特级运动员、特型演员中，又何止一两个是他将军亲笔批准调来的！

我在大庆采访时，当年会战的老同志把我领到"二号院"——这是会战时的最高指挥机关，一个北京四合院式的大院子，也是典型的"干打垒"。余秋里当年就在这儿指挥千军万马大会战。二号院后面有个篮球场大小的无梁大棚房，最早是三探区领导为了想改善一下职工娱乐生活而盖的"礼堂"。建设这"礼堂"时，余秋里和康世恩都不在前线，后来他们得知这事后狠狠地把张文彬和宋振明批了一通，说他们就知道享受安乐，而且明确规定以后不得再建类似的"楼堂馆所"，"谁要盖谁就是拿人民的血汗钱犯罪！"余秋里和康世恩对会战所花的每一分钱都看得比自己身上的肉还要重！在他们的时代，任何一点点的铺张浪费都绝不允许，这是他们创立大庆艰苦奋斗精神并在任何时候都不可动摇的理念。

从不娱乐的余秋里，在万般无奈的困难岁月，第一次开口让自己的队伍"娱乐娱乐"真是不容易。从此安达火车站旁的铁路俱乐部和二号院后面的那个礼堂内每逢节假日和周末开始有了歌声和笑声……但职工们仍然发现，即使所有的会战人员都上那儿蹦蹦跳跳，也不会见得到他们的部长余秋里的身影在那种场合出现。

余秋里宁可自己一个人在房间里抽闷烟，也不会去凑"那份热闹”——他的天性一生不曾改变。四女儿晓红告诉我，就是到了 90 年代初，他见女儿在房间里听港台流行歌曲时，还煞有介事地经常走过去问一声："是不是在听靡靡之音啊？"女儿常常为此哭笑不得。

这就是余秋里。他一身是钢铁，又一生是钢铁，从里到外，甚至血脉里涌淌的也是铁流钢水。然而这铁流钢水是滚烫的，也充满着革命柔情。

在秦腔高手李敬他们激情高歌、张文彬等人跳着优雅舞姿时，他余秋里一个人甩着那只空袖子来到职工住的“干打垒”或者机关食堂那儿——

“嗨，你们吃什么呀？给我也来一碗啊！”在一户青年职工的临时家属住宅里，余秋里突然出现在小两口的饭桌前。

“是部长啊？！”青年夫妇又惊又喜，想让座又不好意思。

“坐坐。快坐呀！”余秋里毫不客气地屁股往炕头一挪，双腿往上一盘，双眼盯着桌上，好像几天没吃过饱饭似的。

本来紧张拘束的年轻夫妇一下笑开了颜：余部长没架子呀！就跟咱们老家邻居的大哥差不多嘛——余秋里那时也才四十六七岁！

“玉米糊糊！好！这是什么菜？”余秋里端起碗，“呲溜呲溜”真的吃了起来。在筷子伸进碗的那一刻，他停住了。

“是野地里挖的……”女主人刚要说，却被男主人暗里使劲扯了一把。

“嘻嘻，这个……这个部长您不能吃。”说着要把那只菜碗端走。

余秋里不干了："嗨嗨，我还没吃呢！"用筷子做着放下的姿势。

男主人无奈，重新把碗放上。余秋里夹起一大筷，往嘴巴里一塞，“吧嗒吧嗒”地嚼起来，脸上渐渐露出痛苦的样儿。

站在一旁的男女主人紧张到了顶：这下坏事了！部长要是在他们家吃坏了肚子可就是“政治问题”了。男主人一边再次将菜碗往炕头藏，一边上去要扶余秋里："余部长您快吐了它！吐了它！"

女主人则把一只破脸盆端了上来。

余秋里憋红了脸，不解地看着两位主人："怎么啦？我吃得挺香嘛！做啥要吐掉？"说着挪动了一下身子，自个儿把那只放在炕头的菜碗端到小桌上，又狼吞虎咽起来。

“香！香嘛！”余秋里吃得津津有味，“哎，你们一起动筷子呀！”

“余部长您吃这野菜不会有事吧？”男主人小心翼翼地。

“哈哈哈，没事没事！”余秋里一边吃着，一边开心地给年轻的小两口摆起“龙门阵”来：那会儿我们红军过雪山草地时，也没有吃的！哪比得上今天，大家不管怎么说还有几十斤供应粮嘛！我们红军长征最困难的时候，一粒粮食都没有，全是靠挖野菜填肚皮。哎，你们别说，我就是在那个时候练了一套本事：什么野菜能吃，什么野菜不能吃；什么野菜吃了有营养，什么野菜只能充饥不当饱；什么野菜能治病，什么野菜一吃就泄……嘿，你们别笑嘛！是这么回事嘛！有一回我们团的一位营长上一家地主家偷吃了一通豆饼，就是给猪吃的那种豆饼，那家伙一到肚里火大呀！胀得那营长最后没有办法，只得老实向我报告说自己犯了纪律——我们红军是不让随便偷吃东西的，就是到财主家也不行。我看那营长捂着肚子直打滚，便上山去给他挖了几棵野菜，然后找了两块瓦片，下面垫起，点上火煮。那营长喝了几口汁，肚子就咕噜咕噜叫起来了……哈哈哈，吃饭时讲这不卫生不卫生。换个话题。我再说说长征路上的故事吧：你们不是听说过我们过雪山草地后啥都没有吃的了吗？那才真叫啥也没吃的。几万人往一个方向走，连树皮草根都给扒得精光。有的部队包括中央纵队的同志就开始杀马吃。那马是通人性的噢！你杀它它就掉眼泪嘞！可掉眼泪也不行呀！它马也是革命的功臣，我们过雪山草地它也得为我们革命事业作牺牲嘛！它懂！可马也不是所有的部队都有的，我们团就没有。人家吃马肉，我们馋哪！我这个当团长兼政委的也馋嘛！有啥法也让部队尝尝马肉味呢？我派通信员上他们杀马的地方看看还有没有剩骨头残肉渣给大伙儿塞塞牙缝！通信员捡了两只马蹄，垂头丧气地向我报告说什么也没找到，说人家连骨头都敲碎煮汤吃掉了，就剩下这铁掌钉的蹄子扔在一边没动。我捡起马蹄一看高兴地拍拍通信员的肩膀，说太好了！你任务完成得太好了！通信员愣在那儿不知怎么回事，我就找来几块石头，命令他和我一起敲那马蹄，三下五下，那箍住马蹄的铁家伙断了，露出蹄肉。我拿着它对通信员说：你把这煮了！通信员一看，高兴得眼泪都快掉了出来，说政委啊！这可是好肉哪！我说那当然，这是马身上最有营养的部分，不仅有营养，且能保你轻松走过雪山草地！我这招绝吧？通信员喝了煮好的马蹄汤后，精神大增，对我说：这是他从娘肚子里生下来后吃的最好的东西。我对他说，你立即组织一个班，走到队伍的前面，专门负责在沿途捡别人扔下的马蹄。通信员高兴得连蹦带跳地接受了任务。嗨嗨，我又把他叫住，悄悄在他耳边告诉了几句，通信员听后哈哈大笑，便撅了屁股、提着枪，带着一个班的同志乐呵呵地执行任务去了，没过多少时间大获全胜回队……

余秋里像说书先生似的，话到关键时刻忽然停了下来。

听得津津有味的小两口忍不住叫嚷起来：哎，余部长，你对那小通信员到底说了些什么呀？

余秋里夹起一筷菜，又“呱唧呱唧”地喝上几口玉米糊糊后，抹抹嘴，说：我对他说，你们出去捡马蹄，千万别告诉别人是捡了吃的，要不人家再不会扔下马蹄留给我们团吃啦！

哈哈哈，余部长真有你的！哈哈哈……小两口笑得前仰后合。

余秋里这时的脸上也露出了颇为得意的笑容。不过，我也有失算的时候啊！将军部长继续摆“龙门阵”：那是在抗日时期，生活也非常艰苦。有一回我开会去，见了我的老首长贺龙、彭老总和任弼时同志，他们都是我的老首长，所以也很熟，也很随便。我当时在前线也是旅长、师长了，可那时生活也非常艰苦，啥也没得吃的。有一天我觉得肚子特别的饿，便趁开会间隙，上首长他们住的窑洞闲逛看看有没有啥吃的。进去一看，空空的，啥都没有，非常失望。刚想出门，转头一看，见他们的桌子上都有一盏豆油灯。我眼睛就立即发亮：这豆油是好东西呀！我记得小时候我妈过春节的时候给我们炒菜时能够放上一点点豆油那菜香嘞！我心想：老首长啊，你们这么可怜兮兮的一点不留东西给我吃，就甭怪我不客气了。我偷偷找了只碗，将三位首长的豆油灯里的豆油统统给扫荡了……嗨，你说巧不巧？关键时刻，给彭绍辉看到了！彭绍辉你们知道不知道？也是个大将军，了不起的人物！他看着我在偷首长的油，笑笑说秋里同志啊，你的身子骨太瘦了，胳膊锯了后也一直没好东西补补，这回你把豆油拿回去炒点小米吃，也算是为了革命，我保证不向首长泄露“秘密”。阿弥陀佛。我开心地回自己住的地方，手忙脚乱地找人帮我炒了些小米，香啊！我越吃越感到香！哪知到了夜里，肚子就开始打起仗来，咕噜咕噜地折腾了一宿，拉得我连老本钱都全丢了……

哈哈哈……小两口这回听了不仅是笑得前仰后合了，那年轻的女主人一把眼泪一把眼泪地擦。余部长，余部长你、你……哈哈哈……

嘿嘿，哟，又说不卫生的事了！余秋里笑着收住话。来来，继续吃，吃！好像现在他是这个小屋子的主人似的。

余部长，你这么大的首长，怎么也这么逗啊！男主人忍俊不禁地笑言。

怎么？我也是人嘛！肚子饿到家了，谁不见啥都会眼睛发直嘛！再说，我当团长、旅长时，还没你们年龄大嘛！余秋里乐呵呵地为自己辩护。

可是……余部长，我们队上有个同志也因为太饿了，上老乡的地里偷了几斤葱，结果被安达公安派出所抓进去了！

嗯？有这事？余秋里的筷子悬在空中，脸色严肃地问年轻的男主人。

是。而且听说那边已经抓了我们不止一两个人了！

余秋里“啪”地把筷子往桌上一放：不像话！凭什么抓我们的人嘛！那双盘在腿底的脚也下来了，将军愤愤不平地说：平时我们讲群众纪律没错，可他们是饿的！是逼得没有办法才这样的嘛！再说，不也就拿了点填肚子的东西嘛！怎么随便可以抓我们的人？岂有此理！要抓也得由我们来抓嘛！

空袖子又甩起来了！

余秋里愤愤出门。突然又回过身，脸色缓和地：“噢，我谢谢你们今天的这顿饭。”

礼堂里的舞曲还在悠扬地响着。机关党委保卫部门负责人却被余秋里叫到了跟前。

“多少人被他们关了？”余秋里胸脯一起一伏地厉声问道。

“总共有47名。这是安达公安局前天邮传来的一份案情通知书……”保卫部门负责人拿出一份材料放到余秋里面前。那上面的案情写着：

孙文良　党员　机械厂工人　盗窃先锋生产大队葱二斤；

范华银　团员　装卸工人　盗窃安达车站豆饼半块，计四斤；

王成　运输队司机　盗窃供销社粉皮一袋；

张贵　钻井指挥部拖拉机助手　有偷粮嫌疑，当场被抓；

……

“余部长，我听说公安局还把油建指挥部的副队长徐万生抓走后，扒光了衣服吊在梁上用木棍和草绳抽打呢！”机关工作人员说。

“扯淡！”余秋里勃然大怒，桌子拍得“咚咚”响。“你明天就到那个安达公安局把人给我统统领回来！告诉他们，是我余秋里让把人领回来的！”

第二天，47名被关的石油工人全部归队。安达地区的公安局长亲自登门作了自我检讨。

“告诉他们，工人有错，他们可以管，但不许抓人！想想看，我们的工人真要想偷他们的东西，几万人哪！还不把整个安达地面上的东西全给铲平了？偷偷偷！几根烂葱几块破饼，那也叫偷啊？”协调会前，余秋里传出这话。

之后，会战方和地区达成友好协商，捕人的事情再没出现。

人放回来了，但职工们的饿肚子现象并没有解决，而且越发严重。干部会上，余秋里听到了许多他根本想象不出的事：

运输队的一个司机，因为饿，开车半道上看到一只野兔子，放下车，追了整整18里，野兔累倒了，那司机也累倒了，人和兔子一起倒在了荒地，最后是人把野兔吃了。

钻井队的一名钻工，下班路上饿倒在水泡旁，见水中有鱼在跳，便跳下去逮。水泡子大呀！鱼儿游得快，那钻工空手逮不住鱼，就一个猛子一个猛子地往水里钻，最后鱼被人吃了。

地质队的一个小分队，三个人碰上了四条狼。在平时，狼群还不高兴死了，可这回四条狼被三个地质队员吓得屁滚尿流，最后狼趴在地上向人求饶。求饶也没用，狼肉也能填人肚。

有只野鹰飞到了钻塔，本想瞅准机会抢叼块玉米面吃吃，结果遇上了几十个手持铁棒木杆的钻工满草原地追赶它，一追就是一个下午，老鹰倒足霉，飞不动了，躲在草根里以为能救得一命，结果几十个钻工连它的皮都煮成了三大锅汤给喝了……

“好！革命英雄主义！”余秋里大喜，有力的右胳膊在空中挥动着，仿佛他也刚刚尝过这些美味佳肴。

“可是也有职工不像话，竟然有人拿着罗马手表上农副市场上去换饼干吃！”

“二探区有人连部里发的毛毯都弄出去换东西吃了！”

“铁人队里也发生过这类事。有几个人把冬天戴的狗皮帽和棉大衣都卖了……”

“这是什么行为？支持自由市场，助长资本主义嘛！”

“下面发牢骚的不少，说八级工不如一根葱……”

有人悄悄嘀咕起来，并且显得很义愤。

余秋里没有吱声，问康世恩：“你说呢，老康？”

康世恩转头问那干部：“知道工人们换东西吃是为了什么？”

“吃饱肚子。”

“吃饱肚子又为什么？”

“嗯——打井吧。”

“这不得了！”康世恩不再说话，把头转向余秋里。

“我同意老康的意见。有职工把自己的东西换吃的去，连心爱之物都舍得，这种精神可贵得很嘞！我看不但不能批评，而且应该表扬！这跟支持资本主义、支持自由市场有什么关系？”余秋里一锤定音。这样的事再没人往纲上线上提了。当然该保留的东西还要保留好，否则打钻找油也没法呀！话说过来，人饿得快死了，保命就是为了更好地为明天打钻找油嘛！余秋里就是这个观点。

唉，队伍这个样了，一时半会恐怕也解决不了饥饿的问题，要不把队伍拉到哈尔滨缓一缓，休整一下，避过这阵，来年等困难过去后再上来。这荒原野草地的，这么下去总不是事呀！

有人这样提出。有人附和起来。

会场上的目光一下聚集到余秋里和康世恩身上。

“什么？拉到哈尔滨去？上省城？吃黑龙江、吃欧阳书记去？”余秋里“噌”地从凳上站起身，“呸！这种馊主意我余秋里想不出来！我们石油会战队伍做不出来！”

空袖子又在“嗖嗖”生风。“我再一次声明：我、老康和党组全体同志，绝不允许我们的队伍在困难面前后退一步！绝不允许！即使战斗到最后一个人！”

会场鸦雀无声，与会干部毛发直竖。

“不错，饥饿是苦，但比得上长征吗？比得上志愿军同志在冰天雪地里还要打仗的苦吗？比不上吧？既然比不上，我们就不能后退！现在的问题是一定要下大力气解决生活问题，上下一起抓！这是重中之重、急中之急的问题，绝不能含糊！我们宁可把部分生产停下来也绝对不能有饿死人的事情发生！”余秋里的目光像闪闪亮泽的剑影，来回扫射着会场。曾几何时，在向中央汇报会战时，当一位领导人问余秋里如此冰天雪地一去就是几万人，会不会有重大伤亡时，当时作为将军部长的他有过这样一句话：为了国家早日拿下大油田，让毛主席少操心，让全国人民再不受苏联赫鲁晓夫和美帝国主义的欺压而抬不起头，我准备在那儿损兵折将它五六千人。可是现在，余秋里他一个卒、一个兵都不想失去。

多么好的石油会战将士！多么好的兄弟姐妹啊！他们舍家为国找油，千里迢迢来到北国荒原，雨水尚未甩干，严寒仍在袭击，饥饿却又降临，他们没有后退，坚守岗位，甚至不惜倾家荡产卖掉仅有的随身之物为吃一顿饱饭再上井场，这样的阶级兄弟能让他们饿死冻死吗？不不，决不！铁骨铮铮的余秋里在此刻全身的每一根毫毛都张扬着万般柔情，万般温馨，万般忠厚，万般怜悯。

那是前一天的事。

这天余秋里上一个井场检查工作，他见一个女技术员双腿跪在地上在摆岩芯。

“这小同志你咋跪着干活呢？”余秋里俯下身子问。

女技术员抬头看一下是余部长，便轻轻一笑，很轻淡地说了一句："我两条腿没劲了，支不起来。跪着好受些……"说着，照常举着一块又一块沉甸甸的岩芯放入木箱内。

余秋里听后脸色突变。"走，上他们的指挥部去！"

吉普车上，余秋里一言不发，脸色铁青。

指挥部就在一幢"干打垒"里，那扇半开着木门的屋子是党委书记办公室。

余秋里从吉普车里跳出，大步走向那间"干打垒"，飞脚就将那扇木门"哐"地踢开。里面，那位书记正坐在椅子里办公，见部长踢门而进，吓得浑身抖动，又不知犯了啥事。

"我操你 × 的！人家技术员跪在地上干活，你倒好，舒舒服服地坐在椅子里！我命令你：把你们办公室的所有椅子凳子，全部送到井场上去！给工人们坐！给技术员坐！立即！马上！"余秋里这回的火可以用"无法形容"来形容。好在将军已经不佩枪了，否则会不会出现不可设想的后果？

那书记还算聪明，没吱声，连跌带撞地端着椅子往外跑，又叫人将机关所有办公室的椅子当天下午全部送到了所有战区的井台上。

独臂将军的一场飓风雷电让机关干部们的作风着实改头换面了一次。

"这还不够！会战队伍里那么多浮肿病人躺着，明天还会有成百成千的患者。我们得想一切办法制止疾病侵袭！我们必须作出相应的措施解决这些问题。为此，我建议：一、所有患者必须入院治疗，对那些一线已经患病的人要全部下到后方来；二、每月要有 20% 的一线人员轮流下来休整；三、抽出 10% 的强壮职工搞生活——张文彬同志你从现在开始把全部精力放在抓生活上，要人给人，部党组全力支持；四、粮食、商业等后勤部门的人要全力以赴到全国各地去大力采购蔬菜、食品，送货到前线；五、要发扬南泥湾精神，自己起来动手种菜种粮，掀起生产自救大运动。这方面我看可以放手干，而且要从长远着想，必要时各单位可以抽调 30% 左右的人去开荒种地嘛。这北大荒比起当年我们在延安的黄土地不知要肥沃多少倍！《南泥湾》的歌你们不是都会唱嘛！王震将军那时是三五九旅旅长，他的旅第一个通过开垦种地实现了粮食、经费的自足自给，毛主席表扬他了。我是三五八旅的。我们后来也搞得好嘛！我所在的团在葫芦河边，那是洛河的一条支流。河两边净是山，山上背阴长满了树林，阳坡没有树，只有一墩墩的羊胡子草和一丛丛狼牙刺和酸枣树，一米多高嘞！我们就在那儿开荒种地。大家比着种，嗨嗨，那不得了啊！漫山遍野的人，镢头上下飞舞，劳动的号子震得山都动了！同志们编了一首歌叫什么来着？噢，这么说的：'葫芦河川好地方，火红的太阳照山冈。一把镢头一支枪，生产自给多打粮。粉碎敌人的封锁，赶走日本小东洋，誓死保卫毛主席，誓死保卫党中央。'……"

会场气氛被将军部长绘声绘色、神采飞扬的讲述感染了。他们中间不少人就是从延安过来的，也都经过大生产运动。于是，整个干部会又沉浸在一片激昂亢奋之中。

余秋里的"龙门阵"有些收不住了："……当年我们团就收了6000多担粮食、蔬菜87万多斤，还采集药材、山果和生漆7000多斤呢！养的猪、牛、鸡更是不计其数！嗨嗨，老康你那个部队听说也搞得不错。"

康世恩满脸笑容地推推眼镜，不无得意地："我们打的粮食还上过毛主席招待美国记者斯诺的宴会呢！"

"就是嘛！我看我们这儿要大家发动起来开荒种地，这北大荒，肯定能变成米粮仓！你们往外边看看——看不到边吧？对嘞！看不到边，就证明我们可以在这儿有垦不完的地，有垦不完的地，就有产不完的粮！那时我们还怕饿肚子？不会了！说不好，我们外送的原油列车后面还拖着几节装满圆溜滚滚的大豆高粱米的车哪！那时，我们也来个给全国人民每人送上几口袋粮食……"

"好！"方才还是沉闷的会场此刻已经热气腾腾。鼓掌声、叫好声连成一片。

有几个干部在下面窃窃私语："这余部长真有点子！账也会算哪！"

"嗨，人家是当过解放军的总财务部部长和总后勤部政委哩！算账高手！咱这几万人在他手里算个啥？不过是几颗小算盘珠！"

"是啊，看来我们不会饿死了！"

“饿死啥？饿死了谁来找石油？”

“静一静，静一静。现在我代表会战领导小组念一下《关于安排当前职工生活的紧急指示》，这通知是根据余部长的指示起草的。大家听着，有补充的一会儿再提……”吴星峰趁着余秋里和康世恩等几个干部沉浸在延安“南泥湾”的大生产运动的甜蜜回忆之际，便扯开嗓门，宣读起来。这份通知基本上是余秋里亲笔起草的，《紧急指示》里提出了“干部进食堂，书记下伙房”的口号。具体规定，每个基层大队和中队，必须保证有一名干部在食堂同炊事员同做、同吃、同算、同议；要抽调部分优秀干部和红旗手（劳动模范）以及关心群众、办事公正的人，担任食堂管理员和炊事员；食堂必须达到一清（账目清，并能公之于众）二无（无贪污、无浪费）三好（饭菜花样调剂好、服务态度好、清洁卫生好）以及三热一暖（热饭热菜热汤和餐厅暖和）；同时不准吃不上热饭热菜，不准喝不上热汤热开水，不准住凉房子。此通知规定得事无巨细。这是余秋里的风格。

别以为当部长、当大将军的人就只会划划圈、念念稿子、做做不着天不着地的所谓“大事”。余秋里的本事粗能粗到右手一挥，千军万马在辽阔的大荒原上铁蹄飞扬；他细能细到管住一颗螺丝一块岩芯。

信不信？不信你看下面的事：

不是说“干部进食堂，书记下伙房”嘛！好，余秋里这会儿在会战前线是最大的干部、最大的书记，自然他也毫不含糊进了食堂。你以为大部长进食堂就是做做样子？到处看看、溜达溜达算完事了？错。余秋里进食堂，头件事就让炊事班长拿来一套伙夫的白大褂往身上一穿，那只晃来晃去的空袖子则被扎在腰间。只见他右手操起锅铲，一声：“大火！”二声：“上盐！”三声：“搅匀！”四声：“焖足！”蛮是专业厨师水平嘛！

炊事班的同志看得目瞪口呆：这余部长怎么还有这一手啊？

不是说开荒种地吗？那地直铺天边，可没那么多牛耕地呀？“来，牛不够，我们人来凑！”余秋里利利索索地弓下腰，将两条裤腿往上一挽，又将一根绳子搭上右肩，右手揪住绳头，一声：

"走——喽!"嗨，人拉犁，马儿跑。这部长一出腿，一垄地就是十几里远呀! "部长都参加开荒拉犁去了，我们还不赶紧行动!"

大荒原上顿时人声沸腾，那你追我赶的劳动景象赛过"南泥湾"。

干活的田间，有人悄悄向部长反映他们的食堂师傅在盛粥打饭时不公平。咋不公平法？余秋里问。

"他们见熟人就把勺子伸得深深的，见是生人勺子就浮在面上。"

什么意思？

唉，说透了就是有的大师傅讲人情不讲同志情呗!

余秋里记住了这事。再次开饭时，他重新穿上白褂，右手操起铁勺，站在一口大铁锅旁，边吆喝边口中念念有词地："来哟，搅三搅，满勺舀，平着端，慢慢端，你一碗，我一碗，大家笑一笑……"

嗨，今天咋盛的粥都是一样匀一样多呀？职工们笑呵呵地问：余部长，你这顺口溜咋把以前我们满肚子的怨气全给消了呀？

余秋里举着铁勺，笑说：我这是跟宋振明学的，这"搅三搅"是关键，满锅的稀饭，你不搅就不公平，一搅大家的意见就没了是不是？

职工们听后欣喜万分，说部长一到哪儿，哪儿就公平又实惠。第二天，《战报》上还出来了一首群众自编的小快板：

过去咱食堂，有点不像样，
饭里带泥沙，菜似黄连汤。
盛饭量不足，四壁满冰霜，
师傅没笑脸，吃得太窝囊。
今日进食堂，喜在心坎上，
屋里暖如春，饭菜扑鼻香。
一碗粗米粥，二两胜三两。
五味小白鱼，热得把嘴烫。
咱们炊事员，见人笑脸仰，
吃饱添干劲，工作大变样。

这快板讲的是通过"干部进食堂，书记下伙房"后食堂发生的变化。里面提到的“小白鱼”是根据余秋里建议，会战指挥部专门成立了一个捕鱼队上水泡子里打捞上来的鱼儿。

有一次张文彬在余秋里面前吹牛，说那天他和李敬等人下基层检查工作，半路他见草丛里有一处什么东西在蠕动，便立即让司机停车。然后端起59式步枪，推上子弹，扣动扳机，“砰——”一声枪响，那草丛里蠕动的东西不再动了。李敬刚要奔过去，嚯地草丛里飞出一群大鸟，“扑棱扑棱”地飞上天空。

“砰！砰！”又是几声枪响，那鸟儿应声落地。

李敬喜得手舞足蹈：“老政委！老政委你的枪法不减当年啊！”他手里拖着几只血淋淋的鸟儿，其中一只有十几斤重。

张文彬没有吹牛，他的枪法确实不错。

余秋里和康世恩都不服，说论打枪你张文彬还嫩着点。官大一级压死人，张文彬笑着不跟他们争，便说：好，二位部长，我们正好要成立一个狩猎队，你们谁任队长吧？

康世恩笑着看看余秋里，谦逊地：要跟余部长比我还差点儿劲，我视力不如他。

余秋里一本正经地：你老康别不服！你摘了眼镜也不如我嘛！

众人听了哈哈大笑，说康部长摘了眼镜就成瞎子了！

余秋里回过神，笑得比谁都开心。

独臂将军在北大荒上竟然当了回“狩猎队长”。余秋里对张文彬的安排和康世恩的谦让十分满意。除了抽烟，狩猎是他余秋里最感兴趣的爱好了。人家枪法准嘛！俗话说“独眼龙”胜过千只眼，他独臂举枪就是比两只手瞄得准嘛！这叫“精力集中”。

“打！”独臂伸出，子弹“砰砰”出膛，再飞跑的猛兽鸟鸮也无处藏身。

吉普车在草原上飞奔，野山鸡、野兔子，还有野狍子，不是累倒，就是累死。不是中弹，就是断头穿胸……不要说我们的将军凶残手狠，那会儿《人民日报》在头版还发过《开展冬季狩猎》的社论呢！全国饥荒，别再装斯文了！此一时彼一时嘛！

打了几十年仗，可新中国成立后就没有正经玩过几回真枪。余秋里这回真有些过了瘾，不过最高兴的还是会战的职工们。每一次狩猎队载着满车“战利品”归队时，各食堂就会热闹好一阵，大伙儿的嘴巴上也多了些油腥味。

北京急电：令余秋里速回开会。

北边的“老苏”一步逼一步，毛泽东和中南海的领导们终于愤怒至极：中苏要正式摊牌了。习惯于把中央工作会议搬到外地开的毛泽东，这回一改主意：会议就在北京召开。1961 年的此次会议，从 5 月 21 日一直开到 6 月 12 日。除了研究中苏关系的对策外重点讨论了毛泽东提出的四个问题：调查研究、群众路线、平调的物资退赔和平反问题。工业问题是在最后讨论的。

毛泽东在此次会上心情既沉重又有些对自己错误的认识和释放：“今年的形势跟过去大不相同。现在同志们解放思想了，对于社会主义的认识，对于怎样建设社会主义的认识，大为深入了。为什么有这个变化呢？一个客观原因，就是 1959 年、1960 这两年碰了钉子。有人说‘碰得头破血流’，我看大家的头也没有流血，这无非是个比喻，吃了苦头就是了。”毛泽东在此次会议上，还作了一个重要的指示：“凡是冤枉的人都要平反。”（见《毛泽东传》第 1165 页）

会议还没有开完，会战前线又是叫急的电话一个接一个。这是怎么回事？不是浮肿病消灭得差不多了吗？

余秋里真着急了。康世恩和张文彬报告说：黑龙江省来电说，储备粮仓库见底了，原来供应的粮食供应要断一个月。6、7、8 三个月只能有两个月的粮食供应。

“我们种的东西接得上吗？”

“不行。至少得到深秋才有收成。”康世恩、张文彬那边回答说。

余秋里直抓毛发：这可怎么弄！一个月没吃的，那可不是闹着玩的。

更可怕的还在后面。康、张报告，说这些天擅自离队离岗的人跟前几个月患浮肿病的人一样多，足有五六千人了！

“什么？他们又要当逃兵啦？”余秋里跳了起来。“老、老康你听着，马上召开电话会议！我要再次强调：任何时候，我们不许任何人离开会战！不许有人当逃兵！喂喂，老康你听见没有？”

“……”那边没有声音。

“老康！老康！”余秋里的喊声震得石油部大楼全都听得一清二楚。

“老康”终于说话了，声音小得很，还拖了一声长长的叹息：“唉——好吧，我马上去执行，可是……”

“可是什么？没有可是的！会战队伍不能散！决不能！”余秋里火冒何止三丈。

这这，这老康他们也信心不足了啊？！

不行。我得去！我得去前线！余秋里火速星夜再度赶到前线。

这回他是不是真的要架起机枪上萨尔图、安达火车站去挡“逃兵”呀？石油部机关的干部和前线会战指挥部的领导们都在捏把汗。

将军从吉普车上下来时，那颗硕大的头颅光亮光亮——看得出，是离开北京时新剃的。

本来一只“嗖嗖”生风的空袖子就已经够吓人的了，这回又加了个光脑壳，到哪儿都是一闪一闪的，像道雷电，像把利剑，让人平添几分畏惧。

阿弥陀佛。将军没有带机枪，也没有带手枪，而是带了毛泽东刚刚在中央会议上下达的四个字：调查研究。

“大家一定要从实际出发，实事求是地做些调查，看看到底问题出在哪儿？为什么有这么多离队的人？他们离队后到哪儿去了？回来怎么办？不回来怎么办？留下的同志怎么办？下一步工作又怎么办？眼下又怎么办？……”

将军留下一连串“为什么”？“怎么办”？问得干部们大汗淋淋。

在此之前，余秋里有过公开在大会上讲的大庆会战“只许上、不许下”的话，而在与康世恩、张文彬等领导之间的电话中则确实也有过“谁要当逃兵，我就在火车站架着机枪挡他回去”的话，跟随他的秘书李晔同志（后任胜利油田指挥、党委书记，山东省人大常委会副主任）也向我证实了此事。现在逃兵真的有了，且非常严重——我从已掌握的历史资料中获悉，最严重时擅自离开会战前线的总人数高达五六千，等于十分之一左右的会战人员！

“有些单位甚至超过这个比例。”有单位汇报。

“王进喜的队也跑了几个人。”

余秋里的眼睛竖了起来，说："我要上铁人那里去看看。"

吉普车开到英雄的 1205 钻井队。

王进喜一看部长来了，赶忙气喘吁吁地从井台上下来迎接，可是一向风风火火、走路疾如飞的他，这回变得步子异常缓慢……

"老铁，你是不是也得了浮肿呀？"余秋里觉得王进喜不对头——王铁人出名了，余秋里他们慢慢不叫他名字了，干脆叫"老铁"。

王进喜不好意思地："没有没有，就是浑身没劲。"

余秋里稍稍缓了一口气："没病就好。得注意哪！生产又那么紧张……"

"部长放心，我们队上这个月的任务又提前完成了。"王进喜以为部长又来检查生产进度的，便要报功。

余秋里抬起右手，往前一挥："今天我来不是听你汇报生产进度的。我要看看你们的生活情况和人员战斗力。"

一听这，王进喜的脸上出现苦色。因为他手下的四个班长全都得了浮肿，而且还在坚持一线工作。不过，他嘴上说："没事，部长。就因为他们太'富'了，所以才长得胖。"王进喜想给部长一点喜事。早在玉门时，余秋里头一回与王进喜见面，就曾说过："进喜进喜，这个名字好啊，你也给我们的石油工业进点喜吧。"这不，王进喜今天还是想给肩上压着比泰山还要重的部长一点喜。

四个班长的名字真巧，都有个"富"字：马万富、樊玉富、王德富和王作福（谐音"富"）。

余秋里看着浮肿非常严重的四个"富"班长，挨个儿跟他们握手，但这回王进喜的话没能让他脸上有丝毫的笑意。他的眼睛落在工人床头的那些酱油瓶上："每人一个酱油瓶，干啥用？"

王进喜如实报告："大伙儿吃不饱，就买酱油兑点开水填填肚子……"

余秋里长叹一声，对在场的工人们说："实在累了饿了，就要注意劳逸结合。老铁你要给大家合理安排好。"

"行。我一定照办。"

出"干打垒"，王进喜扯了一下余秋里的右胳膊："部长，我知道你也是天天跟我们一样吃野菜团子。今天你就留在我这儿吃顿饭吧！”

余秋里侧过头，笑问：“你有啥新名堂吗？”

“不是新名堂。是我听说你要来，就派人上老乡家买了头老母猪。中午我们杀了它改善一下伙食。”王进喜以为今天要“拍”一下部长，哪知碰了一鼻子灰。

“老铁啊，你赶快给人家退回去！”余秋里皱着眉头有些恨铁不成钢的神情，声色俱厉地：“你是英雄，怎么能这样呢？吃人家的老母猪，你也太狠心了嘛！”

王进喜两眼眨巴了半天，伸长着脖子，非常不解地问：“那你不吃了？把母猪退了？”

“退！马上就去退！”余秋里的声音提高了一倍，吼道：“你们这是损害群众利益的坏行为！王进喜啊王进喜，你是不是英雄我今天不管，但你这种行为我要记你一账，记你一辈子！”说完，那只空袖子重重一甩，上了吉普车……

英雄王进喜这回成了“狗熊”一个，耷拉着脑袋，站在原地好一会儿。他心想，我要是把前几天自作主张将井上的“落地油”偷偷拿出去给大伙儿换了吃的事说出来，我王进喜这辈子可真的就完蛋了呀。

“队长，这部长真是凶啊！”有职工走到王进喜身边，轻声说道。

王进喜气不打一处来：“什么凶不凶？部长说的在理！赶快把老母猪退了！”

经过几天调查，余秋里的心头装满了许多他在北京根本想象不到的事：

有一个队，40多名钻工中，跑了近一半。而且跑的人中党员团员为数不少，甚至连副队长和指导员都带头跑；油建指挥部的一名藏族工人，人高马大，平时干活力气大，可就因为吃不饱，该职工就把队上的东西拿出去换东西吃，队长知道后狠狠在会上批评，让他罚站，这藏族职工第二天就再没见人影；有位钻工带着自己积蓄的二十块钱偷偷跑到附近的小镇上想换点东西吃，碰上一位老乡拎着一个麻袋，对他说，我有一只兔子可以卖给你。一阵讨价还价后，最后那钻工交了二十块钱，拎回了那只口袋。回到队上，他得意扬扬地当着指导员等人的面打开口袋，说我们今天有好吃的了。哪知口袋打开，那“兔子”噌地蹿走了。指导员等人哈哈大笑，说那哪是兔子嘛，是只野猫！白花了二十块冤枉钱的职工为这哭得好不伤心。第二天，队上的人再没见他……采油队为了防止职工逃跑，发动党员干部，实行“一盯一”的严密看管制度。这一夜老孙等几个干部暗中盯住三个有逃跑苗头的职工，白天不用说，想跑也跑不掉。晚上下班后，几个党员干部轮流值班，直到想逃跑的人都“呼呼”睡下了才能歇一歇。第二天该上班了，可这几名职工怎么还睡在炕上呀？干部们揭开高高隆起的被子一看：哪儿有人呀！是几件衣服伪装的！又是一群人跑了……

唉，跑就跑吧。可跑掉的也有回来的。

你瞧，这人是回来了，但他是被公安人员押回来的。一问，人家公安局的同志还是四川来的呢！原来这个被押回来的工人逃到了老家四川，可他刚从成都火车站下来，就被公安人员逮住了。他叫喊着问人家为什么抓他。人家公安人员说：你肯定是越狱的劳改犯，不抓你抓谁？那工人连忙掏出自己的工作证，说我是石油工人，在黑龙江搞会战呢！怎么会是劳改犯嘛？你们抓错人了。公安局的人看看工作证，又看看这位满身油乎乎的、头发又长、又身穿胸前别着“农垦”两字的杠杠服棉衣，就给了那工人一拳：说你别再装蒜了，拿伪造的证件想隐瞒你越狱劳改犯的身份？休想！那时大庆油田没有对外宣传，为了保密需要，油田职工对外都叫“农垦”战士，他们穿的衣服上也都标着“农垦”标记。外界的人哪知道这些？他们知道只有“吃官司”的人才去“农垦”改造的。所以，这位四川籍石油会战逃兵就这样被当作越狱劳改犯抓了起来。他算运气的，当地公安局非常认真地把他带回大庆进行核证。但核证后，他回到单位还是哭得死去活来，说什么也要回老家，说你们看到了没有，我们当石油工人的饿死累死在这儿先不说，人家竟然还把老子当越狱劳改犯对待，要不就叫我们是“叫花子”，其实我们连“叫花子”都不如……这人这么一说，在职工中影响极坏。后来他又偷跑了，并且还带走了两个四川籍职工。

据我在大庆采访当年的老同志回忆，说像这种情况还不止一个。有人逃跑后，被地方公安局当越狱劳改犯抓起来甚至关了几个月的都有……

恐怖。

余秋里的队伍现在就是这个样。怎么办？已到刻不容缓的时候了。

漏雨的牛棚里，独臂将军办公室内的灯彻夜长明。会战领导小组的成员聚集在最高指挥官那儿，急商当务之急。

“这次擅自离岗的人员中多数是转业军人。”烟雾缭绕中，康世恩吸着烟蒂，长吁短叹地说着。

“嗯？”余秋里的眉睫猛地一挑，“有这方面的统计？”

张文彬连咳了几声后说：“有，有有。康副部长说得没错。跑的人中转业兵占多数，也有营团干部。”为了缓和一下气氛，他后面添了一句，“不过咱们的人中本来从部队来的就占了百分之八九十。”

余秋里的眉毛立即竖了起来：“这也是不允许的！军人就得有军人的样子，军人当逃兵，是军人的最大耻辱！耻辱！”一个接一个的拳头砸在桌子上，杯子和墨水瓶“哗啦”地倒在一地。工作人员进来帮着收拾，被余秋里赶了出来：“出去出去！我们要开会呢！”

空袖子甩得屋顶上挂着的那盏灯泡直晃动。康世恩和张文彬相视一眼，默不作声。

会战的指挥官们，从部长余秋里，到康世恩、唐克、张文彬……他们都是军人出身，而且是身经百战的军人。他们自然知道自己的队伍里出现数以千计的逃兵将意味着什么。

“逃兵”最严重的群体却是那些当过兵的转业军人。就队伍而言，什么问题最可怕？兵变！

一个国家的兵变，能让政权颠覆。

一支队伍的兵变，足可全军覆灭。

余秋里惊愕不已。这是怎么回事？作为军人，作为将军，作为指挥会战千军万马的部长，他怎么能容忍有这等事出现？而在他从军几十年的生涯中，他的部队都是指向哪里就杀向哪里的“硬骨头六连”式的钢铁队伍，他们从来都是战无不胜、所向披靡、绝不含糊的勇士，从来都是宁可抛头颅洒热血也决不向敌人和任何困难低头的勇士。然而现在，他的队伍里竟然有十分之一多的逃兵。这能不让他火气冲天吗？

我不止一次听人说，余秋里发起脾气来大有雷霆万钧之势和一片“杀气腾腾”之威。但当我后来了解、熟悉他越来越多后，说句心里话，我真的特别喜欢他的这种骂声和杀气。他的每一次骂、每一次发脾气，都那么淋漓尽致，痛快惬意！因为这不仅让我总想起巴顿将军的形象，想起拿破仑的风度，而且余秋里的骂声里有潜台词，比如他听说有人从会战前线逃跑，他说要在火车站架机枪把人挡回去。这话的潜台词其实是——在最困难的时候，我们会战不能停下来，停下来就会前功尽弃，对国家损失太大！退，就是对人民、对国家的犯罪！听听，那是多么明确的革命目标！几乎每一次他的大发雷霆，都会让他的人格得到一次最完美的展示。而这中间漾溢出的是冲天豪壮的革命意志、坚定不移的革命信仰和义无反顾为共产主义事业甘心鞠躬尽瘁的革命灵魂。

其实，许多人都向我证明：余秋里对干部严，严到可以真的如果你办砸了事，他会用拳头打到你脸上——我还没有证实有过此类事发生，但他把你骂得狗血喷头的事是经常的。就连康世恩也并没有少挨“不打肥皂刮胡子”的命运。但他从不批评普通群众和职工，相反，在群众和普通职工面前一副菩萨心。我同样还证实了一点：余秋里虽然脾气特大，可他从不无缘无故地冲人发火，只有那些他认为不可容忍的错误和缺点时他才会大发雷霆，意在让你记得刻骨铭心，再不重犯。他的性格以及他的全部喜怒哀乐，如果一定要用原则来做出判别的话，那便是：为人民办好事的，有利于实现奋斗目标的，对国家和党的事业有好处的，他会竭力主张和为之呐喊、为之振臂、为之叫好、为之鼓励。反之，他会迎头痛击，毫不留情，甚至不惜与之坚决、无情地斗争到底。再有一条是：如果不是为公的事、为公的利益，你想从他那儿得到点恩惠或好处——门都没有！

余秋里便是如此一位透明的人、纯粹的人——透明的革命者、纯粹的共产党员。他的优点和缺点，都在这种透体和纯粹中显现。

现在——是会战面临最最关键的存亡时刻。俗话说，兵败如山倒。逃兵现象如此严重，意味着全线军心出现大动摇、大混乱。此时此刻，稳定队伍成了当务之急。

为什么出现逃兵？为什么出现严重的逃兵？

困难，饥饿，超强度的劳动。这既是当时国之情，也有大庆石油会战这一特殊条件下所产生出的种种因素所致。一句话：是现实，一样都绕不过去。面对，是唯一出路。

然而面对谈何容易？

战场上出现逃兵是因为生与死的考验让一些意志薄弱、畏惧死亡的人感到了恐惧而做出了另一种与战斗要求背道而驰的选择。现在，大庆会战虽然不是战争，但死亡和困苦并不比硝烟下的战争对生命的考验弱什么。而有些特殊因素甚至比战争更复杂和严酷。比如家属一把鼻涕一把眼泪地一而再再而三地拉后腿；比如不同职业之间的攀比而造成的心理失衡；比如不合理不平等的待遇也会让一些人感到失落；等等。总之，在如此一场特殊的和平建设伟大战役中，步调一致、统一行动、冲锋陷阵、战无不胜的军事作风，毫无疑问是必须和重要的前提，和风细雨的、体贴入微的思想工作和切实解开其心头疙瘩的政工艺术也是同等重要。

一句话：走群众路线，坚持实事求是。

这绝对不是空话。空话成不了经典的箴言，更成不了指导推动社会历史发展动力的马克思主义。

如果说，余秋里与其他共和国开国将帅们有哪点区别的话，那么便是他对上面的这些道理精通又娴熟，并有一套自己特色的被无数实践证明是非常管用的化险为夷、取之有道、用之有方的办法。

这不，他的这些十八般"看家本领"在会战面临生死存亡的节骨眼上现出威力和实效了：

"我听说还有个队上一群退伍兵围攻党委书记？"雷霆之后，余秋里叼着烟，两眼盯着张文彬问。

"有。但后来平息了。"张文彬说。

"哦？你说说怎么回事？"

于是张文彬从头道来：这几年新来的三万多名退伍兵，他们从部队下来之前都以为上石油战线来是到了现代化企业，就是楼上楼下，电灯电话。没想到一下火车看到的是一片荒凉的大草原，连房子都要自己搭，许多同志的思想就开始波动。有人对我反映过，说在离开部队时，首长们在动员时这么对他们说，你们去参加石油会战，到哈尔滨地区——我们为了保密需要对外也是一直这样说的。退伍兵们就觉得有种受欺骗的感觉。这不，来了一年多的日子里，干的活比打仗还累，有人说上甘岭战役苦，可也就苦几十天，这儿可好，没个尽头了。工程指挥部四中队 183 名职工中，大部分是退伍兵，也有转业军官。其中有 83 人思想不稳定，18 人坚决申请退职，还有 20 人在犹豫观望。有个退伍兵三个月中，家里来了 42 封信和电报，催他回老家，说宁可种地当农民，也不当这石油工人了。有的退伍兵家属来信，说再不退辞职工身份就离婚。对象吹的更多了。在这种情况下，退伍兵中跑的也就多了。刚才说的一群退伍兵围攻党委书记的事发生在油建指挥部供应中队。有几十个退伍兵前些日子围住党委书记，先让他看满屋子他们贴的大字报和打油诗，写得都是凄凄惨惨的。他们随后一连向党委书记问了四五十个为什么？党委书记后来说话了，问你们是不是今天让我来回答问题的呀？退伍兵们便说是啊，你回答我们在这儿这么苦怎么办？那党委书记就说，我也是从部队里转业到石油战线来的，过去我们在西北地区工作也不比这儿强多少。党号召我们脱下军装到石油战线来，就是因为我们国家一穷二白，人民吃不饱饭，穿不暖衣服，帝国主义和北边的赫鲁晓夫还欺负我们，蒋介石和国民党军队一直梦想着反攻大陆。我们眼下不这么艰苦干不行呀！退伍兵中有人嚷着，说你说话当然轻松，因为你是首长，你哪晓得我们当工人的苦处？党委书记就说，我怎么不知道你们的苦处？我是首长，可我也整天跟大伙儿一样没日没夜地在工作。不信我们试试谁的手腕劲大。退伍兵中挑出一个力气最大的跟那党委书记比赛了，结果书记赢了，退伍兵们只好服输。但思想上仍有疙瘩。那党委书记就说，我过去跟你们一样当工人。而且一当就是七八年，后来才当了干部。这书记开始跟退伍兵们讲自己的身世，讲在旧社会自己如何如何的被地主压迫，新中国成立后在石油战线如何如何的被领导和队伍看重，如何如何的扬眉吐气。讲得退伍兵们直掉眼泪，当场就有几个原先想退职的人说一定要珍惜人民当家做主的好时代，为社会主义建设添砖加瓦。

“这个党委书记有觉悟。”这回余秋里的脸上露出了笑意——这是他此次松辽之行第一次露出笑容。“老康，文彬同志，我看应该在我们的会战队伍里进行忆苦思甜教育，让职工们树立正确的人生观。想明白了今天我们在这儿吃苦是为了什么？”

“我赞同。这比多打少打几口井要重要得多。”康世恩这两三年跟着余秋里，已经学到了很多政治工作方面的经验。

张文彬自然更不用说了，在石油师之前他便是军队的师政治委员，政工一套最熟悉。“好，过去部队越在最困难的时候，进行忆苦思甜教育就能激发大家的革命斗志和革命热情。我建议立即请会战指挥部政治部起草一份‘开展忆苦思甜教育的决定’。”

吴星峰马上接过话：“明天我们就把文件写出来，余部长过目后马上发出去。”

余秋里点点头，说：“教育肯定是要搞的。眼下大家饿肚子是最根本的现实问题。所以我们作为领导会战的决策者，还要更多地从解决目前队伍的困境着手想出路。这是头等的政治思想工作，也可以说是头等的政治任务。”

康世恩和张文彬等将目光随余秋里走动的身体而移动着，并开动起脑子。

“现在是天上飞的没了，地上跑的也少了，水中游的基本也差不多了……剩下的我看唯一还能解决些问题的就是挖野菜了。这北大荒毕竟还是个大草原，我看我们靠谁现在都不行，只能靠自己了，靠自己在自己的地盘上想法子！挖野菜，像当年我们在长征过雪山草地时那样。我不信会绝命我千军万马于这荒原之上！不是听说有单位的同志一天上草原挖了一百多斤野菜吗？这能吃几天，我看这就是出路！”

康世恩说得更具体：“眼下最现实的度荒办法，就是大挖野菜。每人每天吃 3 斤野菜，当命令执行。同时，到外地去捕鱼，采松子。每天实行‘两稀一干’：早、晚吃稀饭、野菜汤，中午吃一顿野菜加粮食做的菜团子。”这话从一个石油专家和会战总指挥嘴里说出来，让人感到心酸和严峻。

捕鱼的人后来最远的到过最北端的黑龙江，采松子的到过大兴安岭。至于挖野菜的嘛，那么大的松辽草原上如果再挖不到，其他地方肯定也不会有了。

张文彬布置得更细致 ：“各个施工单位，要包片包地出去挖野菜，尽量多挖。如果本单位吃不完，必须把数量汇报上来，我们再进行统一调配。每个机关干部除工作外，必须每天挖三斤以上野菜。野菜主要挖车前子、野韭菜、黄花菜等。各食堂在进行野菜和食品制作上，应采取将野菜掺入小米和其他杂粮里，做成糊糊或菜饼子，平均每人一天吃一斤一两。这样每天每人可以节省 2 两粮食……”

余秋里后来回忆说 ：“当时听了他们说这些话时，我心里沉甸甸的，可除了这，我还能说什么呢？”

张文彬则另有回忆 ：在最困难的时候，青海石油局参加会战的一名负责人，因为工作忙，挖野菜的任务没完成，便只好吃“观音土”。那“观音土”样子挺清爽，但绝对不能多吃，弄不好会要了人的命。我知道后赶紧找这位干部，劝他千万别再吃了。另一个队的指导员反映，说他见一名青工上班时钻到了机台旁的野地半天才回来，问他干什么去了，那青工说是拉屎去了。指导员感到蹊跷，拉屎要那么长时间吗！便到野地里转了一圈，也找到了屎堆。可令他震惊的是，那青工拉的屎跟牛粪毫无区别——净是没有消化完的草料。

“那会儿，我们的粪便都是这个样。当地有的农民专捡我们石油人的粪便回去晒干后当柴火烧……”有位“老会战”对我说。

正如康世恩所言，无论吃野菜怎么结果，而当时大挖野菜是唯一能帮助几万会战将士们度过困难的最佳出路。有趣的是，在“大挖野菜”的群众性抗饥饿斗争中，还出了不少现在的人觉得很可笑的事，其中之一有则“野菜司令”的任命。

当时在会战前线的党委书记、副书记们都担起了抓生活的重任，什么“打猎队队长”、“打鱼队队长”，有名分有任免，正规得很。采油指挥部党委副书记李光明因为有一天从泰康镇返回萨尔图的路上，经银浪以西的草原时突然发现了一片黄花地，其面积之大，简直能用“一望无边”来形容。“好消息嘛！老李，我跟余、康部长招呼了，就任命你为‘野菜司令’，你带上三百个人，好好干它一仗！”正在为上哪儿“大挖野菜”犯愁的张文彬拍拍李光明的肩膀，一纸口头任命就落到了这位采油指挥部党委副书记身上。李光明接受任务后立即着手组建“野菜部队”，并且按每二三十个人为一个中队及一人一天一百斤的任务，自带粮食和行李，雄赳赳气昂昂地整队出发。驻扎在大草原上的“野菜部队”完全是军事化的正规行动，他们采取的也是非常专业的“阵地战”法则——几百人排成一线，目标是生长茂盛的野菜腹地。只是武器显得低劣和简单，或麻袋，或干脆是身上脱下的衣服，不过这对收拾野菜之类这样的敌人，此类武器足矣。“战况”煞是好看：长长的队伍，在辽阔而平展的草滩上不停地向前蠕动，如蚕食桑，所经之处，原为一片金黄色花地，转眼变青变绿……

五月里来好风光，
遍地黄花分外香；
摘来黄花保会战，
吃饱肚子打井忙……

歌声、笑声荡漾在大草原上，这是那个困难岁月少有的一景。李光明的“野菜司令”虽然仅当了一个星期，他的“野菜部队”也在完成那片十万斤的黄花采摘任务后解散了，但李光明的“野菜司令”被人叫了一辈子——这也是他一生中引以为自豪的唯一一次有过“司令”头衔的正式称谓。

野菜——特别是用黄花菜充饥，但天天吃野菜却也令人呕吐难咽。尤其是这些饿急了的人一到黄花菜地后，就拔得鲜菜，往水泡子里涮涮，便架起铁锅点起火，狼吞虎咽吃一餐煮鲜黄花。那黄花是不宜鲜吃的，结果吃得许多同志又拉又吐，几日不得舒服。虽然指挥部颁了有言在先的“吃野菜注意事项”，但无法制止饿极了的会战职工擅自行动。

黄花菜现今是一样稀贵的菜肴，可是我在大庆时上一些年龄的人一听“黄花菜”三个字，便都会食欲锐减。“当年我们吃怕了。”他们如此说。

“大挖野菜”度困难只是余秋里和他同事们的一招。

第二招是食堂伙食上搞名堂。

这是余秋里的拿手好戏。有一天他上一个职工食堂细查伙食情况，见有位师傅烙的玉米饼又脆又香，而且同样的分量饼比别人烙得大。

“好嘛，我要让全会战食堂推广你的手艺。”余秋里高兴地挽起右胳膊，跟着那“大厨”在炉前忙碌了半天。当他认为这种野菜玉米饼确实具有“增量增效增耐饥”的“三增”后，立即找来张文彬，让他推广到各个单位。

一时间，会战各单位掀起了一场“粮食增量大比赛”的活动。说来你不相信，但在当时的大庆确实发生过这样的事：

——机修厂（现大庆总机厂前身）的食堂发明了一种可以将1市斤大米做成4.5斤饭、将1市斤小米做成5市斤饭和将1市斤杂粮面做6市斤发糕的传奇。怎么做的？其实简单，就是将粮食长时间地浸泡，尽量让膨胀的粮食再吸水，煮饭和蒸发时再使其吸水吸气。于是一点点粮食原料，煮熟和蒸出的东西就变得看上去又大又量多，饭像蓬蓬松松的棉花，发糕像软软绵绵的泡沫。这种饭和糕吃下去能填肚子，却不禁饱，过不了一二个小时便肚肠乱叫，可确实在当时能管些用。

——拾得农家用的做燃料的庄稼秸秆和玉米瓤子等粉碎后掺入玉米面或小米中，做成馍馍一类的糕饼，再每人配上一碗野菜汤。这样“一硬一软”，也能把肚子撑得胀胀的，好像多饱似的。

“这是没有办法的办法。就是为了骗骗肚子嘛！”余秋里对此有过评说和愧疚，但他能做得到的也就是这些了。

“骗嘴”的招数自发动群众后，怪招层出不穷，令人眼花缭乱。余秋里选择了6月6日这一天，命令张文彬主持全战区开了一个别开生面的“吃饭大会”。地址就在前一年召开“誓师大会”的万人广场上。

嗨，这热闹哟！

参加“吃饭大会”的各路书记、指挥和食堂管理员、炊事员及后勤供应人员1100余人。并且各单位的炊事人员都带上了炊具、锅灶和花样百出的瓢盆，现场表现各自的包括菜馍和代食品。

“交流比赛开始——”张文彬一声令下。一时间，万人广场上锅碗瓢勺叮当乱响，炸煮烹炖，热气腾腾。

“好好，这又好看又好吃！你们一定得传传经嘛！”

“我看还是这炸糕好，你瞧，用料不多，也不像棉花那么蓬蓬松松，吃起来也管用。”

“不不，我看还是这野菜馍做得实惠，口感好，用粮少，也顶饱……”

余秋里和康世恩等会战领导看在眼里，听在耳里，喜在心里。

“冠军！这个冠军红旗不比打井的红旗差噢！”余秋里亲自将一面面奖状和锦旗颁发给那些炊事人员。而那些得奖的炊事员们，喜得热泪盈眶，他们不无自豪而激动地说：“以前一直看铁人他们得奖，心里痒痒的。这回也是余部长给我们颁奖，够露脸！”

第三招：到农民地里“拾遗补饱”。

有一天张文彬和宋振明汇报说，钻井3274队的叶永庭一家四口人，老婆孩子来队后没粮食吃，他们就自己想法子，上农民收割后的地里捡残留之粮，结果捡回了600多斤粮食。还有另一个井队的马德久一家，也是同样的办法，捡了400多斤。一家老小不靠集体，吃得饱饱的。“这个拾遗补饱办法好。既为农民扫除了浪费现象，又减轻了我们会战的负担，家属也有事干了。”余秋里听后大喜，立即命令张文彬他们宣传叶永庭、马德久家的精神，随后又加了一句：“千万不能触犯农民利益啊！”

宋振明证明，由于大力提倡了“拾遗补饱”的做法，至少使数以千计的来队家属以及他们的家庭解决了饿肚的问题。

余秋里为此很是高兴了一阵：他和康世恩不再没完没了地在办公室门口或出行的路头看到成群结队的工人带着家庭，在半道上拦着他们的车子喊穷叫饿的。因为那些过去喊穷叫饿的人，现在不用再费尽口舌去为他们解释什么。他们已经自觉自愿地在寻找自我的生存出路了。白天，工人的婆姨们带着自己的孩子在地里拾捡；下班后，她们的丈夫和老爹们也成群结队地奔向田地，有人还抡起锹镐专掘老鼠洞，这是聪明人的招数——田鼠洞里既有鼠，又有鼠留下的粮食……

面对队伍不安定的局面，余秋里的招不仅在“吃”字上做文章——当然他在“吃”的文章上还有些做法也解决了相当的问题，如因“谭政事件”受到降级处分而转业到大庆油田来的原沈阳军区工程兵部队政委的季铁中（后任石油部副部长），就是余秋里力排众议，亲自把他要过来的。危难之时，余秋里对季铁中说，这回该轮到你老季报恩石油部了。季铁中也不含糊，凭着自己的老关系，回军区要来了10万斤黄豆。“季政委是有功之臣，他要回的黄豆是救命之豆。我们会战的人每人都有一份，许多人都把分得的黄豆煮熟后，像稀罕之物似的藏在自己的床铺底下，晚上回来后躲在被窝里一粒一粒地数着吃，又生怕别人抢走了……”大庆人对此记忆犹新。据说有人把发的两斤黄豆吃了四五十天。正是粒豆如金。

余秋里太会搞“名堂”了。“逃兵”是他最大的心病，于是除了“忆苦思甜”，提高阶级觉悟外，他别出心裁地在全战区的职工中搞了个“评功摆好”的名堂。何谓“评功摆好”？最早余秋里提出要在会战队伍搞这名堂，并不只针对“逃兵”现象，是为了提高群众性的比学赶帮运动。大干年代，再高的觉悟，也还总有落后与差异，但余秋里带队伍才不要这种“左中右”三类人，他要的个个都是斗志昂扬、意气风发的先进者。靠啥办法？评功摆好呗！你说你落后？并且总有些人自愿甘当落后分子。余秋里偏不让你当落后分子。基层职工一个月来一次“评功摆好”，是群众自己相互间的评功摆好，有点像民主生活会。你说你多么落后，可大家在评功摆好会上七嘴八舌，你一言我一语，你哪落后嘛！有好几条先进嘛！有个叫高老大的工人，公开说自己是落后分子，浑身毛病，上下长刺，领导对我也是门缝里看人——早看扁了。评功摆好会上，群众说你高老大不落后，起码你也是自愿报名到大庆会战前线来的。这是一大成绩。有的说，你高老大腿有关节病，可你没为这事请过假，干活总是特卖力……这一摆，给高老大摆了十几条长处。摆到后来，高老大坐不住了，连连摆手，说你们饶了我吧！我落后，这我自己知道，但你们大伙儿对我点点滴滴的事都记着，我感动得很。以后我再不自己看不起自己了，我要向王铁人看齐。后来高老大还真被评上了五好工人。

“逃兵”中有不少人是被家人和老家的政府送回来的，这些人回来后觉得自已的脸面丢尽了，抬不起头，于是有人还想走。评功摆好会，大伙儿就说，你在最困难的时候离开队伍是不对的，但你回来了就得记你一大功劳。这个功劳比什么都大。余部长说了，走了的人能回来，说明他们还是觉得当石油工人光荣，心里还有为祖国早日扔掉贫油帽子的伟大理想，这样的同志就是好同志！那些本来顾虑重重的“逃兵们”一听这话，感动得有的痛哭流涕起来：说我对不起组织，对不起余部长，对不起大伙儿，今后一定再不当逃兵，一定好好为祖国建设找石油，就是死了也要让儿子孙子来接班。觉悟了，队上和指挥部就给这些人开庆功大会，给他们披红戴花。当了“逃兵”还得到如此待遇，这一传十、十传百，许多“逃兵”就是这样回来的。

自然，还有些人是永远没有回来的。没有回来的就是真正的逃兵了。两三年后，大庆的日子好过了，特别是毛泽东发出“工业学大庆”后，会战的石油工人一夜间成了全国人民学习的榜样后，那些逃兵们这时想回来沾点光，或者有的为了解决“农转非”和升官发财，希望油田重新接纳，“帮帮忙”开个证明之类的东西。请求到了余秋里那儿，余秋里脸一板：没门！现在来求我们太晚了！

爱憎分明。余秋里就这么个人。

队伍不稳定，问题有多方面。比如当时来参加会战的来自四面八方，他们都是自带工资，人事关系都在原单位。而这种情况的结果是：同在大庆参加会战，干的一样活，工资待遇却千差万别。有的相差一半。比如新疆青海的同志，他们的工资是按十二类地区的补差发的，而像北京、四川等内地来的是六类地区的工资标准，差距大呀！同样六级工，新疆青海来的每月可以拿到一百五六十元，北京、四川来的只有六七十元。这不合理！

“统统改过来。凡是留在大庆工作的，执行国家同一个标准。”余秋里又是一锤定音。矛盾一下化解。不过大庆人的工资按其贡献，还是很低的，黑龙江那个地方的地区补差，像石油会战那么艰苦和繁重的工作，与在哈尔滨等城里和地区的人执行同一类工资标准，本身就不合理。可这是原有的国家工资制度上的欠缺。大庆人和石油人对此再没有怨言，有人亲口对我说，他对余秋里部长当年“一锤定音”下的工资改革很满意，虽然之后十一年没动工资，可他记着老部长敢于打破条条框框的做法。

康书丛，石油部老人事干部，石油师干部部干事出身。大庆会战时一直在前线做工资和人事改革方案的具体人。在玉门时也还当过王进喜队的指导员，与铁人一起扛过1205队这面红旗呢！“余部长真是个不拘一格用人才的领导。”现已退休的康书丛谈起当年事，满口感慨地说 :“那次大庆工资改革的工作量不小啊！但做得彻底又公平。我们按照余部长的要求，不分过去谁的资格和工龄，就按你在大庆干什么工作，能力有多大，所有的干部和技术人员统统放在一张大表上，挂在墙上，张三现在干什么工种，李四水平在什么档次上，赵五新调工资在哪级，清清楚楚，公开透明，一目了然。最后我们请了余部长等领导来决定。那时说简单也简单，定下一个时间后，余部长他们就来到大表面前，一个个审定。像后来当了副部级领导的闵豫这样当时非常年轻的技术人员，就是余部长一手提挈重用的结果。开始我们觉得闵豫相比之下资历浅，年纪轻，原来的级别也只有普通技术员。但余部长一眼看到闵豫的名字后，就说此人定低了。闵豫在地质上有一套，对大庆开发做出贡献很大，周总理到大庆视察时就是他介绍的地质情况，水平很高。后来我们根据余部长的建议，一下给闵豫同志长了五级工资。这样的事例还有许多，比如后来石油部提拔的部长、副部长，大庆及其他油田的局长、副局长，余部长没少亲自过问。尤其是那些有特殊贡献的，他从来都是打破常规给予破格重用。而对那些不好好工作、只求无过不求进取的干部，他余部长也从不手软，比如胜利油田会战时，几个领导干部抓生产不行，唱歌跳舞倒是能手，余部长去后把这几人全部撤了，从石油部机关重新抽了一批得力的人去，像后来当上副部长的焦力人、张文彬都被派去任指挥长等职。包括80年代胜利油田达到年产3000多万吨的高峰水平，也是余秋里力主让自己的秘书李晔担当重任后才有的结果……”康老说这些时非常动情，我被深深感染。

邓小平对余秋里有过这样评价 :“此人抓工作确实有几下子。”

不是有那么多人想回家吗？也是，当时 3 万退伍兵来大庆报到时，本来离开部队时准备让他们都先回老家探亲的，可松辽指挥部为了早日让会战大军开拔到前线参加战役，曾经向沈阳军区和济南军区等部队发过一个急电，大体意思是说：松辽会战任务紧迫，希望 3 万退伍兵和 6000 转业军官暂不探亲回家，直接赴松辽前线报到，探亲之事以后由这边统一安排。可官兵们来大庆会战后，一头便扎在热火朝天的大会战之中，连十天一休的时间几乎全占去了，探亲的事便一拖再拖，客观上造成不少人生活和个人问题上的不便。有人本想离开部队时回家找个对象，有的是准备回家结婚的，这么一来对象吹了，婚也没结成，没意见才怪呢！那时大庆不像现在，天南海北的姑娘都往那儿跑。会战时期，工人们找对象在当地是根本不可能的事。

"这是个大问题。"余秋里这回没有甩空袖子，而是用右手轻轻地牵起它，沉思了许久，然后对康世恩等副手们说："我看趁冬季天寒地冻时，分批让职工们轮流探亲回家一次。亲人团聚，联络感情，讲讲我们为祖国找石油的伟大意义也很重要嘛！"

这一招又出奇效。

一来，让会战职工有了喘息和调整的机会；二来，回老家的职工一走，给前线的粮食问题缓解了压力；三来有不少职工回家后与家人一讲为国家找石油的伟大意义后，不仅稳定了干石油行业的决心，而且归队时还有相当多的同志从老家带回了许多吃的东西。这可是皆大欢喜的事！

康世恩和张文彬将各单位职工探亲中发生的一件件事汇报给余秋里听时，将军部长叼着烟卷只管乐，什么话都没说，看得出，他心里是满意这个效果的。

这里有个故事不能不讲。

1202 队有个工人探亲回家，吃了一顿家里用石磨做的豆制品，很惬意，心想：咱会战前线黄豆不少吃，可就是老是煮着吃，单调乏味。要是也能用石磨磨碎后做成多种花样的豆制品，该多好啊！"背个石磨回队！"他的这一个想法得到了家人的支持。为了购一盘好石磨，这工人特意上县城几次，后来又上火车站托运。哪知托运时遇上了难题，人家怎么也不愿给他托“石头”。为此，这工人一次又一次地去车站求情，每一次他从家里到火车站要走几十里路，最后总算在他一片“石油情”的精神感动下，车站特例为他办了“石头”托运手续。石磨千里运至大庆后，队上的豆制食品一下多了起来，什么豆腐、豆腐汁、豆腐饼、豆腐块……就多达十几种。这事被余秋里知道了，好一阵表扬：“豆制品营养好，应大力提倡，各单位都要学习推广。”于是乎，好多花样的豆制品一时间流行会战前线，也涌现出了一批“千里背石磨”的动人故事。

不是说我们石油工人穿得像叫花子吗？余秋里发誓要改变队伍的形象。

“发动家属，大办缝补厂！脏衣服要勤洗换，破烂服装一律进厂翻新。”余秋里管得还是那么事无巨细。不这样不行啊——手下的人要不都是石油专家，要不都是指挥打仗出身的军人，管理型干部几乎还没有生出来，一切都得自己学着干吗！

缝补厂放哪儿？余秋里走出会战总指挥部所在的“二号院”，往右边的那栋喂牛的破落“干打垒”一指：“就这儿挺好！”厂址就这么定下。

谁来干？供应指挥部的领导找到23岁的退伍军人、共产党员鄢长松：“小鄢，组织决定让你带几个家属工办缝补厂。”

鄢长松伸长脖子，愣着双眼：“啥？让我去办缝补厂？跟几个家属工？我不干！我脱下军装是来参加石油会战的。不干！”鄢长松觉得自己当时在部队报名上松辽来，就是为祖国找石油的，堂堂七尺男儿去干缝缝补补的活儿，这太丢人现眼了。这活是娘们儿干的嘛！不去不去！

“余部长说了，办好缝补厂，也是为了石油会战！能让工人们穿上干净暖和的衣服，不是为了更好地为祖国找石油？余部长的话你也不信？”领导真会做工作，拿部长来吓唬他。

鄢长松没话了。他闷着头，找来两口大锅，一口准备烧水，一口准备煮油工服——看看大伙儿穿的衣服，油腻腻的不先把上面的“厚皮”扒掉咋个缝缝补补？又将喂牛的木槽修理了一下，做成洗衣盆。缝补厂就这么开张了！

初始的缝补厂连把剪刀都没有。鄢长松找来五名石油工人的家属，自个儿从家里带来剪刀，又找得采油用的废钢丝磨成几根针锥。缝缝补补就这么开始了。数九寒天，四处漏风的牛棚里鄢长松和五名妇女同志将成堆成堆又腻又脏的工服又洗又缝，实在不易。当年在缝补厂工作的退休女工吕凤珍告诉我，她说她们每天都要将一件件刚从施工单位拿回来的工服洗尽后晒干，再找旧布缝补翻新。洗的一道工序最苦了，一件棉衣通常都是十几斤重。再往水里一浸泡，死巴巴的拆起来特别费力。可他们就是靠着一双手、两口大锅和一个马槽，第一年就为前线缝补工服一万多件。第二年扩大规模，不仅制出“两旧一新”的 48 道式样的“杠杠服”——志愿军穿的那种棉衣，而且还自制了许多手套。于是，大庆从此有了“新三年旧三年，缝缝补补又三年”的精神和传统，小小缝补厂带给大庆的不仅仅是让石油工人改变了让人蔑视的“叫花子”形象，更重要的铸造了一种艰苦奋斗的民族精神。缝补厂后来发展成大庆制衣厂，源源不断地为职工们提供生产所需的工服，据说还有销售到市场的服装。

余秋里对这小缝补厂特别有感情，时不时地从“二号院”溜达到“一号院”——瞧，仅看这院子的排序，可见他余秋里等领导将缝补厂看得多么重要！“二号院”是部长们办公的地方，后来中央领导来大庆视察时也住这儿，而小小缝补厂却为会战总指挥部之上的“一号院”，牛！

“你们哪，有空上一号院去学习学习。那儿有我们大庆的作风和精神在！”余秋里经常对二号院的人这样说。周恩来、贺龙、陈毅和西哈努克亲王及其他贵宾都来缝补厂光临过，并给予高度评价。现在中国革命博物馆里陈列的大庆工人用 130 多块碎布拼成的一件棉衣，就是缝补厂女工们亲手纳成的，周恩来曾握着鄢长松的手赞扬他们的这种“缝补精神”。

“走，看看我们种的玉米和大豆长得怎么样！”一天，余秋里换上一件干净的中山装，嘴里叼着“大中华”，对刚从施工现场回来的康世恩说。

康世恩一看这阵势，脸上顿时露出笑容。

啊，秋高气爽，清风习习，好舒坦喔——遥望遍地金色的玉米地和收获在望的大豆，两位会战最高指挥官会心地笑了：自种的庄稼要进仓了，会战的困难期行将结束！

“不容易啊！可竟然给我们走过来了！”康世恩用右手的食指扶扶眼镜，满眼自豪地看着余秋里，说：“不知为什么，这几天我脑子里一直冒出你当时在会战开始时说过的一句预言……”

“嗯？什么预言？”余秋里将目光从庄稼地里收回，有些惊愕地问。

“你说过，你准备这次大会战付出五六千人的生命。”

“可是我们没有呀！”余秋里爽朗地一笑，右手做了一个很少有的甩手动作，又像刚吃过蜜糖的孩儿，开心自在地在原地转了两圈，然后立正身子，右手叉在腰间，举目凝视着远方。

“是啊，正是因为没有，所以我更感觉我们太不容易！太不容易了！”康世恩这会儿想当诗人，他想抒发自己心头久积的那火山般的豪情。但他不是诗人，他是石油专家，石油工业的指挥大家，他因此只抒怀这样的诗情：“看来我们的大庆会战将从困境中全面走向伟大胜利！”

余秋里更不是诗人，但此刻他的胸中荡漾着比康世恩更加澎湃的诗情。他说：“前些天听总理说，主席已经恢复了吃肉。我看，我们这儿也可以痛痛快快吃顿红烧肉了！”

“对对，该让同志们吃顿红烧肉了！吃！”康世恩乐得嘴巴张得大大的，高声嚷嚷着：“我也想痛痛快快、有滋有味地吃它顿红烧肉了！”

“走！让食堂今天开荤！”余秋里抹了抹嘴，双眼看着脚尖，捷步如飞。

“来来来，余部长，这回我请您吃的猪肉可不是从老乡那儿买来的啊！绝对是我们队上自己养的，你放开吃！”王进喜把余秋里拉到桌上时，声明在先。

余秋里笑着没回铁人的话，只顾眼睛盯着桌上的两盆香喷喷的红烧肉。“吃！吃啊！”他的筷子已经将肉放入口中。

王进喜见部长这阵势，比自己吃盆红烧肉还带劲。“余部长，今天我特意让我们的这位梁工陪您一起吃饭。”王进喜将坐在身边的一位很显拘谨的年轻人介绍给余秋里。

“梁工？！知道知道，我知道你的大名。”余秋里重新举筷时，将一块红烧肉放入那个叫梁工的年轻人碗里。“安装专家梁栋材！”

拘谨的年轻人更加拘谨，大红着脸：“不敢不敢，部长您叫我小梁就行。”

“栋梁栋梁，石油工人的栋梁之材；进喜进喜，石油工业又要进喜了！”余秋里给王进喜和梁栋材又各自夹起一块红烧肉后，开怀大笑。

“是，余部长，我正要向您汇报最近我们队的生产情况呢！”王进喜笑逐颜开地给余秋里的酒杯满上。

余秋里一抹嘴，起身道：“饱了饱了。走，你跟我一会儿上二号院，听张文彬同志作今年的工作总结。”

王进喜赶紧将筷子朝盆里猛夹几下，含着红烧肉就跟余秋里出了门。

这是一个难忘的冬天。这也是大庆人经历了最艰难的日子后第一次重新能放声歌唱的冬天。

“同志们，今年的总结会，我要先说的是生活问题。为什么？因为我们过去饿了一年多的日子现在终于能够吃饱肚子啦！”采油指挥部大礼堂内，张文彬的话，引来一片欢呼和鼓掌。久违的笑颜，在铁人、在大庆几万职工脸上重新洋溢。

余秋里和康世恩笑得最舒坦。

“我要向大家报告的是：今年我们抽调近两万名职工抓生活，种地 4 万亩，收获粮食 325 万斤，蔬菜 1500 万斤，养猪 4344 头，养羊 132 只，各种家禽 2269 只，其他牲畜 669 头。并且加强了食堂管理，建立起了多功能的作坊 43 个，发动群众挖野菜 160 万斤，制代食品 120 万斤，打猪草 1567 万斤，打草籽 371 万斤，打羊草 606 万斤，基本保证了职工吃饱肚子，体质普遍增强……”

掌声再起。

“我要插张副总指挥一句话。”吴星峰站起来说道，“你们回去通知所有的职工看一看自己的床铺底下，有没有一个口袋。这是根据余部长的指示办的，每人 20 斤黄豆。另外，凡是探亲回家的职工，各单位也要发给他们几斤黄豆带回去，让职工的亲人也尝一尝我们北大荒的黄豆是什么滋味！”

“油性大！油性大哟！”不知谁冒出这句话，惹得1000多名与会者哄堂大笑。

大庆人种的黄豆和其他食品确实油性大，但不是石油味，而是高质的营养成分油性。

几个月后，总理周恩来来到大庆视察，余秋里和康世恩亲自陪同。此时的大庆到处荡漾着高昂的战斗景象和欢乐的生活气氛，而且6月的萨尔图正是最美的季节，到处绿草如茵，马兰花迎风盛开。周恩来一个又一个地到大庆会战的基层井队、采油井和油库等单位视察。与工人亲切交谈，问长问短。油井上，周恩来伸手要跟工人握手，工人却不好意思地缩回油腻腻的手，周恩来一把将工人的手拉过来，说：“我也当过工人嘛！”干打垒里，他弓着身子，坐在炕头向职工家属问寒问暖。食堂里，他尝着石油人自产的高粱米饭，连要几碗，夸好吃。与周恩来交往过的人都知道他的酒量，尤其是喝茅台酒的水平。这回在大庆，周恩来对余秋里请他喝的“萨尔图茅台酒”更是大加赞扬。其实这酒是几个职工在干打垒里自制的普通老白酒。在大庆采访时我专门拜访了当年“萨尔图茅台”的生产地——那栋孤零零被人遗弃的干打垒，有人说这“萨尔图茅台”确实不错，原因是酿制的原料净是好高粱米。在走过让湖路的两栋又高又大的“干打垒”时，周恩来立住了脚，问余秋里：“这儿谁住了？”余秋里说：“这儿不住人，是我们的粮库。”康世恩接话：“里面装了100多万斤粮食呢！”周恩来颇为深情地：“重灾之年，你们还有这么多存粮，不容易啊！”然后把头转向余秋里，感叹地：“我这个总理也没有这么多粮食可调。你把这些粮食给我吧！”

余秋里一个立正：“总理，你什么时候下命令，我什么时候把这些粮食给你送去！”

周恩来笑笑，又神情严肃地望着“干打垒”，说：“这是职工们用血汗换来的。我再穷，也不能揩你们的油。”

第一次来大庆视察，周恩来当晚就因国务活动返回了哈尔滨。

“看到你们这儿一片生机勃勃，我高兴啊！特别是职工和家属们能吃饱肚皮，还有些余粮。我心里就踏实多了……”深夜，周恩来在列车上高兴地与余秋里交谈。

余秋里说，目前我们这儿还仅仅只是在房前屋后搞了点开荒，规模有限。如果总理能同意多给点地，还可以办个大农场。

“你要多少？”周恩来问。

独臂将军伸出右手，将张着的五个手指翻了翻：“十万亩。”

周恩来笑笑：“十万就十万嘛！”

这事第二天就办成了。黑龙江省委的欧阳钦书记在周恩来总理的一句话交代后，便痛快答应了余秋里的要求。

“大庆油田有今天、有明天，我余秋里首先不忘的是总理和你……”余秋里想用两只手握住欧阳老书记的双手，但不能，于是他只好张开右臂，热烈地搂住对方，如此少有地动情。

“同志们，在新年钟声敲响之际，我还要向大家报告一个好消息：重灾之年，我们在毛主席和党中央的亲切关怀下，在石油部党组的正确领导下，上下一心，苦战大战，生产形势十分喜人！全战区全面完成和超额完成年度计划……”萨尔图前线的年终会上，张文彬仍在激情满怀地做着总结报告。而当他说到这一年多困难时期的施工生产情况时，这位“石油师”老政委竟然几度哽咽得说不下去。台下听报告的人更有“呜呜”痛哭的。看，铁骨铮铮、顶天立地的铁人王进喜等红旗手也在那儿抹眼泪：“是太苦了！这一年多，我们是饿着肚子、干着饱汉也干不了的活啊……”

将士们泪流满面。

# 第七章

大会战生不逢时。苦熬不如大干。

余秋里别出心裁搞“生产运动会”！功勋队、王牌队争当“世界冠军”，谱写龙争虎斗篇。

井喷、火烧……钢铁与血肉厮杀，大将军临危坐镇，指点江山稳大局。

质量命关天。王进喜照样挨批。

铁面无私中铸造大庆传统精神。

北京，301 医院高干病房。

管理员小陈正在将特地从东北大兴安岭的山民那儿换来的野参煮成的参汤，给病榻上的首长一勺一勺地喂着，警卫参谋从门外领着一位古稀老人走了进来。

那老人身子骨硬朗，一副老军人的风度。当他看到直挺挺躺在床头的首长，三步并作两步地扑上前去：“秋里，我是杨秀山呀！我来看你了！”老人颤抖着双手抓起那只久违了的曾经呼风唤雨、令敌人闻风丧胆的右胳膊。

但现在的右胳膊软塌塌的，一丝儿反应、一丝力气都没有。

“你说话呀秋里！你是最能说的嘛！从你当红军那天，你的嘴就没停过！你骂人！在战场上骂人骂得敌人都不知所措！连小鬼子都发懵。队伍的同志都怕你骂人，可又爱听你骂人。一天不听你骂，好像身子骨不舒服似的。你、你现在怎么不开口了？你骂呀！我不知被你骂过多少次。可你越骂我，我越觉得你对我好……你说话呀！老伙计。我想邀你一起重新走一走，看一看。”

首长毫无反应，眼巴巴地看着天，似乎在想天国之外的事。

老人落泪了。双手抖动起来，用袖子拭着眶里的泪，欲转身离开。却被管理员小陈拦住，又轻轻地在他耳边嘀咕了几句。

"嗯，那我试试。"老人点点头，然后又转过身子，抹干泪水，整整衣衫，并拢双腿，挺起胸脯。突然高声吼道："余秋里——起床！出操！"

"余秋里，敌人冲上来啦！快冲锋！"

病房外不知首长这边发生了什么事。专家、医生和护士们，甚至楼上楼下的病友们跟着往首长的病房赶过来。管理员和警卫参谋连忙摆手示意："没事没事，请回吧。"

"你余秋里怎么办？啊？你一生都是冲锋陷阵，雷厉风行！你现在怎么啦？你醒醒！你、你软骨头啦？你熊啦？你……"

首长的脸随着这一声比一声高的怒吼与叫唤，在渐渐发红，仿佛不堪忍受这从未有过的耻辱。

管理员和警卫参谋欣喜若狂："首长有反应了，嗨！"

"真的？"老人停止了喊叫，沙哑的嗓子一下变得温和，并怜惜地重新伏到病榻前，握着首长的手不无歉疚地："老伙计，刚才我的话太冲了。对不起你……我看你这副样子，心疼啊！老伙计……"

老人眼眶里的泪水像断了线的珍珠，滴落在首长的脸上……

首长依然没有丝毫反应，双目朝天，瞳仁无光。……他又在回忆？又见了谁？

是毛泽东。是毛泽东在听完副总理李富春介绍大庆会战的情况时，对围在他身边的党和国家领导人发出一个号召式的动员：你们都别在这儿愁眉苦脸的。人家余秋里在北大荒那边搞石油大会战，日子比我们都难过，可他们却搞得热火朝天！你们都去看看嘛！

去看看。这个余秋里，还真有能耐啊！我们整天连应付逃难的、要饭的都来不及，他却有劲头搞大会战！

可不，听说几万人在那片荒原上名堂越搞越大了！

于是，"去看看"的人从国家主席、党的总书记，到全国人大、政协的领导，到各界著名人士，还有外国元首贵宾，都朝余秋里开辟的那个"石油会战"战场跑去了。

"不虚此行。这儿地下有油，地上有牛，确实是个好地方！"很少喜形于色的国家主席刘少奇在井台上举目远眺时笑逐颜开。他乘坐的车子在陷入一个泥泞的水坑后，工人们赶来抬着他和车子一起向前走时，国家主席深深激动了，例外地提出要和大庆的职工们合影留念。

当有人向余秋里汇报这些情况时，余秋里欣慰地点点头，说：“是嘛！是同志们苦干干出来的嘛！”

“都是那么容易的事，毛主席还要我们来干什么？”

“石油会战就跟当年跟小鬼子干仗一样，再苦也得把仗打下去！打赢了它！这比坐在那儿空喊口号、开十个群众大会要强百倍！”

独臂将军独特的打开局面能力，来自于他独特的见解和顽强的战斗意志。

还在红军时期和抗日战争的艰难岁月里，他的这种作风和意志便已锤炼得炉火纯青。话说1941年他带部队参加“百团大战”后，气急败坏的小鬼子便集中了大批兵力扫荡我华北抗日根据地。八路军进入了最艰难的岁月，根据地连连丢失。将军所在部队的根据地也只剩下了两个村子。是等死还是跟敌人拼搏一下杀出一条血路求得生路？当然是后者嘛！第一个伏击战，全歼小鬼子74人；第二次是小鬼子来偷袭，酣睡中的将军闻讯后从床上跳起来，右手抓起左轮枪，一边在敌人堆里冲杀，一边指挥部队抢占有利地形。“冲啊！”“杀啊！”腥风血雨的战争年代，余秋里的精气神全部凝聚在这四个字里。

和平岁月，他的精气神则全部倾注在一个“干”字上。

干？当然是干社会主义。社会主义怎么干？落后的底子，一穷二白的面貌，毫无现成的经验摆在面前，而且困难重重，条件限制。余秋里的回答是：那就得大干！苦干！巧干！高水平干！高速度干！高质量干！

关于干的问题，余秋里用的许多方法，与指挥军队方式一样：碰硬仗时，决不后退；遇恶仗时，前仆后继；碰大仗时，集中兵力打歼灭战。一位专门研究过余秋里军事艺术思想和军事战术范例的将军对我说过这样的话：“余秋里是我军高级将领中最能用思想打硬仗的人。”这话细细品味起来很有意思。敢打硬仗的将军在中国军队的将帅里不算少，但能用“思想”来打硬仗的却可能并不是太多。何谓“用思想来打硬仗”？我的理解是：他应该既有见血流成河时镇静自若、毫不动摇自己决胜的信念，同时还有能力挽狂澜转危为安并最后克敌制胜的超人韬略。

余秋里当算此类人也。

大庆石油大会战，是余秋里在和平时期“用思想来打硬仗”的经典之作。这一仗的经典和精彩程度是无人可比拟的。

翻开世界战争史，中国的二万五千里长征创造了经典绝伦的篇章，是因为它的艰苦、惨烈和视死如归的英雄气概。

翻开世界石油开发史，那么余秋里领导的大庆石油会战同样具有长征式的经典绝伦意义，因为它同样地艰苦、惨烈和具有视死如归的英雄气概。

世界战争史上经典的战例之所以成为经典，不外乎当时军队和将领们所遭遇的战争状态的意外、绝境和突发困难等原因。大庆会战几乎遭遇了所有这些困苦，但他余秋里和几万大军终于赢得了胜利。胜利当然来之不易。来之不易的胜利才能算真正的胜利。

三年困难时期，几乎窒息了当时新中国的全部生机和士气。那三年中，国之上下，只有收紧裤腰带忍辱负重、喘息吁吁的力气。然而独有大庆油田会战那儿充满了气壮山河、突飞猛进的凯歌高旋。

余秋里成功地运用了他那“以典型带全面”的指挥艺术。

不是当听说“铁人王进喜”的先进典型出现在会战初始时，他余秋里眼睛就发亮吗？眼睛发亮，是因为余秋里的内心早有思想准备：打像大庆会战这样的一场恶仗，必须有一支敢于冲锋陷阵、不怕牺牲的队伍和一群钢铁战士。王进喜便是这样的代表，他来松辽一下火车就五天五夜干出了个“有条件上，没条件也上”的精神，之后他的“宁可少活二十年，拼命也要拿下大油田”的誓言，不正是余秋里的所想所要吗？

余秋里平时不爱咬文嚼字，但在指挥会战中，看一看他的报告和讲话中，经常听得到“下定决心”“背水一战”“破釜沉舟”之类的成语。但更多的还是他那些把话说到绝处的口头语：比如说速度、说水平、说质量时，他总会在这些词前后加上“最”。一个最快的速度，一个最高的水平，一个最好的质量。他总是把人逼到无路可退，退到极致让你只能背水一战，把命豁出去干，让你去拼搏，让你去为胜利目标贡献出全部的聪明才智和勇气精力。真是很有意思。他余秋里想要干的事情，他会把方向和目标推到珠穆朗玛峰；他反对的事情，他会把后路和禁令打入你脑袋和心灵最深处……

不是会战吗？好，开个誓师大会，几句震天动地的“向铁人学习”“人人争当铁人”和“坚决把贫油帽子甩到太平洋”的口号，把几万人的士气扇鼓得冲破九霄。

会战大军一夜间聚集松辽，队伍与队伍之间、部门与部门之间尚处一片混乱，若要等待理顺、协调，那该何年何月？有人愁眉苦脸时，他余秋里提出“三要十不”：要甩掉中国石油落后帽子，要高速度、高水平拿下大油田，要赶超世界先进水平，为国争光。在职工和各队伍之间提倡不怕苦，不为名，不为利，不讲工作条件好坏，不讲工作时间长短，不计报酬多少，不分前线后方……好像他这个“拍板”的会战的最高指挥官就钻在你的肚子里，你的所有“弯弯绕”他一清二楚，不等你冒出来，他早就给你把预防针打了进去。

“学习铁人、人人争当铁人”的口号喊出不久，“五面红旗”又猎猎飘起。会战队伍迅速掀起“标杆林中竖标杆，铁人头上出钢人”的比学赶帮超热潮。

不是说高速度拿下大油田吗？好嘛！我们先把美国、苏联怎么搞大油田的速度比下去！他余秋里让康世恩他们将苏联人搞的罗马什金油田、美国人干的德克萨斯州油田勘探图挂在会战办公室。

“美国人和苏联人发现这些大油田，从见油到得到储量都用了三四年。”康世恩说。

“那我们用两年、一年！”他余秋里右胳膊在空中一甩，这么说。

后来，大庆第一个 4 亿吨的储量从见油到得到确切数据才用了七个月。

高速度得人创造。人，有铁人做榜样了。

找油是靠人操作的钻机。好嘛，让铁人做榜样的每部钻机都热火朝天地干起来！

于是，辽阔的草原上他余秋里别出心裁竟然喊出要搞“生产运动会！”这主意无从考证是他从哪儿得到的“灵感”。是从当国家体委主任的老上级贺龙元帅那儿得到的启示？没准。

反正，在北大荒上搞“生产运动会”，在石油工业建设史上搞“生产运动会”，在开发世界级大油田史上搞“生产运动会”，只有他余秋里敢干这样的事。

嘿嘿，好得很嘛！就这么干。谁英雄谁狗熊，运动场上见分晓！这话怎么跟胡子贺龙说的一模一样？

1960 年 12 月 31 日晚。寒意笼罩的大草原上却分外热气腾腾，如林的钻塔和如林的帐篷，如天际撒下的繁星镶嵌在大地上。刚刚召开的年度庆祝大会上，将军部长把一面面“红旗钻井队”、“卫星钻井队”和“钢铁钻井队”的鲜艳锦旗颁给那些英雄的队伍。现在，会战总指挥部的“干打垒”外，到处灯火通明，伴着阵阵欢声笑语，传进他的两耳。将军部长放下手中的报纸，走近窗户，向外看去——啊！大雪纷飞的原野上已经银装素裹。串珠似的灯光，将钢梁铁架和帐篷间旋舞的飞雪折射得斑斓影动，似条条彩绸飘举，如柱柱银炬火龙，带着敬意与暖融，伸向英雄的石油会战将士们那一双因饥饿而燥裂但依然有力的手……

不易！不易啊！将军情不自禁地抬起右手，并将并拢的五指搁在脑门前——他在向冰天雪地和英雄的会战将士们敬军礼。这个动作，没有人注意，只有一位给将军送玉米馍的老炊事班长见着了。

“部长，大伙儿还都在食堂会餐，我见没你在，盛碗玉米糊给您端来了，一会儿您饿了就喝了它……”老班长用自己的棉袄捂着装满热玉米糊的“志愿军出国纪念”瓷缸，轻轻进，轻轻出。

“谢了！谢老班长！”将军部长今晚似乎显得格外动情。他把秘书和康世恩他们都赶到各个热闹的会餐食堂去了，自己则独自静坐在“干打垒”的办公室里，原本是想给家里的夫人素阁和孩子们打个电话说一声新年将至的问候。可后来他改变了主意，一则他说不清自己什么时候回北京——真回去也不是事，晓霞、晓红这几个娃娃整天闹着想吃顿红烧肉，这红烧肉哪儿去弄呀？干脆，不回了！二则报纸上的一则消息让他刚刚想歇口气的心情又复杂起来：会战的勇士们已经只能每天吃两稀一干的野菜团子和玉米糊糊了，可生产的速度还得往上升……怎么弄？大名堂还搞不搞了？

“部长，你出的对联写好了！参加座谈会的同志也在那边等着，咱们走吧？”不知什么时候秘书李晔夹着一卷红纸进了门。

“打开我看看。”余秋里回过神来。

红纸展开，墨香扑鼻。

保质量重安全，永树全国标杆

创奇迹超“功勋”，争夺世界冠军。

“怎么样？还行吗？”余秋里读着自己编的对联，心里有三分得意地问李晔。

“行，很带劲！”秘书当然挑好的话说。

“走，带着这‘礼物’开会去！”将军部长于是也颇为带劲地顺手抓起床铺上的军大衣，健步出门。

嘿，很热闹嘛！会议室内早已坐满戴狗皮帽、穿杠杠服的各单位代表。他们或在嗑瓜子，或在啃苹果，或在吞花生米……

“今天食堂是管饱，你们可别给我客气啊！过了这一村就没那一店了！”余秋里边说边插坐在 1202 队的队长与指导员中间。

戴狗皮帽的代表们不少人拍着鼓鼓的肚子，开心地冲自己的部长说：“饱，太饱了！”

“太饱了就不太好。饿极时吃太饱容易出问题。当年我们走完长征后有些同志一上延安，就大吃大喝，填肚子，结果胃就出毛病。你们可得小心。”余秋里见大伙儿都在笑，便让李晔抖开卷着的红纸，随后向左右坐着的 1202 队两位代表说：“新年到了，我没啥可送你们的，这副对联算我给你们队的一份礼物。”

部长送对联，那是最好的礼物啊！尤其是他余秋里部长，啥时候见过他给人送过墨宝？太难得的礼物了！ 1202 队长和指导员兴奋地接过，全场响起热烈掌声。

“同志们哪！最近我看到一个消息嘞。北边的苏联有个叫格林尼亚的钻井队，今年他们在依尔巴库油田上用 11 个月时间打井 31341 米，创造了苏联最高纪录。了不起哇！苏共中央和他们的部长会议专门做出决定授予这个钻井队‘功勋钻井队’称号呢！”余秋里说到这儿，见在座的代表们正全神贯注地听他说这一消息，便停住话，用目光向四周扫了一眼，然后站起身，向左右坐着的1202队长、指导员询问："怎么样？你们有没有决心跟苏联的'功勋队'比一比？争取超过他们？当一个表率，把世界冠军夺过来！"

"有！"1202队两位军人出身的井队领导霍地站起，向余秋里行了一个军礼。

余秋里满意地笑了："好！新一年里，我们要继续开好'生产运动会'，要创造我们的钻井世界冠军！全战区要创造找油田的世界冠军！我听听同志们有没有这个决心？决心大不大啊？"

"有！"

"大！"

座谈会代表全体起立应战，高昂的战斗誓言响彻辞旧迎新的北国寒夜。

"当！当当！"远处的旷野上，新年钟声响起。

"砰——嘭——"近处，钻塔与帐篷间，更是鞭炮齐鸣，欢声笑语此起彼伏。

而在这将军升帐、战鼓擂响的时刻，有几个英雄钻井队坐不住了，他们在"密谋"一场会战风暴——

"知道余部长为啥只给我们写对联吗？那是他把创造世界冠军的希望全部寄托给了我们英雄的1202队！"

"嘿，这回咱们可以一马当先，干他个惊天动地！"

"是。妈的它老毛子能打3万米，我们就能打5万米！"

"打10万！"

这一夜，1202队50多名勇士聚集在一起，据说光"萨尔图茅台"就喝掉了好几缸。老队长张云清、第二任队长马德仁从总指挥部出来后，都没回去休息，督着现任队长王天琪和指导员杨春文连夜回到队上召开全体职工大会。余秋里的那副对联这一夜让这个英雄的钻井队着实心潮澎湃了一番。那年代人们的精神状态和工作干劲真的让我们感到敬佩和羡慕：无论是干部还是普通工人，只要领导一号召，说干就干，说走就走，你让他上刀山他绝不含糊；你让他下火海，他也眼睛不多眨一下。再说，这1202队是个什么样的队伍？是当年石油师的警卫排战士组成的钻井队啊！排长张云清是第一任队长。人高马大的张云清，是个武松式的顶天立地的汉子，他带的队伍最初在玉门干，后来到了克拉玛依。那会儿跟王进喜比武俩人就抢坏了六七只麦克风，威震天山南北。王进喜到大庆后才真正出名，而他张云清到大庆时已经荣升了新疆局钻井大队的大队长了。马德仁接他的班带队伍来到大庆参加会战，这也是个不含糊的人。他带队伍上大庆初期就跟王进喜队较上了劲，两个“老对头”的英雄钻井队在大西北时已经“干仗”一两年了，谁都不服谁。这回到大庆会战，一下火车王进喜冲着指挥部的人问“这儿最高纪录是多少”，其实想打听的就是1202队的情况。王进喜心里只认1202队，他铁人知道全国只有一个钻井队可以跟他较量，那就是1202队。所以王进喜一到松辽就先闯出了一个“人拉肩扛”、五天五夜完成了第一口井的纪录。

马德仁的队比王进喜他们晚到松辽十几天时间，但那时他们都因为钻机未到而没有开钻。马德仁是个有干劲又有心计的人，他在王进喜带队伍上火车站当了一个星期义务工时，便带着队伍跟当地老百姓搞关系去了——“日后要在这大松辽干好工作，少不了当地百姓的支持。”马德仁够聪明。但马德仁成为与王进喜齐名的“五面红旗”之一，还主要是他的干劲。会战第一仗的苦战雨季和严寒，当时条件极其艰苦，工人井上施工每天都要穿着挂满冰碴的铠甲进行。为了实现首月“开门红”，他马德仁几次破冰跳到泥浆池里搅拌，保证钻机能正常进行。但因为王进喜的“铁人”称号出来后，这全战区的几万双目光都聚焦到了1205队身上。王进喜这头“犟驴”——1202队职工暗里这么称王进喜，还有那么个犟劲，一度钻进速度遥遥领先于所有队。恰巧王进喜和1205队光芒四射时，马德仁的1202队出了固井事故，标杆队能不能保住在当时都成问题。马德仁的本事就是他还有一手：善于做思想工作。职工们在他和指导员一番鼓动和勉励下，团结一心，重振其威，创出了两天零18小时完井的纪录。这一次他们在全战区“生产运动会”获得了亚军。

亚军不易。可对1202队来说，这简直就是耻辱。“不拿冠军，老子等于让天山在世人面前低了头！”职工们如此说。

差距在哪里？马德仁组织大家对照冠军队找原因。最后大家觉得差就差在钻机搬迁的时间上。前几章中曾经提到的在会战初期的雨季之战中有个叫段兴枝的人带四川来的队伍，在康世恩和张文彬的指导下，创造了“钻机自走”的重大革新战果，被当时的余秋里他们称为“革命性的贡献”，段兴枝因此也成了大庆会战时的“五面红旗”之一。

“钻机自走”？你听说过吗？一个庞大的铁疙瘩，十几吨重，要让它通过自己的动力自己走起来。不是奇迹吗？嗨，段兴枝就是通过反复实践、依靠钻机自身动力让钻机自己真的走了起来！大庆会战是在一展平滩的大草原上，而且一般的井距在五六百米之间，按照通常的钻机搬迁的方法，一般总免不了打完一口井后要把井台上的钻机啥的统统拆了装上车子，再到另一个井位重新一样一样地安装起来，这样的程序按照铁人王进喜的拼抢速度，一台钻机从 A 井搬迁到 B 井，再快也得两三天时间。可段兴枝发明“钻机自走”后，这样的井与井之间的搬迁就缩短成十几小时甚至八九个小时，这对余秋里盼望实现的会战高速度和各施工单位开展“生产运动会”来说，简直就是想都不敢想的福音！

段兴枝是连王进喜都不得不敬佩的人。

再说 1202 队在得了亚军后，明白自己的主要差距在搬迁速度时，马德仁便把段兴枝当成了自己的“好老哥”看待，他老段的 1247 队有啥困难，马德仁全力以赴帮忙，当然他的目的是要把老段的绝活“钻机自走”本领学到手，学得比“师傅”的技术还要精湛。后来马德仁的目的达到了，在第二届战区“生产运动会”上终于获得全能冠军。马德仁对 1202 队这面红旗的贡献功不可没，他带领队伍实现八个月打井 22 口、进尺 22800 米。

现在，余秋里部长挑明了把“赶超功勋队，勇夺世界冠军”的任务交给了 1202 队。你别看他辞旧迎新的新年座谈会上笑呵呵的又是亲自写对联、又是请吃饭，别说 1202 队的第三任新队头压力大，就连会战指挥部的张文彬和宋振明都感到压力重重。余秋里的脾气他们是早领教过了，他是说一不二的人。他要把任务交给了谁，谁就得保证完成，如果完不成那你就永远歇菜吧！更何况，他现在抬出的目标是苏联的“功勋钻井队”。当时中国跟苏联是什么情况？

斗！斗得白热化！斗得咬牙切齿！当时中国人包括毛泽东在内，有什么事只要能压住或者胜了“老苏”，那是天大的喜事儿！这不，余秋里这回咬住了苏联的“格林尼亚钻井队”。

1202 队既光荣又压力重如泰山。余秋里没有把对联送给铁人王进喜原来所在的 1205 队，则交给了 1202 队，不知他是不是这样考虑：一是王进喜已升任钻井大队领导，他本人又身负工伤；二是在会战前线大家都知道一个事实：论整体队伍素质，1202 队无人可比。有人对我这样说：1205 队是王进喜带出的一支勇猛的钢铁队伍，什么艰难险阻都能攻得上去。而 1202 队同样是支冲锋陷阵、攻无不克的钢铁队伍，他们在勇猛之中比 1205 队多了一个“智”字。智勇双全，使 1202 队成为当之无愧的“永不卷刃的钢刀”。但据参加此次新年座谈会的当事人介绍，当时余秋里在把对联送给 1202 队时，曾意味深长地瞧了瞧一起在座的 1205 队等其他几个英雄钻井队，也说了这样的话：“为了粉碎当前的国际压力，为了甩掉我国石油落后帽子，石油部、会战指挥部希望你们各个钻井队在新的一年里，继续高举毛泽东思想伟大红旗，学习‘两论’，发扬艰苦奋斗的革命传统，争取超过苏联的那个所谓‘功勋钻井队’，为国争光！”这话的意思看出，他余秋里把超苏联“功勋队”是当作一项政治任务来要求的，因而他既有对 1202 队的期待，更希望会战队伍都能共同来实现这个目标。

这是余秋里的战略思考和战术艺术的特点。

话说 1202 队在接受“超功勋”、争夺世界冠军的任务后，老队长张云清、马德仁当夜就来到 1202 队，与新队长及全体职工共商大事。还是解放军的那股不达目的不罢休的作风。老队长张云清把话说得非常白：“不外乎就是让你们多受点累，少睡几宿觉，多流点汗，掉几斤肉！有人担心我们今天是饿着肚子打会战，困难很多。可你们想想，当年我们人民解放军靠小米加步枪，打败了 800 万武装到牙齿的国民党反动军队。比起这，现在条件总要好多了吧！前面没有枪林弹雨，不就是肚子饿一点、住得差一点、天气坏一点、蚊蝇虫子多一点嘛！大家拿出劲头来，把苏联的那个什么功勋队远远地甩在后面！”

马德仁说得更简单，他指指自己的脑壳：“敢打敢冲，还得动点脑筋！”

1961 年 3 月 8 日，1202 队的“超功勋”战斗拉开序幕。钻台现场特意开了个小型誓师会，场面虽然不大，却既严肃又隆重，热烈而火暴。严寒凛冽之中，钻塔顶端的红旗在风中“哗啦啦”地作响，仿佛是在替 1202 队的 50 多名勇士向世人展示他们争夺世界冠军的豪迈情怀。

挑战是从自己内部开始的。四个编制作业班一面比着劲，同时又从配合协作，步调一致促进整体进度加速。过去一口井打完，井队需要做好完井、固井和测井工序，有时还要进行试井作业。为了缩短这些工序之间的间隔，他们采取了在完钻后立即组织两个班快速下套完井。完井后又立即投入三个班的兵力进行固井小会战——大会战中套小会战，这是余秋里、康世恩在大庆会战中始终运用的一大指挥艺术，各基层施工单位灵活运用、巧作安排显现不俗成效。在固井结束后，又组织一个班加快卸钻杆做好搬迁准备，同时让一个班充分休息准备新井开钻。这时另两个班到新井位做好开钻前的准备工作，待井架一就位立即转动机器开钻……如此这般，速度立即攀升，从月开两井完成两井到开三井完三井，到后来的月“五开五完”，一直到最后的“六开五完”，即开钻六井、完井五口的高速度。

这是什么速度？这是中国石油人创造的神奇速度！

想一想：在有限的三十天时间内，要将几十吨的钻塔和几十吨的辅助设备进行六次异地搬迁！仅仅这样的搬迁，得花多少时间和劳动？

想一想：每一口井，都需入地千米之下。那钻井是与复杂的地下“敌人”较量，你不知道它会给你找些什么麻烦！而且每钻几米就得换一次钻杆，仅换钻杆的过程就够复杂烦琐的——提一次就得一节节地卸下，再放到一边。等接上新钻杆后，又得一节节地重新装上，再重新下井。还有固井和井下测试……如此几十项复杂多变的工艺，你一项也不能少，一项也不能马虎。你想马虎，你想偷懒，其结果只能让你更加复杂、更加烦琐、花更加费劲的力气……

我想强调一点的是：我们的石油战士要完成如此繁重艰巨的任务，是在饿着肚子、吃着野菜和玉米糊糊的那个最困难的岁月！想象一下，那是一种什么样的情景？什么样的精神？

1202 队不愧是“钢铁钻井队”！而整个石油会战中又何止这样一个队？

余秋里搞的“生产运动会”，要的是所有队伍都参加这样的战斗。

他把“超功勋”、争夺世界冠军的任务交给 1202 队，是为了在这样的“生产运动会”上有支走在最前列的标杆队伍，好让所有的队伍向他们学习，殊死地、拼命地、义无反顾地勇猛前进！

啊！那是一种什么样的战斗？似蛟龙出海，狂涛怒卷，浪冲天宇；如猛虎下山，呼啸野谷，震天动地！

大草原成了千军万马你追我赶、拼得难分难解的一片厮杀之地。这厮杀，既为祖国早日甩掉“贫油”帽子的誓言，也为在“老苏”面前争气，同样也有各个英雄队伍为自身的荣誉而战！

战吧！1202 队自揭开“超功勋”、争夺世界冠军的战斗序幕后，他们一路战鼓轰鸣、杀声撼山。而因为他们的行动，也让那些不甘落后的其他英雄队伍摩拳擦掌，热血沸腾。

“老子就熊？不！他 1202 队能干成的事，我们就不成？”半道上，又杀出一个 1203 队。也是新疆来的标杆队，也是“石油师”的钢铁军人队伍。你张云清、马德仁、王天琪干得成的事，我们同样能干得了！

这 1203 队像蝎子蜇人，死死盯住 1202 队，一步不放，一眼不眨地盯在后面，而且看准机会，一鼓作气，将一路高歌的 1202 队甩在了自己的后面。

“他娘的，半路杀出个程咬金！他 1203 队怎么上来了？”1202 队大惊。

惊有什么用？既是“运动会”，比赛就是规则，胜利者就是王牌军！1203 队冲在了全战区的最前列，把 1202 队的气焰狠狠地“治”了！而且最让 1202 队不堪忍受的是他们居然把“挑战书”派人送到了 1202 队队长手上：我们要与你们一样争夺世界冠军！言外之意，这最后夺冠的不一定就是余部长给你们送对联的 1202 队！

这还了得？1202 队的 50 多条汉子像被人当面羞辱了一番。太不是滋味了！

真是无巧不成书。7 月初，钻井指挥部把萨尔图南部的一排七口井的任务下达到大队，大队又下达到了 1202 和 1203 两个队上，令他们从这七口井的两端往中间打。

这不明摆着让两头猛虎争雄吗？

1202 队和 1203 队的双雄之争已不可避免！

这热闹劲儿！两个队、两座钻塔，排列在同一线上，那大草原一展平地，虽隔数千米，却如咫尺对阵，对手们真是到了分外眼红之势，就差各执兵器对搏了！只见比赛工地上人影与钻杆日夜交相辉映，分不清机声和人声，一句话：谁要在此时说闲话、挡他们一阵子活，他们就会把你从井台上扔下去。不是无情，而是他们现在的眼里只盯着中间的那口井。这不明摆着，二三得六，第七口井是两队的争夺焦点，谁先夺得，谁就是胜者。对军人出身的人而言，荣誉胜似生命。

短兵相接、白刃格斗就在两队几乎同时完成各自的第三口井的固井时。当时 1202 队正在卸钻杆，而 1203 队已卸完了两排（总计应为 7 排 120 根钻杆），这让 1202 队急坏了。红旗班班长、司钻张石琳一面派出"情报员"来回传递着 1203 队的进度，一面合理安排卸杆和在场地滚杆的人力，同时改进措施，不断加快卸杆的速度，由开始的半小时卸一根钻杆到最后只用六七分钟，十几个工人简直就是在拼命……晨曦初露时，1202 队终于卸下最后一根钻杆。

他们胜利啦！提前把井位移到两队中间的那口第七号井……

此后不久，国家主席刘少奇视察大庆，听说 1202 队正在瞄准苏联功勋队的目标进军时，非常高兴地来到井台握着工人们的手说："祝你们胜利，祝你们成功！"当听说不少工人是吃着野菜团子和玉米面糊、身患浮肿在坚持战斗时，国家主席沉默了许久说：我们现在都是在紧着裤腰带过日子，希望你们注意劳逸结合。

面对如此强度的工作，面对一个个脸色发青、皮肤浮肿的工人们，堂堂国家主席能送的仅仅只是一句安慰的话。这就是那个极度困难的年代。但工人们依然壮志凌云，他们喊出了"人活一口气，树活一张皮，誓超功勋队，拼死硬到底”的豪迈誓言。

任务如此艰巨，战斗如此残酷，生活又那样困苦。有一天柴油机司机蒋世昌在擦洗小油缸时，因为饥饿无力，擦着擦着，就昏倒在地，后经队友们抢救方才清醒过来……在1202队夺冠之战最激烈时，会战副总指挥张文彬来到队上看着自己的队伍吃着酱油加开水的菜汤，干着常人几倍的工作量，忍不住泪流满面……

至当年11月，1202队打完最后一口井，以9个半月的时间，钻井31746米的成绩超过了苏联格列尼亚功勋队的纪录，一举夺得当时的快速打井世界冠军。

余秋里听到这消息后，欣喜地让会战指挥部给1202队送去两头大肥猪以示犒劳。

其实，在“生产运动会”上，瞄准世界冠军目标的不仅是1202队。王进喜的1205队从来就没有服气过1202队。当大伙儿听说余秋里部长把夺冠的对联送给了1202队时，他们也把迎新年的辞旧迎新之夜当作了誓师之夜。大伙儿个个摩拳擦掌地表示：咱是铁人标杆队，咱的红旗不能褪色。1202队能干到的事我们铁人钻井队绝不少一米！

1205队后来跟1202队较上了劲，第一次挑战是瞄着年创5万米的世界冠军目标。后来两个队双双实现。

第二次挑战是在1966年，这一年在中国历史上极不平凡，“文化大革命”的风暴已乍起，造反派煽动的大串联搅得全国不安宁，大庆也不例外。但1205队和1202队的比赛没有停止。那年正好听说美国有个年创9万米的王牌钻井队，王进喜他们就在8、9月份继突破5万米任务后，一鼓作气，直逼10万米。这中间还有一个小插曲：在这年5月初，周恩来总理最后一次来到大庆视察，听说1202队和王进喜的队决心在上半年打井5万米、再超苏联功勋队时，周恩来非常高兴，并拉着王进喜和1202队老队长张云清的手说：“打上5万米时一定告诉我，国务院要向你们祝贺！”9月，大庆工人报捷团到北京参加国庆观礼。周恩来见到王进喜时，就伸出五指晃了晃。王进喜一见就明白，笑了：“总理，我们到8月18日，就打了5万米，现在两个队都准备向年钻进10万米的目标进军呢！”周恩来一听大喜，说："好，我祝贺你们！"并再三托嘱：真到10万米时，一定告诉我，我请你们两个队的工人同志们进中南海。可是历史遗憾地失去了这一幕：当王进喜他们双双创造10万米纪录、向中南海汇报时，周总理已经身不由己地整天忙乎平息造反派的种种纠缠而无暇接待大庆的同志。

在大庆采访时，当我来到1202队这支英雄队伍的荣誉陈列室，看到这儿挂满了会战时期余秋里部长等领导颁发给他们的一面面带着油腥味的红旗时，敬佩之意油然升起。然而就是这样的一支钢铁铸成的英雄队伍，他们在"文化大革命"中也经受了不该有的耻辱。有个造反派队伍来到1202队让他们搞所谓的"停生产闹革命"。1202队的职工们不答应。造反派们就嘲笑1202队的人是"不知路线斗争只知道生产的瞎牛"。1202队的工人回答说："谁说我们不知路线？从宿舍到食堂，再从食堂到钻台，这就是我们的路线。"造反派们一阵哄笑。钻工们则一阵大笑。

"造反派在"文化大革命"中要批斗余部长、康部长，硬让承认他们是我们的黑后台，并要烧掉当年我们用血和汗凝成的夺冠红旗。我们没有答应，并且机智地将这些红旗保存了下来。"一位1202队老钻工深情地告诉我，他就是"文化大革命"中冒着生命保护了这些红旗的那个人。

我向这位老同志伸出了敬意之手。因为是他让历史得以完整地保留了，而且让我们后代得以从那一面面溅着斑斑油痕的红旗上一次次重新感受大庆红旗来之不易的历史与岁月。

余秋里善于用标杆队的形式来激励队伍向一个通常看起来不易达到的目标奋进并实现。对此，他本人有过一段话："干工作就得这样，有些时候你看起来够不着的东西就得跳一跳。大庆会战困难得很嘞！我们又想搞出大名堂。不这样不行。抓几个标杆也不是什么新名堂。1941年最艰苦的时候，我们部队就有两三个代表连队。这两三个代表连的装备非同一般，全是缴获的日本鬼子的武器，抬着重机枪，扛着轻机枪，还有榴弹筒、六〇炮，总之，小日本鬼子有的我们这几个连队也都有。连长指导员就是王八盒子，小手枪。每次开群众大会，代表连就绕场一周，让群众看。然后表演，刺杀、投弹，吼声比日本鬼子还大，我们的群众就有信心啦！”何谓将之道？这便是。

1202队的一位“老会战”曾经如此自豪地对我说：“余部长的用兵之道，就是善于抓典型来带动全体。可以说，大庆会战能在那么艰苦的条件下搞出大名堂，就是余秋里部长用了一个王进喜的典型和我们1202队与1205队两把尖刀。所以天大的困难，我们一上，其他队伍也就跟着上了，这样就不会不胜利的。”

是军事艺术？还是政工艺术？是物质力量？还是精神力量？皆有之吧！不，准确地说，这是余秋里的艺术。

但有人在执行“余秋里艺术”时也会走样的。

你不是说大干吗？不是要速度吗？邪的也出来了：横穿萨尔图有条铁道，油建大队的刘万宝等人扛着大口径的钢管走着走着觉得又累又慢，这刘万宝便把钢管往铁道双轨上一放，那钢管“当当唧唧”地滚出十几米。嘿，这可是又省劲又抢时间的好法子喔！来来，大家跟我学：把肩上的钢管放在铁轨上，轻点轻点啊，别破坏了国家的铁路啊！火车来了大伙就赶紧把钢管往一边甩啊，千万要注意火车的安全啊！瞧这刘万宝，还真有“安全”意识。

工人们把钢管往铁轨上一放，再用镐一撬，这几百斤的大钢管“哧溜哧溜”地往前就走……哈哈哈，省劲又快速！大伙儿乐得直击掌。

运钢管的速度直线上升。

可北京这边的情况却大不妙：

“喂，是石油部吗？给我接余部长办公室！”电话里，有人口气很大，声音也大。

石油部的接线员心想：你是什么人？敢这么要我们余部长的电话哩！

“我是铁道部长！你马上给我接通余部长的电话！马上！”

接线员不敢再问什么了。赶紧把插头插到余部长的专线电话线孔。

“什么？是我们的工人误了国际列车？乱弹琴！好好，我马上派人去处理！对不起啊，我余秋里先向你赔不是！”正在埋头处理公务的余秋里，突然被铁道部长的电话搅和了，气呼呼地走到孙敬文副部长办公室。

“老孙啊，看来你得亲自出马一趟了。”余秋里闷着头，有些怒，又有些喜似的说。

“上哪？”孙敬文感到突然。

“大庆。大庆去。跟铁道部的一名副部长一起去。”

“怎么，我们的人跟铁道部闹上劲了？”孙敬文问。

余秋里点点头，说：“偷懒嘞！运钢管占了人家的铁道，害得国际列车进站时为躲开钢管把信号灯都打了。”

孙敬文奉命匆匆赶到会战现场。见运钢管的队伍正热火朝天地在铁轨上运送着输油钢管，那又快又省劲的场面，着实让他暗暗乐了一把。但他不能笑，于是只好心笑肉不笑地板着脸问油建指挥部的人：“这个队伍是谁带的？为什么这么干？”

刘万宝一见是副部长来了，吓得连腰上扎着的那根麻绳都掉了链，赶紧双手按住裤子，回答道：“我，副大队长刘万宝。”

“刘万宝？保什么？你这么干能保什么？”孙敬文见这干活不要脸面的副大队长，又气又好笑，但仍然装着很严肃的样儿。

“保任务，保余部长说的高速度！”

“屁话！有你这么保高速度的吗？余部长是让你在铁轨上保高速度的吗？你今天给我说说清楚，啊？有这回事吗？”孙敬文这回真火了。

刘万宝紧张得站在那儿直哆嗦。“没、没有……我们以后不敢再这么干了。”

孙敬文想笑，又没笑出，于是口气缓和了许多，反问道：“我说不让干了吗？啊？我是让你们注意安全！别误了人家火车！”说完，副部长连个招呼都没打，便直奔当地的铁路党委办公室。

刘万宝弄不明白了，愣在那儿，一直等孙副部长的身影在他视线里消失了也还没弄明白。

“副大队长，还愣着干什么？继续干吧！”工人们在一边重新扛起钢管往铁轨上放着，笑嘻嘻地冲副大队长说着。

“你们、你们怎么又要这么干了？”刘万宝吓坏了。

工人们乐得更带劲了："你忘了孙副部长最后对你说的什么？"

"什么？"刘万宝还在发蒙。

"孙副部长的原话是：'我说不让干了吗？'"

是啊，孙副部长是说的这话嘛！刘万宝猛然省悟地拍着脑袋，自个儿也笑了起来。

"副大队长，那到底还干不干了？"工人们狡黠地问。

"干啊！不干出得了余部长要的高速度吗？"刘万宝底气十足地吆喝道，完后又重重地补了一句："谁要再误了来往的火车，老子真的不客气了！"

"放心吧，副大队长，误不了！"几十条汉子响亮地齐声回答。瞬间，一根根钢管又开始在铁轨上飞奔起来……

据说孙敬文回部里向余秋里将此事汇报后，余秋里抿了抿嘴，笑笑，再没说什么话。

别太来劲了！独臂部长办事可是有原则性的。这原则是：干什么事不能出格！更不能对国家和人民的利益有损害，尤其是在石油开发建设问题上那种马马虎虎、不讲质量和安全的行为！

这回挨剋的可是一抹到底了！用四个字可以形容余秋里当时听说后的气愤之情：暴跳如雷！

能不暴跳如雷吗？会战紧要关头，居然有几个钻井队在施工过程中一声震天的"轰隆"巨响后，整个钻机和井台陷得无影无踪……钻机和井台到哪儿去了？昨天还巍峨耸立在大草原上的钻塔竟然瞬间消失得莫名其妙。

"你们、你们给我做出解释！知道我们国家现在是个什么情况吗？知道我们石油部有多少台钻机吗？知道一台钻机多少钱吗？知道国家哪个地方弄来的钱给我们去打井找油吗？啊？知道吗？"余秋里在电话里一连说了无数个"知道吗"，就像突然间自己家的孩子丢了似的，心疼和焦虑之心昭然。这个电话他是打给正在前方的康世恩的。

"我知道……"那边，康世恩沉痛地回答。

"知道就给我找出原因！找出责任！"余秋里"啪"地按下电话，依然怒气冲冲地在办公室走动，空袖子"嗖嗖"生风，如暴风骤雨。

钻机没了。被无情的井喷吞没了……康世恩其实比余秋里还要心疼，他是专家，又是会战的总指挥。这么大的事他不能不向“一把手”汇报，与余秋里之间默契配合，正是他们相互信任、相互理解和相互支持与相互辉映的结果。现在，他更感到责任在自己身上，因为他是施工和技术生产的总负责，他知道任何关于石油的开发与生产方面的问题他都要负全责，这既是对党组也是对将军，更是对国家和人民的负责。

康世恩放下电话，扶了扶眼镜，对秘书一挥："上事故现场去！"

事故现场惨不忍睹：昔日雄伟的钻塔早已不见踪影，连根塔骨的钢管都找不着。再看井位，到处一片狼藉，冒着热气的油乎乎的泥浆仍在四处蔓延，抢救井喷时扔下的工具和衣服烂衫随处可见，几十个疲劳过度的工人们三三两两地蹲在一边哭丧着脸，仿佛世界到了末日……

“说说当时的情况吧。”康世恩叫过战区指挥李敬，问。

摇摇晃晃的李敬，本来是位文质彬彬的“石油师”党委秘书、石油战线的年轻才子，可此刻却如一个小老头似的穿着一身又脏又皱巴的施工服，几度想张嘴却就是发不出声。

“说呀！到底是怎么回事？”康世恩怒吼了。

“我……”李敬嘶哑地发了一声仍然说不了话。只见他两眼泪水盈盈……此刻，他只能用心向总指挥汇报——

当时、当时是什么情况？李敬的眼睛一下模糊了：他是前天傍晚在前线时突然接到杏24井发生井喷消息的。凭着军人的敏感，他知道自己必须冲到事故现场去。那是个雨夜，暴雨大得根本不能行车，抢救的车子都陷在泥地里，能前进的只有人的两条腿，而雨夜的原野上又一片漆黑。无奈，李敬只得凭着自己的意识迈开双腿，在雨中摸黑前进。偏偏，他迷路了……当他重新辨别方位，再行至井喷现场时，已是下半夜。

井喷的现场十分可怕，呼啸的井喷挟着半斤重的石块到处乱溅，加上浓烈刺鼻的天然气味，谁想靠近都不太可能。再看从井口喷出的水柱，夹着原油、混浊的泥浆和石块，犹如一条饥饿的黑蟒，直冲天际。巨大的气流挟着石块和泥浆打在钻塔的铁架上，叮当乱响……李敬和井队的干部和工人们只能在相当距离之外用手比画着说话。闻讯赶来的机关干部和附近井队的职工们一批批拥来，但谁也无法制止这发疯的黑蟒作恶。不多时，人们眼睁睁地看着井架底座开始下陷，然后是钻塔出现倾斜……

怎么办？用拖拉机把设备拖出来？哪儿来拖拉机呀？没有。泥泞的原野被暴雨浇得寸步难行。即使有一百部拖拉机和吊斗车也是枉然。

李敬和在场的干部职工们心如刀割，又无可奈何。

“不行！不能这样白白看着钻机和塔架沉下去！能抢多少回来就抢多少回来！”李敬向井场副指挥杜志福做着手势，便不顾一切地带头第一个奋不顾身跳上钻台……

杜志福跟着跳了上去。

工人和机关干部们也跟着跳了上去……

巨蟒的呼啸声、人群的叫喊声，夹着雨水的击打声，将整个井场搅得昏天黑地。这是一场真正的肉体与钢铁机器间的大混战。这是一次真正的灵魂与油龙间的生死搏斗。

但，“敌”我力量对比太悬殊。当杜志福想打开低压阀门时，一股高压气流将其冲出数米，重重地摔倒在地……“老杜！老杜——！”李敬抱着昏死过去的战友，拼命地喊着。可他的声音被巨大的井场呼啸所吞没。

倾斜的井架突然发出一声“咔嚓”巨响。

“撤！全体撤离！”万分危急时刻，李敬不得不拼出最后一丝力气发出命令。当工人和机关干部们撤出井台的那一刻，整个井台随即也在众目睽睽下消失于地平线之下——像一个久经沙场又失去战斗力的猛士哀号一声后倒下了……

井队的工人哭了。

机关的干部哭了。

李敬也哭了。

那天晚上，井队的职工一夜未睡。李敬跟着一夜未睡。他是钻探指挥部的领导，他要在队伍最困难的时候跟大家在一起。看着沉浸在悲痛之中的工人们，他想安慰大家几句，可他就是讲不出话，嗓子里冒的全是火。

“李指挥，你别说了……”

“李指挥，我们……”

工人们还在流泪，一边却在劝说他们的指挥。

“可越是这个时候，我越想说话。”李敬，这位“石油老战士”有每天记日记的习惯，即使当了副部长后仍没有丢掉这个传统。他在那天的日记里这样写道：“……晚上又召集会议，我破涕为笑，强打精神，向同志们讲了事故的经过。我说：‘杏 24 井损失严重，教训深刻，是件痛心的事情。但这口井也证明了油田顶部位移（油田面积比预料的要大得多），也表明油田压力比我们预计的要高得多。自古兵家一胜一败古之常理。留得青山在，不怕没柴烧。我们在受到挫折的时候，要表现得更加坚强、更有志气……’我的任务只有一个目的，就是要鼓足群众更大的干劲，做好工作，来弥补这次巨大损失。我清楚我自己心中的怨痛，同志们心中也同样怨痛。我越无心说话，却越想多说话，在情绪不正常的时候就越需要理智：我宁可在帐篷里流泪，也绝不能在群众面前默默不语。怨痛只能给工作造成更大的损失。”

井喷，是钻探中有时不可避免的事故。但井喷有不同的结果，尽管它缺少特别的规律。然而余秋里和康世恩始终不允许在任何事故中出现人为的因素而给国家财产带来损失。

在“杏 24 号井”发生井喷事故的差不多时间里，王进喜的井队也曾发生过突发井喷，然而由于王进喜组织及时，他们的钻塔机台设备保住了。这说明什么？

“说明有的干部有头脑！有预见！有出现事故后的得当措施！可是你——李敬！你的头脑长在哪儿？”在干部大会上，康世恩不依不饶地让李敬站在前台，指名道姓地批评他。

“那个时间风气真好！余部长和康部长他们就这么批评干部，可谁也不记恨他们，而是老老实实地把自己的问题找出来，并且认真改掉。”当年《战报》记者、大庆历史的见证人李国昌先生感慨地说。

与许多“老会战”们交谈过程中我有种强烈的感受：余秋里和康世恩是一对珠联璧合非常那么完美的“石油搭档”。余对康在业务上的信任和支持使康最终实现了他在石油事业上的光辉一生，而康从余身上得到的大将作风和气质培养又使康变成了同样能力挽狂澜的儒将。余和康相互影响着，甚至连骂人艺术都十分的相近——别看康世恩戴着眼镜，文绉绉的样子，发起火来虽不如余秋里那种雷霆万钧之势，但也足够让人心惊胆战的。许多人说，这是康从余身上学来的艺术。

什么艺术？

骂人艺术。

骂人干什么？

骂人是为了让你记住教训。骂人其实是一种特别的爱——俗语不是说打是亲骂是爱吗？

余秋里的骂是一种大爱。

也是他余秋里特有的一种工作艺术——独臂将军从战争中形成的一种与生俱来的特有艺术。

钻井出现斜孔，严重的斜孔。

余秋里又是大发雷霆。这回王进喜要倒霉，因为他打的井也斜了。

这事发生在 1961 年 4 月。又一个新年的会战打响，南线战区的几十台钻机像甩开铁蹄奔腾的烈马一般，争先恐后地追赶着施工速度。正当这边的会战搞得热火朝天之时，问题却也接二连三地传到了余秋里耳边：开工不到半个月，南线作战所打的 32 口井中，有 4 口井误射孔，5 口固井不合格，4 口井底冲洗不干净，5 口油层浸泡时间过长……

“质量问题是关系到会战成败的关键。再不狠狠抓一抓质量问题，会战工委提出的高标准、严要求就会落空！到那时，还有什么速度？还怎么向国家和人民交代？”余秋里的话通过北京—萨尔图专线响彻前线的各个干部耳边。

“王进喜的 1205 队也有口井打斜了 3 度半。3 度半不算什么吧？”有人嘀咕道。

“不行！”余秋里吼道，“克拉玛依和玉门就是吃了这个亏。王进喜？王进喜打的井斜了，更得填！王进喜，你听着，你得给我把井填起来！”

“王进喜填井！”这声音通过扩音喇叭传遍了会战全线。

英雄的1205队五十多名钢铁汉子哭了，他们不忍心自己用血和汗打成的井再由自己的手一铲一铲地将它填起来……

“填！就得按照余部长的话——填！”井场上，王进喜用严峻的目光扫视着自己的队友，丝毫没有一点回旋余地地指挥着耻辱的填井一幕。“我知道填井在我们队的历史上还没有这一笔，但这回有了，目的是让大家要牢记住这个教训。咱队史上如果不写上这一页，那队史就是假的。”王进喜进而说。

井填了。钢铁钻井队的红旗仍然猎猎飘扬。经历这一幕的人都对“四·一九”那个日子永远地铭刻在心头——

4月19日，康世恩遵照余秋里意见，在前线“群英村”召开了一千多人参加的钻井质量大会。会议一开始，气氛就异常严肃紧张。康世恩的第一句话就够冲的：今天我想骂人！因为有些人做得太丢人了！

全场干部和技术人员及工人代表们个个如临大敌地忐忑不安地将目光聚焦在总指挥身上。

康世恩的眼镜片在闪闪发光，并且停在两个坐在前排的主要干部身上，他们分别是钻探指挥部的指挥李敬和书记李云。

“二李”又要倒霉了。代表们知道后面将要发生什么。

“我前两天就对你们说了，你们越怕丢人，我就越让你们上万人大会上检讨！驴粪蛋子外面光，贴金马桶里面脏。谁不讲质量，我就跟谁拼！”康世恩突然把手直通通地指向李敬和李云。

“二李”浑身打战。

全场的人都在打战——今儿个康副部长怎么啦？大家都在想一个想不明白的问题。

怎么啦？你说怎么啦？“李敬！李云！你们俩给我站到台上来！”康世恩突然大吼一声。

李敬和李云低着头，“是”了一声，老老实实地往台上走。

“不行！扛着被你们打坏的钻头和打斜的岩芯上来！”康世恩咆

哮着。

李敬和李云又一声“是”后，回到原地扛着钻头和岩芯，吃力地走上台，然后面向大家，低头站着——像参加批判大会。其实就是批判大会。

“你们知道自己犯了什么错吗？”

“知道。”

“知道为什么错吗？”

“知道。”

“知道还出现这个孔斜面、那个不合格？明知故犯，罪加一等！”

“……”

康世恩发颤的手指就差一厘米戳到“二李”鼻子尖上。

“你们说呀？”康世恩的双脚直跺。

“二李”下意识地往后退了半步，额上直冒冷汗。

全场的一千多名代表屏住呼吸，后背跟着冒汗。

康世恩在“二李”面前来回走动。突然又收住双脚，完全换了一副近乎哀求的口气说道：“钻井战线是油田的生命线，工作质量的好坏，决定油田的命运。党把这个战线交给了你们俩人，这是组织的极大信任。我、我代表会战工委向你们鞠躬——”猛地，康世恩弯下身子，将头低到腰间。

“二李”吓得双腿直哆嗦，又一次情不自禁地后退——这回是一步。

会场前排的人不敢看了，纷纷低下头。

会场后排的人有人站立起来，又立即蹲下身子也不敢看了。

“钻井队伍是一支过硬的队伍，指到哪里打到哪里。能否解决质量问题，主要就看领导了。我希望你们能把队伍带到以确保质量为中心的道路上来。为此，我再次诚心诚意地向你们致敬！”康世恩又一次弯下身子鞠躬。

“二李”早已冷汗如淋，恨不得有个地缝钻钻。

这个时候，会场出现小小的一阵躁动：原来王进喜进了会场。

“趴下！赶快趴下！”有人拉着王进喜的衣角，悄声说道。

王进喜有些莫名其妙，问：“干啥趴下？”

“没看见康部长正在发脾气批评我们呢！”

王进喜往台上一看：可不，他的两位上司狼狈不堪地站在那儿正用余光可怜巴巴地斜视着他。铁人明白了，便对拉他衣角的人说："我不能表扬时戴花上台当英雄，受批评时就趴下当狗熊。"说完，迈开大步，走上主席台，学着"二李"的样子，并排站在那儿，老老实实地低着头，等待总指挥的批评。

康世恩看着王进喜，火气一下更大了，吼着嗓门："你王进喜是红旗，可干工作就不能光有张飞的猛劲。再说张飞也是粗中有细的，该细的地方就得细！你王进喜做到了没有？"

王进喜也开始冒冷汗了。

干部和工人们看着每天与自己一样整天一身水一身泥地拼命战斗的干部和标兵这样可怜兮兮地挨批受骂，纷纷心酸地落泪——"难忘'四·一九'，钻井出了丑。问题答不上，想走不敢走。"有人在小本本上写下这首打油诗。

"四·一九"，大庆人谁都知道的这个日子。"四·一九"从此成为每年大庆油田乃至整个石油系统要召开的一次质量工作会议，像现在我们全国人民都熟悉的"三·一五"打假日一样。这是余秋里和康世恩在石油战线留下的众多精神遗产中的一个内容。而同在这样一个内容里还有许多精彩动人的故事——

输油管是油田生产后期将原油聚集和外送的"肠子工程"——余秋里比喻。意思是说，你一个人靠啥维持生命？得吃东西吧！东西是靠肠子进到胃里、又通过肠子排出消化物。油田就像人吃的东西，这输油管不就跟肠子一样吗？有一回，在对一段输油管加压时出现了焊口处冒油的问题。这回倒霉的是曾任沈阳军区工程兵部队政委、老抗联战士、正军职干部季铁中头上了。"季铁中？季铁中也不成！"余秋里听康世恩汇报后，毫不留情地将右臂往上一甩。于是康世恩就"执行任务"去了：他披着那件褪了色的棉军大衣，站在质量大会上的台前厉声喊道："季铁中！你给我站起来讲讲是怎么回事！"众目睽睽下，时任工程指挥部书记的季铁中像一位听到排长点名的新兵一样，老老实实地挺着身子走向台上，然后低着头，语气沉重地开始检讨起自己的失职，那神情一点也看不出他曾是个统率千军万马的正军职大干部……

油建党委书记也不含糊，见标兵、队长李德武扶梯上的铁踏板焊得龇牙咧嘴的，便令李德武和自己一起背起那个梯子，然后俩人一前一后地到各个工地“巡回检讨”。李德武肩背沉重的铁梯，一副悲悲切切的样儿，嘴里念念有词地 ：“我焊了一条不合格的梯子，你们千万不要跟我学……”所到之处，工人们没有一个觉得好笑的。

“哈哈哈……”这回轮到大笑的是秦老胡同里爆出来的。当康世恩向余秋里和李人俊等副部长们说起此事时，余秋里忍不住开怀大笑起来。“好，干部能有这样的改正错误勇气，工人们就有提高质量的自觉性了。”将军说，前阵子听前线回来的同志也给我讲了王进喜身上发生的类似事情 ：他“老铁”有一天发现 1284 钻井队完钻固井后，试压不合格。一检查是工作粗糙造成的，施工时井上的人把套管管箍咬扁了。“老铁”就令该队长王润才自己背着套管管箍，一个队一个队作检查，现身说法，引以为戒。而且要求每个队在那王润才去现场后写出评语，签上字。这王润才就这么着背了六七斤重的套管管箍步行了数百里，跑遍了 15 个井队，据说委屈得直掉眼泪。就这个样，“老铁”还要让他回到大队部汇报思想感触。有人在我这儿告王进喜的状，我说，他王进喜铁人，铁面无私，好同志嘛！抓作风就得有这个铁石心肠。至于方法嘛，可能是过了点。后来李敬同志又对我说是有人把王润才的事传遍了，他王润才背套管管箍没委屈，只是一个劲儿在王进喜面前一把鼻涕一把眼泪地悔自己工作没做好。王进喜就跟着王润才抱头大哭起来。你们说这“老铁”干的……

哈哈哈……众部长又一阵爆笑。

康世恩接着又讲了一个趣事，更乐得余秋里忍俊不禁 ：有个队长，为了监督工人们能不能保证施工质量，就蹲在水泡边的草丛里，一蹲就是五六个小时。那水泡子的草丛里，小咬多得吓人。当那队长完成任务后，走到机台想表扬一声工人讲求质量。谁知工人们一见队长，先是一愣，继而拔腿就跑。队长感到奇怪，问你们这是怎么啦？工人们这才胆战心惊地指指他的脸，说 ：队长，你的脸怎么成这个样？队长回帐篷一照镜子 ：连自己都吓了一跳 ：原来眼睛、鼻子和嘴巴都被小咬叮得像搬了家似的……

"办法可能过了点，但这种作风好得很嘞！"笑过之后，余秋里接上烟，猛抽了几口，忽而变得颇有心事地：经过两年多的会战，油田的形势越来越好，但越是在这个时候可能出现的问题就会越多。也许看起来这些问题跟会战初期我们为能不能找到大油田相比看来大不一样，好像都是些鸡毛蒜皮的小事。但正是这些小事，它对我们这个大油田的开发会带来致命的后果。

康世恩的脸一下也变得严肃起来：我也有同感，前期会战，队伍的主要精力和心思放在大干快上争速度、争储量上，现在可以说我们大名堂搞出来了，可怎么样把大名堂变成子孙后代都能享福的事恐怕还差距很大。

是嘞，我现在最担心的就是这事。余秋里边点头，边沉思。然后说，我一直在想一个问题：油田现在已进入边勘探边开发阶段，我们既要保持前期敢拼敢冲的战斗作风，同时还得大力提倡认真细致的工作作风。老康你听我说得对不对啊——现在前面的钻井队把一个个油井打好后，留给了采油队。以后钻探任务总有一天搞得差不多了，这队伍就得多数投入到采油和运油上去。采油和运油那家伙可跟打井很不一样！你再单靠勇猛是不行的，得靠像女人做针线活一样地心细。咱们队伍的作风跟人似的，都是从五大三粗的硬打硬拼中杀出来的，针线活那么细腻的事还不会干哩！怎么办？我看就得从现在开始大家要学会做针线活，严格要求工作的细致，否则我们这两年多来辛辛苦苦钻探出的大名堂，最后还是变不了对国家有用的大名堂嘞！

我同意，就从学做针线活开始大抓工作作风问题。康世恩说。

最近油井的注水情况进展如何？余秋里关切地询问会战前线的生产情况。

大有成效。特别是几个注水站的建立，给采油生产带来很大跃进。康世恩抬腕看了一下手表：不早了，明天我还要赶火车回大庆。余部长你看还有什么指示？

余秋里随手递给康世恩一支烟，点上。说：最近中央和主席一直在跟赫鲁晓夫吵架，中印边境的形势又越来越紧，我一下还走不开，前线的事就拜托你了。

没事。你在部里主持工作担子也轻不了。那我走了。康世恩顺手扣了扣几个敞着的纽扣，说走就走。

一阵冷风从门外吹进，余秋里感觉一丝寒意，便不由得向外吆了一声：那边还冷，带上棉大衣！

哎——康世恩的声音从黑暗中传来。

喧哗了一天的秦老胡同只有在这凌晨两三点以后才会寂静下来。这天，等会客厅里的人都走了以后，余秋里还是没有睡意。他的脑子里不时转动着会战前线的事儿，还有就是耳边不停响起正在总参谋部日日夜夜为毛泽东制定反击印度入侵军队计划的那几位老帅们的声音：秋里啊，油！前线的军用油吃紧啊！

是啊，现代战争的仗一打，光凭“黄金万两”也没有用。缺了油，飞机大炮等于一堆废铜烂铁。这余秋里你是知道的嘛！这不几天中央工作会议上，独臂将军免不了对东边的“老蒋反攻大陆”和中印边境战事有些关切，好意问了一声一位总参谋部的副总长，结果人家戗了他余秋里不轻：打仗的事你别操心，你啊，能不能赶紧给我弄点军用油出来！

余秋里嘴上没说什么，心里好大的气：弄油我还不知道嘛！我是石油部长不知道弄油？可你们以为弄油就那么容易？先是找得到找不到油的问题，找到了能不能有大名堂又是一个问题，有了大油田能不能开采好更是个问题，开采出来后的油怎么个运、怎么个成品问题就更大嘛！你们知道吗？嘁！

“余秋里，过来过来！”哟，是毛泽东在“七千人会议”时的一个休息室里叫他呢！

“主席，余秋里在。您有什么事？”余秋里像战士见了首长，立即上前敬礼报告。

毛泽东坐在沙发里用手拍拍左边的空沙发，然后笑眯眯地问：“又有什么新消息吗？”

余秋里知道毛泽东想听的是什么，便俯着身子答道：“主席，新情况还是有一点的。”

毛泽东怡然自得地将嘴上的烟拿到一边，眼里放光地看着爱将：“哦？说来听听。”

这是“七千人会议”的间隙，余秋里知道毛泽东今天情绪很好，有心想多听听他所关心的石油问题，于是便坐在毛泽东左边的沙发上娓娓道来：“我们的渤海湾有新情况嘞！”

渤海湾？毛泽东侧过脸，很感兴趣地看着石油部长往下讲。

是的嘞，年初我们在渤海湾的黄河入口处打了口井，在打到1194米处，发现了油砂，后来又打到1721米时，油砂就更厚了，达59米多。之后进行试油，结果获得日产8吨多的工业油嘞！

日产8吨多？算大油吗？

算哇！10吨以上日产就是高产油嘞！

你说渤海湾能打得出像你现在在大庆打的几十吨一口的油井吗？

我看完全有可能。

你是说，渤海湾可能又有大名堂了？

是的，渤海湾完全可能有大名堂。

毛泽东笑得很开心，然后像打听小道消息似的凑近爱将，带着征求的目光问：余秋里啊，你能不能多搞些品种啊？最近用油的地方越来越叫紧，有点……有点像老百姓抢购似的。毛泽东说到这儿，轻轻地叹了一声。

余秋里知道毛泽东说的什么，他老人家也在关心老帅们共同关心的事：油，成品的油。而且要越快越好。

“是，主席，我们一定多搞些油，一定多搞些品种！”余秋里“噌”地起身，在毛泽东面前一个立正。

……这已经都是两三个月前的事了，但它一直在余秋里脑海里浮现。

油啊油！国家越有事，这油就越成焦点问题。有句话谁说的？叫什么来着——20世纪是石油的世纪？！可不，好像中国干什么事都离不开石油似的。这名堂！

余秋里站在秦老胡同的自家小院内，对着天上眨眼的星星，想自嘲一番，却又笑不出来：石油部长能决定中国的命运？笑话笑话。为毛主席服务而已，为中国革命和建设服务而已。

东方既白。一缕晨光洒在屋顶的青瓦上……

而千里之外的东北大草原上的晨光却比北京的晨光要早一个来

小时照在干打垒上。六点。头戴狗皮帽、浑身是水又是泥的宋振明神色忐忑不安地抬手轻轻敲了敲康世恩卧室兼办公室的门。

没有动静。宋振明便推门而入。每天都通常后半夜才睡的康世恩此刻仍鼾声不断地在酣睡。

"康部长，康部长……"宋振明轻声叫喊。

"嗯？"康世恩从床上坐起，两眼盯着宋振明，"什么事？"

"中一注水站发生火灾了，烧……烧光了。"

"什么？烧光了？什么时候的事？"康世恩大惊，一边从床上翻起，一边找眼镜戴上。

"是。都烧光了。我刚从现场过来……"

"你、你为什么不早点叫醒我？为什么？"康世恩突然失声大叫，怒气冲天地责问宋振明。

"我怕……怕影响首长休息。"宋振明不敢抬头，眼里噙着泪花。

"什么？你以为我是来做官当老爷的啊？"康世恩的声音更大了，"我是来搞石油的！搞会战的！不是来享清福的！"

"二号院"内住着的人都被惊醒了。可谁也不敢靠近康世恩的住处，只敢在远远的地方听着。

"我们有几个注水站你知道吗？这好，一把火就烧了一个！"康世恩焦虑、愤怒和惋惜的声音一浪高过一浪。

采油指挥部的几位干部自知责任不小，便一个个低着头，走近康世恩的房子，准备同宋振明一起接受处分。

康世恩看着排列成一队的这些浑身上下都沾满污油和浊水的干部，知道他们昨晚一夜未睡在与火灾搏斗，便长叹一声，口气缓和了几分："立即通知开现场会！主管生产和安全的领导全部参加，各小分队去一名领导。你们几个也不要垂头丧气的，现在要做的是赶紧回去发动群众查原因，堵漏洞。"

"走！上现场去！"康世恩披上棉衣，大步走出屋子。

中一注水站已经没了，有的只是满地流淌不息的污水与油污以及残留的灰烬……"一二百万哪！就这么一把火烧没了！"康世恩面对一片狼藉的火灾现场，扼腕痛惜。

昨天的注水站还是好好的，白墙青瓦，这在荒芜的大草原上和干打垒的海洋里，它可以说是最醒目、最耀眼的建筑了。但现在什么都没有了，只有西北风吹打下到处飘落的灰尘在四处扬撒，还有就是注水站职工们痛苦的低泣声。

怎么烧的？站里回答：是柴油机排气管喷出的火花吹落在顶棚上的油纸和毛毡引发的大火。加上春天干燥，火一着，就失去控制，几十分钟，好端端的一个注水站烧了个精光……

“查！要弄清楚是什么原因引起这场火灾的！”康世恩命令采油指挥部领导立即找注水站的职工开会，自己则回总指挥部向北京要了个紧急电话。

“烧了？烧得精光？”余秋里震惊。而且几乎是在同一时间，中南海的电话也来了，问大庆会战那边到底是怎么回事？真是好事不出门，坏事传千里。

“是有这回事。烧了，都烧光了。”余秋里只好如实汇报，可心里却像吃了个苍蝇。

“走，马上动身！”余秋里命令秘书。

“上哪儿？”

“还能到哪儿？油田！”余秋里气呼呼地端起杯子，一口气喝了，拔腿就往外走。

到达会战前线时，康世恩他们已经将火灾情况弄清楚：那是5月7日夜的事，东北风刮得很大。中一注水站3号柴油机排管漏出火花，被风刮进房顶的保温层内，引燃了锯末。值班人员发现从屋顶掉下的火星后，立即想用七个灭火器上房灭火，结果灭火器有两个不能用，其余的虽好，可工人又不会熟练操作。这时才想起用消防水龙头。谁知前些天水泵在检修，水源又成了问题。等好不容易解决水源后水龙头又喷不出去。这样七折腾八折腾，火势早已失控，眼睁睁地看着大火吞没了崭新的注水站……

“这是什么问题？证明我们的生产管理上的混乱，该有的环节上没有尽到责任，工作粗糙，不得章法！这样的队伍怎么不在敌人面前乱阵脚？”余秋里一针见血指出。

“基层的工作是基础，就像我们的连队一样。打大仗，要靠大兵团作战。可再大的兵团作战，最后打起仗来，还得靠一个个连队去冲锋，去肉搏！基层不抓好，满盘皆输嘛！”干部会上，余秋里的空袖子不能不“嗖嗖”生风了。

“说大道理，有人可能还觉得离得远了点。那我就说得形象点吧！你们谁坐过飞机？”将军要参加会议的人举手。

乘飞机的人不是很多，约有十分之一。

“坐过火车的举手。”

这回基本上都举了手。

将军点点头：“好嘛！看来飞机、火车大家都坐过。但你们是不是注意过一个问题：在飞机场上，那飞机一降落，机械维修人员就立即上前登机检查、保养机器去了是不是？火车站也是，你们没看到火车一到站，那些背着挎包、手持小锤的机械检查人员一会儿敲敲轮箍，一会儿钻到车子底下瞅一瞅？这是为什么？这叫及时保养，避免事故。看到机场和火车站的这些维修同志，我们是不是有种安全感？”

与会者会心地点点头。

“对嘛。这叫落实岗位责任。有了这岗位责任，就不易出问题。即使可能出现问题，也会及时被发现。可再看看我们呢？分散的队伍，满地的东西乱扔，有几个人管一口采油井的，也有一个人管几口油井的；有几个人值一个班的，也有一个人值班要看几台机器的。这么复杂多样的岗位，要没有点责任心、技术又不熟悉，阎王老子都会出事嘛！何况我们都是些吃五谷杂粮的人！”将军的目光咄咄逼人。

会场一片寂静。

“所以，我看哪，今年我们的会战方针应该作些调整：要加强基层工作，加强生产管理，把各项制度建立起来，完善起来，否则我们就不能实现会战的全面胜利，即使一时胜利了，也会最后失败得干干净净！”将军的话如声声警钟，久久回荡在会战前线的每一个角落。

总结教训会当天，会战《战报》全文刊出余秋里的讲话精神，并配发了评论文章。由此，大庆历史上诞生了有名的“一把火烧出了岗位责任制的佳话”。后来在执行这个制度中又遇到了靠什么态度和精神来执行这个制度的问题，于是有名的“三老四严”和“四个一样”。三老即：对待革命事业，要当老实人，说老实话，办老实事；四严即：对待工作要有严格的要求、严密的组织、严肃的态度、严明的纪律。“四个一样”即：对待革命工作要做到黑天和白天一个样，坏天气和好天气一个样，领导在场与领导不在场一个样，没有人检查和有人检查一个样。“三老四严”和“四个一样”组成了大庆精神的重要内容。余秋里回忆起这一由他亲自总结与培育起来的大庆传统时，说过这样一段话：“工作作风本来是个看不见的东西，可是它是个客观存在。我们要有一个很好的作风，它会对我们发生长远的作用和深远的影响……‘三老四严’，反映了马克思主义的认识论，体现了党的实事求是的优良传统，符合会战和石油工业现代化生产建设的客观要求。因而它对大庆油田开发和建设，以及后来的整个中国石油工业发展都产生重要作用。”

“好事成风了不得，坏事成风不得了！”这是将军经常说的一句话。

军人要站岗，工人工作也要像站岗一样一丝不苟。这是他余秋里根据石油工作的特点所总结的又一经典思想，并后来被推广到全国各行各业，成为我们党的光荣传统之一。毛泽东、周恩来和邓小平等老一代曾多次在自己的著作和讲话中运用这“三老四严”和“四个一样”，将其归纳进当代马克思主义思想范畴。

大庆的“三老四严”和“四个一样”其实也是中华民族精神的重要内容，它的生命力将是永恒的。2004 年春，我到创造这两个精神的诞生地——北二注水站和李天照的北八队 65 井时，应主人之邀，在他们的留言本上写下了这样一句话：民族的诚信之光。这也许是我们在今天对大庆精神的一种新的时代的新解释吧！让我感到震撼的是在这两处极不起眼的小地方，有位大庆创业者在这儿留下了自己的骨灰，因为他曾经在当年奉余秋里、康世恩之命，在这儿蹲点并发现和总结了这两个重要经验。

斯人已去，却精神永存。

这也让我想起了一位当事人亲历的一幕“余秋里风采”：

那应该是在 1964 年末的事。大庆油田的会战胜利已在全国、全世界面前公开，余秋里也将被毛泽东、周恩来重用到国家计委任主任前夕，那次他再次回到大庆，关于他的高就已经在大庆领导层里都知道了。几年艰苦卓著的战斗，全国人民一片叫好，毛泽东的“工业学大庆”号召响彻神州大地。大庆人从默默无闻的无名英雄，一下成为人人皆知的光荣战士。大庆人已经成为一种时代精神和民族代表，大庆和原子弹也成为毛泽东和中国人在帝国主义与“苏修”面前，扬我中华国威的两个铁拳。铸造大庆这个铁拳的无疑是余秋里和康世恩等一批大庆创业者及几万会战大军，而这时难免使功劳与苦劳一起洋溢在大庆人的脸上。

这天中午，大庆人对老部长余秋里第一次似乎有一种需要“送别”的感觉，人之常情嘛！老领导要高升了，过去同甘共苦几年要吃没吃的，要想放松也不敢放松嘛！于是，中午宴席上，康世恩、宋振明等频频举杯：“来来，为余部长，为大庆的昨天和今天，干杯！再干杯！”

康世恩有些醉意了。

宋振明是清醒的，但也比平时多喝了好几杯。

所有参加午宴的人都比平时多喝多吃了不少。

一点半，还有个会。余秋里要再以部长身份向属下交代几句话。

将军在席上也没有少喝少吃，但他记住了下午的开会和开会时间。于是他准时到了那间他曾经无数次召开会战决策会议的二号院大会议室……

现在，他独自坐在台前的一张长木椅上。耳边依然是后院宴席上一阵高过一阵的劝酒声、碰杯声、欢笑声和叫闹声。但将军的目光一直对着那个长长的走廊——那个长长的走廊里有他呼风唤雨的空间，有他可以指挥得了的一支支雄赳赳气昂昂的出征队伍……他有些激动了。他的目光里流露着骄傲和自信，也流露着某种更强烈的责任，甚至是隐约的失落。

人呢？一点半了嘛！不是说好一点半要开会的嘛！

但没有人。庞大的会议室里就他一个人独自坐在主席台前的木椅上。长长的走廊里也没人，只有阵阵热闹的劝酒声和吵闹声。

将军有些烦躁，欠欠身子，想让秘书去叫人来开会。但他没这么做。

一分钟、两分钟，五分钟、十分钟……将军耐着性子在等待。

二十分钟过去了。将军的脸变了。他正怒不可遏地欲起身时，长长的走廊里听到了声音，也见到了康世恩他们正逍遥自得地晃着鼓鼓的肚子，一边剔着牙，一边有说有笑地朝他走来——慢悠悠的，像永远走不动似的不往前行。

“哐！”终于，将军忍无可忍了！那只令敌人畏寒的铁拳，从高高的空中挥起又落下，重重地砸在了桌子上，发出震耳欲聋的声音。随即，是万炮齐鸣的火力：“你们这帮狗屎！狗屎你们！我要回北京去！回去！”

“哐！”又一记更重的铁拳砸在桌子上。

“我、我还没走你们就没了王法啦？就这个样，我把油田交给你们放心吗？我放得下心吗？狗屎！狗……”

长廊内的人惊呆了，一个个像木偶似的站立在那儿不知所措。他们见过将军发过无数次火，每一次都可能是雷霆万钧，但这一次比雷霆万钧还要雷霆万钧。

这可怎么是好？宋振明等人全把目光投向康世恩。

康世恩暗暗叫苦了一声：今天坏大事了！就算他康世恩反应快，只见他悄悄用双手背在屁股后面，向后面的人发出了一个信号：不要吱一声，往后退。回到隔壁的房子里去。说着，自己也轻轻地移动脚步，往后挪动，但不敢转身……

“狗屎！你们是狗屎……”将军还在高声臭骂，骂得直冲云霄。

隔壁房间内，宋振明等焦急万分地询问康世恩：“这可怎么办？他要回北京了呀！”

康世恩搓着手，一副不知所措的样儿，嘴里还在不停嘀咕：怎么把时间忘了……

“有了。康部长。”宋振明鬼，突然灵机一动，轻轻击掌。

“说，有什么办法？”康世恩和好几位油田领导赶忙围住宋振明。

宋振明伸出手指，神秘地说：“有一个人可以救我们。”

“谁？”

“铁人王进喜。”

康世恩大喜：“妙。快叫老铁！”

老铁就是王进喜。

王进喜来了。宋振明赶紧在他耳边如此这般一说，王进喜拉拉鸭舌帽，笑笑，便朝身边的几位工人代表一挥手：进会议室。

将军仍然骂。越见不到人骂得越凶。“狗屎！狗屎你们……”当不知第几个“狗屎”的“屎”字还没有出口，突然会议室的大门口出现了王进喜。

“狗……”将军的嘴巴一下张在那儿。那个“屎”字没再出口。“老铁啊！你来啦？”将军的脸上立马暴雨转多阴、转晴了。

“唉，余部长，我来开会啦！”王进喜大步向会议室前排走去。

就在将军和“老铁”寒暄之瞬间，康世恩和宋振明等一大帮人，“哗啦”一下，全拥进了会场，那动作比兔子蹿得还快。

余秋里还没有跟“老铁”唠完三句话，却见会议室已满满当当了。又看看左右：康世恩和宋振明等领导毕恭毕敬地坐在他身边。

“那就开会吧！”他毫无表情地说。

后来发生了什么事？

什么事也没有发生。余秋里平静、耐心和认真加忠告式地讲了许多关于下一步油田工作的指示。康世恩等认真地听着，最后康世恩还特意站起来深情而非常严肃地号召全体与会人员及广大会战职工，要牢记“余部长”的话，把大油田搞得更好。

晚饭时，余秋里吃得比较香。随后继续跟康世恩等叨唠，叨唠关于大庆油田和渤海湾的新油田……当然，他也颇有针对性地叨唠起干部作风问题：老康啊，我总觉得对干部，要求严一点好。为啥？因为党和人民交给我们肩上的担子重！出不得一丝半毫的差错啊！俗话说，“上梁不正下梁歪”，干部作风不好，带出的必然是稀拉松垮的队伍嘛！领导严，大家也严。严，就可以出责任心；严，就可以出战斗力；严，就可以出规格；严，就可以出高标准；严，就可以出办法；严，就可以出风气；严，就可以使自由主义、个人主义没有市场；严，就可以把歪风邪气打倒；严，就可以避免错误；严，就可以保证思想上、政治上一致；严，还可以保证团结。而讲严，不单是生产工艺上要严，而且在政治思想上也要严，按党的原则办事，按标准办事，按工艺办事。严，不一定要瞪眼睛、竖眉毛——当然我知道自己脾气大，瞪眼睛、竖眉毛的事经常发生。但其实严，主要是对问题的不马虎，对原则的不让步。这里包含了耐心说服教育与严格要求相结合，包含了经常的、不断的实际教育和思想教育……

这一夜，余、康俩人几乎是彻夜长谈。我不知道这算不算是余秋里作为行将交班的石油部长向后一任新石油部长所做的“政治交代”，但我知道康世恩同志后来一直像余秋里那样按照一个“严”字当头管理着百万石油队伍，并使中国石油工业在他手上有了突飞猛进的发展，他本人也最后官至国务院副总理、国务委员，成为“久经考验的忠诚的共产主义战士，无产阶级革命家、我国工业战线杰出的领导人，新中国石油工业和石化工业卓越的开拓者之一”（康世恩逝世时，新华社发布的悼词语）。

# 第八章

世界级大油田如何开发，摆在一群多为农民出身的将士面前。从实际出发，走自己的路子，中国特色的社会主义事业从那个年代开始实践并初见成效。

“咖啡豆”，引出“萨尔图流程”。

西服上戳个窟窿，让人家去说吧！

“留有余地”，科学发展——将军部长一生高举的经济发展理念。

人民大会堂里响起：“中国人民用洋油的日子一去不复返了！”

首长还在301医院。还在301医院那个病房。

警卫参谋的那张军用简易床也还在走廊里摆着。这已经有快两年时间了。这天，管理员小陈兴冲冲地夹着一个大信封，手里还提着一台两喇叭的录放机，见了警卫参谋和其他几位陪床的同事，一脸兴高采烈，而且以掩不住的喜悦和焦虑并兼的口气急促地低声嚷着：“就看这一回了！”

“什么呀？”警卫参谋等迫不及待地凑过来询问陈管理员手中拿的东西。

“听了就知道。”小陈卖了个关子。只见他把磁带往录放机里一插，又重重按下方块按钮，录放机随即“嘶嘶嘶”地响起——

“同志们……我国经济建设，国防建设和人民所需要的石油，过去大部分依靠进口，现在不管是在数量上或者在品种上，都已经基本自足了！”

谁？好熟悉的声音啊！

“是周总理在二届人大四次会议上的讲话。首长最爱听的……”小陈激动地说着。

“太好了！这回首长该有反应了吧！”警卫参谋和屋子里的人全都振奋起来。有人上前特意把声响又放大了一倍。

他们一边听着录音，一边紧张万分地看着床头躺着的首长脸部的每一丝细微反应。

啊——首长的脸在泛红！泛得红红的呀！有人惊叫起来！

可不，经过数百天“冰期”时代的首长真的脸上在发生奇妙的变化啊！

小陈和警卫参谋有些手忙脚乱地再把声响加大，并紧贴着首长的耳边——“中国人民使用洋油的时代，即将一去不复返了！”

“哗——”雷鸣般的掌声。

“首长！首长您听到了吗？”

“首长，这是您最敬爱的周总理在向全世界宣布我国‘使用洋油的时代一去不复返’的庄严时刻啊——首长！”

“首长，您这回该醒醒了首长……”小陈和警卫参谋及全屋子的人都流着泪水，站立在躺着的首长面前，一双双哭肿了的眼睛急切地期待着奇迹的出现——

神志混沌中的首长似乎明白了什么，眼皮微微地张开，瞳仁里闪出一丝光亮……啊，是总理！是总理在表扬我们大庆，表扬我们石油工业战线终于为国家甩掉贫油的帽子嘛！是的，就是总理的声音嘛！

总理，您在哪里？我寻您好苦好苦啊！几百个黑暗无光无声的日子啊！

“首长！首长！”忠于职守的管理员和警卫参谋一遍又一遍地叫喊着，又一遍一遍地放着周总理那洪亮有力的庄严宣言——他们仍在尽一切可能让首长从这熟悉的声音里重新启动起生命意识的脉搏……

他们是在祈求。

“好！好了嘛！以后这个地方可就热闹得很哪！值得庆贺！”月亮当头照射的秦老胡同内，将军洪亮爽朗的声音再次响起。这一天，他从前线得到一个重要喜讯：康世恩告诉他，6月1日上午九时，大庆第一列原油准时从萨尔图火车站驶出。

放下电话，将军搬了一把木椅，走到露天庭院中央，然后一屁股坐上。盘起双腿，昂首仰天……

嚯，天上星星满庭，争相欲与其说话。想说什么？询问我大会战打得怎么样啦？同志们肚子饿得还顶得住吗？

嚯，当然顶得起嘞！当然仗打得很好嘞！不过，现在我想的不是这些，是大油田到手了，怎么个开发法？这可是个大事情嘞，世界级大油田，弄坏了那是犯大罪嘞！

是啊，怎么个开发法呢？这与跟小鬼子干，跟“老蒋”的八百万反动军队干可不一样。

6月初的北京已经气温不低了，但深夜仍有些寒意，可此刻的将军浑身热腾腾的，他把松塌在裤腰上的圆领汗衫往胸口一捞，用右手扇晃起来，眼睛却依然瞅着满天的星星……

将军在倾听技术人员们各抒己见——当然现在是在前线的干打垒里：

李德生在说：那回葡萄花构造的第一口井试油时，天气冷，零下40度。油从井里喷出来后，一直冲到十几米高，可等它落下时怎么就变成了一粒粒颗粒状的固体物了，再往地上一看，嘿，这不是黑“咖啡豆”嘛！早晨，井场上的职工们醒来一看，满地都是又黑又光亮的“咖啡豆”，上去一踩，不滑又不碎，软绵绵的，跟海绵一样……我打电话跟康部长汇报，他也奇怪地笑了：咱们打油，怎么会丰收起“咖啡豆”了嘛！

设计院的康振华、柏映群等人说：大庆所处地域冬季漫长，地温低，而地下水位又高，油田的原油又是含蜡高、黏度高、凝固点又高，这“三高”在世界油田中也几乎是没有的。这个输油设计问题无从参考。一句话：难。

唉，阎王爷是有意跟咱过不去。好不容易搞了个大名堂吧，它偏偏不让你痛痛快快干下去。不知谁在唉声叹气。

有人立即反对，站起来反驳：啥话？既然我们把大油田都找到了，这“咖啡豆”有什么了不起。要我看，干脆把它冰起来，凝固成一块块硬家伙！这也好办嘛！像运煤似的，到时候用锯子一块块割开装上汽车火车的，有啥难嘛？

那位唉声叹气者不服：你这法子不行，石油石油，就得是流得动的油！咱不能让人笑话，会战了半天，费尽力气，结果净弄出些黑蛋蛋、黑块块的黑疙瘩嘛！

啥黑蛋蛋黑块块黑疙瘩？我看是你的心黑了！

你才心黑了！

将军笑，扬扬手：今天不讨论心黑的问题，大家集中思想，想想有啥招把咱们的"咖啡豆"融成流得动的东西，这样我们才能进行下一步油田的大开发，你们说是不是？我想既然咱们找到的油是跟世界上其他的原油没啥本质区别，那就该有办法把"咖啡豆"变成我们想要的流得动的液体嘞！

老康，最近不是听说有个苏联集输油气专家叫维什么夫的看过了我们的油吗？将军把目光转向一直在烟雾之中沉思的康世恩。

维舍夫，叫维舍夫。康世恩把烟头往地上一扔，用脚踩熄后说：是，前些日子维舍夫先生正好要回国，我就请他上我们这儿来了一下，请教他怎么处理大庆油田的集输流程问题。维舍夫在苏联设计过许多油田的集输流程，我们的克拉玛依油田也是他给帮助设计的。可维舍夫看了我们大庆的油他摇头了，说他还没见过这种油，只好建议用他们的"巴洛宁"集输流程。也就是在井口保温采用热蒸气锅炉，油管线用蒸气管线伴随保温。原油的计量则用齿轮流量计或者翻斗计量器。这种方法是目前世界油田上常见的一种集输流程，还算比较经济。可是我们又觉得"巴洛宁"流程对大庆这么低温的地区仍然不行。维舍夫最后也没有办法了，说能解决的只有一种可能：把我们的油田搬到热带地方去。

众人哄笑：这是狗屁话！

其实维舍夫说的不是笑话，世界上有一个油田的原油跟大庆相似，在印尼，它确实是在热带的赤道上。大庆油田没那份福气。

余秋里听后笑不出来。一个大油田找到了，却解决不了原油从井口运送到输油站的问题，这不等于口渴的人跑到了海边——有水却解不了渴嘛！难道只有选择"巴洛宁流程"的可能？将军摇头自己否定了自己：在克拉玛依，他见过这种集输方法——几乎每口井上安装一个锅炉，再铺设大量钢管将油集运到油站。这种方法对只有少量油井的油田还可以，但像大庆这样特大型油田，以后的油井可能是几千几万口，假如都需要锅炉，这遍地燃烧着的锅炉紧挨着源源滚涌的油海之中，那不等于让人躺在随时要爆炸的巨型弹药库上嘛！绝对不成！不成！再说，要修那么多锅炉、铺设那么多进口的钢管，哪儿弄钱来呀？

将军陷入了举步维艰的境地。国家建设和国防事业天天在逼迫着，等待大庆的原油运到需要的地方，可这儿呢？有油却运不动。对了，不是“六一”从萨尔图发出了第一列原油吗？知道到了大连炼油厂那头怎么着？咳，三天没卸下去呀。漂漂亮亮、干干净净的火车站就因为这列原油，弄得面目全非。当地人甚至叫嚷谁再敢把这样的油弄到大连来，以后就再不让这样的人进火车站。要不是将军通过公安部、铁道部等下达“谁阻拦运油车进站，谁将被视为破坏国家建设罪”这样的命令，说不准大庆的油也只能留在萨尔图呢！

没辙了？不。甩掉洋拐棍，让技术人员们开动脑筋就会有法子。那些日子，余秋里天天往技术人员那儿“扎堆”，甚至连办公的事都搬到了他们中间。你看他：手里总爱提着一根木棒，到那儿就跟技术人员们在地上比比画画，一蹲就是半天。这不，根据他的建议，还成立了由张文彬和焦力人任总负责的攻关大队。那热闹！放开手脚的攻关大队，拿出有点儿像前些年大炼钢铁的劲儿，在不同油井现场砌了一些锅炉进行试验。经过反复检查鉴定，觉得有一种采用封闭火墙加热风吹的采油树保温装置和围墙烟道式分离器保温装置相对效果比较好。这种俗称“三把火”的原油加热保温方案，即为：第一把火是在井口保温房进行热风吹——通过烟道往保温房送热风；第二把火是盘管炉加热原油；第三把火是值班房的采暖炉保温加热。试验场上，熊熊“三把火”，使井口出来的“咖啡豆”，果真在到达油站的整个过程中仍保持乌油滚滚状态。有人欢呼“胜利万岁”，可将军的脸上仍不见笑容。

“我笑不出。因为这‘三把火’时刻威胁着井场的安全，是三个隐患。”将军对人说。他的愿望是：尽可能让“三把火”变成“两把火”、“一把火”，并争取将火源与井场隔离，把明火变成暗火。

张文彬和焦力人受命朝这个目标继续试验。油建处的攻关小组经过三天三夜苦战，建起15米长的烟道分离器、保温炉和油嘴加热炉，使安全防火方面进了一大步；基建指挥部的玉门大队三小队，就地取材，建造“干打垒”加热炉，加热保温效率和防火效果也大有提高……如此这般，“三把火”真的变成了“两把火”。

攻关人员欣喜万分，邀来将军现场参观。

将军看后仍然摇头，并说：“‘两把火’并没有彻底隔离井场火源。一个小小的火星都可能导致一场大火。这个方案，我还不能高枕无忧……”

完全言中。将军不仅没能高枕无忧，还差点连乌纱帽都飞走了：当年10月12日下午1点，中区6排20井突然发生大火，浓烟滚滚，烈焰腾空，油田数千名职工投入灭火战斗，由于火势猛，不得不求助哈尔滨消防队。

“怎么样了？已经烧了七八个小时了，怎么还没有扑灭呀？”将军在北京的石油部大楼里，不时拿起北京—萨尔图专线电话，又叫又喊。

“给我要军委空军！”将军已经向总理办公室请求，准备随时动用空军飞机前往支援灭火战斗。

又是一小时、两小时过去了。熊熊大火仍在大草原上燃烧着，火光和浓烟笼罩着战区全线。一线指挥的康世恩已经几次被人强行从火场拉下来，而在救火中受伤昏迷的勇士已经达到30多个……

“必须坚决地想尽一切办法把大火灭掉！不留一点儿火星！”喊了十多个小时的将军此刻嗓子完全沙哑了，但他仍举着电话叫喊着。

“余部长，火……灭了。终于灭了！”张文彬在电话那边说，颤抖的声音里带着哭腔。这是12日的零时30分左右。

大火共烧了整整11个小时半。放下电话的那一刻，将军发现自己毛衣内的衬衫早已湿透。

“就是天大的困难，也要把难题给我攻下来！要不惜一切力量和代价！”将军的右臂这回在空中少有地连续上下挥动了三五回，每一挥都如飓风呼啸。

一位年轻教授进入了将军的视野：此人姓张名英，北京石油学院的副教授，他奉命带领的攻关组夜以继日地进行着设计和试验，那股勇猛的冲劲比当年714团在东南山的那场真枪真刀的血战差不了多少嘛！是的嘞，刘四虎又冲上来啦！将军的眼前浮出一位满身是血却仍端着枪高喊着“杀啊”直冲向敌人的阵地……刘四虎渐渐变成了年轻教授张英——张英抱着图纸，在战区的油井之间来回地奔跑，汗水淋淋，终于设计出了一种只有“一把火”的“水套加热炉”。

“好嘛！这回我心头的石头能放下了。”将军的脸上露出笑意。

“可万一炉子爆炸怎么办？”试验时，有人担心地问将军。将军摆摆手：“爆炸没关系，既然是科学试验，哪有一帆风顺的？要允许失败，重要的是要从失败中总结经验教训。当然要尽可能避免不必要的牺牲和损失。这样吧，你们以后试验时，叫上我。”

别别，还是我自己去吧！张英朝将军做了个阿弥陀佛的手势，顶着大风走向井场。只见他来到新设计的热炉前，撅着屁股，像獾子刨洞似的头埋在地里，给炉子点火。

“张教授，你这方法不行，我们天天都像你这样点火，过不了两天就得让老婆孩子从家里赶出来！”工人们站在一旁笑话年轻的教授。

张英感到莫名其妙：“怎么呢？”

工人们说：“你这个设计不科学。”

年轻教授生气地：“我设计不科学，那你们自己设计呀！”

将军见年轻的教授气呼呼地回到设计室，便让食堂端来一碗玉米糊粥和两个菜团子。一边请他吃，一边说：小张教授，我看你自己去实践一次，根据一个工人管理一条管线上的二十多个加热炉，统统点一次，看到底会发生些什么事。

年轻教授一愣，抬头看看将军，点点头，立即起身要走。

别忙，先把这吃了。将军指指桌上的粥和野菜团子。年轻教授很感激地看了一眼将军，随即狼吞虎咽起来。

一个上午过去，张英从油井上回到机关。他低着头，就是不敢抬头见人。将军看到了，笑眯眯地走到他身边，想笑又没笑出来：年轻教授满脸油污，两条眉毛烧掉了一条半。“怎么样，看来这个加热炉真得改一下嘞！你想一想，采油工天天要点火，这眉毛头发要都全烧光了，他们可都是年轻小伙子，你还让不让他们找对象、跟媳妇亲热了？”将军的话把年轻教授逗乐了。

“我马上重新设计。”张英抱起一堆图纸，精神抖擞地进了设计室。

趁着年轻教授进行设计改进时，将军走进了另一位教授的房间。

秦同洛，人高马大，不像个教书匠，倒像个搬运工。可惜他太瘦了，瘦得如一根柴火棍儿。“你怎么啦？饿的还是有病了？”将军好不怜悯。

秦教授不好意思地用双手提了提快落下的裤腰带，说：我饭量大，定的口粮吃不饱。

那你一天能吃多少？

够饱，得五斤左右吧。教授说完自己先不好意思地笑了。

将军也笑了：五斤？！好，五斤就五斤。

几天后，大肚子教授秦同洛一天五斤口粮就这么在会战全线传开了。说是余部长、康副部长特批的。一起特批可以放开肚子吃饱饭的还有张英等几个知识分子。

攻克集输流程战斗中，又一个年轻技术人员进入了将军的视野：他姓冯名家潮。单薄瘦小，马来西亚归国华侨，工作中被人称为“拼命三郎”。将军非常欣赏他，才二十多岁的石油学院毕业生，却是从玉门来的“老石油”了，业务上相当有一套。技术座谈会上，他提出一个“挂灯笼”的集油流程方案，引起将军和康世恩的格外兴趣。所谓“挂灯笼”方案，就是沿井铺设一条集油管线，再把油井一口一口地串联起来，各油井出来的油在井场加热计量之后，通过这条管线输到输油站。

小伙子聪明，有智慧！余秋里和康世恩对此频频叫绝。不过还是有些关键性技术让将军心存顾虑，于是请康世恩代为询问冯家潮。

“你这个办法不用蒸汽伴热管保温，而是利用井口保温后的余温，能保证管线冻不了？”

“绝对冻不了。”

“要是冻了呢？”

“这……”

“这可是要害问题。如果管线冻了，你们可要削尖脑袋钻到管线里把油给我顶出去！”

将军忍不住笑康世恩够绝，逼得年轻人没退路。

“这、这实际上是用热量互相补充的办法嘛！”年轻人一时语塞后又辩解道，“一口井好比一杯水，一条管线好比是一桶水，把一杯热水和一桶热水同时拿到室外去，到底谁先冻住了呢？当然是杯中水。现在集油管线是一口口油井串起来的，几十口井的热量汇集到一条管线里，它自然不会冻的。”

有道理，看康世恩这“老狐狸”还有什么难题出来。将军在一边乐着看大专家和小专家对阵。

“理论上是可行的。”瞧康世恩厉害嘞！他这么说：“但实践中还有许多问题。你们要反复计算论证。还有一个回压问题，你们考虑了没有？”

“老狐狸”到底厉害。他继续发难：“这十几口井串在一起，管内压力高，井口压力低，回压会不会把油井给憋死呢？”

将军为年轻人捏把汗：这可是致命的问题！

“不会！”年轻人大声回答，而且非常肯定，“举例：假如一个人能挑50斤的担子，你现在只让他挑20斤30斤，他会很轻松的，不会压倒的。回压也是同样道理，只要控制一个合理的压力，就不会影响油井生产。”

将军暗暗为年轻人叫好。

“我看不一定，要真被你们把油憋回去了，那我们辛辛苦苦采油干啥？”

“是嘛，集油管线干脆抽真空算了！”

众人不买年轻人的账。“是啊，管线抽真空行不行？抽真空，可以增产嘛！”这是康世恩的话，他也站到年轻人的对立面去了。

将军一下为年轻人捏汗。

“康部长，如果这样的话，那您还要油嘴控制井口干什么？干脆打开井口敞喷算了嘛！”嘿，年轻人突然向康世恩发起炮火了！

也许谁也没有意识到会有这种事发生，会场的气氛一下凝固了。

康世恩扶扶眼镜片，脸色很不自然地手去抓烟盒。

年轻人猛然省悟，额上冷汗顿冒：“康、康部长，我的话可能过分了，可我不是有意对您……”才思敏捷的冯家潮这回结结巴巴前言不搭后语，一副可怜相。

“哈哈哈……”一阵大笑中，将军站起来。只见他朝冯家潮摆摆手，满脸欣赏地：“小伙子，没关系，继续说，继续说下去。”

冯家潮胆怯地看了一眼康世恩，见康世恩的脸上已有笑意，便重新放开嗓子，将为什么不能搞管线抽真空等陈述了一遍。与会者听后，频频点头。

“怎么样老康，小伙子讲得蛮有道理啊！你看……”将军想给康世恩一个台阶，再说时间也不早了，已过午夜 12 点了。

康世恩点头起身，说：“我明白了。既然办不到，我们就不说抽真空的事。好，余部长说了，今天的会就到这儿，明天继续谈。”

宣布马拉松式的会议结束，与会者顿觉解放一般。但唯独冯家潮怀着忐忑不安的心情悄然从余、康身边溜过。这一切将军看在眼里。

“哎，老康，小伙子今天晚上有些吓着了。”将军给康世恩递过一支烟时，趁势用右胳膊轻轻提醒他。

“谁？”康世恩没有反应过来。

将军用嘴努努。

“他呀？我今天夜里还不能饶他！”康世恩声音很高地。

“你想怎么？”将军感到意外。

“他天亮前不把他的方案说服我，我就不让他睡觉！”康世恩发誓地一跺脚。

将军开心地笑：这些知识分子！老康也一个样！两个字：可爱！将军大手一挥：好，你们去研究吧，不过不要弄得太晚了。至少得眯一会儿。

康世恩没眯，回到办公室就让秘书将冯家潮叫到自己的办公室，一起叫来的还有张文彬和焦力人。

“小冯，你抽烟吗？”

“不不，我不会。”

“那我可就要抽了。”康世恩笑着从烟盒里取出十来支香烟，排在桌子上，说：“今晚我们可准备拍板你的方案，你小冯可得把你的设计理由全部说出来。”

冯家潮激动万分，原来如此啊！于是，他把从井口到集油站的流程及原理仔仔细细地讲了一遍，然后又把自己的设计方案优劣之处也实实在在地陈述一通。

“老张、老焦，你们看呢？”康世恩征求张文彬和焦力人的意见。

“我看可以。”

“我也同意，这个方案是目前最佳方案。”

康世恩一拍桌子，站起身：“好，就基本定它了！对了，我还得给它起个名字，总不能叫你那个挂灯笼流程吧！叫——萨尔图流程怎么样，小伙子？”

冯家潮异常激动：“行。萨尔图流程！我们中国的！”

张文彬和焦力人笑了。他们俩不约而同地抬腕看表：嗨嗨，已经凌晨三点了，还散不散嘛？

康世恩抓起桌上的烟卷：“我还没抽几支嘛！”可此时干打垒外，已东方欲白。寂静的萨尔图草原上，已有人点起袅袅炊烟，雄鸡开始啼鸣……

冯家潮的“萨尔图流程”被确定后，余秋里指示康世恩立即召集会战指挥部高层领导，要求有关单位全力进行设计和试验。而这个流程在进行设计试验中碰到的问题也是一个又一个，如原油加热加温到多高为合适，集油管口径多大为好，管线埋多深为宜等等，都得涉及一个关键性数据——K 值。所谓 K 值，就是不同口径的管道在不同自然条件下、不同敷设方式下的总传热系数。这个 K 值在苏联教科书上可以查到，但 K 值选择什么样，对用材料、花的钱完全不一样，差异巨大。为了给国家既省钱又得符合大庆油田的生产需要，这一项工程意义非凡，为此，余秋里在石油部召开的党组会议上特别强调：“管线保温是个大问题。大庆油田在寒冷的季节里，气温下降到零下 30 多度，怎样保证输油管线畅通无阻，我们就要专门研究，确定这条管线在各种气温条件下该怎么办？输油温度应该多高？管线埋在地下温度变化情况如何？管线埋得多深？等等。这些数据我们可以从国外的一些书籍和文献中得到，但是我们不能完全依赖别人的资料和数据，而要从实际出发，在实践中去探索和追求。”

这是一个大会战中的部分战役。为了测 K 值，设计院的谭学陵等 5 名技术人员，在这一年的冬季，他们冒着零下三四十度的严寒，在冰天雪地里展开了一场场近似挖地雷的艰苦卓绝战斗，他们必须在每隔 50 ~ 100 米间，挖一个土坑，每个坑里蹲一个人，每个坑里蹲着的人每隔一段时间测一次温度，不管刮风下雪，必须不间断地进行测试。谭学陵他们就在如此寒冬腊月的冰雪中蜷伏在雪地里，一蹲就是十几个小时。饿了，从怀里取出石头一样硬的窝窝头咬上一口，再抓一把雪塞进嘴里润一润嗓子……十个月，6000多公里，测点1600多个，取得数据25万个。谭学陵等测试小组靠着学习将军部长的“红军两万五千里长征精神”，终于完成了大庆地区土壤传热系数为3这一结论，从而解决了“萨尔图流程”中一个关键性的技术设计参数。

“萨尔图流程”的技术名称叫作“单管密闭常温输送流程”。1965年这项技术获得国家发明奖，1985年又被国家科委评为发明一等奖。然而这个流程的重要贡献者谭学陵同志却未能见到如此的国家荣誉，积劳成疾的他因患绝症而过早地离开了人世。临死前，谭学陵还在病榻上一遍遍计算着油田管线集输和计量的160多个公式并加以推导论证，将最后一份心血留给了油田，留给了后人。

我们今天的人们无法理解昨天创业者的许多事情，科学技术的发展让当代人更无法认识先辈们是怎样以又土又笨的办法给今天的现代化生活创造锦绣的。比如石油输油管，今天一条输油管可以从几千里几万里远的地方铺设到我们的家门口、铺设到我们的城市里，而且一路都见不着叠叠重重、形似网状的管线——因为它们都在地下，同时还看不到一台台冒着焦烟、令人胆战的加热炉——因为全自动化的加热设施根本不用热炉。但再先进、再现代化的今天，仍然是昨天先辈们用最土最笨的办法累积起来的结果。将军曾经如此动情地说过一段话：我们中国的石油工业，就是靠着从国家的实际出发，以毛泽东思想为指导方针，通过走自己的道路，敢于解放思想，破除迷信，把革命精神和科学实践相结合才实现了自己的目标。

革命精神，加科学实践，这正是余秋里在指挥大庆会战、实现中国富油富国之路的两个锐利武器。

战争使将军失去了一只手，但将军在战斗的一生中常常有句朴实而豪迈的话——“拿下……”

将军的一生“拿下”过很多东西，“拿下”过江山社稷的天大事，也“拿下”过为战友遗腹子有口饭吃的百姓寻常事。他一生都在为别人、为社会、为国家“拿下”这“拿下”那，唯独没为自己

"拿下"什么，不像有的人在多数时候或者关键时刻专门为自己的利益"拿下"什么事。

将军的"拿下"，是一种气魄，是一种胸怀，是一种壮志，是属于彻底的无产阶级革命家才有的那种英雄气概和革命精神。

在大庆，将军要"拿下"的是一个世界级大油田！

听"拿下"两字似乎那么轻巧，好像信手拈来！可年轻的朋友们，你们知道当年的将军和他的千军万马是怎么个"拿下"的吗？

告诉你：那时他们就是定一口井位，也得跑断双腿去用小铁锤打桩。

告诉你：那时他们就是摆一块岩芯，也得跪在地上一排排地去摆齐。

告诉你：那时他们就是为运出一车油，也得顶着风雨在车子上测气温。

告诉你：那时他们就是流尽一身汗，也得把井台上的每样工具擦干洗净……

工人是这样，干部是这样，将军也这样。

但，他们就是"拿下"了今天仍然在支撑着国家经济命脉的中国第一个世界级大油田！

这就是为什么将军在1964年首都万人大会上用了十几个小时作汇报，人们仍然听得津津有味，热血沸腾！并恳请最好再讲三天三夜。

现在还能有这样的事吗？

看来不会，除非出现奇迹。

然而君不知，当年将军"拿下"大油田谈何容易？

荒凉之苦可以忍、暴风雨袭击可以顶，饥饿之苦可以用野菜树皮，严寒冰雪可以不予理会，但到手的油田怎么变成战友手中的坦克动力，变成飞行员凌空而起的勇气，变成百姓日常生活的欢乐与方便，变成领袖爽朗的笑语和对付世界霸权主义的砝码，将军的"拿下"如此复杂而艰巨，需要穿越道道暗礁险滩，战胜重重惊涛骇浪……

"试验田？大油田上搞试验田？"有人听说将军和康世恩商议决

定要在萨尔图富油地上搞个 30 多平方公里面积的油田开发试验田，不由窃窃冷嘲起来：老农民一个！

没错。当年打江山就靠的毛泽东式的一批“老农民”完成了中国式马克思主义的红色革命道路。现在和平建设，“老农民”之路仍然管用——中国是农民为多数的国度，不走“农民”之路就会犯机会主义。当然中国“农民”之路，必须用马克思主义理论武装，其路才能光明坦荡。

农民就农民，农民种粮食先搞块试验田，就能使大面积的粮田保证丰收，少走弯路，这是符合马克思主义思想的。将军不服气地说。

科学实验，这实验就是试验田的意思嘛！康世恩完全赞同将军的“试验田”思想。

这不是瞎胡闹嘛！世界油田开发史上没有过这样的先例！

又是一个毛泽东式的中国土布尔什维克！油田的勘探仍在进行之中，他们要匆匆忙忙割一块搞试验区，绝对是胡闹！苏联专家听说后，气急败坏了：你们这样做，好比把一块本来可以做一套漂亮西服的料子，从中间随便挖一个窟窿拿去做裤子了！

什么裤子、西服的，想尝梨子味道，不亲口尝一尝，能知道它的滋味吗？将军对毛泽东的“两论”原理熟悉又精通。

有西服穿，还能有裤子穿，不更好嘛！康世恩更幽默。

就这么定下了！将军的大手往桌子上一拍，他是所有会战决策的拍板人。报告打到中央，邓小平同志认为非常好，并说，中国共产党能够从小到大、从弱到强，最后夺取革命胜利，靠的就是摸着石头过河，大庆搞试验区方向完全对头。

将军在制定油田开发中还有一个“留有余地”的重要思想，更加高瞻远瞩、高屋建瓴。早在大庆油田建设初期，他就为这一共和国的能源基地划定了四条防线：一是在井与井之间要拉开距离，以便为今后补井留有空间；二是保持合理的压差、油气比和流动压力，保护油层能量；三是面积上留有后备，整个油田开发区打井时要留出 30% 的面积作为国家备用油源；四是控制单井产量肥瘦合在一起，单井平均日产 15 吨左右开采。也许外行人或者非从事国家能源建设的人并不清楚这“四条防线”的实质意义，而稍稍知道一点大庆油田或中国能源工业情况的人都会为将军当年亲自定下的这四条防线而感到肃然起敬。因为大庆后来能够有二十多年达到 5000 万吨年产、始终为共和国建设起顶梁柱作用的辉煌历史，正是有了当年将军这四条“留有余地”的战略防线，才得以生命常青，至今仍能源源不断地给祖国的现代化建设躯体输送着新鲜血液。

将军仅这一个功劳，就足可以在新中国发展史上留下浓墨重彩的一笔。举一例：在“文化大革命”中，当全国性的停工停产风席卷各行各业，国家机器陷入无法再继续支撑的紧急关头，身为总理的周恩来苦着脸问时任计委主任的余秋里：能不能想法多弄点油出来替代煤等急需物资时，将军立即电告石油部“紧急开发喇嘛甸子油田”——这喇嘛甸子油田是大庆三大油田中最富的一处，就是当年将军铁板定下的“要开发此‘大仓库’，必须党组全体成员一致举手”而为国家留下的一处“救命血库”。

全国人民应当为此感激余秋里。

“开发大油田我们没有经验，我们有可能犯错误，但即使犯错误也要犯可以改正的错误，决不犯不能改正的错误。”将军的话有许多属于经典，这话则是可以上升为哲学范畴内的经典语。

开发油田的战略思想确定后，又一个具体问题摆在大家面前：采油需要压力，不同的油层处在不同的地下水层，因而没有注水就不能使原油按照人的意愿将其取之有道和取之不尽。

石油虽好，但石油藏在千米之下的岩层里太让人捉摸不透。多少教训、多少汗水，又有多少眼泪让石油人痛苦和迷惘过。将军也不是常胜的，川中之痛总在将军的心头流血——世界石油史上从来就没有常胜将军。我们的将军就是因为懂得了吸取教训和掌握了唯物辩证法，所以才在小败后获得了大胜和之后数十年的常胜。

康世恩和技术人员说，试验区里还必须进行分层注水、分层配产试验；强化注水、强化排液、迅速拉成水线试验；合注分采试验；合注合采试验；分注分采试验；不同渗透层同时注水、观察水推进速度试验；不注水依靠天然驱动能力采油试验；强化注水提高油层压力试验；注二氧化碳及其他活性剂提高采收率试验；油井大面积注水、强化采油试验等十大试验。

“既然关系到油田的今天和未来，别说十大试验，就是百大试验也一个个给我按质按数试验好！谁要马虎，谁就是对人民、对子孙的犯罪。”将军支持康世恩全力抓好注水战役。

紧张时刻，苏联专家听说后想要看看，会战一线的领导问将军如何处理此事？将军回答明朗：“外国同志要来，要热情接待，一要尊重，二要虚心，三要请人家帮助。”这不，“老大哥们”看过试验区的一项项工作后，赞叹不已：“你们的开发实验，在中国历史上是一个榜样，在世界上也是没有见到过的。是好样的。”

将军笑了：证明自己走的路对头。

但康世恩仍然眉头皱得紧紧的：咱们的油田有两个致命弱点：一是油层天然驱动力小，保持油层压力必须依靠人工注水；二是黏度高，增加了注水驱油的难度。

将军：啥子意思嘞？

康世恩：从理论上讲，原油的黏度如果是和水的黏度相近，注水就比较容易。可现在我们的油田原油黏度是水的黏度的 10 倍，再加上眼下油层刚刚打开，压力还没有怎么释放，油层的回压很大，给注水增添了重重困难。

将军的眉头也皱了：就是说注水注不下去？

康世恩点点头。

将军的拳头在桌子上不轻不重地“咚咚咚”连敲了好几下：不能注水，再好的开发方案等于零嘛！得下死决心，一定要突破注水关！就是用双脚顶、身子压，也得给我把水注下去！

张文彬！焦力人！你们俩一个抓水源，一个抓注水试验，给我全力以赴！将军命令两位得力干将。

是，坚决完成任务！张文彬和焦力人领了任务转身就去试验现场。

但注水仍然碰上钉子：由于当时没有专门的注水泵，试验人员们用的是钻井队打井用的泥浆泵，结果泥浆泵压力打到 150 个大气压时，水仍然进不了地下。后来他们又换成水泥车注水，大气压至 200，那注下的水顺着钻孔“哗啦哗啦”地不往下走，却往外溢……

康世恩火速赶到现场询问技术负责刘文章：你的“文章”是怎么做的？

刘文章说：就是用苏联和玉门的方法。

康世恩知道刘文章在苏联学过专业注水，又问：洗井用了多少水？

200方。

怎么知道井底洗干净了？

泛上来清水了。

康世恩眼珠子瞪圆了：为什么用200方水洗井，而不是用2000方呢？

刘文章有些愣了，嘟囔道：玉门洗井只用了几十方水。

康世恩声音提高了：情况变化了，你怎么还死搬教条？再问：洗井用的冷水还是热水？

冷水。苏联和玉门油田都是用的冷水。刘文章回答。

康世恩真火了：好，明天你洗脸不要用脸盆，用酒杯装点冷水，看你洗得干净洗不干净！

刘文章无话可说，可怜巴巴地看着总指挥，心想：你是大专家，你说怎么做嘛！

康世恩思忖片刻：用热水彻底洗井，再用高压强制注水。

行，那我们就这么干！刘文章瓮声瓮气地应道，心里不是太服气。

回答响亮点！康世恩突然学着将军的架势，高声命令道。

是，用热水彻底洗井！刘文章等人挺直胸膛。

康世恩笑了，背起双手，回到余秋里身边。

“这是一场艰苦的地下攻坚战。告诉同志们要有思想准备：试验不可能一次成功，也许要十次八次。”将军说。

康世恩点头：我准备叫人把毛主席关于认识论方面的论述抄成大字报，给他们送去，挂在试验现场，让他们对照着破一破脑子里那个注水开发上的不可知论！

将军会心一笑，心想：你老伙计越来越可爱了！

再说刘文章他们，被总指挥一顿批评后没有气馁，立即重新投入紧张战斗。他们在老乡的几栋土房内挑灯夜战，再设计方案。“要再注不下水，干脆跳进水泡子里淹死算了。”几个人发誓说。

时至10月，松辽大地已进入严寒季节，可注水试验现场热气腾腾。当月15日，油田注水试验的决战开始。康世恩亲临现场督阵。

只见现场四台锅炉、三部高压蒸汽车和三部高压水泥车同时启动，那震耳欲聋的轰鸣响彻旷野。康世恩一声："注水开始！"所有机泵齐步加大油门。顷刻间，大地在颤动，压力表上的指针蹿着上升……

无数眼睛紧盯着注水管。那高压下的水龙奔腾不息地向地心深处涌进……一小时、两小时，十小时、二十小时；一天、两天……时间那么漫长，那么拖扯着会战上下的全线几万大军。

"怎么样？注进去了没有啊？"北京，将军在电话中一次次询问。

第三天，康世恩用有些颤抖的声音，报告道："余部长，我们、我们成功啦！注水成功啦！"

"好！好嘞！"将军的手也在抖动。随即他挺直身子，拉开嗓门："转告同志们：我向他们表示祝贺！"

这些日子，要祝贺的事多得很嘞！

第一个炼油厂建成了。

催开原油加工生产的"五朵金花"盛开了。

1963年底，大庆年产实现439万吨，占全国总产量的67.8%。

……

掌声四起。这是第几次响起了？将军已经记不清楚，他看到毛泽东在向他满意地点头微笑。他也看到了周恩来向他频频招手致意。他还看到叼着烟斗的贺龙元帅在向他挤眼……但他看到更多的是数不清的那一张张因激动而欣喜若狂的笑脸——将军此刻正走向全国人民代表大会，走向那个庄严的人民大会堂主席台上。

各位代表：

现在我把大庆石油会战的情况向大家作个汇报……1960年以来，我们遵循毛主席关于集中优势兵力打歼灭战的原则，从全国三十多个石油厂矿、院校，抽调几万名职工，调集几万套器材设备，在大庆这个地区，展开了石油会战。目的是高速度、高水平地拿到大油田，开发大油田。大庆石油会战，已经进行三年多了。这一仗，确实打得很艰苦。那时候，几万人一下拥到一个大草原上，各方面遇到的困难，确实很多。上面青天一顶，下面草原一片……不说别的，就是几万人在草原上能否站住脚，也是个大问题。在这种情况下，到底是打上去，还是退下来，到底是坚持下去，硬啃下去，还是被困难吓住，躺下来？大庆油田的同志们，硬是鼓足干劲，苦干、硬干，团结一致，千方百计打上去。

经过三年多的艰苦奋斗，到底我们做了一些什么事情，取得了一些什么成果呢？第一，拿下了一个大油田。这个油田是目前世界上特大之一。现在已经探明的储量，大体上可以适应我国石油工业近期发展的需要……第二，建成了年产原油几百万吨的生产规模和大型炼油厂第一期工程，质量良好……第三，三年累计生产原油 1000 多万吨，油田生产管理水平不断提高……第四，进行了大量的科学研究工作，解决了世界油田开发上的几个重大技术难题……第五，经济效果好，国家投资已经全部收回，并开始为国家积累资金。1960 年到 1963 年，四年共用国家投资 7.1 亿元；上缴利润 9.44 亿元，折旧 1.16 亿元，合计 10.6 亿元，投资回收率达到 149%。除全部投资回收外，还为国家积累了资金 3.5 亿元。所以我们建设大庆油田，真正做到了又多、又快、又好、又省！……

“好！”主席台上，一个湖南口音，突然叫了一声，随即全场叫好，接着是暴风雨般的掌声。

将军情绪受到极大鼓舞，干脆将手中的稿子往旁边一放，对着麦克风运足力气：“我要说，更重要的一条是：通过大会战，我们锻炼和培养出了一支有阶级觉悟，有技术素养，干劲大、作风好、纪律强，能吃苦耐劳、能打硬仗的队伍！带着这支队伍，我敢再打上甘岭战役！”将军的右胳膊突然在空中用力一挥，那气壮山河的声音在人民大会堂久久回荡……

暴风雨般的掌声再次响起。有人竟然站着欢呼。

“同志们……由于大庆油田的发现和建成，我国经济建设、国防建设和人民需用的石油，过去大部分依靠进口，现在不管是在数量上或者在品种上，都已经基本自给了！”“中国人民使用洋油的时期，即将一去不复返了！”几天后，人民共和国总理在将军站着的同一个地方向全世界庄严宣告道。

“毛主席万岁！”

“中国共产党万岁！”

“中华人民共和国万岁！”

“……”

人民大会堂沸腾了！几千双手在拼命鼓掌。欢呼。激动。难以言表的都想表达出来，直至极致。而这个场合上，唯有将军没有鼓掌——因为他只有一只手。但将军的神情则停在主席台中央的那枚闪闪发光的国徽上。他鼓足所有力气，在心里高喊了一声：谢谢人民，谢谢党！

……

# 第九章

大国家，小计委。残肢人在艰难岁月中支撑着风雨飘摇的国家机器。

林彪使毒招。江青多发难。

毛泽东不满陈伯达之流的政治阴谋。“还有余秋里”成了“文化大革命”时期的一句新闻习惯语。

自从有了大庆油田以来，是总理和将军使“余秋里”三个字成了中国和平建设时期的一种道路、一种方法、一种经验和一种有中国自己特色的社会主义的象征。

这一天，秦老胡同内张灯结彩，胡同口内口外挂着不少红灯笼，还有不少人家的家门口挂着五星红旗。康世恩满面笑意地走进将军家的会客室时，已经时过零点。周文龙、李人俊等都已“撤退”回家了。屋子里只剩下将军一个人手拿当日的《人民日报》，在喃喃地念着——

一滴煤油
一珠血，
人都知道。
旧时代
因循苟且，
叩头乞讨。
命运全凭天摆布，
咽喉一任人掐倒。
玉门关，
锁铨也因人，
堪愤恼！

破迷信，
碎镣铐；
主奖励，
抓领导。
仅三年
地底潜龙飞跃。
众志成城四第一，
铁人如海全五好。
颂今朝，
解放地球军，
强哉娇！

康世恩忍不住笑了：怎么，余部长你啥时候也恋上诗了？

将军见“老康”来了，便放下手中的报纸，笑言：你别说，郭沫若先生的这首诗还真有点味道，我喜欢他夸我们石油工人是“解放地球军”这一句。你看了没有？

康世恩忍不住抓过报纸，认真读了起来，然后连连点头：不错不错，大文豪就是能比喻。“解放地球军”，老子就是解放地球军嘛！这松辽地底下的石油过去一直被“中国贫油论”和落后技术压在地底下几百几千年，我们一去，它就被解放出来了！我们当然就是解放地球军嘛！

余秋里笑了，随即脸上又变得庄严和凝重起来：是啊，我们国家有九百六十万平方公里，面积大得很嘞！可现在我们仅仅在东北和西北那么两三个地方把地下石油给“解放”了，从全国看呢，我们解放地球军的任务还真不轻啊！你说是不是老康？

是。任务确实还非常艰巨。不过今天我正是向你来汇报渤海湾地球“解放”情况的。康世恩壮志满怀地一屁股坐定中间那张大沙发——他有个习惯：每逢有喜事向余秋里说时，总把屁股坐得结结实实的，而且挑最显眼的地方，跟调皮的孩子似的——得意时他会手舞足蹈，失意时灰溜溜地躲在一旁抽闷烟。将军心里笑了：老康今天准是又带喜讯来了。

说嘛！是东营那边还是大港那边有新进展？将军心里已有几欢喜。

两边都逮住“大老虎”了！康世恩从沙发上跳起来，走到余秋里坐着的木椅前伸手去抓那包“大中华”。点上，过瘾地狠吸几口，然后喜形于色地：先说近的——天津大港这边5井在前日完井，一试油，你想日产达到了多少吨？

比“港5号”井翻一番？将军含笑吐着烟圈，眼睛朝康世恩撇了撇。

不对！康世恩的眼镜片一闪一闪的，满是调皮。

再翻一番？！将军这回正眼看他并肩拿下大庆油田的生死战友了。

“哈哈哈……”康世恩终于情不自禁大笑起来。说：“93，93.3吨！”

“好嘛！算高产井了！比松基三井和大庆的许多高产井还高啊！”将军有些激动地在会客厅里走动起来。还有什么比这值得兴奋的？大港油田近在首都咫尺之地，能在这儿逮只“大老虎”其意义非同小可——京津是国家经济文化及政治的龙头，在此发现个大油田，真是毛泽东——也是他余秋里梦寐以求的。

早在出任石油部长之时，他余秋里同康世恩等商量全国石油东移的战略时，一方面集中兵力会战松辽，同时，已经把目光投向了渤海湾。渤海湾会有油吗？当然。早在1935年刚从瑞士留学回国的黄汲清先生就对这片华北神奇土地和海域给予了特殊关注，认为它是和东北、西南、西北等地一样都有可能储油的地方。大师的科学预见总是给人类带来希望之光。1945年，另一位地质大师谢家荣在冀东地区的野外地质调查时见到油苗，兴奋不已，回去后立即写了《唐山油苗》一文，向海内外人士公开了这一有价值的发现。将军执掌新中国石油工业的帅印后，其目光一直盯在那些被科学家们认为有希望的但尚未被揭秘的沉睡地域。将军生于江西，却也喜欢大海。蓝色的大海里如果能发现石油，岂不皆大欢喜、喜上加喜？将军爱看地图，就像当年看作战地图一样——那祖国的疆土除陆地外，还有一片仅次于陆地面积的海域，如果在大海之底也搞出点名堂，那名堂可就真是大了！哈哈，逮！哪怕半点儿希望也给我使劲地逮！

在大庆会战热火朝天之时，也许谁也没有胸有雄师百万的余秋里更关切渤海湾的找油注意力了。当几万大军苦战松辽之役并被一个又一个胜利鼓舞之时，将军他则经常独自站在雄鸡形的中华人民共和国地图前，一动不动地凝视着……他在看什么？看那边大海呀！看京津脚边的那片华北平原和大海呀！瞧瞧，这20多万平方公里面积的渤海湾，横跨辽宁、河北、山东、河南及京津六省市区。听地质学家说，这儿原来皆是一片蔚蓝色的汪洋大海。由于地壳运动造成不断下降之势，巨大的海盆里沉积了厚达万米的沉积物。而后，风起云涌的地壳运动再次又发生区域性缓抬，海水在这儿的一部分区域退去，沧海变成了平原的古陆——华北平原因此出现在中国的版图上。地质学家们分析，既然像松辽这样的盆地有石油，那么渤海湾盆地理当也同样有油。1955年，地质部和石油部就在华北平原上联手作战过，第一口基准井——华1井未能见油。余秋里上任石油部长后，详细倾听了有关部门的汇报，并分析了华1井失利的原因，果断提出应在勘探上转向凹陷区上。随即，石油部迅速派出勘探力量发兵渤海湾的平原陆地。初期战役虽没有天寒地冻的松辽之艰巨，但也丝毫不轻松。石油队伍的艰苦奋斗精神同样可用“艰苦卓绝”来形容。1963年初，32120钻井队经余秋里亲自批准，在山东广饶辛店公社的一个叫东营（即现在的东营市所在地）的小村庄打下编号为“华8井”的勘探井。当年3月5日，此井钻至1195米时，值班人员发现了褐黑色的油砂——与松辽那边的松基三井一样的油砂。喜讯传到北京，余秋里右手一甩：快让人把油砂送来！

“好啊！这小宝贝可是比金子还珍贵喽！”将军接到油砂后，举着放大镜看了一遍又一遍，有些手舞足蹈地对身边的人这样说。然后又命令秘书把油砂装在小瓶子里，让石油部机关的干部和专家们轮着看。“通知食堂，做好菜好饭，我要请华8井的同志吃饭！”午饭时，将军一次又一次地向到部里来送油砂的前线同志敬酒。

当日，将军与康世恩商量后，派出勘探司钻井处处长邓礼让带人连夜赶赴“华8井”严密注意地下情况。“每天你们必须向我报告。”将军像对大战前派出的侦察兵一样严令道。

十天后，前线发来电报，称：“又见多层油砂。”

“好！我们又有大名堂干了！”将军欣喜不已，立即主持党组会议，部署渤海湾勘探工作，从此摆开了中国石油的第二个大战场——“松辽可称是辽沈战役，此为平津战役也。”李人俊曾这样对将军戏说。

将军一乐，没接话。但看得出：他真的是将渤海湾找油战斗视为与松辽会战同等重要的又一个改变中国经济落后面貌的第二个大战役来打的。

他，借着松辽大会战的空隙和回北京开会之际，一次次风尘仆仆地将足迹插向“共和国最年轻的土地”——鲁北平原的黄河入海口。那是片人烟稀少、自然环境极其恶劣的盐碱地。白茫茫的土地，风尘刮来到处尘扬沙舞。将军与前线作战的石油人一起住在老乡家的土炕上一边啃着红薯面窝窝头，喝着村口水洼子里漂着绿毛的苦盐水，一边谈论着大战前的点点滴滴问题。

“大部队可以上了！”将军一声令下，于是乎，两万余名石油大军在此摆开战场。16 个钻井队、17 个地震队，几十个地质分队和数以千计的辅助队伍，浩浩荡荡地扎营黄河滩。完全是大庆式的作战模式，完全是军队打仗式的勘探战斗。但初战并不像大庆油田那么幸运，他们又一次遇上了“狡猾的敌人”。用康世恩总结的话是，他们这回在渤海湾碰上的“敌人”是“七零八碎，忽忽悠悠，东躲西藏，狡狡猾猾”。专业的用词是：这儿的油层情况具有“五忽”——忽有忽无、忽水忽油、忽高忽低、忽薄忽厚、忽稀忽稠。

怎么办？

矛盾蛮复杂嘞！此时的将军已不再是几年前“川中遭遇战”时的将军了。他拿出毛泽东的《矛盾论》和《实践论》，自信地将右手往上一甩：学好“两论”，通过现象看本质，从“五忽”中找出规律来！

这不，“五个规律”和本质现象找出来了：渤海湾盆地面积大，生油条件好，和大庆油田相似；此处含油地层多，从老地层到新地层，从海相地层到陆相地层都有油；油气显示范围广，沿渤海湾将近 10 万平方公里区域内，所有的探井几乎都见了油气显示，比国内任何一个盆地见到的含油范围都广泛；储油层物理性质好，发现了高产区，有的井产量为全国之最；油藏类型多，勘探领域广阔。结论：渤海湾盆地找油的有利条件，同它的复杂性相比，占主导地位。地下情况复杂，但有规律，只要按照“区域展开，重点突破，各个歼灭”方针进行作战，“大老虎”一定能逮住！

那一天将军来到“辛3井”，看着正在试油的现场井口里“咕嘟嘟”直冒原油，那原油随即又凝结成一米多高的“油塔”，便对康世恩笑言：看来此处非得用上现代装备的“解放地球军”了！

康世恩随即调兵遣将，余伯良、李德生、翟光明等著名专家迅速云集黄河边。

与松辽会战不同，渤海湾的“敌人”很像东躲西藏的散兵游勇。好嘛，那我们来他个“篦梳战术”，将整个东营地区一遍遍地通过地震测线对“敌人”进行彻底的“扫荡”。将军说。

又是一个于是乎——技术人员们发现在一个名叫“胜利村”的地方构造相对简单，而且油层也不错。

“胜利？！这名字吉利。就在这儿打它个歼灭战！”将军一生不迷信，不过这“胜利”两字有很好的革命色彩。这回他要信一回上帝，看看它上帝到底灵不灵嘛！

哈哈……同志们，胜利村上就得打出胜利仗！上啊！将军的铁臂在空中猛烈地挥舞着。7000名石油精兵一夜间迅速集结胜利村，好壮观啊：钻机轰鸣，彩旗飞舞，人声鼎沸。功勋钻井队32120队一马当先，18天完成井深2480米时，喜见85米厚的油层。前线总指挥张文彬和技术专家翟光明拿着电测解释图喜滋滋地请求康世恩：我们想一次性全部射开油层，让油井欢畅地喷一下。一方面看看地下到底啥情况，二来鼓励鼓励士气。

你看呢？康世恩没直接回答张文彬，把球踢到将军这儿。

行啊！欢畅一次嘛！将军大手一甩，脸上满是笑意。

哇哈哈哈！这才是真正的欢畅——油井现场，在指挥员的一声“试油”的命令下，只见直径30毫米的井管内突然喷涌出一股冲天的褐色巨柱，那呼啸奔腾的褐色巨柱湍急而高扬，得意而欢舒，潇洒而自信地撒着野向欢呼跳跃的人们摇头晃脑、尽情闪耀。

1134吨！日产1134吨！将军有些不相信这个数字，但前线的电报上准确无误地这样写着。办公厅送来经专人前去核对的数字也是这个。

1134吨！举国第一！

新华社当日播发专电：我国继发现大庆油田之后，又一个大油田被发现。它的名字就叫“胜利”。

“这回要给前线的同志送几头羊去了！”将军一改过去奖励官兵红烧肉的习惯，命令办公厅多杀几头羊送到井场犒劳有功人员。

吃，这是余部长慰劳我们的！大家放开肚子吃！井场上热闹喔，红烧羊肉、红炖羊肉、手抓羊肉，连同羊杂碎……总之，功臣们痛痛快快地饱餐了一顿庆功宴，脸上是喜色，嘴上是油腻腻、亮津津的。

2月2日这一天是大年初一，会战职工想了个“革命化过年”——在井场举行隆重的祝捷大会。穿着焕然一新的石油职工们排着整齐的队伍，列队站在千吨油井旁，一个个屏住呼吸——干啥？哈哈，有人出了个奇招：将一根连着北京石油部大楼的电话线接到祝捷大会现场，那电话的话筒对着采油树……

“开阀放油！”祝捷大会最精彩的一幕便是让身在北京的将军和部机关的同志一起分享倾听千吨高产油井那欢畅的出油声。

“听到了！听到了！欢实得很哪！”将军和部机关的干部们高喊起来。随即有人放起鞭炮，敲起锣鼓——石油部机关大楼四周住着的居民们不知怎么回事纷纷围聚过来，一想：这不大年初一嘛！嗨，人家搞石油的经常辛辛苦苦、加班加点，今儿个不也轻松轻松嘛！

可不，大楼里突然传来阵阵激昂高亢的众声齐唱——

锦绣河山美如画，
祖国建设跨骏马。
我当个石油工人多自豪，
头戴铝盔走天涯……

瞧这些石油人，还挺浪漫啊！居民们笑逐颜开地议论着，好像喜事降临自己的家门。

这是什么日子？什么节日也不是嘛！时隔四十天的3月中旬，石油部大楼里又响起鞭炮声和锣鼓声，还有那首“天不怕地不怕”的《我为祖国献石油》歌声。六铺炕的北京居民们是后一天才从广播里知道石油部又在那个胜利油田打出了一口日产千吨的高产油井。这以后，凡石油部大楼里一有放鞭炮、敲锣鼓和歌声传出时，六铺炕的居民们就知道石油部又有喜事了。什么喜事有时并不清楚，因为石油部对外经常“保密”，不过日久天长，六铺炕附近的居民很多人都会唱《我为祖国献石油》的歌。四十多年后的今天我在采访时曾数次路过六铺炕，竟然在大街上还几次听到有人哼着“我当个石油工人多自豪”的歌呢！一次遇见一个正在修自行车的年轻人也在哼这首歌时，我好奇地问他为什么也会唱这歌，他说他从小就听爸爸哼哼这歌，日子一长也就跟会了。你爸是石油部的？我问年轻人。啥石油部，是石油部的老邻居！年轻人一把油泥抹在脸上，说：他要是石油部的我也不至于干这破活！石油工人多牛！哪儿都去，跟解放军似的。年轻人羡慕地看着身后那座高高的如今改叫“中石化”的老石油部大楼，眼里充满憧憬。这是又一个后话。

现在我们继续回到将军执掌中国石油帅印的激情时代吧。

两口日产千吨油井在相距并不远的同一块地质构造上产生，这让将军和康世恩他们兴奋不已。

大喜特喜！我要请客！将军令办公厅的同志将翟光明等技术人员从前线请回到北京，在一家饭店里请他们吃了顿“涮羊肉”。

由红烧肉到涮羊肉，是将军他们这一代人从50年代走向60年代的一种庆贺胜利、释放心情的某种特殊表现形式，很有点意思。以毛泽东为代表的一代中国农民的儿子们，带着泥巴打下了江山，他们始终保持着一种农民俭朴的生活习性——吃红烧肉是他们追求幸福生活的某种象征。这种象征一直到20世纪50年代甚至20世纪六七十年代，而毛泽东本人则一生以吃红烧肉为生活的某种“最高境界”。将军他们毕竟比毛泽东年轻一些，他们的思想更加解放些，接受新事物也来得快。他们也适应了六七十年代当时在北京城内流行吃“涮羊肉”的时尚。

红烧肉解馋，羊肉则更具营养保健作用。两者区别于此。

话说康世恩向余秋里报告有口新井打出比“港5井”出油量翻几番的高产油后不多时，1965年3月，位于港西地区的港3井钻至第三系地层时，发现良好油气显示。经试油，日产达161吨、天然气两万方。如此油气，预示着渤海湾的另一处新油田——大港油田的正式诞生！

这回将军没有能够出面请前线有功人员吃“涮羊肉”，此时的他已经被调任到了中南海的“小计委”任职。而更重要的还有另一层意思——毛泽东刚刚有话对他说过。

什么话？夹着尾巴做人。

那是三届人大一次会议上出现的一幕。那天将军正从会议大厅走出，突然被人叫住："余部长，请您稍等。一会儿还有您的活动。"

"余部长"现在是热门人物，只要一开会，天天有人叫住他，记者不用说，光是那些老领导、老战友找他聊聊大庆的就弄得他团团转。人家是高兴才来找你的嘛！再说毛主席不是要我们向大庆学习嘛！大庆是你打出来的，不找你找谁？你现在是大红人——毛主席的大红人，可别不理睬我们这些老战友老同事啊！

哎哟哟，我有那胆子吗？将军在这些人面前只有用右手捏住空袖子说话的份，见人三分谦和。这实在是活受罪——将军是一生挺着胸膛走路的人，现在这份罪真够呛！

想溜？不行不行，在人民大会堂可不能溜。

"请，余部长。"另一位工作人员过来引路。

"余部长，您也在哪！不知留下我们干什么？"一双眼睛四处看不够的王进喜不知什么时候也出现在将军面前。瞧他那惊喜万状的样儿，将军开心地悄然凑近王铁人的耳朵说道："可能是中央领导要见见我们。"

"是吗？会是谁呀？"王进喜有些按捺不住激动地瞪大眼睛看着将军，然后又眼睛滴溜溜转着左右张望。

"请！"工作人员又来请了。将军和王进喜被领进一个厅，俩人眼前猛然一亮：原来毛泽东主席坐在一张圆桌前正笑眯眯地在等着他们。

"报告主席，我和王进喜同志来了。"将军仍然一个立正，向毛泽东敬礼道。

毛泽东红光满面地向将军和王进喜招招手，又指指圆桌上两个空位子：坐坐。他朝王进喜笑笑：我认识你，大庆的王铁人。

将军这时才看清，在毛泽东身边已经坐着几个熟悉的人物：左边紧挨毛泽东的是董加耕，王进喜在董加耕旁边，自己则被安排在王进喜旁边。毛泽东的右边是邢燕子，再右边是陈永贵。将军一看自己的左边是老熟人、同乡曾志同志。紧挨着曾志的是钱学森、彭真和罗瑞卿。将军明白了：他和钱学森是"大庆"和"原子弹"工程的代表，王进喜和陈永贵是工农代表，董加耕、邢燕子两位是知识青年代表。

来来，大家不必客气，想吃什么就吃什么。今天是我的生日，但这顿饭，既不是做生日，也不是祝寿，而是实行三同。我的孩子也没让来，他们不够资格。毛泽东说到这儿，用筷子指指坐在同桌的王进喜和陈永贵等，说：这里有工人、农民、解放军嘛，我们不光吃饭，还要谈谈话嘛！毛泽东开始一边给几个劳模和有功之臣夹菜，一边极其随便地说着。

原来如此！余秋里转过头，看看王进喜，王进喜似乎有些不太相信眼前的一切——他十分拘谨又有些目瞪口呆地愣在那儿，一个劲地半张着嘴，傻笑着盯着毛泽东。

吃，吃吃。余秋里用右胳膊肘轻轻碰碰王进喜，给他提个醒。

是是。沉浸在幸福和意外中的王进喜拿起筷，但仍然不去夹菜，还是一个劲地看着近在咫尺的领袖毛泽东。

71 岁？一点也不像！看上去最多也就 50 来岁。王进喜想把自己的看法告诉毛泽东，可他不敢说话。脸上还是挂着几分憨傻地看着毛泽东。

“余秋里和石油工人们一起搞出个大庆来，很不错嘛！石油工人干得很凶、打得好，要工业学大庆。”席间，毛泽东又特别高兴地提到大庆，而且专门给余秋里和王进喜夹菜。随后又对余秋里、王进喜等说：“你们可不要翘尾巴，一辈子不要翘尾巴。有些人不好，尾巴翘得太高了，要夹着尾巴做人喽！”

“是主席，我们一定照您的指示办，夹着尾巴做人。”将军欲起身向他一生无条件服从的最高统帅作保证，却被毛泽东用筷示意坐下。

“吃吃，今天这顿饭是用我的稿费请客，你们不吃白不吃啊！”毛泽东这话让几位劳模一下卸掉了拘谨感。王进喜甚至在将军耳边悄声说了一句：毛主席真逗。

将军笑着把一块红烧肉夹到“铁人”碗里，算是回应。其实他心里比王铁人还要陶醉。

自松辽找到大油田并将一车车原油运送到内地，基本结束“洋油”时代后，中南海里的毛泽东之欣喜程度用贺龙元帅的话是“不得了”。这不得了到底是什么个样子？什么个程度？谁都可以想象。但假如你要想象，就必须把当时中国经历三年困难时期和与苏联闹翻的背景一并考虑进去。在这两个背景下，毛泽东现在既已从困难时期的困境中摆脱，又跟赫鲁晓夫的较量中稳定自若地把握着斗争的航舵，现在大庆油田源源不断地供给国家经济发展的“血液”，他毛泽东能不高兴得“不得了”吗？太高兴了，高兴得一向不轻易连续表扬谁的毛泽东在这段时间里逢会必说大庆，必表扬余秋里。

中国人什么事干不成？余秋里他们在松辽那么艰苦的条件下不也干出了一个大油田嘛！

我认为大庆油田是有中心思想的，有论证的。余秋里把全国的力量集中起来打歼灭战。他是违背计划来办事的。他们是一无公路，二无粮食，三无房子，能够打歼灭战！我们搞什么事就得打破些条条框框，余秋里他搞出了个大油田，就是打破了一些条条框框嘛！

中央有几十个部，明明有几个部工作成绩工作作风较好的，例如石油部，别的部却视若无睹，永远不去那里考察研究请教一番。

……

毛泽东的话在不同场合，在不同干部中一遍遍地讲着，不停地讲着，连那些好胜心强的开国元勋们都有些眼红余秋里了。然而毛泽东的话仍没有结束的意思。而且在 1964 年元旦时，又来了次更大的声势——向全国发出“工业学大庆”的号召。这句经典口号后来在全中国喊了几十年，但君不知，在这句口号后面还有一句虽不是毛泽东的原话、但却在部长和高级干部中曾流行一时的话，叫作：“部长学余秋里”。

余秋里太红了，红得他想夹着尾巴做人，可有时也很难。这不，在人大会议上、在首都万人大会上，他作完一次次会战汇报报告后，突然有一天中办通知他说毛泽东还要找他谈谈。还要谈什么呢？将军心里犯嘀咕。

“余秋里同志，你给我们讲讲石油大会战的事吧！”毛泽东又出了这个题。他身边坐着周恩来、陈云、邓小平、李富春、李先念……

还要讲？将军不知所措地看看毛泽东——毛泽东一脸期待的欣喜

状，像一个没有听够《水浒传》的评书听众。将军又将头转向他的那些尊敬的领导们——周恩来冲他笑笑，意思是讲吧，我们也还想听听呢！再看陈云——陈云干脆道："余秋里，讲嘛，讲讲大会战的情况嘛！"

再看看总书记邓小平——邓小平已经做好了倾听的准备，一双眼睛直盯盯地看着自己……

将军知道自己又不得不再摇一次"尾巴"了：

"主席，我有一个想法。"将军突然这么说，"我们在松辽搞的这个石油大会战，能这么快的取得胜利，搞出现在这么个大名堂，关键是靠了您的'两论'……"

躺坐在沙发里的毛泽东突然神情集中地转过头来，颇为疑惑地："'两论'？"

"就是《实践论》和《矛盾论》嘞！我们从会战一开始就认真学习的！"将军对毛泽东的崇拜来自心底，他一生敬佩和绝对服从的只有毛泽东一人。"文化大革命"中有人几次三番逼将军说出他的"黑后台"时，他一怒之下掏心窝道："我执行的是毛主席的路线，其他人的我不听！"这回他说的也是心里话。

"哈哈哈……"毛泽东明白过来后，开怀地大笑起来："余秋里，我那两本小书有那么大作用吗？"

"主席，我觉得这两本书的作用是很大很大的嘞！"将军站立起来，仿佛要像当年详细汇报战场军情一样。

毛泽东笑着示意爱将坐下，然后对周恩来他们说："不过，我的那两本小书相比之下，《实践论》好读些，《矛盾论》比较难读。"

周恩来接过话："大庆的基本经验，就是靠的'两论'起家。秋里同志，你给我们讲讲怎么依靠'两论'起家的？"

"我们主要是学主席'两论'的基本观点，掌握认识论和方法论。"将军开始娓娓动听地讲来，他的有声有色、有血有肉、有情有理的汇报，让毛泽东听得入神，也让中南海的决策者们频频点头称道。

我看余秋里行嘛！谁说他只是一员猛将、闯将？石油部也有计划工作嘛，他余秋里当计委副主任不行吗？毛泽东又要点将了，点的将又是余秋里。

这是1964年底的事。

1964年这一年，大庆红遍了全中国，也响彻了全世界。毫无疑问，作为大庆这面旗帜的旗手和战役的最高指挥者，他余秋里也跟着在毛泽东及众多高级领导干部眼里身价倍增。

这一年，毛泽东高兴呀，大庆的油使共和国的经济建设列车飞奔了起来，而原子弹的爆炸又使毛泽东在国际斗争中有了跟美帝、苏修较量的铁拳头。

大庆的油和西北"轰隆"一声震天的原子弹爆炸使毛泽东重新恢复了"胜似闲庭信步"的潇洒，并开始又将目光集中到了国内经济建设上来。此刻国内的经济情况怎么样了？老实说并不怎么样。自"大跃进"后，中国的经济形势让毛泽东一度很是头痛。加上紧接着的三年困难时期，各行各业可以说除了石油工业外，都不怎么理想，尤其是国民经济生产速度问题，远没有毛泽东所愿望的和人民生活所需要的那种日新月异、蒸蒸日上的局面。而这其中，毛泽东最不满意的还是国家的计划方案。在计划经济时代，国家的计划编制，就是国家建设的"大法"，这"大法"不令人满意，国家经济形势会有什么好的局面？

毛泽东早已觉察身负执掌全国经济大局的国家计划委员会如同"一潭死水"。既然"死水一潭"，就得有人去搅动搞活它。于是毛泽东有了1964年在中央工作会议上的"余秋里做计委副主任不行吗？"的问话。

让秋里同志去好！"去冲破一潭死水"。周恩来对毛泽东的点将表示赞赏。

据将军的家人讲，有一天将军在半夜接周恩来的电话，因为是深更半夜，将军说的话家人都听到了，将军一再在电话里说"我文化水平低，又一直在军队工作，建设经验缺乏"、"石油部虽然搞出了些成绩，但也是党中央、毛主席英明领导和全国人民支持的结果"、"计委工作我实在没那个能力"等等话。家人们这才知道将军可能要调动工作了。

可事隔几日后，将军"不去计委"的话再也没有了。原来一问，将军说：总理几次三番地找我谈话，又说是主席点的将，我不去行吗？其实据跟随余秋里一直到晚年的雷秘书介绍，将军他之所以接受计委工作除了坚持党性外，还有一个因素，就是将军的挑战意识和从不怕困难的品格。将军是很清楚计委的工作性质的，而且当时毛泽东多次在公开场合批评过国家计委的工作，他也知道计委工作的难度。但将军有一种正如他自己经常说的独特性格：任务越艰巨，担子越重，我情绪就越高，精神越振奋，劲头也越大。他还这样诠释困难：办法总比困难多嘛！办法来自党中央的方针政策，来自于广大干部群众的智慧。

三届人大一次会议在继续之中，毛泽东之所以在生日宴会上除了邀请王进喜、陈永贵、董加耕和邢燕子这些工农知青代表外，还特意邀了余秋里一起坐在身边，当然既有毛泽东看重余秋里带领队伍搞出了大庆油田，其实他老人家心里已经有了让这位智谋与勇猛兼备的爱将执掌国家计划经济谋划大权的成熟想法。第二天下午的会议上，毛泽东再次当众问道："准备叫余秋里当计委第一副主任，你们看行吗？"许多人不知道党中央决定干部任免事宜是怎么回事，其实有时很简单，领袖一句话，组织部门去办便是了。毛泽东如此问，大家还能有什么话？再说他余秋里就是行嘛！建国十四五年来，有哪位将军和开国元勋可与他比较在建设战线干得更漂亮的？没有嘛！

"已经同他谈了，他很谦虚，说他干不了这个工作，又没有人。我说，你可以带点人去嘛！"周恩来一脸喜色地接过毛泽东的话。

"我看这个人行。我们现在有些人只问小事，不问大事。"毛泽东再次拍板，而且说的这话里有一层特别的潜台词：余秋里这个人能干大事，因为他会抓大事。

国家计委是专门抓大事的，他余秋里会抓大事的人不去谁去？

年末，中共中央一纸命令，任命余秋里为国家计划委员会第一副主任兼秘书长、党组书记。是实际上的"第一把手"。

1964 年的最后一天，副总理兼国家计划委员会主任的李富春同志主持国家计委副局长以上干部会议，会上宣读了党中央对余秋里的任命决定，李富春把独臂将军介绍给大家后说："今后党组会议由余秋里主持，一切重大问题都通过余秋里同志。""大家都要向他学习，并且帮助他把计委工作搞好。"

李富春将国家计委大权交出时，将军刚步 50 年华。

50？喔，那你们还是小将，不过也不算是小将了，算中将了！毛泽东与刘少奇、周恩来等“老将”单独与新上任的余秋里和谷牧（建委主任）会面时，以长者风范，谈笑风生。“以后国家的事情就靠你们了，我们这些人只能当参谋、顾问了，办事情得靠你们。”

看着新一代年富力强的国家建设领导者上任，毛泽东这一天异常高兴，一番谈古论今中大有将余秋里等推向政府工作的前台之意：“看起来还是青年人行。群英会上的英雄，大多是二三十岁的人嘛。那诸葛亮当时才27岁，孙策最多也就20多岁，孙权更小。这京剧舞台上把诸葛亮和周瑜的关系搞错了，周瑜总是小生，诸葛亮反倒戴着胡子，其实历史上的周瑜比诸葛亮大好几岁了嘛！”

好，下面我们就听听“小诸葛”们对国家的经济建设计划怎么考虑的。周恩来出题了。毛泽东点头表示同意。

统率千军万马的将军在毛泽东等面前又成另一种角色了——“小诸葛”。是嘞，我在主席和总理、少奇面前充其量也是个小参谋嘛！而在这之前，毛泽东为改进国家计划工作，更好地制定第三个五年计划时，就明确向周恩来建议：由余秋里负责组成一个“计划参谋部”，又称“小计委”，主要任务是抓国家建设的大战略问题，而原来的“大计委”则负责处理计委的日常事务。毛泽东还特别交代：小计委由周恩来直接领导，国务院各副总理不要干预他们的工作。

将军从部长一步跨进中南海——他上班并不在三里河的那栋九层计委楼里，而是在中南海的国务院内。他实际上成为毛泽东、周恩来的经济建设“总参谋长”。

两件事尽快做好。周恩来向余秋里传达毛泽东的指示：一是起草一个《关于计划工作革命问题的初步设想》，这是改进计划工作的战略思考大方向；二是计划参谋部即小计委的组成人员。将军接手这两件事都是毛泽东极其关心的，前者是毛泽东调将军出任计委第一副主任的希望所在，后者也同样是毛泽东早已不信任原计委的那些人了。

为了工作的连续性，我还是想从计委里挑几个人，完全抛开国家计委另起炉灶并非完美之策。余秋里向周恩来建议。

你可以先提出个名单。周恩来赞同。

雷厉风行是将军的作风，不足一星期，第一份《关于计划工作革命问题的一些初步设想（草案）》出台，“小计委”的组成人员也同时提交到周恩来手中。

“送主席和政治局常委及书记处各同志阅。”周恩来迅速批转。并特意附上一段说明：“许多设想在这个文件是都没写上，要听他口头讲，就会听出他是决心实行计划革命的。要他组织的计划参谋部，我几次要他提新人，他提了李人俊和其他几个人，但他仍主张从计委抽出几个人帮他工作。”非常简短的一段话，看得出周恩来对新任“建设总长”的爱护和人格上的推崇。

将军知道自己接计委工作远比石油部长难当得多，且不说一个部一个国家的分量之不同，单说现在是在毛泽东的眼皮子底下工作喔！毛泽东是谁？其高深莫测的思想，你要在他那儿过关一件事、满意一件事、成全一件事，可跟在下面一挥手“冲啊——”要不知难多少倍。俗话说，高处不胜寒；将军现在是毛泽东眼里的大红人，红人也不行嘛！靠得太阳太近了，稍不小心，不也照样烤你个焦煳嘛！再说，前任计委主任李富春是个什么人？人家是副总理，专门从事经济工作的专家。就连李副总理也没在毛泽东眼里满意，我余秋里打仗出身，即使加上一个大庆油田，又能怎么着？懂多少国家建设问题的事？知道一个六七亿人口的大国怎么个治法？不懂嘛！而且毛泽东对事件处理总是站在特别的高度看问题，更何况国家建设也不是单单国家内部的事，还有国际因素。搞建设，不考虑这种大局，没有这种战略意识，能行吗？那就不叫国家计委，干脆叫过家家算了！

那些日子里，秦老胡同里比平时安静了许多。康世恩忙着渤海湾找油的事，其他几位石油部领导有时见将军独自站在雄鸡形地图面前一站回不过神，也就悄悄退出会客厅，回家干自己的事去了。

将军在想什么？当然想一个全新的、更大的事嘛。过去几年里他脑子转的是两个字：石油。现在想的虽然也是两个字，但内容完全不一样：国家。啥叫国家？方方圆圆九百六十万平方公里，上上下下五千年历史，左左右右都要顾及的世界之一员也。当然大家是由亿万的小家组成的，考虑什么事得从一个个小家的利益出发，但又不能仅仅局限于这样的小家……总而言之：国家的事要站得高、看得准和远，要既有平常百姓吃喝拉撒的油盐酱醋柴米事，也得有汽车大炮原子弹……

总理在三届人大一次会议的《政府工作报告》中第一次提出了我们要向“四个现代化”目标前进的努力方向，主席也特别强调指出了要迅速改变我国社会经济、技术方面的落后状态，否则我们就要犯错误的英明论断，因此我们的计划思想应该要服从这个大局，着眼这个大局。所以编制“三五”计划时，必须首先考虑加速经济步伐、积极发展新技术，努力赶上世界先进生产力的发展形势。将军在中南海第一次以“计划参谋部”负责人的身份向毛泽东等领导面前交第一份“考卷”。

毛泽东半坐半躺在沙发里，手中叼着烟卷，一副欣赏的神色看着自己亲自挑选的“小诸葛”汇报。将军的开场白，毛泽东很满意：我一直很欣赏孙中山的那篇文章。孙中山把一片邪说通通驳了，把欧洲人、日本人通通驳了。后来梁启超驳孙中山的文章，骂孙中山是目无孺子，欺人太甚。我看干什么事就是要目无孺子嘛！

将军为之一振，话音提高了八度：应该鼓励干部群众在实事求是的基础上，发扬敢想敢干的精神。

这是毛泽东的一向工作方法。不过现在毛泽东有些收敛，因为他大概想起了前些年特别是“大跃进”搞出的不少笑话，所以颇严肃地说道：要敢干敢想，不要胡来；要破除迷信，不要破除科学。

将军心头暗暗一笑：其实我最想听主席能说出这些话。言归正题，将军说：我国国民经济经过三年调整、巩固、充实、提高，现在的基础已经比较好了，从各方面的情况看，今后建设的步子可以迈得大一点。

这正是毛泽东的想法。当年中央苏区一、二、三次反围剿时，敌人那么多，武器那么好，而我们的人那么少，我们的红军战士每人一支枪，有的是几个人一支枪，有枪的也就只有几十发子弹，但我们还是打了胜仗。现在我们的形势大变样了，为什么我们就不能干得更好呢？

将军：“三五”计划还是要坚持以农业为基础，农业这一头不能放松。

毛泽东频频点头，又把目光转向其他同僚：人要吃饭，要穿衣服，可麻烦啦！农业这一块什么时候都不能忘记，都必须放在我们一切工作的首要，一百年以后也得这样！

将军：1965 年开局的经济形势很好，各项计划有可能超额完成。今年的钢产量可以搞到 1100 万吨。

毛泽东的目光一亮，那意思是：你来计委没几天，情况了解不少啊！不过，他提醒道：钢铁问题要搞质量、搞品种、搞规格。数量慢慢上，不要急。

将军转到毛泽东当时最为关心的一件事上：三线建设宜集中力量把几条铁路干线、攀枝花钢铁基地和贵州六盘水煤炭基地建设起来。

毛泽东直起身子，将头探向前去：三线只修铁路、规划煤钢？怕不行吧！应当是机械、化工、军工什么都有才好。还有煤气。四川那个地方就没有石油？计划一下。

将军心里好舒坦：这真是我想到的，但没敢说出。三线牵涉国家全局、备战全局，必须配套才有战斗力、生存力。四川石油嘛，老子当年就不服！非搞它出来不可。于是将军底气十足地：四川石油肯定有。我们石油部今年准备在四川搞个会战。

周恩来笑：现在石油部可不是你的了。

将军自知失言。

毛泽东也笑：还归他指挥。不过四川那地方蛮复杂，可能成功，也可能失败。

将军不服：找不到油，还可以找到天然气；找不到天然气，还可以找到卤，找不到卤，还可以找到水。卤可以煮盐，水可以浇田。

毛泽东对将军一副志在必得的劲头很欣赏：嗯，我看有希望。

将军想到了一个重要战略问题：建设三线，我以为要依靠沿海地区的支持。

毛泽东立即打断：这个很重要。真打起仗来，就得有两个阵地：三线是一个阵地；一线、二线是一个阵地。以一线、二线的生产来支持三线建设。那样再加上我们在三线建设中把钢铁、国防、机械、化工、石油、铁路等等基地建设一起搞好了，打仗就不用怕了。

将军：三线建设要坚持勤俭建国方针，在开始时要少搞一些非生产性建筑。

这是大庆精神。工业学大庆，三线也要学大庆嘛。周恩来说。

勤俭是我们一向的建国方针。三线也不例外。刘少奇插话。

毛泽东完全赞同：那些东西可以不搞。

将军：在三线建设中，包括所有国家建设中，设计一定要采用新技术，设计上的浪费是最大的浪费。

好。计划上的浪费是最大的浪费！毛泽东拍案叫好，并说：设计要做比较，哪些花钱少、办事多，哪些花钱多、办事少。设计人员在家里设计，还是到现场设计？我看了12000吨水压机的文章，有的设计是经过了一次、两次甚至是几百次的失败。不经过失败，是不会成功的。

将军：各个建设项目一定要成龙配套，这样才能发挥很好作用。

毛泽东：喊了多少年，成龙配套，总是没有配套。到认真抓一抓的时候了。党政军民如果能成龙配套地抓，就可节省投资、节省物力、节省劳动力嘛！

将军：在工业建设上，一定要注意综合利用。

毛泽东对过去不注意综合利用的现象进行了批评。他说：是啊！单打一总是不成。搞化工的单搞化工，搞石油的单搞石油，搞煤炭的单搞煤炭，总不成吧！

将军：总之，国家的计划工作，要注意全局、服从大局，同时也要兼顾局部利益，更要从实际出发，考虑好人民群众的利益。

毛泽东：这就叫战略思想。然后毛泽东将目光转向周恩来等人：怎么样？

同意。周恩来、刘少奇、邓小平等意见一致。

将军长长地透了一口气。他站起身往中南海的院子里一望，外面白雪皑皑，银装素裹。可他感觉自己的后背却是湿滋滋的……紧张得呗！

走吧。邓大姐说要给王进喜他们包顿饺子吃，你也一起去嘛！周恩来十分愉快地做了个手势，让将军跟他一起到西花厅。饭桌上，总理告诉将军：中央已经批准小计委的几个主要人员：除将军本人外，还有李人俊、浙江分管农业的书记林乎加和北京市主管工业的书记贾庭三，另外，从国家计委机关选调了几位司局长和一些工作人员。满意了吧？

将军对周恩来的安排十分满意。后来他和这三个人尤其是李人俊和林乎加，成了并肩战斗共患难的终身好友。用林乎加的秘书、后改任康世恩秘书、为官至大庆市长的郑耀舜同志所言：这三个人是中国经济建设领域中难得的杰出领导人，他们责任心强、又懂业务，工作勤奋，作风务实，特别是在“文化大革命”这样艰难的岁月里，正是这“三驾马车”，才协助周恩来支撑着那个几近倒塌的国家大厦。郑耀舜甚至说，因为有这三个人，国家才没被十年浩劫所毁灭，才有今天我们幸福美好的艳阳天。

余秋里大将风度，站得高，看得远，做得实，干得猛；林乎加才思敏捷，足智多谋，连恨透他的江青都不得不称其为“摇扇子的小诸葛”；李人俊素有“算盘”之称，他头脑里的数字计算，能使国家的一盘大棋不知精打细算、多快好省了多少财富！如此三人组合，可顶立宇宙苍穹，可支撑寰宇星天，可荡涤惊涛骇浪，可抵挡风暴冰雹。然而这样的国之幸的“梦之队”却未能善始善终。这一切都应归结于余秋里他们始料未及的“文化大革命”风暴。

毛泽东何尝不感到后悔？他本寄希望于这几个人组成的“计划总参谋部”，期望“四个现代化”宏伟大略能在他们的谋划下早日实现。然而历史便是如此无情和多变——毛泽东亲手谋划的一盘好棋，却又亲手将其毁于一旦。

这一切的初始，将军浑然不知。自接手国家计划重任后，他整天埋头于“三五”方案之中。像当年接任石油部长时的气概一样，“我就不信经济搞不上去！”“搞不上去，我就不是余秋里！”瞧瞧，这就是从不服输的他。为这，将军每日所思所想所言所行，都在干一件事：唯国富民强，方食香眠酣。

最初的第一个“三五”编制设想，更多考虑的是让吃不饱穿不暖没的可用的百姓尽快有吃有穿又有用的“吃穿用”方案。后来国际形势变化，毛泽东准备打仗——这不是你想不想的问题，当时的“苏修”和美帝确实在我四周磨刀霍霍，你不作“深挖洞、广积粮”准备，你就得当抬不起头的三孙子。毛泽东和中国人民不干，于是

“三线”工程就是在这样的背景下产生了——这让本就虚弱的中国国体遭受巨大负担。

将军就是将军，他在毛泽东的一再“要准备打仗”思想的影响下，不得不将“参谋”的很大一部分精力放在对付随时可能爆发的大战上。但国力有限，要吃要穿的庶民百姓却有六七亿众。而要统筹兼顾各个部门、各条战线、全国几十个省市区的平衡和突出重点等等关节，他这“总参谋部”怎个当法？庞大的国家机器，错综复杂、纵横交织，敢得罪了谁？又能不把谁放在眼里？就说一个物资部门吧。第一编制方案出来，物资部便说，你得给我留余地大一点，将来执行起计划来方可轻松一点。另外，你还得想法为我储备必要的一些库存。听听，说得一套又一套的，而且似乎也挺合情合理。于是他们大呼小叫地说“小计委”净瞎搞，指标定得太高。将军不同意这种各自为政、不从全局考虑的做法，于是明确表示：物资部的意见并不符合国家经济建设发展实情，而眼下物资部又不归计委管理，会影响国家经济计划整体效果，应改变旧体制——物资部当归计委领导。经委不干了，说就你计委老大？事情一闹就闹到国家主席、政府总理那儿。最后不得不由刘少奇、周恩来出面调停。会上将军竭力陈词。经委那边也不含糊，你说一句，他顶十句，总而言之：物资部是我的！谁也别想动。

都是部长，都是国务院组成成员，都在说为“国家利益”，可又各不相让，吵得面红耳赤，拍桌瞪眼。

将军只有一只手，但声音和拍桌子也不含糊：物资平衡是国民经济计划综合平衡的主要内容，非你我的事，我决不退让！

最后只好由国家主席刘少奇出面定案：物资部由计委、经委、建委领导，计委为主。

“从这件事可以看出，余秋里做工作善于抓住关键问题，抓住要害，而且抓得紧，抓得狠，像打仗一样，务求必胜。”时任物资部部长的袁宝华这样回忆说。

再说国家比如要发展一个产业，或者就是想为老百姓多生产些日用品。你以为他将军从总理那儿借来一个“中华人民共和国中央人民政府”的大红印，“啪”地在红头文件上一盖章就成了？不行！生产钢的冶金部说要我提高钢产量行啊，你地质部就得给我多找矿山出来呀！地质部的何长工说了，你让我一个跛子满天下跑有用吗？你总得给我的野外队伍起码多解决些帐篷什么的吧！这布匹的事是轻工业部管的，于是轻工业部的人说，可以呀，不就是帐篷嘛！只要今年农业上多种些棉花，我们保证额外地为他何长工生产些帐篷。农业部长又说，不行，粮食面积不能随时更改，毛主席说了，吃饭问题是第一大问题，今年的粮食种植面积少一亩也不行。又说，即使你让毛主席批准了，可种棉花得防止病虫害，这化工部如果不能保证农药到位，我种棉花有了面积，也出不了棉絮呀！结果转了一大圈，回头一看，仍在原地转悠。什么屁事都没解决！

将军气得脸都歪了，想发火，想骂人，却居然发现找不到发火的对象！骂人也没人听嘛！

怪哉怪哉。林乎加笑容可掬地给将军的茶杯里沏上刚刚托人从杭州带回的新“龙井”，说：先别上火，我有主意。然后在将军耳边如此这般地一通“耳语”。将军的脸多云转晴，大手在桌子上又猛地一拍：走，就这么着！

于是乎，将军等关上国务院“计划总参谋部”的办公室门，夹着本子挨家挨户开始跑部——注意不是跑步，而是跑“部”，国家部委的部。上人家门上，人家一见搞出大庆油田的“余部长”来了，好是一副毕恭毕敬的谦和与欢迎状。

将军呢，也跟着笑呵呵的满口都是我们是来“烧香拜佛”的，说得人家乐滋滋的。心平气和之中，一不留神，人家满盘端出，将家底和埋在心底的话全都倒了出来：余主任啊，我们本来是可以这样的，因为没有这样是考虑到不能这样，所以现在才这样了，嘿嘿，你大人不计小人过，今后还望你能在计划内多考虑我们，计划外多照顾我们是不？

将军跟着“嘿嘿”又“哈哈”。晚上回到中南海，再与“小诸葛”和“铁算盘”一合计，得了：某某部门的指标和任务应该如此这般……

什么，你小计委，你余秋里想跟我过不去？没门！那些老资格的部长有的比将军参加革命还要早，身上留的弹痕还要多，见小计委毫不留情给他们加了任务却少了投资，就上中南海翻脸骂娘。那阵势让“小诸葛”林乎加和“铁算盘”李人俊见了都有些怕。这可怎么是好？

将军一听，右手往上一甩：别怕他们，我有治他们的招。

什么招？

将军笑了：你们不是已经将某某部的计划方案起草好了吗？

是是。

那就行。我今晚上总理家去，让总理把某某部的这一块计划方案呈主席阅批。

林乎加哈哈大笑：此乃高招也！

果不其然，毛泽东批阅了。某某部的某某部长再没脾气了，他见了将军涨红着脸：好你个余秋里，论打仗我不服你，可要说搞经济建设，我服你。

将军伸出右胳膊，一把将某某老部长搂住：老司令员啊，你德高望重，我余秋里学你一辈子都嫌时间短嘞！今后国家建设这盘棋，少了你老司令员，我们这台戏可就唱得没劲儿嘞！

哈哈哈，你这独臂老伙计，还是当年那个样。我信你，啥时候用得上我这匹老马，只管言语！

老当益壮，国之所幸。将军要请老部长喝酒，老部长说你忙你的，我还要回去执行你的计划呢！

将军欣慰地夹起皮包，准备将拟好的“三五计划汇报提纲”向毛泽东汇报。但他怎么也想不到一直最关心、最重视计划的毛泽东，却已经再没有时间来听取他的汇报了——尽管将军皮包里的那份“三五计划”提纲做得那样“有血有肉”（薄一波语），而且更让将军雄心勃勃的是实行新的调整、充实等措施后的1965年全国的经济形势已经呈现出少有的生机，特别是到了1966年春天，整个国家的经济运行形势人人都是可以看得见摸得着的蒸蒸日上景象。任弼时、贺龙曾多次夸将军是个粗中有细的人。这不，在接手制定国家计划重任之后，将军一方面不时听取毛泽东、周恩来、刘少奇、邓小平等领导人的战略意图，一方面不时深入各个行业、各个部门，特别是影响国民经济大局的重点工程项目一线，而那些需要特别关心的山区和农村，他都要亲自现场实地地考察调查。比如当时的“三线建设”，比较集中在云、贵、川一带，将军放不下心，带着几位助手，翻山越岭，逐一将国家确定的重点项目进行考察论证。当年与将军一路同行的袁宝华如今回忆起来仍然极其动情：“每到一个地方我们都要停下来，秋里马上召集座谈会，不分日夜，有时还要通宵达旦。经过这段工作，我感到他工作作风雷厉风行，是个办实事的人，是一个真正能够统率计划工作战线‘千军万马’冲锋陷阵的指挥员。”在四川苍溪，有位当年接待过将军的老县长事过近四十年后这样深情地说：“当年余秋里同志在苍溪调查时，我每天和他在一起，汇报工作，研讨问题，没有一个称官衔的、呼一个‘长’字的，互称同志，亲切感人，有说有议也有争论，场面热烈，心情舒畅。”老县长怎能不激动？当年将军官至国家计委主任，又知道他就是那个“搞出大庆油田的石油部长”，可人家一点没架子，到了县里，安排他在招待所住，将军坚决不同意，非要住在办公室，于是县里只好在县委大院里找了间十几平方米的办公室，又支了一张临时床铺。将军高兴地称：这样方便工作，想找谁就找谁，很好嘛！第一顿饭，县上很热情，拿出了酒，又多添了几个菜，将军不干，说：“四菜一汤，量不过限，超过退席。酒嘛本不可喝，考虑到基层同志的盛情，一路随行的同志也很辛苦，一人一杯，下不为例。”县上的同志只好撤掉几个菜。听汇报时，县长一上来就念念有词地说着“在党中央、毛主席和省委、地委领导下……”将军一下打断他的话：“全国都是在党中央、毛主席和各级党委的领导下工作，汇报工作就不讲套话了，你们讲做了哪些工作，是怎么做的，做的结果如何，群众满意不满意，还有什么问题就行。”听完汇报、开完座谈会，将军就大胳膊一甩：走，光在办公室还不行，咱们上田间地头听听老百姓是怎么说的。

经过一番亲自调查考察，将军发现1965年国家的经济形势开始出现快速增长势头，工业总产值增长了26.4%，大大超过了编制“三五”计划的预计，农业形势也十分喜人。1966年初，将军又随邓小平赴西北三线建设考察，一路上对西北几省的工业情况又作深入调查考察之后，再次获得同样感受。于是作为国民经济建设的“计划总参谋部”的“总长”，将军敏感地认为，毛泽东原先确定的国家“三五”计划大轮廓应该调整。“经过一年的实践证明，原设想的三线建设和第三个五年计划，都可以大大提前实现。大小三线建设的重大项目，可以提前一年或者两年建成。就生产来说，1970 年的主要指标，大部分在 1968 年可以完成，有些会更早地完成。”他向邓小平汇报这些情况的同时，提出了修正“三五”计划的意见。

“好嘛，这是一个有干劲的计划！回北京以后你要尽快向中央写份关于调整‘三五’计划的报告。”邓小平听后甚喜，并指示将军。

回北京后，将军又向周恩来汇报了自己的想法，得到大力支持。于是经过将军及林乎加、李人俊等人废寝忘食的努力，一份被很多人称颂为“激动人心的《汇报提纲》”就这样诞生了。

将军那一阵子天天夹着这份寄予早日看到国家和民族振兴、国民经济日新月异希望的《汇报提纲》等待着面见毛泽东。他知道，如果这份“三五”计划修正报告获得毛泽东和中央的批准，对整个国家的经济和社会发展将是一个真正的突飞猛进。而这样的突飞猛进，是稳健的、符合国情和人民意志的，更体现社会主义制度优越性的。而调整后的这“三五”计划的实现，不仅总结和吸取了过去十年我国经济建设上的种种经验教训，同时它将对“四五”“五五”计划也将产生巨大影响。

这是怎么啦？昨天还火急火燎地催着我，怎么现在就没人理我啦？将军一次次地跑到总理办公室叫屈喊冤，可总理办公室的工作人员告诉他：总理已经几天几夜没休息了，天天被红卫兵造反派到处闹事纠缠着，早已身不由己……

这是怎么啦？这到底是怎么回事？将军夹着放有他全部希望、满腔激情的《汇报提纲》的皮包，走出中南海，途经回家的路上，他惊得目瞪口呆：满街的年轻人穿着黄军装、左臂上一律戴着红袖章，手里举着红本本，不知在高喊什么……

什么？《炮打司令部》？炮打哪个司令部？资产阶级的司令部？！资产阶级司令部怎么可能会在中国嘛！

什么？资产阶级司令部就在我们身边？就在中南海？胡扯！将军站住双脚，怒目而视着如潮流激涌的红卫兵大军。他们干什么去？上天安门广场？去干啥？毛主席接见？！原来毛主席在那儿呢！

走，上天安门！将军对司机说。

动不了啊！司机连油门都不敢踩，满街的造反派你敢撞谁？

“啪！”一条标语贴在将军眼前的玻璃车窗上。什么字啊？将军开门探出头，站正身子正面一看：“打倒刘少奇！”

谁贴的反动标语？！将军突然一声震天的怒吼，充血的眼睛就像当年沙家店战役中杀红了眼的那一瞬。

司机一把将其拉进车内：首长我们回家吧，回家吧！

不行，这是反动标语！他们怎么能可以打倒少奇同志呢？他是我们的国家主席嘛！

司机一边倒车一边嘴里嘀咕着：首长你最好啥都装着没看到。

屁话！我长着眼睛能看不到吗？他们到底想干什么？这么多人跑到北京来，还上不上课了？国家经济建设还要不要了？将军挥着拳头，砸着自己的腿肚子，怒发冲冠地喊着——好在车上的玻璃窗是关着的，能听见的只有他的司机一个人。

“啪！”车至拐弯处，又一张标语贴在他座位的玻璃窗上。将军再次跳下车，直着身子正眼看：“打倒邓小平！”

反标！又一张反标！将军冲着大街大喊起来：抓坏蛋！坏蛋！你们这帮坏蛋！

司机惊恐万状地硬将其拉到车内，不管三七二十一地往回家的路上飞奔，将军一路的骂声权当耳边风。

你！你给我往三里河开！我要上计委机关去！将军伸手要抢司机的方向盘。

那儿更不能去首长！司机哭丧着脸，哀求着。

这是命令！将军头一回冲司机发大火了：命令！知道命令吗？

司机知道已无退路，只好将车缓缓改道往计委机关方向开去……

三里河计委机关大院内，口号声此起彼伏，大字报重重叠叠，铺天盖地。那两幅打着叉巨幅标语几乎把整个计委大院封得密不通风——“揪出资产阶级司令部在计委的黑干将余秋里！”“打倒余秋里！”

将军愣在原地，双脚像被胶粘似的钉在那儿，只见其身子微微颤抖着，又立即铁铸般地站在那儿，一动不动地看着自己的名字被打着叉的巨幅标语……

回吧，首长。司机轻声地提醒，提醒了一次又一次。最后还是硬拉软扯地才将他扶上车子。

这一程回家的路上，将军一言不发。只有那愤怒而悲切的脸上透映着不可知的迷茫与痛苦。

“我怎么是资产阶级司令部的黑干将？”

“我余秋里出生入死为的是无产阶级！打倒我可以，可我绝不是资产阶级的人！”

“刘少奇怎么啦？他是国家主席，是无产阶级司令部的人！邓小平也是！”

“我们都是无产阶级司令部的人！”

“……”将军回到家，回到中南海的“小计委”办公处，大发雷霆。他从来都是疾恶如仇、刚正不阿、赤胆忠心。他受不了别人如此污蔑。

秘书赶紧关紧房门，并悄悄告诉他：小计委重要人员贾庭三同志已经被公开点名批判，上不了班啦。

什么？贾庭三同志是北京市委书记处书记、副市长，他有什么错？将军一震，追问。

还不是因为彭真同志。据说北京市委的所有领导同志都被揪下台了……

凭什么？

你还不知道吧？咱们计委有个副主任到山西出差去看了一下彭真同志的母亲，这几天计委机关的大字报铺天盖地都在说这件事呢！

将军再次震惊：这算哪门子事？看一下彭真同志的母亲也是罪？

唉，首长你还没有清楚？现在是谁要跟刘少奇、邓小平、彭真等这些人沾点边，都得被划成黑帮！

黑帮？我余秋里不也是接受刘少奇、邓小平的领导吗？将军喃喃道。

可不，您首长更得在这个时候要注意了，千万别让他们抓住小辫子。

我才不怕他们那些狗屎呢！将军怒气冲天。随后，气冲冲地走到林乎加、李人俊他们的办公室，说："文化大革命"可以不怕乱，但全国的生产怕乱，我们该干什么照干什么。

三人正要商议从总理办公室送来的一大堆来自全国各地的救急电报，周恩来秘书周家鼎神色慌张地匆匆进屋，又把将军拉到另一个屋子，说："余主任，总理写了一封信，请你看一看，看完后签个名，我马上要带走。"

将军急忙拿过一看，是总理写给几位老帅和副总理及他等人的，信的大意是：运动方兴未艾，欲罢不能，大势所趋，势不可挡，只能因势利导，发气发火无济于事。要十分注意你们的言行，谨慎从事，不要说过头话，不要做过头事，不要节外生枝，增加对"文化大革命"的困难，不要叫人抓住把柄，造成被动。要遇事三思，切勿草率……

将军见已有老帅和其他副总理的签名，便提笔落下自己的名字。但总理秘书走后，将军对天长叹一口气：原来真的山雨欲来风满楼了，总理是在保护咱呀！

既然如此，帮着总理一起守住生产建设这一块吧！只要生产建设不乱，那几个乳臭未干的红卫兵又能怎么样？将军一向对耍笔杆、耍嘴皮子的"文人"不感兴趣，这回看到张春桥、姚文元，当然连同陈伯达他们这些整天只知贫嘴的人更加异常反感。

我看他们能翻得了天？将军的拳头砸在桌子上，发誓要保护来之不易的全国经济生产好形势。但这回他想错了，席卷全国的红卫兵大串联几乎在一夜间将所有国家机器打乱了：火车不能正常运营了——装煤运客的车子变成了"小将"们的天下，而且还远远不够；工厂已经开始关门"闹革命"去了——炼钢的去贴标语了、织布的去涂糨糊了、生产油盐酱醋的去制造写大字报的墨水了……这还了得？老百姓还吃不吃饭、穿不穿衣服了？将军急出一身冷汗！

与此同时，全国各地向国务院"求救"的电报少则几十封、多则几百封，他"小计委"一时成了"救火消防指挥中心"了。

"你们，你们无论如何可得帮我把住经济工作这个关啊！经济基础不乱，局面还能维持。经济基础一乱，局面就没法收拾了。所以，经济工作一定要紧紧抓住，生产绝不能停。生产停了，国家怎么办？不种田了，没粮食吃，人民怎么活下去？还闹什么革命？”一天，疲惫不堪的周恩来深夜把将军和谷牧找到身边，焦虑而恳切地说。

看着总理如此焦虑和疲惫，将军心急如焚，原有内心造反派对自己的那份攻击和污蔑的怒火随之消失了，剩下的只有救国救民的一颗赤诚之心。

喂，喂喂，无论如何，你们必须保证生产正常运营。工人不能不上班啊！这是纪律，也是界限！听明白了吗？

喂喂，我找你们省长！什么？省长揪下台了？那书记呢？书记找不到了？那我找你们造反头头，我要跟他说话！

你们听着，大串联可以，闹革命也成，但你们不能鼓动工人停工停产，这是界限！

我执行的什么路线？我执行的无产阶级司令部的路线！将军“啪”地放下电话，怒不可遏：妈的他问我执行什么路线！老子在中南海能执行什么路线！是毛主席、无产阶级司令部的路线嘛！

“余秋里，你必须交代谁是你的黑后台！”

“你是资产阶级司令部在计委的大黑手！”

“打倒余秋里！”

将军还没有反应过来，还准备向一个个省、一个个市、一个个区，打上十个百个电话，要求他们无论如何必须保证落实周总理的指示，必须保证一线生产不停工。可是他未曾料到自己却被从办公室揪到了批斗现场——嚯，阵势比大庆会战的“万人大会”场面还要大，不止万人吧？

一块写着“刘少奇的黑干将”大牌子挂在将军的脖子上。“黑干将”？我是刘少奇的黑干将？将军不服，直着脖子就是不愿挂这牌子。

造反派便上来两个人，狠狠地将那颗高昂的头颅往下一压：敢不挂？！

来，拿墨来！有人叫喊起来。

拿墨干什么？将军还没有明白过来，他的那只唯一的手臂被涂满墨水……

哈哈哈……大黑手！大黑手！造反派们狂笑起来，并命令将军把手高高举起。

将军不举。

又有人上来架着。

“打倒资产阶级司令部的黑干将余秋里！”

“打倒工业战线的资产阶级反动路线的黑后台！”

“打倒……”

批斗大会上的口号通过麦克风，又传向高音喇叭，响彻计委大院，震荡三里河一带。“我们那时常常看到计委大院那儿开批斗会。每回那个一只手的余秋里总被他们斗得怪可怜的。人家一只手，还给涂上墨，一举就是几小时，稍稍想放一放，有人就上前拳打脚踢，真没人性……”我爱人小时候的家就紧对着计委大院，她记忆犹新地对我几次说过计委造反派们批斗将军的那悲惨的一幕幕……

人性？那时哪来人性？

头几次挨批，将军还想回到中南海到总理面前发发牢骚。可后来再没这想法了。为什么？那天将军拖着疲惫不堪的身子从批斗现场回到办公室，周恩来就让秘书叫他和谷牧等人上人民大会堂跟工交战线的造反派对话。正在造反派们吵吵嚷嚷要周总理回答为什么不让揪几个部长时，周恩来突然站起身，手里拿着一张照片——那照片上有个人躺在地上血肉模糊：这是煤炭部部长张霖之同志，你们看看，他是昨天刚被人打死的！周恩来说到这儿满眼泪水，无比悲愤地：这么一个出生入死的老同志，就这么不明不白地死了，我是国务院总理，你们说叫我怎么向全国人民交代啊？如果连一个部长的生命安全都没有保障，国家还有什么希望？那不真的是无法无天了吗？啊，你们还要我说什么？

会场上没有人回答。但这只是暂时的，丝毫没有影响在林彪江青一伙人煽动下的造反派们揪“走资派”的疯狂。

打这以后，将军不再感到满腹屈辱了。你造反派批斗吧！白天批我，晚上我回办公室照样工作；你上午批我下午我回去还照样工作。

工作不能停，国家机器不能不转。这是周总理特别交代的话，任何时候都一样。将军牢牢记着这一点：即使是个人受天大的冤屈，必须尽一切力量守着“摊子”——国家的摊子。

然而“文化大革命”的发展已非将军等少数几个人所能扭转乾坤的。他和谷牧刚刚满头大汗安排好150多万红卫兵小将们上北京“接受毛主席检阅”的事宜，上海那边又传来噩耗：11月初，以上棉十七厂造反派头头王洪文为首的上海一些工厂的群众，串联筹建“上海工人革命造反总司令部”。由于中共上海市委根据周恩来、将军他们下发的关于工矿企业不要成立跨行业组织的通知，没有给予承认，因而被王洪文之流指责为“压制革命造反”“资产阶级反动路线对工人的迫害”。10日凌晨，王洪文带领两千多名工人在上海北站强行登上火车，赴京请愿。列车行至安亭站时被铁道部门下令停车。王洪文便煽动工人卧轨拦车，造成沪宁大动脉中断31小时，使上海站36趟列车无法发出。由此引发全国性的交通严重问题。这就是震惊世人的“安亭事件”。将军等为此几日几夜安排调度，王洪文等竟然倒打一耙，说有人蓄意破坏“文化大革命”，迫害工人革命行动。上海的王洪文借此大出风头，身在北京的张春桥则以“中央文革小组副组长”的身份回到上海又在火上浇了一把油，于是原来只有“学生娃娃闹革命”的“文化大革命”，迅速蔓延到了产业工人中去，问题的关键是毛泽东对此还给予了肯定。全国从此一发而不可收拾。

不收拾也得收拾。周恩来一边苦口婆心地向造反派们解释，一边来到将军他们那儿千叮咛万嘱咐：无论如何也要尽可能防止国家的经济建设出现瘫痪。

将军因此建议：工人参加“文化大革命”活动，只能在业余时间内进行，八小时工作制不能侵犯；学生不能到工厂去串联。“这样才能落实毛主席说的‘抓革命，促生产’的指示嘛。”将军对总理说。

你们马上起草一份文件，我们一起向主席报告。周恩来吩咐道。

而在此刻，陈伯达在中央召开的工交座谈会上也起草了一份关于工矿企业如何开展“文化大革命运动”的文件。他把文稿送到将军他们手里，说是让看看，其实是让将军他们按照他的意见定调的。将军等拿到陈伯达的文稿，在请示总理后，趁工交会议的各地代表在京，又在征求和听取意见后，突击几天几夜，完成了一份关于工交战线“文化大革命”的《十五条》通知精神——陈伯达起草的是十二条。几天后，陈伯达把将军和谷牧叫去，见了两位便劈头盖脸地大发雷霆："看看你们多能耐！有本事啊！把我们的稿子改得体无完肤了！有本事你们自己写一个嘛！"末后，又阴沉着脸，阴阳怪气地说："反正我们写文章的，无权无势，小小老百姓，谁也瞧不起。过去邓小平瞧不起，现在你们瞧不起，就你们有本事！我也是小计委的成员，国家计委的副主任，可你们把我放在眼里吗？"

将军和谷牧不想跟这样的人吵闹，知道再解释也无用，便从陈伯达那儿退了出来。但陈伯达是什么人？当时的"文化大革命"负责人之一、毛泽东身边的人哪！他的话不能不重视。将军与谷牧径直上了总理那儿把事情做了汇报，并把为什么写成现在的《十五条》做了说明。

"没那么严重吧！"周恩来对将军他们担心陈伯达闹事并没看重，又说："明天下午，我再听你们汇报一次。然后再向主席作个报告。"

不日，周恩来转达毛泽东的意见：基本同意他们的《十五条》通知，工矿企业八小时生产不能侵犯，但工人们还是要分期分批进行"文化大革命"运动。

"只要能坚持八小时工作制，就好办！"将军听后异常兴奋，并且天真地这样认为。

哪知又过几日后，周恩来突然打电话给将军：毛泽东批示，让林彪主持政治局常委扩大会议，听取工交座谈会的汇报。你们要赶紧准备一个全面材料。

林彪要主持会议？不是破天荒头一回的事嘛！他"林副主席"什么时候对工业工作也感兴趣了？将军甚至兴奋地对起草材料的郑耀舜几个小青年说："'中央文革'的人都是书生、秀才，不理解我们当兵人的心情。对不懂工业的人谈工业，等于对马弹琴，实在难办。以后有事我才不去找"文化大革命"那些人呢！我们要直接向毛主席、林副主席汇报。"

郑耀舜是当年《十五条》的起草执笔者，我在2004年"五一"前采访他时，先生正和将军的老秘书李晔等人在华北油田写一部中国石油反思的书，郑先生谈起"文化大革命"这段亲历时，说得生动精彩又有几分悲壮："那阵子我们真是整天不知所措。搞一个文件得让那些本不相关的人传来看去。不这么做又不成，连总理做工作都常常有点儿像地下工作似的。那次在京西宾馆开的工交座谈会，十几个人。总理、陶铸、先念，对我们起草的‘十五条’逐一通过，都说好。可后来传出话要让林彪主持政治局常委扩大会后，我们不得不又重新起草修改。又一天总理在京西宾馆召集秋里、谷牧和林乎加等开会。李晔、李灏和我当时都是首长的秘书。开会时坐在后排。总理一进门见我们三个年轻人，就非常警惕地问秋里他们这三个人是谁？余秋里同志就一一介绍，指到我的时候，他说：小郑是林乎加同志的秘书，铁杆保皇派。周恩来点点头，表示对我们这三个秘书是放心的，可他仍然非常憎恨地说了一句：我最讨厌秘书了！估计他不知吃过谁的秘书之苦。那天会上，总理在谈到工厂闹运动停工停产，十分恼怒，并说到悲愤处，一抹脸，说：‘我不入虎穴谁入虎穴？我不下地狱谁下地狱？’这话后来传到林彪、江青那儿后，总理的日子也不好过。工交会上，几位老部长、老市长谈起各自领域的混乱状况时气不打一处来。最有趣的是铁道部部长吕正操将军，别人在会上慷慨激昂地陈斥，他在一边唱着‘到处流浪，到处流浪’和‘九一八，我的家在哪儿……’我就跟正操部长开玩笑，说我上造反派那儿给你告一状。将军摇摇头，说你不会的。那天总理打电话说林彪要主持政治局常委扩大会听取我们的工交《十五条》，秋里、林乎加和李人俊还有谷牧同志就聚在一起，商量连夜准备汇报提纲。我是起草执笔者，赶了一夜。林乎加口述，我笔录，秋里同志拍板定稿。第二天下午，林彪到中南海，我把准备的材料整理好后送到秋里同志的手里，并送他上了车。去之前，我看得出秋里同志对这一次林彪听汇报是寄予巨大希望的，所以晚上我们在起草材料时都尽可能把当时工交战线甚至将财经方面的问题也一起写入了汇报材料之中，期望能借同样军人出身的‘林副主席’之力扭转乾坤。晚上下班之前，秋里同志夹着皮包回到办公室。一进门，他将皮包往桌上一扔，脸色非常难看。我心想事情肯定坏了。只听他长叹一声，回天无力地感慨道：唉，准备大乱吧！从此我们这些人就像当作没用的垃圾一样，被赶出了中南海……”

关于向林彪汇报工交问题时碰到的遭遇，将军后来曾著文这样叙述：政治局常委扩大会一共开了三个半天，连续进行。会前将军曾对林乎加说：“我们要对党、对人民负责，就是挨批、下地狱也要把工交企业的情况，如实说清楚。”他和小计委的几位主要负责人是抱着决一死战的信念参加林彪主持的会议。果然，一开始火药味就很浓。张春桥攻击谷牧的汇报是代表了一部分走资派的情绪，否定企业里存在的两条路线。上纲又上线，帽子大得吓人。江青则瞪着眼睛盯着余秋里和林乎加，说他们是给工人戴上几百斤重的石头，完全是反革命。康生则阴险地说什么“现在的工厂是没有资产阶级的资产阶级工厂”。陈伯达更是气急败坏地指着余秋里等人的鼻子叫嚷：“你们搞的汇报提纲，为什么不同我商量。我也是计委的副主任嘛！你们是搞突然袭击！”要不是周恩来一再给他们解释和挡拦，“文革小组”的那帮人还不知真的是否想把将军他们活扒撕烂后给吃了！

林彪开始一直阴着脸，也不说话。将军们摸不清这位从不过问经济工作的“副主席”到底支持哪一派，因此寄希望于他的最后定调。第三天下午，林彪终于说话了——声音阴沉，但将军他们听了却如埋在身边的炸弹爆炸：“这次工交座谈会开得不好。是错误的，思想很不对头！”

怎么错啊？公交部门与文教部门不同，问题也少些，不能像文教战线一样整天停课闹革命嘛！将军急了，站起身来争辩。

林彪脸色骤变，声音也变了调：公交部门的问题还少？比文教部门的问题少？这是你的认为。余秋里，我看你要来个 180 度的大转弯，放下臭架子，到群众中去老老实实承认犯错误，要不我看你是危险了！

将军还想要争辩，被周恩来用眼色制止了。

完了。彻底地完了。将军走出政治局扩大会议会场时，脑子一片空白。他和小计委的几位同志遵照总理愿望力争的全部希望眼看就要破灭了。工人停工停产，全国还不大乱一片？可又有什么办法呢？那一天将军回到办公室独自坐在木椅上久久未起，为革命忙碌了大半辈的他忽然感觉没有什么事他可以再做了。

这正是林彪、江青一伙人所期望已久的。不夺了“小计委”一帮人的权，不摧毁周恩来为首的这个“经济建设参谋部”，“文化大革命”就乱不成全国性的，也只能是几个学生娃儿和文人们在那儿叽叽喳喳，成不了大事。现在把看守国家机器运转的将军他们这样的一帮人的主张摧垮了，神州大地不都是林彪和江青他们的天下了吗？

斗争如此残酷。当将军他们有泪流不出时，林彪、江青和陈伯达之流却欣喜若狂了，因为“文化大革命”的每一步完全操纵在他们手中。刘少奇、邓小平已经是“死老虎”了，周恩来你一个人还能跳多高？至于余秋里这些小干将，先刹刹锋芒，等哪一天借毛泽东的手，再来个一抹到底。你不是因为大庆油田才成了大红人吗？那好啊！先把大庆给搞乱了。

林彪江青想法多得很哪！一个密令下去，大庆油田便乱成一片，连铁人王进喜也一夜间成了“大工贼”了。

“他们、他们这样搞不行！”中南海，在李富春副总理召集的工交负责人谈形势会上，将军痛心疾首地挥动着那只右胳膊：“我们的大庆，是几万工人当年忍饥受冻、流血流汗一口井一口井地打出油来的，现在造反派竟然强令工人们停钻封井。北京有人还自称是无产阶级司令部的人跑到大庆，煽动工人们成立战斗队，搞什么停产闹革命，说大庆红旗是假的、黑的，连铁人王进喜这么个工人先进分子也被抓起来严刑拷打！他们还有没有点王法了？啊？大庆是毛主席亲自树立的红旗，他们想毁了它，我、我死也不能答应！”

将军越说越激动，到最后竟泪流满面。

在场的人惊愕不已，因为他们谁也没有见过独臂将军也有落泪的时候，连周恩来都愣在那儿不知所措。

有道是男儿有泪不轻弹，只是未到伤心处。将军什么时候落过泪？我问将军的夫人刘素阁阿姨，刘阿姨说她没见过将军落过泪。

四女儿晓阳说，她见过父亲落过一次泪，那是周恩来逝世后的第三天，从不带儿女参加公务活动的将军，那一天听小女儿说也要跟他去周总理的灵堂时，竟然破例同意了。“我当时都惊傻了：爸爸一踏进灵堂，还未见总理的遗体，突然‘哇’的一声大哭，简直像山塌下来似的。随即见我爸一哭一拜地走近总理遗体，再度恸哭起来，这是我听到的最吓人的也是最悲惨的哭声……”女儿这样说。

将军的秘书李晔说：在将军的生死好友、另一位著名的独臂将军贺炳炎去世时，将军痛哭过。上将军衔的贺炳炎与余秋里同为独臂将军，他们俩之间有许多传奇，两人同一年参加红军，又都在贺龙元帅手下成长为红军高级将领，两人曾几度在一个师旅团担任军政一把手——贺炳炎断的是右胳膊，余秋里在战斗中失去的是左胳膊。两人断胳膊时都是在没有基本医疗条件的情况下，被人用钢锯锯掉的。而且两人是在同一年失去胳膊的。两人在同一师，一个当司令、一个当政委，是真正的“一把手”部队，曾威震日寇，名扬全军。贺炳炎比余秋里大一岁，在打仗中是有名的“独臂孤胆英雄”，以打仗又猛又勇而闻名。余秋里则是有勇有谋的多数时候是政委身份，他与贺炳炎并肩战斗的岁月里，两人配合默契，战无不胜。贺炳炎时时处处以大哥的身份爱护着余秋里，而余秋里则在贺炳炎受到政治迫害时挺身而出救过他。新中国成立后，贺炳炎留在大西南当成都军区司令员，余秋里则受命在东北指挥石油大军。1960 年，贺将军不幸英年早逝，余秋里闻悉噩耗后立即前去奔丧，那一天他恸哭了，比失去亲兄弟还要悲恸。

将军的老战友说将军在战争年代也有过一次落泪：1948 年，在西北的瓦子街战役中，将军的三五八旅七一四团团长任世鸿指挥部队攻占敌 39 军军部时，头部突然中弹负伤。将军闻讯后跑到担架前，俯身去叫任团长的名字，可那任团长握了握将军的手便断了气。当将军从担架上直起身时，战友们看到他满脸泪水……

参加过《余秋里回忆录》材料整理工作的李国昌先生还向我介绍过他亲眼看到的将军流泪情景：那天李国昌先生与将军谈起了一件在石油部颇为忌讳的事——1979 年底的“渤海二号事件”。年轻人不知道这个事件，但它却是留在石油人心头一块很痛的伤痕，事过二十多年后的今天我在大庆采访时仍然感觉到石油人不太愿意谈论此事，因为一向团结向上、亲如兄弟的石油部几任领导间为了这事出现了旁人想象不到的尖锐矛盾，这事关及到将军，尽管他那时早已离开石油战线。但由于他当时是中央政治局委员、书记处书记、国务院副总理，石油部出现“渤海二号”严重事故后，一下有 72 名石油工人葬身于滔滔大海之中、一艘进口的自升式海上石油钻井平台沉陷，这在新中国石油工业史上是前所未有的事，因此它震惊全国。人们以各种方式对这起事故的责任单位石油部给以最严厉的指责，可以说那一阵石油部上上下下的压力绝不比川中油气井事件所产生的影响小，因为出现“渤海二号事件”那个时候，我们的媒体很少报道所谓“有损国家形象”的重大事故，不像现在什么事情透明度都很大。故而“渤海二号事件”公布于众后，石油部陷入了全国性的谴责声浪中。最后国务院做出两项重大人事处理决定：石油部部长宋振明被解职；主管石油工业的副总理康世恩记大过处分。关于“渤海二号”事故当时社会上的普遍认为是石油部领导和具体操作平台的人“不讲科学”和“蛮干”而造成的人为悲剧，而石油部内部坚持认为是不可抗拒的客观原因及环境气候所致才出现的沉船与伤亡事故——后来证明石油部的意见基本是正确的。中央决定出来后，全国人民对“渤海二号”事故的情绪倒是平息了，可在石油部上下却引起了前所未有的相互之间的矛盾与指责。至今石油部内部的大多数人仍对解职、受处分和被判刑的那些“弱者”给予同情，而对当时身居高位的“石油老领导”的余秋里则存在极大的埋怨，认为他在关键时刻没有“保”宋振明和康世恩，也没有给石油人留下面子。最要命的是个别受处分的石油部领导本人也是认定这个理，这更使得多少年来共甘同苦、并肩创下新中国石油工业辉煌史的石油人之间出现了情感上的深深裂痕。那些日子里和之后的相当岁月中，将军其实在石油战线的高层干部间成了孤寡之人。曾是部长中属于年轻一代的宋振明下台后没多少日子因患绝症而英年早逝，他的死更让石油人心头留下重重的创伤。不少人老话重提，甚至把怨愤泼到将军身上。他们哪里知道，“渤海二号事件”对将军内心的伤害有多深。他身在高位，尽管他早已离开石油战线十几年了，可一旦出了大事，有人还是把账算到了他的头上——自大庆油田之后，一直在中央走红的“石油帮”早在一些人眼里视为异己而被人妒忌。“渤海二号事件”终于让一些人找到了给将军为首的“石油帮”撒把盐的机会了。这回将军自己被人“不打肥皂刮胡子”了。石油人当时不知道上面发生了什么事，年过二十多年后我们现在已经可以知道了一些事的真相：关于做出对宋振明、康世恩的处分决定，将军身为中央书记处书记、国务院副总理，他也有一个“服从中央”的责任和义务，而且将军还得接受这样的任务：中央对石油部领导的处分决定，由你余秋里去宣读。无奈将军必须执行中央某领导的指示，而他一到石油部宣读给宋振明、康世恩等人的处分决定后，更加让石油部一些人对这位带领他们石油人走向一个又一个辉煌的老部长产生了误会。公开的、背底里的埋怨和积愤随之而来——将军真的成了里外不是人。有一个著名漫画家竟还在《人民日报》上刊出一幅讽刺领导干部瞎指挥的漫画，明眼人一看就是对着将军的，因为那画中的人缺一只胳膊。这是一个庸俗文人的浅显之见，他没有想到自己的那幅画对将军和石油人是个多么残酷的刺痛啊！血，流了一地，可将军还不能哼一声。在位时的将军一直将石油部自己的人和外界对他的误解深深地藏在内心，他当时的身份无法向属下和亲爱的石油人说明白内情，苦水只有往自己的肚里吞……这才有了 90 年代将军在接受李国昌先生采访时的流泪——将军说起宋振明对他的误解时这样流着泪说：他是我看着成长起来的，又是一手提拔他的，从大庆会战初期的普通中层干部一直到石油部长，我能对他怎么着？事故出来了，我不说他说谁？不对自己的兵严，还能对谁严？我对自己儿子的关心有对他关心的百分之一就谢天谢地了……在说到另一位埋怨他不保石油部的副部长时，将军流泪说：他在沈阳军区时因为受政治迫害，正军职务一抹到底，没人敢要他。是我把他弄到了石油系统来，并委他以重任，后来又当上了副部长，他、他还不了解我的为人？我不保他？我不保他能有今天吗？

将军也是人，铁骨铮铮的将军也会流泪，但看看他的每一次流泪我们谁不动情呢？

面对林彪、江青等利用“文化大革命”企图疯狂搞乱国家的跳梁小丑的罪恶行径，这一次将军的泪，是为国之忧、为民之忧，也为他一心想把国家经济建设搞上去的壮心未酬而流。

自刘少奇、邓小平被林彪、江青之流借造反派之手打倒后，中央及各部委党政军领导几乎都被当作“走资派”而被剥夺了权力和工作，尤其是领导中央经济工作的，正如周恩来所说的，当时只有连他 5 个人：周恩来、李富春、李先念、余秋里和谷牧。李富春身体不好，谷牧不久也不能坚持工作。真正协助周恩来的只剩下李先念和将军两人。而即使如此，林彪、江青一伙仍不死心，他们一方面欲置周恩来于死胡同，另一方面对从来不屈从于他们的余秋里使用种种手段迫害打击，企图达到不让他再抓生产的目的。

那是个许多领导干部再不敢抓业务、再不敢抓生产的年代，因为一抓业务、一抓生产就会被扣上“资产阶级反动路线”或刘少奇走资本主义道路的“黑干将”，一旦被扣上这样的帽子轻者批斗下台，重者死了都不见尸首。

将军一身正气，继续敢抓敢管，一心忙于生产和经济建设大事，因而遭林彪、江青之流的迫害便可想而知。先是在计委大院、计委礼堂，再是上北京展览馆，后是北京工人体育场，总之声势越来越大，参加的人数越来越多，喊出的“打倒”口号越来越响。造反派们逼将军承认他反毛主席，执行的是资产阶级反革命路线。有一回几万人的大会上，有人用高音喇叭逼着将军问：你是不是刘少奇资产阶级司令部的黑干将？全场的人等着他的回答。只见将军猛地一抬头，高声喊道：“我是执行毛主席革命路线的红干将！”造反派哪饶得了将军，他们像发疯似的扑向将军，几个人上来残暴地把将军的头往下摁，把将军唯一的一条胳膊反向地抬起，让他做“单翅喷气式”。是周恩来得知后赶到现场救下了将军。

周恩来看到整天忙着帮助自己执掌国家机器的将军被人如此残酷迫害，怒火万丈地严斥道：余秋里同志是毛主席要保的人，你们不能这样对待他。大家想想看：我们从开国以来就搞油田，可是最大的发展，最大的收获，是大庆！是大庆这面旗帜。我们靠什么打的这个胜仗？首先靠的是战无不胜的毛泽东思想；其次靠的是广大会战职工；再次就是全国的各方大力支持。但大家想一想，单单这三个条件如果没有这次会战的领导人，没有组织这个会战的领导班子，等于说打一个大仗，没有指挥员，行不行啊？不可能嘛！大庆会战的指挥者、石油部的创业者余秋里在这个工作上他的成绩功不可没！他是在最困难的时候，打了最困难的仗，取得了最大的成绩的！到计委和小计委后，他的工作也是大的，这两年多来，他按照毛主席的要求做的计划工作，成绩也是显然的。毛主席选将是选对了的，抓准了的嘛！

然而造反派仍然不依不饶，他们借种种理由欲置将军于死地。在那个时候，像将军这样管生产和抓业务的人不被批斗是不可能的，周恩来只好一次又一次地出面与造反派周旋，让将军尽可能地少受罪。每次造反派把将军从中南海揪出去批斗，周恩来就派自己的联络员跟随。等待批斗会结束后再接回来，因为他还要将军与他一起处理焦头烂额的来自全国各地各行各业的求救。有一次造反派使坏，知道你周恩来不是要保余秋里吗？那好，他们借机批斗后，突然说将军不见了。周恩来急了，立即找到谢富治，命令他必须立即把将军找回来，否则一切后果要他负。谢富治这才紧张地找造反派头头商议，最后把关在北师大地下室秘密地点的将军送回了中南海。

江青一伙仍然不想放过将军，她一方面到处放风说“余秋里是贺龙的人”，“历史有问题”，一方面派人到处找证据。结果调查来调查去，将军与贺龙仅仅是工作关系；他们上将军的老家搜索材料，发现将军家几代赤贫，就是当了部长，他的亲属仍都是种地的农民。于是他们找到康世恩和铁人王进喜，逼他们揭发“余秋里是石油资产阶级反动路线的黑后台”。康世恩回答说：“余秋里执行的是毛主席的革命路线。他没有错。中国石油工业是余秋里开拓局面的。他会打仗，有领导能力，很会带队伍，用毛泽东思想武装石油队伍，干得的成绩举世瞩目。”铁人王进喜说得更形象：“没有余部长，你们北京大街上走的汽车还得背大煤气包呢！”

“我就不信他余秋里一只胳膊能拧得过我们两条胳膊的人！”江青如此咬牙切齿地说。她和陈伯达等在寻找机会。

机会终于来了。江青的那对“蛤蟆眼”乐得都要崩裂了。

一日，周恩来在中南海怀仁堂召集李富春、陈毅、谭震林、李先念、徐向前、叶剑英和余秋里等，及“中央文革小组”的陈伯达、康生、张春桥、姚文元、王力等，讨论“抓革命、促生产”碰头会。会上谭震林和几位老帅讲到造反派迫害老干部、破坏生产、冲击军队时，对“文革小组”陈伯达、康生等进行了严厉批评和指责。余秋里在会上也控制不住自己的悲愤，拍案指着陈伯达等，称造反派干出的事“简直像法西斯”，并说：“我对计委的造反派讲了，你们这样对待老干部，我就不检讨了，连你们的会也不参加了！”

这一天是1967年的2月18日。当天，康生、张春桥等就立即跑到钓鱼台跟江青密谋对策，他们采取恶人先告状的手法，于当夜向毛泽东作了添油加醋的歪曲事实的“报告”。毛泽东听后大怒，生气地说：他们行嘛，他们可以把“陈伯达、江青枪毙！康生充军！文革小组改组，陈毅当组长，谭震林、徐向前当副组长，找上余秋里……”

这就是所谓的“二月逆流”。

主席是这么说的？将军听到这消息后震惊不已！他一生对党，尤其是对毛泽东赤胆忠心，甚至多次说过：“我谁都不听，就听毛主席的！”而现在毛泽东却对他不满了，误解了，划到了与之对阵的一边去了，这让将军内心深深地痛苦，也可以说是从未有过的痛苦和失落。

难道真的是我错了？难道真的让国家乱下去，农民不需种田、工人不要上班吗？

那四个现代化如何实现？国家怎么强盛？

将军百思而不得其解。痛苦中，造反派对他的批斗也因为“毛泽东有话在”而变本加厉。“打倒二月逆流黑将余秋里”的标语贴满北京大街小巷。这时将军的迫害已经殃及他的家——夫人被不断拉到石油部和计委机关，白天批斗，晚上罚扫厕所。几个十多岁的女儿也不时被拉去陪斗，最后不得不让她们分散寄养在好友家里长达数年……“那时我们很长时间看不到爸爸，偶尔他半夜回家一趟，像地下工作似的不让我们吭声。随后拿点东西便又匆匆走了，连句交代的话都没有。造反派也不让我们跟妈妈在一起。我们姐妹几个只好到处流浪，到处躲藏……”与我同龄的将军女儿们说。

周恩来急了。一为将军的生命安全，二为没有将军等人帮他支撑国家机器而急。“全国上下这么乱，现在只剩下连我才两个半人在抓经济，我算半个，李先念算一个，余秋里算一个，可你们还没了没完地批斗余秋里，国家的经济、企业的生产还要不要抓了？你们小将造反不也要吃饭嘛！”周恩来苦口婆心地一次次上造反派头头那儿或者批斗现场去做说服工作。但林彪、江青和陈伯达暗中指使的造反派才不为此所动。“打倒余秋里”的口号和声势越来越大，北京各路造反派还专门成立了“斗批改”联络站，即斗薄一波、批余秋里、批谷牧，而且声称要斗倒薄一波，必先斗倒余秋里、谷牧。

接二连三的批斗，使得本来干起工作不要命的将军回到办公室后连端茶杯的力气都没有。至于响彻耳边的各地求救电话和雪片似的催促电报，他都无神回复。

“再不准举批斗会了！”周恩来终于忍无可忍了。

“他到现在连个检讨都没写嘛！”造反派跟周恩来纠缠。

“他身体不好。身体不好就写不好检讨，给他们一些时间嘛！”周恩来既说了实情，又以高超的斗争艺术回应造反派。

“可我们知道余秋里一不批斗他，他就忙乎抓生产……”

“他不抓谁抓？我把你们提拔上来能行吗？”

周恩来严正驳斥。

这年“五一”国际劳动节，天安门广场上举行焰火晚会。毛泽东也许出于某种考虑，仍然让将军和所谓的“二月逆流”的几位老帅和谭震林等人都上了天安门城楼。

“上城楼也要打倒！”陈伯达一副无赖文霸嘴脸。

将军不仅没被造反派停止批斗，而且不知何来的“杨、余、傅事件”，使批斗他的大会参加人也增加到了 10 万人。这回“文革旗手”江青亲自出面声嘶力竭地在高音喇叭里诬陷将军。但有一点林彪、江青和陈伯达之流是没有想到的——他们反将军更加猛烈，毛泽东却再不曾发过话，相反在又一个“五一”庆祝大会上让其露面。1968 年 6 月 14 日，毛泽东接见沈阳军区、南京军区读书班的人，江青、张春桥和姚文元拟的陪同接见名单中，有意不提将军，想让人相信“余秋里真的已经打倒了”。可毛泽东审阅时发现了，说：“还有余秋里嘛！”

将军就这样参加了陪同接见。奇怪的是在第二天见报时，一串长长的陪同接见名单之后，出现了这样一行字：“还有余秋里等同志”。显然这是林彪、江青、陈伯达和张春桥一伙想的邪招，他们既不敢惹怒毛泽东，又用这样的话把将军打入“另册”。

“还有余秋里”于是成了在报纸上持续相当一段时间的“新闻经典语”。有趣的是：在我采访将军家人，请他们谈谈“文化大革命”中的经历时，他们会不约而同地模仿着广播员的嗓音，绘声绘色地说着“还有余秋里”这句话。

这是极其耐人寻味和具有讽刺意义的。

其实“文化大革命”十年中，我们的国家机器之所以还在运转，靠的就是余秋里等人，而并非“还有余秋里”。然而“还有余秋里”这句话事实上也拯救了将军的政治命运，当然与其说毛泽东说这话拯救了将军的政治命运，还不如说晚年的毛泽东在政治上完全被林彪、“四人帮”利用而不断犯错误之时，他并没有忘记老百姓要吃饭穿衣这件事。“还有余秋里”其实所起到的作用就是这个。

“还有余秋里”，是“文化大革命”十年和毛泽东晚年时期的一个特殊政治现象，有着深刻的含义。本身便足可以写一本政治经济学的，因为自大庆油田之后，是周恩来和将军使“余秋里”三个字成为了中国和平建设时期的一种道路、一种方法、一种经验和一种有中国自己特色的社会主义的象征。

“还有余秋里，”能让一个人最高兴，他就是周恩来。因为周恩来有了这话，就等于有了一只左膀右臂。中共九大时，他推荐将军进了中央委员。1970 年正式任命将军为国家计委主任。1971 年林彪叛逃，毛泽东终于清醒了一些，对“二月逆流”作了彻底平反。压在将军头上四年之久的大帽子也随之被摘掉。

至此，中国在“三五计划”五年里，像艘失去航向的破船，在一次次触礁碰壁之后，摇摇晃晃地度过了最艰难的岁月，而它最终没有沉没，功当归结周恩来的高超智慧和将军等人对党对国对民赤胆忠心，忍辱负重、硬挺着腰杆的鼎力辅助。

走访当年与将军共同在国务院和计委工作的顾秀莲等“过来人”，我从他们嘴里知道了许多普通老百姓及现有的历史书上不曾记录的事情：

比如像首钢突然停产时，问来问去到底什么原因时谁也说不清楚，眼巴巴地看着一个支撑首都经济建设大厦顶梁柱的国有大企业瘫痪在那儿。是将军亲自跑到车间，从一个工人那儿得知是一只老鼠钻进了配电盘，造成短路烧坏了机器。原因找到了，首都的高炉重新燃起烟火……那个年代就这么可笑。一个堂堂国家经济“计划总参谋部”的“总参谋长”竟要去干这么简单的事，但当时还真得有人去干哪!

当然将军更多的是干的大事。比如，大型企业出现混乱时，将军及时向总理提出“必须用军管”的形式保证正常生产。后来毛泽东采纳了，这才使众多主要的国家机器能够得以运转。军管的初始是为了实现经济运营目的，但后来的军管深入到了政治领域与其他行业，情况就完全变了味。

将军在国家最危难的时刻，以自己在军队里的关系和影响，通过“老战友”们的“帮忙”，解决了多少地方的燃眉之急，这是外人所不知晓的。

还有一件事不能不提：“文化大革命”十年中，石油战线曾经一度被林彪、江青一伙煽风点火搅得极度混乱，如大庆油田武斗造成的惨案触目惊心，仅打死的就有一二百人。将军闻讯后心如火焚，又一下想不出办法。有一天周恩来满头大汗地找到他：煤炭上不来了，铁路要转不动了，工厂要停机器了，国防兵工厂也快关门了，得想个法子呀！总理问将军：现在就得想法多生产点油了，有没有办法？

将军是“石油元帅”，他一想说：在大庆油田开发初期，为了实现长期稳产高产，我们只开发了萨尔图油田，把喇嘛甸子、杏树岗油田作为“大仓库”留了下来没开发。总理听后大喜，说：为了保证北京、上海和辽宁等重点地区和一些重点企业的生产得以维持，只有多烧油了。“立即开发大庆喇嘛甸子油田！”周恩来命令道。

好嘞！将军接令后迅速通知石油部。而在这个时候，将军想到了另外一个问题：他要解放一批被打倒的石油干部和石油专家们，还包括铁人王进喜在内的许多标杆红旗。

王铁人在“文化大革命”初期也是被整得很惨的，造反派为了打倒将军，涂黑大庆红旗，就把王铁人打成是“工贼”、“政治大扒手”，甚至诬蔑他“乱搞女人”，目的是搞臭这位大庆标兵。批斗王铁人的大会声势也大，造反派说当年余秋里搞会战、树铁人有万人“誓师大会”，现在我们批判王进喜起码也得这样的声势。于是他们别出心裁，举行了一个“打倒政治大扒手王进喜誓师大会”，在全油田设了一百多个分会场，要求油田职工尽可能地参加。王铁人被造反派们戴上用钢筋和套管管箍焊成的两米多长的高帽子，站在三个叠起的方凳上弯腰九十度。高帽子又长又沉，造反派就让时任石油部副部长、大庆工委书记的徐今强扶着。会上批斗王铁人时，造反派要他承认“十大罪状”，承认“余秋里是黑后台”。铁人不从，有人就上来把凳子踢倒，把铁人从高处摔下来。如此惨无人道的场景，让许多工人、家属看不下去而流着泪悄悄退场。王铁人也真奇，竟然没死没伤。事后有人问他是怎么回事？王铁人顽皮地笑笑，说："当时我耳也听，眼也看，特别注意警惕从哪一边出来人踢凳子。他一踢，我就跳，防止把腿和腰摔断了。我是钻井工人，断了腿和腰就不能为国家打井了。”瞧，多棒的中国工人代表！将军得知王铁人惨遭迫害的消息后，不时借机在总理面前提及他。后来在周恩来的一再过问下，王铁人被“看押”在解放军的一个农场里——实际上周恩来和将军把他保护了起来。王铁人也不愧是条硬汉子，他哪待得住？趁解放军看守不备时，悄悄跑回了油田。见钻井工们都停工了，着急啊！于是他一个井台一个井台地给工人老哥们讲不能停产的道理，使多数钻机重新恢复了生产。然而造反派是不甘心的，他们煽动部分职工继续停产“闹革命”。这期间大庆一片无政府的混乱状态，事故频繁发生（有一年曾发生过化肥着火，一次烧死一百多人的惨案。而且一向稳产高产的大庆油田发展到 1970 年时竟然全年第一次欠产 18 万吨没有完成计划任务。用当时主持一线生产的副部长唐克的话说，这是“齐天大耻”）。

大庆油田面临最危难时刻，铁人只身跑到北京。将军穿针引线，铁人见到了总理。总理说我现在忙得连身子都抽不开，你先向余秋里同志汇报，一星期后我再见你。将军那时一边要被造反派揪出去接受批斗，一边要抓各地的生产，但还是专门抽出时间在京西宾馆坐下来听王铁人的汇报。看着满脸疲倦的老部长，王铁人心如刀割，可又不得不把要说的事倒出来。

停产？大庆也要停产闹革命？将军默默地重复着王铁人反映造反派们的话，紧锁眉睫。

有个跟王进喜一起来的群众代表情绪很激动地说："现在全国都在闹革命，我们大庆也应该跟上去！否则大庆就不是毛主席树的红旗了，工业怎么学大庆呀？”

将军一听这，“噌”地从沙发上站起。他强压心头之怒，来了段难得的“黑色幽默”：是啊，停也不是不可以。咱们一起商量看看怎么个停法？停止采油行不行？采油停了全国工农生产、部队战备没油用，不得了！看来采油不能停！停注水？注水停了地下压力补不上来，以后采油没法了，看来这也不能停。供应部门停了行不行？可油田生产没有物资怎么办？看来这也不能停。地下观察停了？但这样一来油田生产就不能及时掌握地下动态，这怕也不行。运输停了？那我们靠什么走路？这也绝对不能停……将军以行家的口吻，一下说了十来个"不能停"，而且越来越激动，最后一个惊天动地的"不能停！"结束了此次谈话。王铁人从老部长那儿精神为之一振。几日后，总理接见，更使他有了"尚方宝剑"。

回到大庆后的王铁人带着总理的指示，想把打倒和受迫害最重的"宋陈季王"（宋，宋振明，时任大庆工委副书记、会战指挥部指挥；陈，陈烈民，工委委员，政治部主任；季，季铁中，工委委员，武装部政委；王，王新坡，工委委员，大庆指挥部副指挥）解放出来。于是他借传达总理指示，动员军管会召集了一个群众大会，想借此顺便让受压多年的"宋陈季王"几名领导有个体面的解放。哪知，会议一开始，造反派早已有所准备，他们不知从哪儿来的消息，说王进喜是谎传周总理指示，结果给王进喜的"大工贼、大扒手、大流氓"前面又多扣了一顶"大骗子"的高帽。会场上王进喜原本宰好的几头准备犒劳解放"宋陈季王"的大猪，现在造反派用来让"宋陈季王"每人扛着游街……看着几位大庆领导汗流浃背、气息喘喘地抬着猪低头游街的情景，王进喜想哭都找不到地方。

王铁人做不到的事，将军以其智谋做到了。在向石油部传达以中央名义要求开发喇嘛甸子油田同时，将军要求"宋陈季王"还有徐今强等干部在"喇嘛甸子油田会战中立功改造"——这是当时可能做得到的一种"解放干部"的办法。将军自己不也是被总理这样保护下来的嘛！

后来大庆油田又因为"文化大革命"的干扰破坏，出现"两降一升"（即地层压力下降、原油产量下降，含水量上升）的紧急关头。懂行的将军极其忧虑，他想到了张文彬——此刻的张文彬正在四川"靠边站"。将军通过老战友、成都军区司令员张国华，以工作需要之名，直接将张文彬调往大庆，让其带领一个工作组帮助扭转油田生产的混乱局面。后张文彬又奉命组织“东八三”管道工程会战，将军又将另一位石油大员秦文彩“解放”到大庆。正是这些将军熟悉和信任的“老会战”们重新拯救了危难的大庆油田。而像焦力人、孙晓风、李敬等石油战线的中流砥柱，又何尝不是将军亲自点名或者借助各种“需要”给调回领导岗位的？

将军最想“解放”的一位老石油人当然是他的“老搭档”康世恩。自胜利油田开发后，中央一直关注的江汉油田战斗序幕已经拉开。这是第一个规模相当的对“三线”距离最近的油田。

周恩来问派谁去最合适？

康世恩！将军脱口而出。

又一个重量级石油人物解放了。新中国的石油事业尽管因“文化大革命”遭受重创，但相比其他行业，是最幸运的一块——它迅速得到恢复和重新起色。胜利油田的全面开发、大港油田曙光初现、海洋石油战鼓声声、四川汽油田成绩不俗……石油工业重振雄风，支撑国家大工业一片天地。这是在民族危急时刻，石油人的这份贡献更令人起敬。共和国永远不能忘记这一页历史。

江汉石油会战是一次参加人数达 12 万余人的和平建设大战役，比大庆会战还多出一倍人数。有人曾经批评说江汉油田是一次“人海战术”。将军严正地回答：不错。我们搞的江汉油田会战是人海战术，但在那个全国各行各业几乎瘫痪的年代，只有石油人听从中央命令没有瘫痪，他们依靠自己的信仰和对祖国石油事业的一片真情，顶着政治风险在拼命工作。将军没有说出“人海战术”的另一半意义：是他和周恩来、康世恩等人的智谋，借大会战保下了石油战线一大批优秀领导干部和技术人员。石油部门因此在解放“走资派”、解放“反动学术权威”等方面比其他部门早了七八年！

这是将军的又一个不可抹去的功绩。

晚年时期，有一次将军在外地休养，被一群化工部门的同志热情地拉去做客。将军一时摸不着头脑：“我跟你们没有什么交情啊？”化工部门的同志大呼“冤枉”，说：老部长啊，当年就是因为你留了我们这些人上石油会战去了，才让我们从“牛棚”里提前出来了。我们才有今天施展才能的机会呀！将军的脸上终于露出笑容：

原来如此!

其实将军他自己都不知道因为他一句“你们不要我要”的话，救了多少人的命运。我在大庆采访时，有一天文联同志向我介绍一位“老文学爱好者”，叫梁崇真，今年64岁。老梁先生拿来他写的两本小说送给我，后来他听说我正在写将军指挥石油会战的事，激动得不知如何是好。说你知道我跟将军是什么关系吗？我说不知道。于是老梁就滔滔不绝地给我讲了半天：老梁说他就是后任深圳特区市委书记的李灏的外甥，他父母都是烈士。他舅舅李灏后来当了谷牧秘书，与将军的秘书李晔等很熟。老梁有些惭愧年轻时“不知天高地厚”，整天调皮捣蛋，谁也管不了他。1964年，余秋里得知后，对李灏说，你交给我，我来管他。就这样，老梁就从广东到了大庆会战前线。经过将军的几番“调教”，日后也成了有家有室的中层干部。老梁叹言说，是将军改变了他一生。不过老梁因为与将军有这层关系，“文化大革命”中也没少吃苦头，被打成“余秋里的小黑干将”，受批斗80多场，一关就是七个月。“因为沾余伯伯的光而惨遭造反派的迫害我一点不后悔。上大庆油田之前我上余伯伯家吃饭，开始以为到部长家能吃点什么好东西，结果就一个炒鸡蛋。打那以后我认定像余伯伯这样的干部才是真正的共产党人。所以日后我为他受点冤屈并不感到后悔。”老梁身上仍然有点知识分子的傲气。

老梁告诉我，当时大庆会战时期，像他这样原本不思进取的“调皮捣蛋分子”，将军收了不少，后来他们都在石油会战这样的大熔炉里得到锻炼，成了国家的有用之材。钢铁就是这样炼成的。将军在当石油部长和“文化大革命”时期，到底接收了多少被一些人视为“破铜烂铁”和“阶级异己分子”，只有将军自己知道。我所知道的是，这些人中有的后来还当上了部长级高级干部。可将军生前没有对人说过，连他最亲近的人有的也不知道。

“还有余秋里”的意义很深刻吧？就论这一点，毛泽东仍然同样功不可没。因为是他在关键时刻说了这样的话。

列宁说：“判断历史的功绩，不是根据历史活动家有没有提供的现代所要求的东西，而是根据他们比他们的前辈提供了新的东西”，“这才是事情的本质。”（转引自中央文献出版社《周恩来的最后岁

月》第 38 页）

历朝历代的政治斗争从来都是残酷无情的。但毛泽东作为一代旷世大政治家，他即便在做错事时，也还留有一个意味深长的“尾巴”。中国今天之所以能有今天，这跟毛泽东在“文化大革命”中没有彻底地断“尾巴”有关。“还有余秋里”是一例，邓小平的命运更属此举。当然，如果毛泽东不发动“文化大革命”运动，中国会有比现在更好的局面。但几乎所有的政治家都难免犯错误。毛泽东也是人，而不是神。

历史之所以让人回味和令人读后充满着惊心动魄，那便是因为它不平庸枯燥、不死水一潭。我们都愿望能够有永远的莺歌燕舞、一路春光的美好时代，可这也几乎是不可能的。

新中国的“三五计划”始于将军之手，却毁于“文化大革命”之中，但因周恩来、李先念和将军、谷牧等领导人的苦苦支撑，除了 1967、1968 年全国性的混乱实在无法维持外，其余年份生产形势尚有发展。1969 年，国民经济出现扭转下滑的局面，工农业总产值为 2613 亿元，比上一年增长 18.1%。1970 年形势更好一些，比 1969 年增长 20.1%。“三五”期间安排的三线建设和其他重点项目，也有些突出表现。1967 年我国第一颗氢弹成功爆炸；1968 年南京长江大桥建成通车；1969 年宝成铁路广元到马角坝段电气化工程建成并投入运营；1970 年我国第一颗人造卫星上天，同年长江葛洲坝水利工程上马兴建……将军曾经感叹：如果没有“文化大革命”破坏，“三五”将是我国经济迅速发展的时期，国家的经济面貌将是十分可观的。

我记得将军的后任秘书雷厉同志给我讲起一个情节：那是“文化大革命”最乱的一个时期的 1968 年底，周恩来主持召开国务院业务小组会，好不容易招来的各省市区军管会代表及群众组织代表，本来是讨论年度计划的，结果代表们吵吵嚷嚷的还是大批判内容。会议开到 12 月 25 日晚，周恩来接见会议代表，将军也参加了。周恩来原准备通过这次接见，想把全国的计划盘子大体定下，可他的话正题还未提及，一些代表又吵嚷起来，互不相让。直闹到 26 日凌晨也没个结果。周恩来朝将军痛苦地摇摇头，然后站起来对代表们说：今天是 12 月 26 日，是伟大领袖毛主席的生日，我指挥大家唱个《大海航行靠舵手》，再请大家吃顿寿面。吃完后上午大家就赶回去抓革命促生产吧。吵得精疲力竭的代表们这回才叫好。计划会议就这样毫无结果地散会了。将军无精打采地刚踏进家门已经凌晨两点多了，红头电话铃突然响起。“总理?！是我啊！马上到你那儿去？好。我马上到。”周总理让将军立即赶到中南海。将军走进西花厅，总理身体斜仰在沙发上，疲倦不堪地连连长叹一阵后对将军说：今年只有五天了，明年的计划都还没有搞出来。一些重要的生产资料和人民生活必需品安排哪里生产、往哪里调运，没个计划怎么成嘛？这几亿人口的大国……将军的内心何尝不是这般焦虑？“总理，我马上找几个人先搞一个明年第一季度的计划，以便使工作有所安排。”周恩来深情地点点头：拜托了。将军当即赶回办公室，拼命打电话，叫来几个信得过的同志，不分日夜地加班加点提出了一个临时方案交给总理，总理随即报毛泽东审批并获通过。

一个六七亿人口的大国，新年第一天就是这样开的门……

# 第十章

十月又来临，秋里景正好！

几个“跳梁小丑”被抓，将军听后“哈哈”大笑：今天我就上班！

开拓进取，那些得罪人的事也非做不可。

公心在天，昭然若揭。

中华大地上留下一个永不消失的国魂、军魂、石油魂……

这个秋里好景象。

那一天是10月7日。住在西山的将军，突然接到李先念的电话：那几个“跳梁小丑”给抓起来啦！

“抓起来啦？！”将军万分意外，但又立即明白这是什么意思。他忍不住在电话里不由“哈哈”大笑起来，这样的笑声已经多年没有了。

“秋里，你的病怎么样了？能上班吗？”李先念问。

“好了。今天就可以上班！”将军豪气冲天。

真是太值得高兴了。将军当天跑到301医院——这一年将军因受“四人帮”的迫害和周恩来、毛泽东、朱德等相继去世的打击，身心极度不佳，已有几个月住在解放军总医院，有时则回西山疗养。当从李先念那儿得知祸国殃民的“四人帮”被抓起来的消息后，兴奋得直奔301医院办出院手续。

“我看到爸那天在走廊里，把拐棍一甩，嚎着嗓门，喊着：‘找你们院长来，我要出院！’”女儿晓霞这样说。

随即将军回到家，按捺不住内心的喜悦，将夫人叫到内屋，然后关上门。一会儿，又匆匆出来，夹着皮包就往外走，那脸上挂满了抑掩不住的喜气，步子也变得轻盈无比。

儿女们追不上爸爸，也知道他是家里有名的“保密专家”。于是缠着母亲让她讲到底发生了什么事。

这回母亲向孩子透露了“机密”：那几个坏蛋给抓起来啦！

“好——”儿女们顿时欢呼起来。儿子个高，一蹦头撞在了木梁上，可他一点不感到疼，心里甜水如潮。因为他们都知道“坏蛋”指的是谁。

关于1970年后的将军情况，我缩写了，是因为这段时间“四人帮”横行，将军只能在周总理的支持下，与谷牧、纪登奎等人苦苦地支撑着国家生产和经济的那只破漏的船在风雨中飘摇。虽然有一阵子邓小平重新出山使他看到了希望，但很快“四人帮”又借“右倾翻案风”把更大的灾难嫁祸给了苦难深重的共和国。

粉碎“四人帮”，使一心想把国家经济搞上去的将军欣喜若狂。多年积忧的肉体和心灵上的病也随即一挥而去，他要工作，要像当年大庆会战那样痛痛快快地干它一场。

将军这一年62岁。而这个年龄已经不再可能像毛泽东当年点将他上石油部当部长时那样朝气蓬勃，也不可能像毛泽东第二次点将让他上“小计委”那样年富力强。但听得妖孽一除，将军仿佛又一下恢复了当年那个精神头。在这之前的一年多，他已被任命为国务院副总理。从1970年至1976年秋，将军虽然官至“党和国家领导人”之列，可经历的风风雨雨仍然不计其数。这中间有欣慰的事：比如他主持了自与苏联断绝合作关系后的第一批引进项目，这些项目对日后邓小平全面启动四个现代化建设起到不可估量的基础作用；比如恢复和组织了外贸出口工作等等。也经历了电影《创业》风波等政治事件。然而纵观这几年，将军总有一种英雄无用武之地的压抑和政治上喘不过气的痛苦。这种压抑和痛苦，使素有“猛打猛冲”、喜欢干惊天动地事业的将军身心备受创伤。

现在好了，“四人帮”垮台，将军顿感昔日雄风重振，大有希望再领导一回大庆会战那样的社会主义现代化建设大战役。1977年的党的十一大上，将军进入中共中央政治局，又在次年春天召开的第五届全国人大会议上被推荐继续担任国务院副总理和国家计委主任之职。两年后的1980年中央在设立书记处书记时，将军又任书记处书记。这样的职务，对老百姓来说，是登上天的大官了。事实上，将军也确实从此开始了长达十多年的党和国家核心领导层的政治生涯。

但将军就是将军，与其让他天天坐在办公室开会和在文件上画圈，还不如去为拨乱反正、改革开放大业干点实实在在的事。这是他的性格：见不着老百姓，他心里不踏实；不是挑战性的工作，他总感不过瘾。

将军这么大的官了，可他还是用着一辆公务车，而且一直是老司机贾师傅开着。现在不少地方上“七品”芝麻官出行都是警车开道、前呼后拥的。将军这么大的官则不，他平时出行从不要这种“气派”。专用座车既是警卫车又是工作车，需要时车上坐四个人：将军自己一个、秘书一个、警卫参谋一个，外加开车的贾师傅。不需要时，就将军和贾师傅俩人。贾师傅虽比将军小一二十岁，但他们像是“老哥儿俩”，车子内的小天地里无话不说——当然除机密外。将军平时一有空就喜欢出去跟老百姓聊天、上基层单位调查私访。开始贾师傅劝他说你年岁大了，别那么累，有空也休息休息。将军立马板着脸：“共产党员，哪有什么休息？”贾师傅再也不敢阻拦了。两个“老头”单独出行总是有些不安全吧？将军又嘴一撇，说：“我做事对得起老百姓，给他们办事，老百姓怎么会害我呢？”将军的为人哲学非常朴素，但里面却折射着很深刻的道理。现今胡锦涛为总书记的党中央提出“执政为民”，不也是这个道理嘛！

将军官大了，但小事上依然不含糊。他最恨那些官当得不大，却大事小事都把手伸得特长。他不，就连抽烟这样的细节也都十分注意：他烟瘾大，一天都在两三包水平上。口袋里又总不能塞得鼓鼓囊囊的，可是经常一开会就是半天，他的烟就会“断档”。这时将军就会抬头朝坐在某个旮旯里的贾师傅使个眼神，贾师傅马上悄悄走过去塞上一两包烟——俩人有默契，因为将军有一条自律：不抽公家的“招待烟”。

李先念曾有话评价将军：粗中有细，一心为公。

“为公”两字说起来容易，做起来非易事，而要一心为公，怕是难上难。有人可以一时为公，却难能做到一辈子为公；有人可以在某些容易做到的事上为公，却不能在所有事情上特别是涉及错综复杂，尤其影响到自己切身利益和个人形象时就再也做不到了。

当了党和国家领导人后也常有衡量他为人处世的品质问题。

将军在任副总理和政治局委员时就奉命做过两件“得罪人”的事——而这又是必须有人去做的影响国家和军队改革的大事。

一件事是80年代初国务院所属的工业部门的机构改革。

由于五六十年代中国计划经济时机构庞杂的惯性和“文化大革命”十余年留下的干部问题，改革开放之初，我国政府机构的臃肿和人浮于事的现象极其突出，政府部长级干部中“一多二老三不专”的情况非常严重。一多，即有的部正副部长多达20人，少的也有十几人。一份文件传阅、画圈有时一个月还没有转过来；二老，即正副部长年龄都在六七十岁左右，部长会一开起来围了一大会议室，真正能坚持正常工作的却并没有几个人。三不专，即文化水平普遍低，大部分部长只有高中以下文化程度，对专业知识尤其是现代科学技术知识更加缺乏。面对这种局面，邓小平在政治局会议上把精简机构的意义提高到“一场革命”的高度。他说：“精简这个事可大啊！如果不搞这场革命，让党和国家的组织继续目前这样机构臃肿重叠，职责不清，许多人不称职、不负责，工作缺乏精力、知识和效率的状况，这是不可能得到人民赞同的，包括我们自己和我们下面的干部。这的确是难以为继的状态，确实到了不能容忍的地步，人民不能容忍，我们党也不能容忍。”

机构改革的这场“革命”，革的大部分都是为建立新中国和在新中国建设中立过汗马功劳的老同志，他们大多又是在“文化大革命”中惨遭林彪、“四人帮”的迫害、多年失去工作机会的老干部。“四人帮”垮台，他们才重新获得工作机会，可现在精简机构又要他们退位。许多人想不通，抵触情绪自然非同一般。谁去做这得罪人的事？一些“聪明人”躲到一边去了，将军没有躲，并主动承担了他分管的那些部委的精简任务。

难哪！既然精简，就得有硬性的“杠杠”：年龄杠杠、编制人数杠杠，这都是要了那些想留任的老同志的“命”。

将军为此一个部委、一个部委地跑；一个人、一个人地找谈话；谈了部长，谈副部长，谈了留任的再谈退位的；谈了正副部长，再谈司局长……谈得通的可以过关，谈不通的最后还得想法谈通后再过关。骂娘的、拍桌子的有，告状写信的有，领导干部也是人嘛！

而且大家都是“以革命的名义”在跟你说话。将军靠的一是摆大道理，二是耐心细致地做说服教育，三是合情合理的妥善安置。经过五十天的紧张工作，将军分管的那些工业部门机构全部完成，新的领导班子获得中央书记处一次通过。总书记胡耀邦和书记处其他领导同志对将军的工作非常满意，并将经验向其他部门和省市区推广。

1982 年 9 月 27 日。又是一个秋天的日子。脱了 24 年军装的将军这一天突然出现在人民解放军总政大院的宽阔操场上。令人惊奇的是他穿着一身崭新的军装，那鲜艳的红五星、红帽徽，在阳光下闪闪发光。上午 9 时，将军面对操场上整齐站着的 23 个绿色方队，健步登上阅兵车，甩起那条威武有力的右臂，目光炯炯地向受阅的官兵高声致礼：“同志们好！”

顿时，24 个绿色方队的官兵，齐声回应：“首长好！”

“同志们辛苦了！”

“为人民服务！”

那响亮高昂的口号声、整齐一致的步伐，铿锵有力地敲击着大地，预示着中国军队将掀开新的一页：是的，新华社借一个规模并不大但很特殊的阅兵式向全国和全世界宣布了我军的一项重大人事改动：余秋里将军重新回到人民解放军领导岗位，出任总政治部主任兼中央军委副秘书长。

将军是一个星期前接到中央任命的。像当年战争年代接到战斗命令一样，第二天他就上了阔别 24 年的军队报到。因时间紧，军装都来不及做，将军那天是着一件平时常穿的蓝色中山装走进总政大院的。

“文化大革命”十年，特别是林彪、张春桥（曾任多年总政主任）给军队留下的一系列问题，将军上任初始面临的军队拨乱反正、清除极“左”思潮等方面的政治工作任务极其繁重。他在党中央和军委主席邓小平的领导下，全身心地投入了军队整顿的工作。

老实说，由于“文化大革命”带来的后遗症，这个时期的军队在老百姓心目中的印象不怎么好。而当兵的人不安心部队工作，缺乏理想信仰，为谁当兵等人生观方面也存在严重问题。将军在重新踏进军营的那一天，便深感肩负的责任重大而紧迫。甚至有军队高级干部好心地对将军说：秋里同志，眼下的军队不是那么好抓的，你得有思想准备啊！言下之意，你将军这回被邓小平点将回到军队的担子，可并不比当年毛泽东两次点将轻松。将军对这位善意的老同志点点头，然后掏着心窝说：我何尝不知？“文化大革命”十年遗留下很多问题，新时期又会出现不少问题。可做工作哪能没有困难？我这个人如果有个优点的话，就是不怕困难，逼着自己面对困难和问题去动脑筋，想办法去克服困难。我的几十年革命生涯不就是这么走过来的吗？

是的。将军现在又要重新迈开步子，在新的时期、新的战场，一展风采。

自南昌起义以来，我军与老百姓的关系从来都被称为“军民鱼水情”。然而十年浩劫使这种关系受到极大伤害。如何恢复“军民鱼水”关系，这是将军必须完成邓小平主席交给的一项紧迫而艰巨的任务。

军民共建精神文明！将军在保定驻地的某集团军调查中，总结和提出了一项具有新时期我军建设里程碑意义的创新。而正是这项被党中央、中央军委确认为“建立和发展体现社会主义精神的新型的军民关系的一个好途径”、“是加强现代、正规化革命军队建设的一个重要方面”的伟大创新，使得被林彪、“四人帮”扭曲了的军民关系迅速恢复到了战争时代那种互不可分离的鱼水关系，并更进一步地发展。与之同时，军队的自身建设也在这样的精神文明建设中得到提升和巩固。官兵一致，从严治军，也是在将军和军委其他领导同志的共同努力下，实现了一个又一个的新台阶。

像我这样年龄的曾经是军人现在又离开部队的同志和千千万万今天仍在军队一线工作的中青年，我们都庆幸经历过新时期军队历史上一个使我们受益终身的重要事件，那就是“军地两用人才”活动。而这项活动的积极推动者和主要领导者正是将军余秋里。

面对改革开放和社会发展的新景象和新现实，我们这些“出生在困难时期、成长在“文化大革命”时期、当兵在改革开放时期”的当兵人，都曾有过徘徊，都曾有过痛苦，但我们很快获得了春风和新生，这个春风和新生就是“军地两用人才”活动在全军的展开。当兵者，毫无疑问我们的责任是扛枪保国。但多数人不可能一生都留在部队，我们需要适应新的岗位、新的工作挑战，我们要安心当好兵，就必须考虑好今后的出路。这是和平时期所有军人及其军队的家庭和与军队们相关的人都在考虑的事。将军审时度势，在深入部队一线的调查研究中，他把军队的战时责任与和平时期军人们面临的实际问题放在更高的起点上看待今天的军队建设，于是创造性地提出了“军地两用人才”的科学建军理念，使得那些既要为保国守疆献青春、又期待未来能有更广阔战场施展建设四化才能的广大官兵，有了立身之本、建功之技。而关于这项影响深远的活动意义，我在此仅用几行字记述，显然过于简略和笔轻。但我有自己的认识，因为对于一个真理的认识，通常我们根本就用不着堆积许多所谓的生动事例或华丽辞藻去粉饰它，就像我们对毛泽东的“枪杆子里面出政权”这一经典真理的认识一样，不需要用“南昌起义”、“秋收起义”或“三大战役”来解释它吗？显然不用。

一滴水可见太阳。将军的“军地两用人才”观就是这样滴水见得太阳的建军新思想，它的深远意义在我军现代化建设中随着时间的推移越将被显现出来。我们这些有幸在其中受益的亲历者，只有深怀朝圣般的虔诚才有可能充分认识它的光芒所在。

百万大裁军——这是将军出任总政主任一职后，又一件非做不可、又极“得罪人”的事。

较之将军在副总理时主持政府工业部门的机构精简，军队大裁军的难度要大得多。

那些裁掉的军队，都是比将军更老资格的将军们的心头肉，裁谁不裁谁，常常会搬弄出诸多历史上的许多陈皮烂糠，你惹得起吗？

惹不起也得惹。

大裁军的目的，就是为了实现军队现代化需要。而让军队的老同志退位，意在使部队的干部年轻化。“这个问题如果不解决，我们这些人交不了账。”军委主席邓小平说得很清楚，也很严重。

交账就得理账。这“理账”人便是将军余秋里。

自 1927 年南昌起义的一声枪响，中国人民解放军走过了漫长而辉煌的历程。而这过程中，活着的和牺牲的都被铭刻在中国历史的丰碑上。现在将军要把一些年龄超大的同志从岗位上“请”下来，让他们结束一生以此荣耀的军人生涯。而那些从战场上走过来的老军人们、老将军们，对军队的情结远胜于生命。如今靠一个“请”字来了结血脉里流淌的军人情绪，谈何容易！

年龄到限，一律退位。这容易实施，不接受也得接受。大势所趋，服从自然规律。但将军还要做另一件事，这让无数“生为革命而生，死为革命而死，从小立志将革命进行到底”的老军人不干了：退出岗位，已经实属无奈，就连一件新军装都不发给我们呀？不行！

将军们愤怒了！愤声震天宇！

一身军装就那么重要？自然重要！比将军更高位、资格更老的将军们这样说。

我们都退下来了，连一身军装都不发给我们，太绝情了吧？发一套新军装给我们，死了也好做寿衣嘛！有人带着悲愤与眼泪在全国人大和政协会议上这样恳求道。

将军的心其实与这些战火中走过来的老战士们一样。他何尝想把事情做得这样“绝情”？但他必须执行军委和邓小平主席的命令：新军装还是不能发。

将军向老战士们陈述的理由是：军服是军队的一种标志，是军人区别于其他人员的一种标志。此次新军服改革，本来也是军队现代化、正规化建设的一个内容，因此只能是现职现岗的军人才能换新军服。老同志们当兵一辈子，穿了几十年军装，现在离开岗位，又不能穿新军装，感情转不过弯，这是自然的事。但大家只要好好想一想，问题可能就想通了。50年代实行军衔制时，许多战争年代担任过军队高级领导职务的同志，还有的是开国元勋，因为当时没担任军队现职，他们不仅没有授衔，更不用说军装了。这说明什么？说明这既是我们党和军队的一个传统，又是一条纪律准则。另外，我们查阅了外军资料，各国军队也是如此，一旦离开现役，就不再穿军服。

这样有情有节、有据有理的说明，多数老同志转过了弯。但仍有些依然不接受。将军只好向他们敬个礼，情深意切地说一声：拜托了。

不那么简单。将军为公鞠躬尽瘁一生，因这样的事也被人放过“暗箭”，而且射得蛮凶。甚至有人在他离休之后重病在医院住着时，也还有人跑到病榻前怨他“军装”一事没办好。将军听后沉默许久。身边的工作人员实在看不过去，便对将军说：“不给老同志发军装是军委的决定，他们这样埋怨你不公平。你应该向大家做个解释。”将军摇摇头，说：“我执行军委的决定，理所当然。一些老同志有意见，我能理解。但对这项工作我不后悔。”继而又说：“我这个人被人误解过，也被人诬陷过。但毛主席说，我们要相信群众，相信党。我自己又加了一条：要相信自己。”

有道是心底无私天地宽。将军这句“要相信自己”的含义也在于此。

无须讳言：现在有人做官后为自己的家乡倾斜点感情、造福一方的事不少。这也是人之常情，并不算过分。但将军则在这方面真可谓铁面无私。

将军自1929年15岁时跟着红军离开吉安老家后，一别就是五十四年！这五十四年里他几乎跑遍了国家的每一个角落，唯独没有在家乡驻足过。1983年5月，将军在浙江金华开完“军地两用人才”交流会，正巧与回京参加全国人大会议时间还差几日。金华与吉安相距甚近，将军这回终于萌发了回老家看一看的念头。

阔别半个多世纪，谁人不忆家乡？一路上，将军兴致勃勃，对随行人夸口：到吉安后，一定请大家吃几个吉安名菜：粉蒸肉、红烧狗肉，外加封缸酒。然而到了吉安老家后，将军再也没提这事。为何？将军回老家后目睹半个多世纪后的家乡人仍穿着缝满补丁的衣服，孩子们吃他带去的几块糖果像过年一样，村上农民装着电灯却舍不得开亮的一幕幕贫穷的境况，让将军心头久久不能平静。

与当地干部座谈会上，有人借他仍在当农民的弟弟的嘴巴说：“你在北京当那么大的官，可什么事情也没为家乡办过，大家都说你六亲不认。”

将军那天低下头，沉默很久后说：原则问题上我就是六亲不认。过去在当国家计委主任时，也有江西的同志跑到北京让我多给江西点项目和经费，我对他们说，我这个计委主任是全中国的，不是你们江西计委主任。现在我还认为这话没错。只要我在任一天，就不能行使权力专为老家做事。

那次将军在吉安只停留了一天，多半时间是在与当地党政干部商量如何振兴吉安经济的事。原本请随行人吃“特产”和游井冈山的事全然不提。故乡的依旧贫困让将军很多日子心情沉重。“他这个人就是这样，你让他办些跟他个人或者家乡沾边的事，那真是难于上青天。在他从岗位上退下后，曾经找过我帮他老家办过脱贫的事。可他在位时连一辆拖拉机都没给过吉安。我还开玩笑说，你做得过分了一点。秋里同志还朝我瞪圆了眼睛，说：过分点好。”现任全国人大常委会副委员长顾秀莲同志在她的办公室笑着对我说。

将军在对自己和家人的问题上，有时真的很无情。但这种无情中却蕴藏着一个共产党人的大情大义。余浩是将军唯一的儿子，算是我们的同龄人。余浩自己说从小几乎就没有得到过父爱——因为父亲太忙了，连跟家人说话的时间都极少。同一小院住，却见面很少。将军通常半夜三更打道回府，等他第二天起床上班时，孩子们一个个已上学校早读去了。节假日全家人一起上什么公园玩一趟的事，余浩说好像他的童年和少年记忆中就根本没有过。80 年代，中国的南方边境有过一场战事。余浩当时刚从北京某部队转业。有一天将军见儿子突然问道：你现在在干什么？儿子答：刚从部队转业。将军感到意外：好像儿子当兵也是第一次听说，更不明白儿子为什么会转业？那时南边已经开仗，身为总政主任的将军这回对儿子特别关心起来：你不能转业，得重新回部队去！儿子有些恼：凭什么？我当兵时你关心过没有？现在我转业了你倒关心起来了？将军两眼一瞪：给我回部队，这是命令！

回就回！儿子也不是孬种，转过身就到新部队报到。

不几日，将军又碰见儿子，便问：在哪个单位？

儿子说：总政下属的一个单位。

将军立即不悦地：你上那里干什么去？

儿子：是组织安排的。

将军怒气上来了：你这算什么兵？下去！

儿子只得离开北京，上了南京军区。

不行，得到一线的作战部队！

将军听说南京军区的领导将他儿子安排在非前线作战的机关当参谋，好一顿将军区头头训斥。无奈，军区领导不得不将余浩一竿放到底——安排他在最前线的某军一师一团。这个团就是将军在红军时期一手创建的，现在正执行南疆前线的攻坚任务。

战斗异常惨烈。一团英雄官兵们在抢占高地的激战中伤亡惨重。将军身在京城，却每天可以看到前线的战报，但他把对儿子的那份牵挂之情，倾注在前线所有的官兵上。“为了国家的尊严，必须英勇战斗，不怕流血牺牲。”那些日子里，将军不准有人提及他儿子在前线的事。

“如果说儿子，那么几十万前线指战员他们都应该是我的儿子。我牵挂他们中的每个人。”将军在前线的无名烈士墓前，高高地举起右手，向默默躺在那里的“儿子们”敬礼，心底在喃喃地念叨着一句话：我为你们自豪。

经过战火洗礼的儿子真的让将军自豪——余浩从硝烟弥漫的南疆回到祖国时，已是战功显赫的英雄。将军这时才有了笑容，而这时人们似乎猛然发现他的满头寸发也在一夜间全部银白了……

无情未必真豪杰。将军的情在心底，在细微处，在他挥手与斥骂中，在他沉默与大笑间。

女儿晓阳是父母最小的孩子，也是将军掌上明珠。晓阳说，我们小的时候，父亲正在大庆会战，后来又是‘文化大革命’，记忆中的父亲很少与我们在一起。1979 年我出国留学，之前没跟爸爸商量过，怕他不同意。爸爸是个很传统的老布尔什维克，他最痛恨跟“洋”字沾边的，尤其是自己家的孩子。听说我上瑞士，爸先是沉默不语，然后问学什么专业。我说是金融。爸竟然站立起身，爽朗地说了一声：那你把它好好学了！好像在指挥下级的一名油田开发者：你把那个油田拿下吧！爸就是这样的人。别看他是老红军出身，从小没上多少学，但他从不墨守成规，相反，接受新事物特别快。每次我从国外回来，爸显得特别高兴，常常还在外人面前把我炫耀一下：这是我小女儿，在国外读工商硕士呢！有一次晓阳把从国外带回的一个很大的巧克力蛋糕给了父亲，那会儿将军正随胡耀邦总书记在昆明视察工作。将军见女儿的礼物，好不喜欢。看着看着，突然说：这个给耀邦吧！于是带着女儿，抱了巧克力蛋糕，去见了总书记。女儿后来又随父亲上了大港油田。晓阳手头带了一份刚刚翻译好的外文资料。将军见后甚为惊喜，令秘书说：晓阳的翻译论文，你把它放在我睡觉的枕头旁。“当时我很感动，爸爸那时是副总理，日理万机，可他却对我的一篇极普通的翻译作品看得这么重。我知道那是他对我的一片父爱之情……”晓阳说到此处，有些哽咽：“父亲每回在我从外地回来时，总说：你怎么又瘦了？饭要吃好嘛！每回临走时，他又总说：好好学习，努力工作，外加注意身体。他基本上都是这几句话，可我感觉里面有千言万语。每回走出家门时，我总要回头看一眼，而每回准能看到白发苍苍的爸爸和妈妈一起站在院子门口，正远远地朝我挥手，那一瞬我总忍不住泪水满面……”

二女儿晓霞可能更遗传了父亲的性格，做事风风火火，干脆利索，甚至有些大大咧咧。可一谈到父亲，立即有种肃然起敬的神情。她的话也顿时变得如同喷射的火山：我爸像一座高山，巍峨挺立；像一片大海，可容纳整个世界。他对人爱，爱在你水深火热之时，爱在你危难险峻之刻，爱在你痛苦绝望之瞬。而他平时则用严、用骂、用罚你工作更高要求、用罚你不断清醒、保持谦虚谨慎和进步，来表达他的爱。

女儿的这段话总结得很到位。

王宏，一军某师副参谋长。年轻又帅，更因为他有一大串光芒照人的头衔：曾是“硬骨头六连”连长、一等功臣、国防大学首届集团军作战专业研究生班硕士毕业生。在春风荡漾的西子湖畔，我们面对面地坐着。这位“军中少帅”说过自己的成长经历，脸上微微一红，说：没有余主任（总政主任余秋里——笔者注）当年对我的关爱，我王宏不可能有今天……王宏的经历有些传奇，在“硬骨头六连”任职时，因为南疆一战建立显赫战功，成为全军战斗英雄。但年轻人从战场上回来后骄傲了，连军人的基本纪律都不放在眼里，为此吃了个处分，降职到另一个连队。将军巡视下属部队知道此事后，专门找他谈话，勉励他正确认识错误，重新奋起前进。受挫的年轻人不曾想到在自己绝望的痛苦时刻，军委总政首长会专门抽出时间亲自找他谈话。感激涕零之际，是振作奋起的动力。后来王宏又从跌倒的地方站起来，1998 年他带领部队在九江抗洪前线荣立战功，受到军委江泽民主席表彰。

现在，我的这部关于将军的报告文学作品将要收笔了——我知道不收笔准会写下百万字的长篇鸿著也断然不存在问题。但，那种欲满则反拙的事我不做。

我把收笔落在一个人身上。他叫李晔，曾经是将军的一位秘书。李晔现在也是我称他“伯伯”的老人了。

李晔伯伯太可爱了，他对中国石油的挚爱，对人生的赤诚，对痼疾的蔑视，都让我感到震撼与敬佩。

2004 年“五一”前夕，我和将军的二女儿、三女儿专程从北京赶往河北任丘油田，因为事先得知李晔在那儿正与几位“老石油”在写一部“聊聊石油”的书。将军的女儿们说，你见了李晔叔叔，就能像见了我父亲一样。言下之意：李晔是个活脱脱的“小余秋里”。

之后的四天时间里，我全然沉浸在对“小余秋里”的感受和欣赏之中。

“高兴高兴！见了两个娃儿就高兴！”矮小而体弱的李晔一见晓霞、晓红，嘴里不停地喃喃着，那张布满纹丝的脸上绽放着父爱的笑意。

李晔 1949 年在我军南下时参军，后到西南军区。1954 年到了将军身边。李晔生性刚直不阿，开始让他到将军身边当秘书，他不愿。原因是听说将军脾气大，不顺心时会把钢笔摔在桌子上。李晔说自己虽是个“小萝卜头”，但受不了这种气。哪知在不得不“服从组织”之命到将军身边后，一干就是 15 年——如果不是文化大革命，他还不知要在将军身边干到什么时候。

1994 年将军一病不起后，李晔赴北京看到将军成为躺在床头没有语言、没有知觉的植物人的情形后，他一悲之下从此离开北京，将家搬到胜利油田所在地的那个东营小城，开始了半隐居式的孤独生活。

“不能跟首长说话了，我还留在北京干啥？这样留在北京比死还难受。”李晔对将军的那份情超越了秘书与首长的关系，超越了亲人和友人的关系，用他自己的话说：他是属于将军的，将军的一切就是他的一切。

为这，李晔常常当众恸哭——一个六七十岁的老人、一个怎么着也是省部级身份的高级干部、一个经历了无数沧桑的顶天立地的汉子，他在我这样一位初次见面的晚辈面前，能毫无顾忌地说哭就哭，说怒就怒——我还是生来第一次见这样的人。

李晔哭什么？为何而哭？

后来我终于知道了：他为将军一生的大起大落而哭，为将军后半生最大的愿望——把胜利油田建成第二个大庆、在全国建十个大庆的夙愿未能实现而哭，为今天中国的石油资源需要越来越多地依靠进口而哭……

将军也有大起大落？将军也有宏伟的夙愿没实现？这是我初见李晔时内心存有的极大疑惑。

“当然有。”老人告诉我。他拿出一份几年前写给中央领导的信，让我读——

石油之兴衰，关乎国运。事之成败，关键在人。我们大半生拼搏在石油战线，对石油有深厚感情，我们恳请党中央、国务院更加关护石油、支持石油，任用对祖国石油充满信心的得力干部，制定发展方略，特别是制定鼓舞石油自我发展的政策，充分发挥第一线干部的积极性和创造精神，以加快我国石油工业的发展步伐，则国人之幸，民族之福……

“这样的信，我写过几回。这信中的字字句句，都是我诉说中国石油建设的血和泪……”老人说到此处时，一声又一声扼腕长叹，拄着拐棍在房间里不断走动起来，无限悲愤的激动之情昭然可见。

“每每想起首长，想起他生前想把胜利油田建成第二个大庆和在全国建设十来个大庆的愿望得不到实现时，我经常在半夜被噩梦惊醒，然后号啕大哭一场……”老人开始拭泪，继而双手伏在膝盖上久跪不起，那双瘦削的肩膀竟然在不停抽颤。

其情其境，让人心酸不忍。

“六年了，我们几个老家伙行程 4 万公里，访遍了祖国陆上、海洋所有油气田（台湾除外）。收集各类资料近 300 多公斤，接触访问了 700 多位石油职工。其中，深入座谈研讨的石油界的局以上领导干部与资深专家学者就有 100 多人。为啥？就是为了想把这些年来中国石油事业上的成功与教训向世人作个我们认为正解的解释。新中国石油事业曾经有过辉煌的自给自足时代，现在我们每年则有近一半原油要进口，而且这种趋势越来越严重，这就是我们这些老石油人最忧虑的事。我们是过来人，了解中国的石油工业状况，所以更怀念余秋里、康世恩时代他们留下的中国石油开发思想。用一句比较简单的话说，如果当年余秋里和康世恩他们制定的石油战略思想得到很好的延续和执行的话，中国的今天会更加强大和繁荣。可眼下国家的现代化建设飞速发展，制约我们的经济建设和日常生活的能源问题却越来越突出。大家不都看到现在国家一年比一年用电紧张情况吗？而在能源中石油总是第一位重要的，可现在原油缺口之大令我们更加担忧……”一旁的郑耀舜先生对我解释道。

李晔、郑耀舜和毛华鹤、王福臻四位在石油战线工作了一辈子的老人，他们费尽心血要向国人“聊聊石油”，到底想聊清些什么事呢？

原来，他们耿耿于怀的还是当年将军和康世恩等老一代石油开拓者和领导者对中国石油的战略思想和后人因种种原因没能实现这种战略意图所带给现实中国石油大量进口的问题。核心问题是像胜利油田这样的好油田到底能不能建成“第二个大庆”和与之延伸出的在“全国建立十来个大庆”符合不符合实际情况的争论上。

让我们来听听李晔他们是怎样“聊”以上那些好似石油问题其实是中国经济建设全局的方向问题的——

关于把胜利油田建成“第二个大庆”的战略思想，是 1984 年 2 月胡耀邦、余秋里明确提出，到 1986 年 1 月由康世恩主持正式编制出来，历时近两年。而酝酿与议论这个规划，时间则更久远，并有着更深刻的背景与渊源。

早在 20 世纪 70 年代初，按照国务院指示，余秋里、康世恩等人编制石油长远规划和“四五”计划纲要时，就将我国石油与美国石油相比较，提出了两国国土面积与沉积岩面积基本相近，石油储量与产量也应基本相当，即年产四五亿吨石油（十来个大庆）的设想。1976 年 10 月“四人帮”垮台，1977 年 5 月，中央在大庆油田召开的全国工业学大庆会议上，余秋里与康世恩经反复研究，由康世恩在大会提出“在 20 世纪末石油工业要建设十来个大庆”的奋斗目标。这个目标当时既符合华国锋有关经济建设要"四个一点"的要求，也符合后来邓小平提出的"发展是硬道理"、"国民生产总值翻两番"的精神。1977年5月，在大庆召开的全国工业学大庆会议期间，时任中共中央主席的华国锋参观大庆油田地质科学展览馆（地宫）。在一幅很大的全国石油地质勘探远景图面前，感慨地说："我们国家如能搞到十来个大庆该多好！"1977年7月胜利油田会战指挥部的《胜利油田1980年建成一个'大庆'规划汇报提纲》。其中写道："油田党委集中了广大职工积极响应华主席和党中央号召的心愿，反复研究，决定在1980年提前将胜利油田建成一个大庆式的油田。……1980年建成一个'大庆'的总体规划是以老油田为基础，实现高产稳产，现有资源建成并稳产2000万吨；以济阳、临清两大凹陷为主战场，坚持古潜山、二级带、深层三个勘探方向，新增地质储量20亿吨，新建原油生产能力3000万吨。设想在三年内逐步形成东营、沾化、惠民、临清四大油区，实现5000万吨的目标。"1978年9月14日，党的十一届三中全会前夕，邓小平第三次到大庆视察。他一针见血地提出："你们要加快找油，加快找气，找到更多的油气田，我们有5亿吨油就好了，搞十来个大庆油田还是很不容易的哩！"从1981年胜利油田打翻身仗以来，搞"一个大庆"的议论又开始热闹起来。其中余秋里起了倡导与鼓动作用。如前所述，他在这几年的讲话与活动中都提过胜利油田的奋斗目标：1981年8月，在胜利，余秋里讲："胜利现在账面上有储量11～12亿吨，如果再找到两三亿吨，加起来就是14～15亿吨，相当于大庆当年储量的一半。大庆现在每年产5000万吨，你们为什么不能在这几年搞到2500万吨？"（注：胜利油田1985年产油达到2705万吨）1983年9月，在胜利油田，余秋里又讲："从长远讲，胜利油田搞到40亿吨左右的储量，搞到6000万吨左右的规模，也就是搞个"大庆"或"尼日利亚"，应该是有条件的，是可能的。具体时间、具体范围不说死，作为奋斗方向，应当有这样的雄心壮志，应当提出这样的战略目标。"（注：经专门机构核定，到2000年胜利油田累计探明储量为40亿吨）

简单地割断历史论事容易片面，关于石油工业的发展更是如此。

新中国的石油发展从来就是“摸着石头过河”的过程。“摸不到石头时要小心谨慎，石头摸准了就要快上。”这是将军的经济学思想之一。

1984年2月11日，心系石油事业的将军虽此时身为军委总政治部主任，却仍然时刻想着把胜利油田建成“第二个大庆”的宏愿。他随胡耀邦总书记（其实我猜测，应该是将军“鼓动”胡耀邦更准确些）在结束广西边境度过春节后，经南京直飞黄河入海口的胜利油田。同样满怀一腔“石油情”的胡耀邦同志对胜利油田和中国石油事业备加关怀。他一到胜利油田就在石油工人中间搞调查研究，听他们讲自己的艰苦奋斗史，向他们打听油田的发展前景。当天晚间，胡耀邦欣然挥笔写下了“一部艰难创业史，百万覆地翻天人”的题词。

胡耀邦同志对胜利油田的了解和熟悉是从将军那儿获得的。还记得本文前面叙述过的，在五十六年代时，他这位住在将军后院的团中央书记时不时经常出现在秦老胡同之景？关于胜利油田能不能建成“第二个大庆”，早在1982年2月的一天，胡耀邦、将军和李晔等人就有过一次认真的谈话（根据李晔录音整理）：

将军：我给你们当个参谋，向总书记汇报一下……我国960万平方公里，400多万平方公里能够找油，领域大得很。你们胜利油田搞了20年了，应该有经验了。有700平方公里的油田面积，20多亿吨储量。要当个大庆来开发。因为大庆（当时）也只开发800多平方公里，24亿吨储量……

胡耀邦：如果我们国家能够搞第二个大庆，那我们80年代就大有希望，这是个重大因素啊！提建设十来个大庆，想是可以这么想嘛，怎么不可以这么想呢？只是当时估计得过于乐观一点。

接着，总书记和将军两人头挨头地掐着指头算起搞十来个大庆的账来。

胡耀邦：东北算两个，胜利油田算一个……90年代搞它五六个，六七个……如果我们的国家有更多的石油，比如说本世纪能够达到3亿吨，甚至更多一点，那么，我们翻两番就有了更大的物质保证。物质保证的条件很多，但是如果石油能搞到3亿吨，那就是最重要的一个条件。

胡耀邦回过头来问李晔：你们今年想搞到2000万吨？

李晔答：我们想搞到2050万吨以上（实际产油2301万吨）。

胡耀邦问：你们什么时候搞到3000万吨？什么时候搞到4000万吨？

李晔答：原来设想，1990年搞到30亿吨储量、3000万吨产量。

胡耀邦：（你们）要把搞第二个大庆的方针制定下来……

后来，胡耀邦又给胜利油田题词道："建成第二个大庆，献给开国四十年"。可惜，开国四十年时，胡耀邦没能继续留在总书记的位子上，而且过早地离开了我们。他的死，在中国政坛上引发了一场不大不小的风波。这多少影响了胜利油田关于建设"第二个大庆"的实施进程。这是后话。

但此次总书记在将军的陪同下来胜利油田视察时的情景，则永久地留在胜利人的脑海里。那是少有的一种激情，一种大国领袖的"激情燃烧"：在千人干部大会上，胡耀邦发表了热情洋溢的讲话：

同志们：

……

我对石油工业不很熟悉，也很少看望奋斗在最艰苦的地方、对国家做出了很大贡献的石油工人。如果你们批评我这是犯了官僚主义——总书记嘛，对石油工人不来看一看，我是接受的。但是我们党的政策有一条：既往不咎，过去从宽，不要纠缠历史旧账，团结起来向看前嘛！（热烈鼓掌——现场情景笔者注，下同）

而事实上，这两年我也有所改正嘛（全场欢笑）。

从1982年开始，那年5月我第一个是看了大港，8月看了大庆，10月看了中原油田。1983年5月我看了克拉玛依，8月看了长庆。这一次是第六次，来看你们。（热烈鼓掌）这说明什么？说明我还是积极改正错误嘛！（全场欢笑）

我还有一个心愿，我现在68岁了，只要今后能够走得动，我准备看遍全国的石油基地。（长时间热烈鼓掌）

石油战线上的同志们，是值得看望的。为什么呢？至少有两大理由：第一大理由，是石油战线具有光荣的历史……第二大理由，就是石油战线是我们四化建设的先锋……

……昨天听了你们汇报，我们几位同志在那里开动脑筋想，你们能不能搞出个第二个大庆？这个话首先不是我讲的，是秋里同志提出来的。（秋里同志插话：对，我讲的。）他讲的嘛！如果说这是向你们“发难”的话，首先不是我，是他呀！（热烈鼓掌）

我们这样的大国，一个大庆就是不行。我们希望有第二个大庆、第三个大庆……几年以前，有的同志说要想办法搞十来个大庆。我觉得如果真的搞十来个大庆，有什么不好？（热烈鼓掌）我们不赞成的只是认为很快就能搞成十来个大庆，那就办不到了，那就是主观主义了，想得太急，想得太快了。那么我们现在只有一个大庆，想找第二个大庆，别处找不到，就首先找到你们了！（热烈鼓掌）你们要首先建成第二个大庆。当然喽，困难是很多的，但条件也有嘛！可能性是存在的！有困难，要克服困难，才是好样的嘛。刚才秋里同志讲的，第一要靠志气。我还想加一条，也是秋里同志讲的，一方面要发扬优良传统，一方面要钻研新的技术。要有新思想、新技术、新办法。过时了的老框框、老思想、老办法，我看不要留恋。今天早上，我的秘书找了一份材料给我，是一个美国人叫华莱士·普拉特写的，叫《找油哲学》。他就提出了这个问题，要反对找油上面的保守思想，是反对老框框。所以，我说第一要有志气，要发扬石油战线上几十年来的优良传统。第二要努力掌握新的本领。如果有这两条，建成第二个大庆是能够实现的。

我提的“第二个大庆”，是有个注解的。大庆现在核实的地质储量是30多亿吨，年产量5000多万吨。我昨天同你们的李晔同志讲，我说你产量达不到5000万吨，但如果地质储量先搞到30亿吨，产量又逐步上去，有一个可观的数目，比其他油田多，那也叫大庆嘛！叫第二个大庆嘛！大庆是老大，你是老二嘛！（热烈鼓掌）……

最后，我想起了我们的延安哪！我是抗大的学生，你也是抗大的。（秋里点头：我也是抗大的学生。）我们抗大的学生在这里。抗大当时有个校歌，叫“黄河之滨，集合着一群中华民族优秀的子孙。（胡耀邦同志高兴地唱起“黄河之滨，集合着一群中华民族优秀的子孙……”将军跟着唱。全场热烈鼓掌，也是很多人跟着唱，情景极其感人。）

你们这里不叫黄河之滨吗？你们这里也是黄河之滨。下面还有几句，我就不唱了。叫“黄河之滨，集合着一群中华民族优秀的子孙。人类的解放，救国的责任，全靠我们自己来担承”。当时是1938年。现在，我就把它换那么几个字：黄河之滨，集合着一群中华民族优秀的子孙，四化的希望，能源的责任，要靠我们打头阵……”（长时间热烈鼓掌）

胡耀邦最后还有一段话，他深情而又期待地对胜利油田的职工们说：“还有半小时我们就要离开这儿了。总而言之，希望你们要做中华民族优秀的子孙。我祝你们加油干！1989年在天安门上见！

激情澎湃的总书记不曾想到时隔七年后，中国的政坛发生了连他这位总书记都不曾想的一幕。他离开了我们，也离开了石油人，给后人留下了许多遗憾。但胜利油田在他的那曲改编的“抗大歌”鼓舞下，捷报频传，每隔十天半月就涌现出一口千吨高产井——

1984年2月23日：桩西10井，日产3635吨

1984年3月15日：郑4井，日产1095吨

1984年5月18日：桩古21井，日产2700吨

1984年5月19日：郑14井，日产1202吨

1984年5月31日：邵4井，日产1117吨

1984年7月1日：桩古9井，日产1085吨

1984年9月12日：桩古15井，日产2023吨

1984年9月27日：桩古14井，日产1076吨

1984年12月16日：桩古25井，日产1087吨

……

真也是神了！如此密集的高产井，大庆不曾有过，中国不曾有过，就是世界上著名的油田也是不多见的。胜利油田的消息传到北京，胡耀邦十分高兴，约将军和康世恩，在中南海自己家里请李晔吃饭。饭后，总书记又委托将军出面主持以中央政治局名义请胜利油田的领导干部吃饭事宜。

3 月 28 日，余秋里以中央政治局名义，在人民大会堂请胜利油田的领导干部吃饭。参加的有王震、姚依林、陈慕华、郝建秀、康世恩、王丙乾、宋平等人。石油部长唐克同志陪同参加。席间，将军说：总书记告诉我，要我代表政治局继续分管石油。王震不愧为沙场老将，指出：在搞第二个大庆问题上，小心有人吹冷风。像这个房子里一吹冷风，我们这些老同志就受不了，就会感冒，就得住医院，弄不好还得送了老命！……不知老将军何所指？其实，这两顿饭吃了些什么，谈了些什么并不重要。而它再明白无误地表达了胡耀邦对胜利油田创建第二个大庆的关切。

后来有人批评“十来个大庆”是典型的“假大空”。李晔等“老石油人”坚持认为要把这事说说清楚：首先是不宜随随便便地就给搞石油的人戴上“假大空”帽子。因为石油工业是极具风险的行业。它的运作比不得其他基本建设项目。比如修建一条公路，建设一个工厂，多少投资，几年工期，达到什么标准，事前大体可以匡算清楚。但石油深埋地下，看不见摸不着，一切都只有依靠间接手段来评估、设计、计划与攫取。既是高科技又具高风险。由于条件不同，认识各异，往往为一个地区有油没油、油量多少、投入多少、计划大小而争论不休，反复数年乃至数十年。如果一味谨小慎微，并斥责有前瞻性的设想为“假大空”，那石油行业只好是无所作为、停滞不前了。自批石油“假大空”以来，我们可以举出若干个实例，证明这种批评错了。要知道，提一个偃旗息鼓的计划那就是无所作为，提一个鼓舞人心的计划又被斥为“假大空”。该怎么办呢？与其无所作为，无法向国家向人民交代，不如肩负“假大空”的“十字架”前行。真心搞石油的人只有一个“期盼”：让历史与时间来摘掉这顶“假大空”的帽子。

以余秋里、康世恩为首的中国百万石油人，特别是像李晔等一批立志“建设第二个大庆”的石油战线上的栋梁们，在之后的那些年里为实现这一奋斗目标所付出的努力可用“悲壮”二字来形容。

骂他们是“假大空”者有，说他们“不按科学规律办事”者有——最有力的“证据”是几年前沉没的“渤海二号”最典型。甚至有人借机把过去曾经捧为大庆油田开发经典的“先生产后生活”口号也拿出来批判。

“扯淡！他们了解当时的情况吗？了解大庆油田的开发建设是在什么情形下进行的吗？”将军火了，虽然他已离开石油战线多年，但谁想否定大庆、否定大庆精神，他绝对不会答应。

提起这类事，李畔无法平静，他在一番激烈的痛斥臭骂之后，给我这样聊道——

他们说余秋里同志当年提出“先生产后生活”是不关心职工疾苦，这是完全不符合当时我们石油工业和国家所处的实际情况的。要知道，石油业是个极具风险性的行业。你设想规划好了这儿是一个多大规模的油田，可常常实际结果并不是那么回事。50年代，在新疆独山子地区，由中苏联合规划开发的独山子油田。按照苏联的基建程序，先修建了一些职工宿舍楼与生活区，等入住完毕，再着手开发油田。结果事与愿违。独山子油田面积极小，职工生活区的设施大量闲置，造成不应有的浪费。这类事情在第一个五年计划期间的玉门油田也发生过。当时玉门发现白杨河油田后，人们兴高采烈，但又无经验，在没有搞清油田面积、储量时，就先盖了几幢大楼以便职工使用。最后这个油田面积很小，产量很低，并不需要很多人管理。结果，那几幢大楼成了野黄羊的栖息地。这种“先盖楼，后找油”的教训还不深刻吗？余秋里和康世恩作为新中国石油工业的开拓者和领导者，自然更懂得应该从这样的教训中吸取什么，所以后来在大庆会战时提出了“先生产后生活”的战斗口号。它实际上是一种权宜之计，并不是余秋里的一贯思想。相反，“总后”政委出身的第二任石油部长的余秋里同志一直把抓职工生活问题当作出生产力的“动力”，甚至在像“三年困难时期”时期他亲自动手抓职工生活，其情其景，凡是石油战线的老职工都会记忆犹新。说得再心平气和些，诸如“先生产后生活”“先生活后生产”还是“生产生活一起抓”一类问题，对那些从事实际工作的同志看来，它与“先有蛋还是先有鸡”一样，这是个连哲学家都难于扯清的问题。更何况，余秋里一向主张生产是第一位的，而保证生产能不能快速发展，职工的人心、人气又是最关键的，而要保证人心、人气始终处于高昂之中，生活问题必不可忽视。几乎可以这么说：在众多的中国高级领导干部中，能够像余秋里这样既懂得如何抓生活、又能亲自上灶炒出几个拿手菜、在桌台上也能“指点江山”的美食家并不多。

80 年代初，中国的石油工业出现过一段痛苦的争执与滑坡现象。这既与当时国家刚刚起步的四个现代化快车有关，也与社会上有人借拨乱反正、批极“左”有关，加上生不逢时的“渤海二号事件”，使自 1964 年毛泽东向全国发出“工业学大庆”以来，石油人第一次以屈辱的形象出现在国人面前，一张张多年高昂的脸低了下来……全国原油产量跟着一滑再滑，继 1978 年首次 10404 万吨后，到 1980 年时却倒退到了 10121 万吨。当时的国务院总理感到了压力，因为石油产量的下滑进而导致整个国民经济下滑的可能性在所难免。这是他作为总理所不愿看到的，也是不能接受的。在寻求“新人”保住一亿吨无望后，在别无选择的情况下，他又把目光聚集到了因“渤海二号事件”从国务院副总理一职上“休息”下来的康世恩身上。康世恩此时已年至 65 岁，又因患膀胱癌而病卧在医院。1980 年 12 月的一个下午，总理亲自前往医院看望康世恩，向这位老石油人讨取保住一亿吨的良策。交谈中，康向他推荐了经与余秋里等人集体研究的一亿吨包干设想。总理要康世恩再次出任石油部长，并说：此任非你莫属，其他人都担当不起保住一亿吨的重任。在这样情况下，重病在身的康世恩应承接担。1981 年 1 月 19 日，在国家能委召开的会议上，新调任的国家能委主任余秋里宣布：今天早晨中央决定康世恩副总理兼任石油部长。这就是石油部盛传一时的“康世恩临危受命”的故事过程。

需要说明的是，从 1979 年开始，全国经济进入了三年调整时期。压缩基本建设投资成为调整时期的主要工作。此间，国家对石油的投资锐减。1981 年计划投资只有 1980 年的一半——才 17 亿元。在这种形势下，石油如何稳住年产一亿吨，成为人们关注的焦点。1980年秋天，作为副总理兼能委主任的余秋里就对石油部提出："1981年产量1亿吨就1亿吨，要讲些道理……现在国家有困难，你们要有点革命精神，还是要敢想敢说敢干，还是要解放思想，三年之内一定要搞上去！现在国际油价上升，过去没开采价值的油田现在都可以开采了。采取有效措施，充分利用这些资源，积少成多，一本万利。没有钱可以借。"曾长期担任过石油部副部长的国家计委副主任李人俊也说："你们石油部想办法，增产节约100万吨原油，可以考虑都给你们。"住在医院里的康世恩也在不停地抱病找石油战线的有关人士议论如何把石油从"资金短缺"的困境中冲出来。最后大家的想法基本一致，并逐步形成了"石油工业年产一亿吨的包干方案"。这套方案简而言之是：在国家对石油不增加投资的条件下，石油部"包干"年产一亿吨原油。但国家允许，在一亿吨以外，石油部增产和节约的石油全部由石油部自行出口，筹措的资金作为国家对石油投入的补充。这个方案在当时"统支统收"、"打酱油的钱不许买醋"的体制下，是个"创举"，也开创了石油工业改革的先河。

中央很快同意了这一包干方案。

同年5月14日，国家能委在余秋里的主持下，邀请国家计委、建委、经委、进出口委、外贸部、财政部、商业部、石油部、物资总公司、中国银行、建设银行等11个单位，共同商定了石油部超产原油的出口事宜。至此，这个鼓励石油自主发展的"一亿吨包干"方案正式出台，它对石油工业的持续发展发挥了重要作用。要实现年产一亿吨的包干方案，第一重点是大庆油田。自从60年代初发现并开发大庆油田以来，它一直撑起了祖国石油工业的"半壁江山"，一天也没有松懈过。大庆油田自从1976年起，就达到了年产5000万吨的规模。在一亿吨包干的形势下，1981年8月，余、康经过反复斟酌，并把大庆的陈烈民、王苏民等领导干部和专家请到北京开了十三天座谈会，商讨大庆油田有没有可能在5000万吨基础上，再增产150万吨原油。当时大庆没有新增后备储量，5000万吨产量已绷得很紧的情况下，要再突然增产这么多，无疑是有风险的。一旦把大庆油田累垮了，局面更是不可收拾。何况，为国家做出重大贡献的 10 万职工当时仍住在会战初期的干打垒房子里，生活情况基本没有多少改变，仍然十分艰苦，生产配套、矿区建设和生活上设施欠账很多。但是，大庆干部、职工历来具有以大局为重的好传统，他们二话没说地接受了每年多产原油 150 万吨的任务。第二个重点就是胜利油田。作为全国第二大油田的胜利油田，自“四人帮”垮台后，在会战指挥部刘佩荣、张兆美、焦万海、陈宾等人领导下，团结广大会战职工，奋力工作。面对复杂的地质条件，叶大信、陈斯忠、钱凯、刘兴材等石油地质专家，带领广大科技人员，攻克一个个难关，使石油产量在 1978 年达到 1946 万吨，生产建设取得了突出成绩。而后，由于资金不足，勘探工作量减少，原油产量逐年下降。1980 年冬，石油部副部长焦力人、黄凯与胜利油田书记陈宾等商议，认为要实现一亿吨包干任务，在稳住大庆之后，关键是要在胜利油田打一场“翻身仗”，迅速遏制它的下降趋势。而为了实现这一目标，石油部把在中原油田主持工作的李晔调回东营胜利油田工作。

国务院正式批准一亿吨原油包干方案后，石油部抓紧方案的落实。1981 年 5 月 24 日，康世恩离开医院正式到石油部上班。他即派副部长焦力人、李天相、闵豫率领的专家工作组到胜利油田，和油田的领导干部一起，从资源、工程、经济三个方面听取汇报，经过反复讨论，初步拟定了胜利油田包干方案。这个方案中，胜利油田 1981 年的生产指标是 1590 万吨。讨论这个指标时，康世恩苦笑着对李天相说：“好你个李天相，连 1600 万吨都不敢要，给我签了个‘丧权辱国’的条约。”可见，胜利油田在当时即便是一年内只多产 10 万吨，也非常艰难！这个方案八易其稿，终经石油部通过。又向国家能委、计委、经委、财政部作了汇报，得到了一致同意。同年 8 月，石油部正式下发了《关于胜利油田实行原油产量包干试点的通知》。10 月，国家经委、财政部、石油部又联合行文下发了这个通知。

此时，身为国务院领导之一和国家能源委主任的余秋里同志，一直十分关注着全国的石油生产尤其是“一亿吨包干”的事。他在北京召开的石油部厂矿长会上明确指出：“今后石油要继续大发展，要继续大踏步前进”。具体要实现“一个加深、三个开展、六个稳定发展”的奋斗目标。即：加深从松辽盆地到渤海湾盆地的广阔东部地区的勘探；开展准噶尔、陕甘宁、柴达木盆地的工作；继续稳定地发展大庆、胜利、华北、辽河、中原、克拉玛依油田生产。他为石油工业勾画的这幅发展蓝图，事后证明，之后几年的我国石油工业基本上是按这个轨迹运行的。

“全国稳产一亿吨，其中大庆5000万吨，胜利油田怎么办？”将军在此次会议上，向胜利油田的干部职工提出了这个问题。这也是他继抓大庆油田稳产5000万吨后，致力“建设第二个大庆”的一个宏愿。

1981年8月下旬，余秋里奔赴胜利油田。这个油田他不陌生。早在1964年，他两次在这儿蹲点，长期坐镇指挥，与石油工人一起，在一片盐碱滩上创建了这个油田。此次故地重游，老将军或巡视现场看望工人，或听汇报找人座谈，与油田的领导干部和地质专家们切磋，深入研究与讨论了胜利油田的现状与发展前景。油田干部大会上，他深情而又严肃地指出：胜利油田仍大有作为，大有发展前途。面对当时在胜利油田发展问题上存在的两种完全不同的观点——少数人认为胜利油田的黄金时代已过去，主张把现有产量大幅度降下来；大多数人则认为，胜利油田的生产基础比较雄厚，勘探领域还很广阔，资源十分丰富，还大有发展前途。对此余秋里明确表态：坚决支持大多数人的观点。接着，他用大量的事实与数据，从领域广阔、资源丰富、基础雄厚、潜力巨大以及技术装备不断进步等方面，向人们展示胜利油田大有可为的前景。

“你们现在搞到的储量相当于大庆储量的一半左右，大庆现在每年产5000万吨，你们为什么不能在这几年搞到2500万吨？”将军发问胜利人。继而他告诉他们：“从战略上讲，今后在勘探的深度与广度上，胜利油田不是走下坡路，而是要走上坡路；不是小发展、中发展，而是要大发展。这个油田，你们今天在座的同志，这一辈子是搞不完的。你们的儿子、孙子搞不完，你们孙子的孙子也是搞不完的……”

胜利人感到了鼓舞，看到了新的希望。他们对把自己的油田建成“第二个大庆”有了信心。这信心来自以下三个方面：

一靠科学。胜利油田有依靠科技攻克难关的好传统。“文化大革命”期间，广大地质人员克服没有先进设备的困难，采用“手摇计算器”、“手拉计算尺”的办法，处理了数以百万计的数据与资料，人称“人工三维地震”，在油田的勘探开发中发挥了重要作用。1981年初，胜利油田又发动广大地质人员，广泛收集与重新研究以前的“五老”（钻井、测井、地震、试油、地质）资料。在此基础上，车卓吾、刘兴材、陈斯忠、钱凯、李小孟、杨申镀等十几位石油地质专家，集中讨论了15天，得出胜利油田近期勘探的重点。随即油田又召开100多位专家学者参加的地质论证会。这实际上是胜利油田的一次地质“会诊会”，也是胜利油田的一次“规划会”。与会者情绪活跃，畅所欲言，座谈会连续开了半个月，有车卓吾、刘兴材、陈斯忠、钱凯、李小孟等34名地质学家作了综合报告和专题发言。这些报告，以大量的数据与资料，向人们展示了胜利油田广阔的前景。与这个座谈会相呼应，会议期间的许多夜晚，又有一些专家聚集一起，促膝商讨，彻夜长谈。他们计算着，思索着，争辩着……胜利油田的勘探部署和找油计划逐渐清晰起来。在论证会即将结束之际，主持人指着墙上那幅硕大的地质图，激情满怀地说：“综合各路专家的意见，胜利油田近期的勘探部署，可以按照刘兴材等同志提出的‘三类三十块’来实施：第一类可增加几十、百把万吨储量的十来块；第二类可增加几百、千把万吨储量的十来块；第三类可增加几千、亿把吨储量的十来块——当然这第三类目前只是个方向……”（胜利油田在并不长的若干年后，大大超过了这个预测。）

二靠先进的技术。有了主战场，发现了主要“敌人”，靠什么来打赢这一仗、来歼灭这股“敌人”？在石油业来说，就是要靠以钻井技术为主的一整套石油勘探开发的先进技术与工艺。在主管钻井的副指挥姚福林组织领导下，与钻井总工程师于万祥、钻井指挥部指挥张兆礼等人反复研究，提出了实现“解放钻速，解放泥浆，解放油层”的具体措施，并组织专门队伍对关键的技术工艺进行攻关。1986年他们提前50天完成350万米的全年钻井任务。尤其令人鼓舞的是他们在全国率先攻克与推广高压喷射，优选参数钻井技术，使全油田一百多部钻机的钻速大幅度提高，钻井质量也明显改善。而正是这一贡献，使日后在钻井指挥部召开的总结庆功大会上，年逾古稀的老部长康世恩，把屡建奇功的钻井队长与钻井工程师们请上主席台，当着几千人的面，向这些功臣们恭恭敬敬行了三鞠躬大礼。1987 年，他们又一鼓作气，全年打井 1959 口，钻井进尺 434 万米。胜利油田依靠先进技术，取得突飞猛进的进步，余秋里听取李晔的汇报后，异常兴奋地说："胜利"的胜利，是科学技术的胜利。

三靠人心。这是余秋里传下的石油作风。胜利油田的随矿职工家属，当年只有 3000 多户，这还是"文化大革命"前经层层申请批准解决的。70 年代以后，职工人数超过 10 万人，前几年虽然组织了一部分职工家属参加农业劳动，但还有大量户口在农村的职工家属不能随矿，即便随矿了多数也还是"黑人黑户"，不供应粮食，不分配住房，不准参加农副业劳动，娃娃上学没着落。这是胜利油田面临的"老大难"问题。1981 年以后，油田领导班子几经慎重研究，在山东省的关怀帮助下，划拨给几个农场和几十万亩盐碱荒滩。由负责后勤生活与职工家属工作的副指挥侯庆生统一组织与实施。于是，全油田彻底解决了职工两地分居问题。当时宣布：只要自愿，可以敞开大门让职工家属迁来油田开荒种地。真是石破天惊。"家属敞开来"，当时在石油厂矿是头一家。其反响与效果，不亚于几口千吨井同时喷油。众望所归，人心所向。工人们喜迎家属团聚。剩下的就是万众一心，为找油而战了！此刻，油田上下，人气大增。

四靠人才。1981 年初，胜利油田地质勘探处副处长、副主任地质师刘兴材给油田领导班子成员每人一份 11 万字的地质调查报告。这份报告积他在胜利油田 20 年潜心研究成果，立论严谨，从方方面面论证了胜利油田仍然大有希望，大有前途，深信胜利油田不但有油，而且有大油。为此，他还因不合"时宜"而屡坐"冷板凳"，被人贬为"刘大吹"。他无奈无助。刘兴材的报告得到了胜利油田领导班子的赏识，并根据他的表现，提拔了这位党外人士为油田副总地质师，之后不久，刘兴材升任为油田副总指挥兼总地质师。从此，刘兴材在这个岗位上，和许多同行在一起屡献良策，屡获成果，对胜利油田的发展和石油勘探理论都有重大贡献。这一期间，像刘兴材这样的技术人才获得重用，在胜利油田比比皆是。正是这些受重用的知识分子们努力的结果，为胜利油田能否成为“第二个大庆”提供了技术上的可靠依据：1982年初他们郑重提出的油田的“六类四十块”有利战略新生代：一类是新增2亿吨储量的一个——埕岛油田；二类是新增1亿吨储量的3个；三类是新增5000万吨储量的4个；四类是新增1000万吨储量的18个；五类是新增天然气储量20亿立方米的4个；六类是很有勘探前景的10个。事后经过勘探验证，以上前五类的目标都已基本实现。至此，在渤海湾盆地关于复式油气藏成油理论也逐渐形成，并于1985年获得我国首次颁发的国家级科技进步特等奖。

胜利油田在“第二个大庆”的征程上，开始了阔步前进。

1984年，胜利油田的地震与钻井工作量超过1982年、1983年之和。老井增产的292口，平均单井日产118.8吨，油田年产原油达到2304万吨。此后，一路攀高，到1988年实现年产原油3330.26万吨。

胜利油田稳居全国油田“老二”，直逼大庆。用胡耀邦当年在胜利油田定下的“第二个大庆”标准——“你产量达不到5000万吨，但如果地质储量先搞到30亿吨，产量又逐步上去，有一个可观的数目，比其他油田多，那也叫大庆嘛！叫第二个大庆嘛！”（引自《胡耀邦在胜利油田干部大会上的讲话记录》）

“但就在这个时候，‘妖风’刮来了。当时的国务院领导批示认为：胜利油田储量没落实，所以不支持大规模开发胜利油田，也更不提建设第二个大庆的事了。我也莫名其妙地由‘营长升为团副’……”李晔悲切地对我说。他所说的“妖风”是“上面”有人出于“别有用心”的目的，反对把胜利油田建设成“第二个大庆”和胡耀邦、余秋里他们致力的“建设十来个大庆”的战略思想。至于他所说的由“营长升为团副”，是指他及胜利油田的其他领导班子人员都被调整新职，他从油田厅局级干部升为山东省省级领导。

李晔等人的“石油情结”太深了，他对自己最终没能实现“老首长”余秋里提出的建设“第二个大庆”的战略目标而痛苦不堪，耿耿于怀地直到今日……这也有了他后来多次上书党中央、国务院领导，阔谈他的“石油富国理论”中那“字字句句都是血和泪”的哀号。

关于到底能不能把胜利油田建成“第二个大庆”和“建设十来个大庆”的宏愿可否实现，历史自然会做出结论。其实石油开采本身是件非常复杂的事，它既需要工作热情，更需要科学技术，同时还要一点“运气”，所以谁也说不准我们中国的地底下到底有几个“大庆油田”。贯彻科学发展观的理念才是正确道路。但有一点我深切地感到：余秋里和康世恩包括李晔等在内的一大批亲历大庆油田、胜利油田和华北油田等开发全过程的老一代石油人眼里，他们坚信这样的目标是能够实现的，或者换一种说法：作为一种奋斗目标，我们的石油工业事业无论在任何时候，特别是国家急需能源的时代，力争多建设几个大庆油田从绝对意义上也是值得和必需的。毫无疑问，如果按照余秋里、康世恩等老一代生前曾经畅想的石油战略思路实施，今天国家的石油工业很可能是另一种兴旺的景象，我国的经济建设也可能不会像现在不时受到能源紧张的局限和制约。

像我这样的一个外行，对此无法做出正确的判别。但我知道：我的主人公在晚年时有一件事始终有些不甘：这就是中国的石油工业如果战略上考虑得更成熟些，措施更加得力些，就不会出现像现在每年进口石油的比例那么大!

余秋里一生辉煌，一生豪气。然而他也有不畅的时候，这就是他的“石油情结”。1982 年，将军离开经济战线回到军队，几年后又在非常特殊的情形下向中央提交了一纸辞呈，彻底退出了工作岗位。而晚年在他尚有时间安静下来重新认真疏理前些年自己勾画的中国石油构想时，苍天则以残酷的方式剥夺了他作为人应有的基本生物能力。5 个年头、近 2000 个漫长的日日夜夜，将军一直在病榻上无知觉的空谷，坠向生命的尽头……

他的石油老战友康世恩的晚年也不畅。自“渤海二号事件”复出后，康世恩拖着病魔缠身的躯体，艰难地执掌着石油工业的巨轮航向。1994 年 5 月被确诊为肺癌。一年后的 4 月 21 日，康世恩在弥留之际，歪歪扭扭地写下一个“油”字后，便与世长辞，终年 80 岁……

老战友是在 301 医院去世的，那时余秋里也住在那儿，但他什么都不知道——这是植物人的最悲哀之处。据工作人员讲，1994 年 10 月，当得知余秋里将军一跤跌下后再没从病榻上起来的消息后，已是重病在身的康世恩立即退掉已安排好的到上海进行治疗的公务车，抱病来到病室探望。面对躺在病榻上全无知觉的老战友，康世恩一遍又一遍地喊着："余部长，你醒醒，我是老康呀！""你不是说好我们还要一起上大庆去看一看吗？"

将军什么也听不到，什么也不说，只睁着一对无光的眼睛朝天望着……康世恩为此老泪纵横。

1999 年 2 月 3 日晚 11 时 24 分，拖了近四年半的余秋里将军的心脏停止跳动，终年 85 岁。

哀乐响起的第一时间里，朱镕基总理来到将军的遗体前，深深地鞠下三躬。当总理再抬头时已是泪流满面。他喃喃地说着："我一定要来看看老领导，可我来晚了，来晚了……"

见此景，将军的五个儿女：圆圆、方方、晓霞、晓红、晓阳等，再也忍不住悲痛，欲绝的恸哭震得天坠地裂。301 医院的医生、护士们和将军身边的工作人员，跟着发出撕心裂肺的哭声，与 4 年多来朝夕相伴却无法用语言交流的老首长告别……那一幕让人心碎。

老夫人刘素阁轻轻地俯下身子，将自己的脸贴在丈夫的那张永远消失温度的冰冷的脸上，久久不起，在那儿缠绵地泣诉着："你一句话没留就这样走了，你总得有句话呀！你说呀！……"

将军无语，只有盖在他遗体上的那面镰刀与锤子组成的鲜艳红旗，在泪河与万朵鲜花簇拥下跃跃而起、如火如荼……

江河呜咽。苍天肃穆。

将军秋里来，将军春里去。

将军给中华大地上留下一个永不散去的国魂、军魂、石油魂……

# 出版说明

何建明先生是中国文坛著名作家，长年坚守在报告文学一线。“非典”、汶川地震、天津大爆炸、利比亚撤侨等重大事件发生时，何建明先生都尽可能出现在第一时间、第一现场，将第一手材料及时地呈现给读者，将中国故事讲深、讲透、讲生动、讲精彩。他强烈的责任感和使命感让人感动，其直面真相、忠于现实的精神令人钦佩，是中国当代报告文学界极有影响力的领军人物。

有感于斯，我社特收录何建明先生近40年创作的报告文学作品，结集为《何建明文集》三十卷出版。这些作品是对时代、社会、自然和人文的记录、呈现与见证，是作者响应时代的召唤，置小我于大我之中，循着时代背景和社会需求而创作的，完整、真实地表现了社会各个层面人物的喜怒哀乐，代表了当代中国纪实文学、非虚构创作的高峰水平，大气磅礴、激情豪迈，极具胸怀和气量。其中多部作品获得鲁迅文学奖、国家图书奖、“五个一工程”奖、徐迟报告文学奖等。

每个时代都有自己的特征，每部作品都有自己的特点。为了全面展示何建明先生历时40年创作内容、使用语言和文学风格的变化，本文集对何先生已发表的所有作品原则上不做修饰和润色，除特殊情况外也不做大的删节和修改，以保证今天的结集出版，仍不失当年作品的激情和味道。